ANTHOLOGIE
DE LA LITTÉRATURE ARGOTIQUE

DU MÊME AUTEUR

Le subjonctif. Comment l'écrire ? Quand l'employer ?
   Duculot, 1974.
Les cinq cents racines grecques et latines les plus importantes du vocabulaire français
   Duculot, 1979-1980.
La Vie du langage
   Coll. « L'Ordre des mots », Le Robert, 1979.
Cinq cents mots nouveaux définis et expliqués
   Duculot, 1979 (en collaboration avec Micheline Sommant).
Dictionnaire du français non conventionnel
   Hachette, 1980 (en collaboration avec Alain Rey).
Ça mange pas de pain, 400 expressions familières ou voyoutes de France et du Québec
   Hachette, 1982.
Trésors des noms de famille
   Belin, 1984.
Histoire de mots
   La Découverte - Le Monde, 1985.

Jacques Cellard

ANTHOLOGIE
DE LA
LITTÉRATURE
ARGOTIQUE
des origines à nos jours

MAZARINE

INTRODUCTION

Au moment de présenter au public une anthologie consacrée à l'argot, la moindre des choses est de s'interroger, après beaucoup d'autres, sur ce qu'il est au juste.

Le plus illustre de ces « beaucoup d'autres » est Victor Hugo lui-même, à vingt-six ans. Et, privilège du génie, ce qu'il en disait en 1828 dans *Le Dernier Jour d'un condamné,* reste vrai pour l'essentiel : « L'argot [...], c'est toute une langue entée sur la langue générale comme une espèce d'excroissance... »

Certes, l'argot n'est pas « toute une langue », ni même une langue au sens strict et savant du mot. Mais nous parlons couramment de la langue de Stendhal ou de la langue de l'administration, qui n'en sont pas davantage, et c'est ainsi que Hugo l'entendait : l'argot est une langue particulière greffée sur la langue générale.

Excroissance : le mot est remarquable. Il suppose une croissance désordonnée mais vigoureuse ; et croître, c'est s'enrichir. Quant à la greffe, elle est indirecte : ce n'est pas sur le français général (celui de la bourgeoisie moyenne) que l'argot est « enté », mais sur le français populaire, celui du petit peuple. Il lui emprunte son mouvement et sa construction, c'est-à-dire sa phonétique et sa syntaxe. Il lui apporte en contrepartie un vocabulaire dont l'abondance et l'originalité expliquent le nombre des dictionnaires qui lui ont été consacrés depuis les origines et dont le plus ancien, le *Dictionnaire en langage Blesquien avec l'explication en vulgaire,* « adjousté » en 1596 à *La Vie généreuse des mercelots,* si mince qu'il soit (une centaine de mots), n'en est pas moins le premier de nos dictionnaires puisqu'il précède de près de trente ans le *Thrésor de la langue françoyse* de Jean Nicot (1620), et de près de cent ceux de Furetière et de l'Académie.

Même s'il n'est à proprement parler qu'un vocabulaire, l'argot obéit à la même loi que le français général et que toute autre langue. Il n'a pas d'existence physique autonome immédiate et en quelque sorte palpable. Avant d'être quelque chose dans les livres, il vit dans la bouche (et dans la conscience) de celles et de ceux qui le parlent spontanément, naturellement, comme on parle sa langue maternelle.

A l'origine d'ailleurs, le mot ne désigne pas une langue, mais une communauté, celle des mendiants professionnels, « les bons pauvres », que la misère jette par milliers sur les routes de France dans les époques de désordre et de famine. Ils sont à l'occasion colporteurs, et leur confrérie — ou leur « compagnonnage » — est assez importante pour s'ériger, moitié réellement moitié dans l'imagination populaire, en un contre-royaume d'Argot, qui tient une « Cour » (des miracles), et a, comme la Cour royale, un langage bien à elle, le jargon.

Celui-ci (le mot) est ancien : c'est le *gergo trutanorum,* le langage des truands, évoqué par une chronique du XIVᵉ siècle ; et plus simplement encore le *jarc* ou *jar* de l'ancien français, revenu en faveur beaucoup plus tard. Le titre de l'un des textes majeurs de cette Anthologie — *Le Jargon de l'argot réformé* de 1628 — le dit clairement : le jargon est un langage ou une langue ; l'argot, une société. Un petit siècle plus tard, Antoine Furetière rappelle dans son *Dictionnaire universel* (1701) la signification première et classique du mot, et ajoute : « Argot est aussi le nom que les Gueux donnent à la langue ou jargon dont ils se servent, et qui n'est intelligible qu'à ceux de leur cabale. »

Cette idée d'un argot incompréhensible au commun des Français, *sinves, pantes* ou *caves* selon les époques, a fait très long feu. Elle inspire tous les auteurs des dictionnaires d'argot du XIXᵉ siècle qui affirment à l'envi, une main sur le cœur et l'autre sur le portefeuille, que s'ils livrent au public la collection d'horreurs récoltée dans les bagnes et jusqu'au pied de l'échafaud, c'est pour donner aux honnêtes gens le moyen de prévenir les entreprises de la « cabale » des malfaiteurs en comprenant ce qu'ils se disent « tout haut à l'oreille », c'est-à-dire en argot

Il y eut longtemps une bonne part de vérité dans cette représentation du « dévoilement » de l'argot. Celui qui s'était formé autour des années 1800, d'abord sur les galères du roy, puis dans les bagnes et dans ces bas-fonds de Paris où la police ne s'aventurait que rarement et en force, parlé par de vrais argotiers sans autre contact avec le monde que celui de leurs compagnons d'enfermement, n'était effectivement compréhensible qu'à eux, comme voici cinquante ans le louchébèm, le verlan ou le javanais parlés par des virtuoses de ces « jargons dans le jargon ».

Cette inintelligibilité n'était pas consciemment concertée et maintenue par les têtes pensantes (les académiciens, si l'on veut) de la mauvaise société. Elle résultait naturellement des mécanismes par lesquels se forme, se déforme et se reforme sans cesse l'argot à toute époque : le maintien en survivance de mots archaïques (*arton* pour « pain », *ornie* pour « volaille », viennent très anciennement du grec) ; la modification volontaire de mots du vocabulaire général ; l'emprunt à des langues ou à des jargons étrangers ; et surtout le recours continuel à la métaphore et à la métonymie, dans lesquelles un objet est désigné par sa caractéristique la plus utile ou la plus « parlante ». Si facile que paraisse le procédé, à tort d'ailleurs, nommer *luisant* le soleil, *moucharde* la lune, *lourde* une porte, *dure* la terre sur laquelle on couche, *pelé* le chemin, *quilles* les jambes et *louche* la main, c'est prendre une bonne longueur d'avance sur le bourgeois respectueux de sa langue, qui appelle un chat un chat, et jamais un *greffier*.

Encore faut-il le faire assez spontanément pour que les mots-pièges se succèdent dans une file rapide, qui rend impossible la poursuite. C'est pourquoi on ne dit pas parler, ni même jacter, mais *dévider le jar*. N'est pas argotier qui veut, même en faisant de *La Méthode à Mimile* son livre de chevet. Il faut pour utiliser et surtout pour renouveler le vocabulaire argotique une tournure d'esprit qui porte au plaisir de dire, d'intriguer, d'émouvoir ou d'amuser ; et une expérience de la vie large et diverse. A Albert Paraz qui lui avait parlé « d'une Académie d'argot qui vient de naître [février 1948], présidée par Carco, un dur très bourgeois, accordéoniste farci de charmantes qualités mais qui n'a qu'un tort, c'est de ne pas parler l'argot et de ne pas l'écrire », Céline répond :

« Ils nous font chier avec l'argot. On prend la langue qu'on peut, on la tortille comme on peut, elle jouit ou ne jouit pas. Voltaire me fait jouir, Bruant aussi. C'est le pageot qui compte, pas le dictionnaire. Tous ces rafignoleurs d'argot suent l'impuissance. Les mots ne sont rien s'ils ne sont pas notés d'une petite musique du tronc... On peut écrire à la Sévigné une lettre à la petite cousine qui fasse pâmer les débardeurs.

On peut rendre des viols en Chautard, chiadés Villon, Rictus, la Maub, que tout un régiment débande*. »

L'argot est avant tout une langue qui se parle et qui s'écoute. Il y a donc quelque chose d'incongru et presque d'inconvenant dans le rapprochement de ces deux mots : argot, littérature. Le premier sous-entend la joyeuse liberté de la parole. Le second, la discipline sévère de l'écrit.

Il n'empêche que de très bonne heure et à peu près constamment dans son histoire, l'argot s'est écrit, imprimé et édité ; plus ou moins selon les époques et plus ou moins bien selon les hommes. Suffisamment cependant pour qu'il soit possible de puiser dans cette littérature les matériaux d'une anthologie ; celle-ci ou une autre, d'ailleurs, un choix étant inévitablement le choix de quelqu'un, et non une opération mécanique.

Il faut entendre ici « littérature » au sens le plus large : tout texte daté de façon à peu près certaine, qu'il ait été écrit avec des intentions — ou des prétentions — littéraires, ou qu'il s'agisse de simples documents, comme le sont les dictionnaires.

En somme, ces textes s'offraient à nous — on me passera cette comparaison familière — comme le fromage et le dessert sur le menu d'un restaurant. Le fromage, c'était la valeur documentaire et historique ; le dessert, la qualité littéraire. Les dictionnaires, les récits de policiers, les souvenirs de bagne, ce n'est à peu près que fromage. Hugo ou Balzac, grands écrivains et piètres argotiers, ce n'est que dessert. Bruant, Rictus, Céline et quelques autres, bons argotiers et grands écrivains, c'est fromage ET dessert.

A côté de ces deux sources, qui forment la plus grande partie de notre Anthologie, nous avons retenu quelques textes de réflexion sur l'argot, écrits en français banal ; et d'autres, fabriqués besogneusement à coups de fiches, mais qui contribuent pour leur part à notre connaissance du sujet.

Nous nous sommes efforcés de maintenir un juste équilibre entre ces différentes catégories ; ce qui revenait à répartir le moins mal possible le plaisir de lire et la satisfaction de savoir. L'une et l'autre supposaient que les textes choisis soient pré-

* A. Paraz, *Le Gala des vaches,* Balland éditeur, 1974, p. 218.

sentés, expliqués, éclairés et souvent même traduits. Tout Français est aujourd'hui capable, au prix de quelques erreurs ou approximations, de lire un texte argotique contemporain. C'est déjà moins vrai pour ceux de la période qui va de 1900 à 1940. A mesure que l'on remonte dans le temps, les obscurités se font plus nombreuses, surtout s'il s'agit de textes authentiquement argotiques ; et ne parlons que pour mémoire des textes antérieurs à 1800, dont l'argot est aujourd'hui une langue morte.

Il n'était pas concevable de les donner à lire tels quels, sans les traduire, ou au moins sans donner au lecteur le moyen de les traduire. Mais il ne l'était pas davantage de *tout* traduire. Il nous a donc fallu naviguer à vue entre les deux écueils du trop et du trop peu. Le trop, c'était de noyer le texte d'origine sous les traductions et les commentaires lexicaux ; le trop peu, de laisser le lecteur face à des difficultés d'interprétation qu'il ne pouvait résoudre seul.

Nous avons plus souvent penché du côté du trop. L'histoire des mots est en effet une part essentielle de l'histoire de l'argot lui-même ; et une part qui n'est jamais ennuyeuse.

S'agissant des textes eux-mêmes, nous n'avons pas hésité à donner de larges extraits, et parfois l'intégralité, de ceux qui ont disparu des rayons des bouquinistes et ne se trouvent plus, et encore ! que sur ceux de la Bibliothèque nationale. Ici encore, nous avons dû choisir entre le nombre de textes présentés et leur étendue. Cette dernière nous a généralement paru préférable. Mieux vaut se faire une idée convenable d'un roman ou d'une pièce de théâtre à travers des extraits consistants, que de survoler une mosaïque de dix auteurs.

Par voie de conséquence, des auteurs contemporains, dont les œuvres se trouvent facilement, et souvent dans des collections de poche, ne figurent pas dans notre Anthologie. A cette raison matérielle de leur absence, s'en ajoute une autre, qui tient à l'évolution même de la littérature argotique.

Celle-ci a été, dès l'origine, une « bonne affaire » pour les éditeurs. Des ouvrages comme *Le Jargon de l'argot réformé* (1628), *Les Voleurs* de Vidocq (1836), dont la valeur littéraire est à peu près nulle, ont été à leur époque des succès de librairie étonnants et durables. Ils faisaient entrer, le temps de la lecture, un public très petit-bourgeois de goûts littéraires et de mœurs dans un univers qui lui restait par ailleurs étranger et fermé. Il y avait, voici un siècle, un abîme entre les modes de vie de la société argotique caricaturée par Bruant dans *Les Bas-Fonds de Paris,* et ceux du public qui le lisait. Cet abîme était encore profond cinquante ans plus tard, dans les années 30, entre les souteneurs et les filles racontés par Jean Galtier-Boissière ou Edmond Heuzé et leurs lecteurs. En somme, la littérature argotique tirait sa vigueur et souvent sa qualité de la vigueur et — pourquoi pas ? — de la qualité humaine d'un « royaume d'argot » solidement enraciné dans la boue des « fortifs », et, si l'on peut dire, dans le pavé de la Butte Montmartre ou des Halles.

Phénomène plutôt campagnard et nomade à ses origines, mais spécifiquement parisien après les années 1850, l'argot — et par conséquent sa littérature — s'est nourri dès lors des rapports de familiarité amusée et un peu complice qui associaient ses producteurs (ou si l'on veut, ses créateurs) et ses consommateurs, qui étaient pour une bonne part ses lecteurs.

Les premiers, professionnels de la cambriole ou de la prostitution, mais aussi clochards, biffins, traîne-savates, petits voyous des guinches de barrière, camelots, habitués des courtines, étaient, en dehors de ces activités blâmables, des Parisiens comme les autres ; et même, de l'avis général, plus que les autres. Le Gavroche des *Misérables* (1862), à ce point typé qu'il en est aussitôt stéréotypé et passe dans la langue commune (un gavroche, une réplique gavroche), est à l'occasion délinquant : il aide à l'évasion d'un malfrat confirmé, Thénardier, qui se trouve être son père, son dab. Mais c'est avant tout un enfant de la rue. On le retrouve à vingt-cinq ans, apprenti-casseur ou barbillon à la manque, dans toute la littérature argotique des années 1870-1960, et jusque dans les personnages de *Mort à crédit* (L.-F. Céline, 1936) et de *Guignol's band* (L.-F. Céline, 1952). C'est aux Six Jours du Vel d'Hiv, manifestation culturelle et tribale fondamentalement parisienne, que font connaissance, dans le *Fric-Frac* d'Édouard Bourdet (1936), un petit employé bien sage, Marcel, et un couple qui l'est fort peu : Jojo, forceur de coffiots bien noté sur la place, et Loulou, « artiste », dont l'homme, Tintin, est malheureusement « au placard ». Ce qu'ils ont en commun, c'est d'être — y compris la fiancée bon chic bon genre de Marcel — du même petit peuple parisien, celui qui connaît la difficulté de vivoter au jour le jour, le diable des Halles et celui qu'on tire par la queue, et les ficelles du système D comme Débrouille ou Démerde.

Les seconds sont d'abord les premiers eux-mêmes. L'argot, dirait un économiste, vit beaucoup en autoconsommation. Cela est moins vrai de la littérature argotique, peu prisée par les intéressés, et pour cause : ça, ils connaissent, sais-tu ! Cependant ses lecteurs n'appartiennent plus, après 1950, à la même bourgeoisie qu'avant. Le Paris du Forum des Halles n'est plus du tout le Paris des Halles. Mauvais lieux très fréquentables, la Villette et la Bastoche sont en passe de devenir d'infréquentables mauvais lieux de l'inculture contemporaine. Depuis un siècle, l'inévitable cours des choses pousse hors de Paris ceux qui en faisaient la richesse argotière. Le Jésus de Carco ne se plairait guère dans « la Caille » (la Butte-aux-Cailles) d'aujourd'hui ; ni les vieux Montparnos dans une rue de la Gaieté le long de laquelle le riz cantonais, les tadjines, la pizza, la paella et les souvlakis ont triomphé, mètre après mètre, du bœuf bourguignon et de la gibelotte de chalapin. Misère de nous !

Tant et si bien va ce foutu cours des choses que les derniers argotiers d'aujourd'hui, Albert, Alphonse, Lulu ou Bébert (c'est-à-dire dans l'ordre Simonin, Boudard, Lucien Aurousseau ou Robert Lageat) sont ou étaient des hommes de soixante balais et plus. Par ailleurs, la littérature argotique d'aujourd'hui n'est plus, hormis de belles exceptions, qu'une littérature policière. Si bon qu'ait été dans les années 1950 l'argot de la « Série Noire », il sentait déjà le musée.

Quant à l'argot en gestation de ceux et celles qui ont vingt ans aujourd'hui, il est encore trop tôt pour en parler. Il sera sans doute aussi différent de celui de Lageat ou de Boudard que ceux-ci de l'argot de Vidocq. Attendons.

A quelques célébrités près, les auteurs cités dans notre Anthologie sont soit inconnus, soit méconnus, comme par exemple Henry Monnier, Oscar Méténier ou Jean Galtier-Boissière. Et quand il s'agit de textes anonymes, l'obscurité est complète.

Nous avons donc accompagné les textes de nombreuses et larges notices de présentation et d'explication. L'humeur du lecteur lui fera regretter tantôt l'insuffisance de tel commentaire ou de telle biographie ; tantôt la place qu'ils occupent par rapport aux textes eux-mêmes. C'est le sort de toutes les anthologies, ouvrages bâtards s'il en est et dont on ne sait trop qui est la sauce et qui est le poisson, de prêter le flanc à ce genre de critique. La nôtre n'échappe pas à la règle.

Heureusement pour son signataire, les deux nécessités entre lesquelles il a été constamment tiraillé — offrir le plus possible de textes, mais ne rien laisser dans l'ombre — sont plus complémentaires que contradictoires. Le nombre de textes retenus nous a cependant paru assez grand et leur choix assez éclectique, non pas pour épuiser la réalité de cinq siècles d'argot, mais pour aider un jour à en écrire l'histoire.

C'est au lecteur, désormais, à dire si cette prétention n'était pas impertinente.

Jacques CELLARD

LES ANCÊTRES

1450-1789

Les premiers mystères de l'argot

Une anthologie, tous nos lecteurs le savent, est un choix de textes. Encore faut-il disposer de textes entre lesquels choisir. Ce ne sera le cas, en ce qui nous concerne, que très tardivement, après 1800. Jusque-là, les textes argotiques sont si rares qu'on est trop heureux de les citer tous, ou presque tous. Curieusement, ils apparaissent non pas isolément et se succédant à peu près régulièrement dans le temps, mais groupés, « en cortège » en quelque sorte, chacun de ces groupes étant séparé du suivant par un long intervalle.

Le premier de ces cortèges occupe les années 1450 à 1470 environ, à une époque où la littérature française de langue d'oïl est déjà riche de centaines de chansons de geste, de lais amoureux, d'épopées chevaleresques, de « romans » et de fabliaux. Après quoi, nous le verrons, vient une longue période de silence ou d'absence, que rompt l'arrivée du second cortège, celui des années 1580-1630.

Est-ce à dire que l'argot n'existait pas avant les années 1450 ? Non, bien sûr. Mais qui se souciait au Moyen Age de recueillir et de transcrire des échantillons du langage des gueux ? Ni les gens d'Église ni les ménestrels ou les trouvères, clients de l'aristocratie cultivée.

Heureusement, à côté de la littérature des cours princières, prospérait une immense littérature à l'usage du peuple : celle des mystères. Les plus anciens remontent au XIIIe siècle ; les plus célèbres occupent tout le XVe. C'étaient alors, dans leur pleine splendeur, des spectacles gigantesques qui pouvaient compter jusqu'à cinquante mille vers et dont la représentation s'étalait sur plusieurs jours.

S'adressant au menu peuple, les mystères (ou plutôt les mistères) parlent sa langue ; et à l'occasion, son argot. L'escholier **François Villon** avait à peine vingt ans que l'on jouait déjà à Paris et ailleurs *Le Mistère du Vieil Testament par personnages,* qu'il vit certainement et dont il goûta peut-être particulièrement l'épisode qui met en scène les préparatifs de la mise à mort d'Aman, favori du roi des Perses, Assuérus, dont la belle Esther, favorite de ce même Assuérus, a obtenu la tête.

Le maître bourreau Gournay et son valet Micet parlent à cette occasion un argot qui est à peu près celui des ballades en jargon de Villon (voir ci-après, p. 28-32). Micet est sans doute un étranger, d'où, par un procédé facile, des maladresses d'expression qui amusaient les spectateurs de l'époque.

Le sens général de leur dialogue est clair : de toute antiquité, les vêtements du supplicié ou du condamné à mort appartenaient aux bourreaux. Gournay et Micet se proposent donc de *pier* (boire) un bon coup (une *pie*) à la santé et aux frais du malheureux. Micet, pour sa part, espère bien tromper son maître Gournay dans ce partage. Il ira à la friperie de son côté, « vendre sa marchandise » et, ajoute-t-il en aparté :

« Je ne serai pas si connard
Que je n'en mette un grain à part,
De quoi Gournay n'en saura rien. »

Eh oui ! Vous avez bien lu : *connard*, stupide, maladroit, qui nous paraît si moderne, était déjà connu des Français du Moyen Age et les faisait déjà rire. Mais le maître bourreau n'est pas tombé, lui non plus, de la dernière pluie. « Vous cherchez à me beffler, à me tromper, dit-il à son valet. Croyez-vous me dérober cette belle aumusse (un grand capuchon fourré) ? Quel malin (quel prud'homme) ! »

Conciliant, Micet propose alors de faire moitié-moitié du « joli georget » (un autre vêtement) et des tirandes, et d'aller en dépenser (en despendre) sur-le-champ le produit en boissons « de haut goût ».

Nombre de mots de ce dialogue se retrouvent dans des textes de la même époque ou postérieurs. Ainsi *pier*, boire ; *ceste mate*, cette ville ; *gourdement*, bien, très bien ; *ma feulle sera gaudie*, ma bourse sera pleine ; les *tirandes*, les chausses, la culotte ; un *beffleur*, un voleur, devenu dans les ballades un *bleffeur* ; *mettre la poue* (sur quelque chose ou quelqu'un), mettre la main sur, dérober, arrêter ; *joncher*, tromper, duper, escroquer.

GOURNAY. — Micet ?
MICET. — Gournay ?
GOURNAY. — Happe la charge,
Et entonne ce ront au creux.
MICET. — Mon maist, atendez, si tu veux.
Que diable ! tu avez grant haste,
Nous pierons en ceste grant mate
Gourdement : vecy chose grosse.
GOURNAY. — Or taillé avons quelque endosse ;
Elle n'est point de minerie.

MICET. — Gournay, c'est toute gourderie.
Vecy bon fons pour la pience.
GOURNAY. — Est-il homme de congnoissance,
Ou nous le pensons mettre en plaint...
Où vas-tu ?
MICET. — A la freperie ;
J'y trouveray Martin marchant.
La fourrure en sera gaudie...
GOURNAY. — Or va, n'arreste point, beau sire ;
Si irons croquer ceste pie.
MICET. — A ce je ne failliray mie.
Quant je puis croquer de ce moust
Qui me semble de si bon goust,
Je suis guery de la pépie.
Je vays vendre ma marchandise,
Et ne seray pas si cosnart
Que je n'en mette ung grain à part
De quoy Gournay n'en saura rien ;
Et au retourner je sçay bien,
Ou entré soie en mal an,
Se je n'ay le georget d'Aman,
Dont ma feulle sera gaudie,
Et les tirandes, sur ma vie.
Je le feray et sans mot dire.

. . . .

Bien gourt me sera ce pourpoint.
GOURNAY. — Voullez-vous avoir le pourpoint ?
Ha, ha ! quel vaillant serviteur !
Par tous noz dieux, maistre beffleur,
Vous venez à la befflerie.
Et cuidez-vous par tromperie
Confoncer ceste aumuce gourde ?...
Se dessus eussez mis la poue,
C'est ung poeson ; mais quoi ? il noue.
Ne me jonche point. Quel preudomme !
MICET. — A dea ! mon maistre, c'est la somme
Que ce jolli georget joyeux
Au vray apartient à nous deux,
Et les tirandes sans attendre.
Il les convient bien tost despendre.

***

Un autre mystère, si célèbre et si populaire que Villon le vit certainement représenter et en connaissait sans doute par cœur bien des passages, est celui qu'écrivit et fit jouer dans les années 1452-1458 l'illustre **Arnoul Gréban** (environ 1420-1471), maître ès arts, organiste et directeur de la maîtrise de Notre-Dame, dont le poète-mauvais garçon suivit peut-être même les cours de théologie avec le peu de succès que l'on sait.

C'est à un continuateur (il serait plus juste de dire un « copieur ») d'Arnoul Gréban, **Jean Michel,** que nous devons une *Passion* de 1486 qui reprend le thème populaire de « l'assemblée des tyrans », c'est-à-dire des bourreaux qui se partagent les effets du condamné à mort. Celui de la *Passion Jésus-Christ* est évidemment le Christ lui-même, et dans l'épisode qui suit, les gardes (les sergens) de Ponce Pilate, « repassent » leur condamné à ceux des grands prêtres de Jérusalem. S'ensuit un dialogue de soudards dont voici une traduction approximative :

— Salut, fiers bandits ! s'exclame Griffon. Comment se portent Vos Seigneuries (les millours, les « milords ») ?
— Très bien, en pleine forme, répond Dragon.
— Où courent-ils ainsi sur le soir ?
— Nous allons taper sur le dos de quelque dupe, répond Gadifer.
— Est-il de haut rang (haut sire) ? Est-il riche ?
— Hé non, répond à regret Malchus. Il est sans le sou (mince de caire). Il n'a ni vêtements (ni tyrandes ni endosses), ni argent (ni aubert), ni bijou de valeur (temple), ni pain ni paille (ne pain ne poulce). Il est « tout à sec ».
— Alors (c'est Roullart qui parle), nous allons l'examiner sous le nez (le luer au bec) pour lui faire peur.
— Et l'argent pour payer nos frais (l'estoffe pour le deffray) ? demande Griffon, qui en donne (en fonce) ?
— Eh bien, les millours (les milords, les riches), répond Dentart ; sans doute les riches amis de Jésus.
Quant à Orillart et Claquedent, ils ramasseront (grupperont) beaucoup d'argent (force d'aubert) en pressurant ces richards (ils fonceront les gros à la foulle, en les pressant).

L'interprétation de ce dialogue reste incertaine. Le voici cependant :

GRIFFON. — Dieu gard les gueux de fier plumaige.
Comme se compassent millours ?
DRAGON. — Estoffés, moussus, sains, drus, gours.
BRAYART. — Où brouent-ilz present sur la sorne ?
GADIFER. — Nous allons donner sur la corne
A quelque duppe.
ORILLART. — Est-il haussaire ?
CLAQUEDENT. — Est-il gourt ?
MALCHUS. — Mais mince de caire ;
Il n'a tyrandes ne endosse,
Aubert, temple ne pain ne poulce.
Le marmyon est tout à sec.
ROULLART. — Nous y allons luer au bec
Pour le vendenger à l'effray.
GRIFFON. — Et d'estoffe pour le deffray,
Qui en fonce ?
DENTART. — Oui, les millours.
BRAYART. — Son procès va donc à rebours,
S'il est grup ?
ORILLART. — Devant qu'on s'i soulle,
Les gros fonceront à la foulle,
Et force d'aubert grupperon.
CLAQUEDENT. — Nous mouldron franc, et si aron
Pain en paulme pour les souldars.

***

Le troisième de nos mistères, celui de *Saint-Christophe,* est postérieur non seulement à Villon, mais à l'édition de 1489 de ses œuvres, parmi lesquelles étaient les six ballades en jargon. On y retrouve des souvenirs probables de ces ballades, ainsi les *coffres massis* (la prison); *circoncis des ances,* « essorillé », châtré des deux oreilles, châtiment appliqué à l'époque aux voleurs.

Deux coquins, Barraquin et Brandimas, se retrouvent et s'informent de leurs dernières aventures et de celles d'un certain Arquin : il a été pris (gruppé) et roué (mis en roue) par défaut d'un *allegruc* (?). Barraquin a été lui aussi arrêté et mis aux fers (aux gros septz, ou ceps). Il s'en est échappé. Heureusement pour toi ! lui dit Brandimas. On n'attendait plus que le *télart* (?) pour te pendre haut et court.

Brandimas, lui, a été tout bonnement remis en liberté par

l'*embourreur* (l'amboureux, le geôlier) à coup de poings ferrés (de torches de fer).

— Quelle aventure (quel déduit)! En attendant, concluent nos deux truands, cachons-nous dans le bois pour y guetter quelque passant « bon à faire » (quelque syrois). Et s'il y a de l'argent à lui voler (des grains à l'emblée), on lui coupera la tête.

C'est le mot de la fin de ce dialogue, que voici :

> BARRAQUIN. — Où est Arquin?
> BRANDIMAS. — Il fait la moue
> A la lune.
> BARRAQUIN. — Est-il au juc?
> BRANDIMAS. — Il fust gruppé et mis en roue
> Par deffault d'ung allegruc.
> BARRAQUIN. — Et toy?
> BRANDIMAS. — J'eus longuement le pluc
> De pain et d'eau, tenant au gectz.
> BARRAQUIN. — Comment eschappas-tu?
> BRANDIMAS. — Ce fut
> Pour une ance et l'esparges.
> BARRAQUIN. — Le rouastre et ses subjectz
> Me mirent aux coffres massis
> Par les piedz tenant aux gros septz.
> BRANDIMAS. — Y couchas-tu?
> BARRAQUIN. — J'estois assis.
> Quant ce vint entre cinq et six,
> Dedans les septz laissay ma guetre,
> Et, de paour d'estre circoncis
> Des ances, saultay la fenestre.
> BRANDIMAS. — Cela fust bien ung tour de maistre.
> BARRAQUIN. — Pourquoy?
> BRANDIMAS. — Hé, povre berouart!
> Ta sentence estoit jà preste.
> L'on n'atendoit que le telart
> Pour te pendre hault comme ung lart,
> Nonobstant tout ton babinage.
> BARRAQUIN. — Je m'en brouay au gourd piard.
> BRANDIMAS. — Et je demouray au passage.
> BARRAQUIN. — J'eschaquay.
> BRANDIMAS. — Et j'estois en cage.
> BARRAQUIN. — Je pietonnay toute la nuict.
> BRANDIMAS. — Et l'embourreur pour tout potage

Me mist dehors par saulconduyt
A torches de fer.
BARRAQUIN. — Quel desduit !
BRANDIMAS. — Tousjours quant la guerre est finée,
L'on trouveroit de pain mal cuyt
Ainsi que nous une fournée.
BARRAQUIN. — Embuschons-nous soubz la feullée
Pour attendre quelque syrois.
BRANDIMAS. — S'il avoit des grains à l'emblée,
On luy raseroit le mynois.

Les ballades de mauvaise vie

Son nom seul fait rêver. Et d'abord, comment le prononcer ? Vi-yon, comme papillon, Vilon comme village, ou même Vi-lyon, comme million ? Comment le prononçaient les bonnes gens de cette difficile fin du Moyen Age ?

Cela au moins, nous le savons par **François Villon** lui-même, qui demanda que l'on écrivît autour de la fosse qu'il s'était préparée, en manière de plaisanterie, dans la chapelle Saincte Avoye, l'épitaphe suivante :

> CY GIST ET DORT EN CE SOLLIER,
> QU'AMOURS OCCIST DE SON RAILLON,
> UNG POVRE PETIT ESCOLLIER,
> QUI FUT NOMMÉ FRANÇOIS VILLON.
> ONCQUES DE TERRE N'EUT SILLON...

L'affaire est entendue : c'est Vi-yon, comme *raillon* (aujourd'hui rayon), ou comme *sillon*.

Il est né à Paris (« près de Pontoise », ironise-t-il), probablement en 1431, l'année même où mourait

> ... Jehanne la bonne Lorraine,
> Qu'Anglois brûlèrent à Rouen,

d'une famille pauvre, de très petite bourgeoisie. Le « de » qui précède le nom de son père (de Montcorbier) ou celui de son père adoptif (de Villon) indique le lieu d'origine, et non une noblesse quelconque.

Ce père meurt tôt. François est adopté par maître Guillaume de

Villon, homme d'Église, professeur de droit religieux et personnage respecté du Paris d'alors. Il est l'ami de tout ce que la capitale compte de personnalités de l'administration et de la magistrature.

C'est à ces relations que le poète devra à plusieurs reprises l'indulgence de la justice. Visiblement, son « plus que père » a inlassablement espéré le ramener dans le droit chemin, celui qui mènerait notre étudiant (doué, c'est évident) à quelque charge honorable et lucrative. Mais rien n'y fait. Le jeune François a dans le sang le goût de la canaille, du tapage, des tavernes et des bordels. Sans doute supporte-t-il mal ce statut d'enfant adoptif ; plus mal encore l'embourgeoisement qui l'attend ; certainement aussi sa « chétiveté » physique et ce qu'il faut bien appeler sa laideur, qui lui interdit de séduire une belle et riche héritière et l'oblige à s'adresser aux « filles mignotes », aux prostituées.

Tout cela ne va pas bien loin ; des fanfaronnades, des plaisanteries plus ou moins spirituelles, des farces d'écolier. En juin 1455, c'est l'accroc, ou l'accident. Villon est pris à partie par un prêtre qui n'est pas, lui non plus, « blanc-bleu », Philippe Sermoise. Affaire de tricherie ? de fille ? On ne sait trop. Toujours est-il que Villon blesse mortellement Sermoise. Il se planque à quelques lieues de Paris. L'affaire vient devant les juges. Il y a eu mort d'homme, mais Villon a l'excuse de la légitime défense. Ce n'est d'ailleurs pas un chenapan, ni un trublion, et encore moins un petit truand, constate la lettre de rémission (c'est-à-dire la déclaration de non-lieu) que lui accorde le roi en janvier 1456 : « Ledit François Villon s'est toujours bien et honorablement gouverné, sans avoir jamais été attaint, reprins, ni convaincu d'aucun autre villain cas, blasme ou reprouche, comme à homme de bonne vie. »

Il n'empêche. Du vin aux bagarres et des putes à l'arnaque, il n'y a qu'un pas, bientôt franchi. Loin de se ranger, comme l'y invitait indirectement la lettre de rémission, il en rajoute : dans la nuit de Noël 1456, il prend part, avec deux truands confirmés, Colin de Cayeux et un certain maître Jean ou Petit-Jean, à un coup particulièrement tordu : le « casse » du coffre du Collège de Navarre, le plus riche établissement d'enseignement du Paris d'alors.

Butin : cinq cents écus d'or, une très grosse somme, dont il lui revient cent ou cent vingt, son « fade », aussitôt « flambé » crapuleusement sans doute : « Tout aux tavernes et aux filles. »

Se sent-il soupçonné ? Ou est-il chargé par les coquillards de *dessarquer* un nouveau casse (c'est-à-dire de le préparer en s'informant), cette fois à Angers ? Il peut y avoir des deux dans son départ pour l'Anjou, dans les premiers mois de 1457. Quoi qu'il en soit, il est arrêté en 1461 près d'Orléans, mis à la question, mais libéré en octobre à l'occasion du passage de Louis XI dans la ville. Est-il assez naïf pour croire l'affaire du Collège de Navarre oubliée de la justice ? Ou compte-t-il sur un nouveau pardon ? Toujours est-il qu'il « remonte » à Paris en 1462. Il est aussitôt « alpagué » et « enchtibé » par une police qui n'était pas plus mal faite alors qu'aujourd'hui.

Le fait est que les protections qui l'entourent sont toujours aussi efficaces. Le poète est libéré contre la promesse de rembourser les cent vingt écus d'or qu'il a tirés du « casse ». Il va sans dire qu'il n'en a plus le premier sou. Les juges royaux auraient-ils été naïfs à leur tour ? Je crois plutôt qu'ils ont voulu lui donner une dernière chance.

Peine perdue : quelques semaines plus tard, il est d'une expédition punitive contre le notaire Ferrebouc, puissant personnage qui avait requis contre ses complices et lui dans l'affaire du Collège.

Cette fois, c'en est trop. D'ailleurs, il vient d'y avoir grand remue-ménage dans la justice parisienne, et Villon a perdu ses protecteurs les plus constants. Il est donc condamné à être pendu « jusqu'à ce que mort s'ensuive ». Contre toute espérance raisonnable, il fait appel du jugement ; et surprise, sa condamnation à mort est commuée en dix ans d'interdiction de séjour — dix longes de trique. Il lui est enjoint de quitter Paris sur l'heure. Nous sommes le 8 ou 9 janvier 1463.

Après cette date, nous ne savons plus rien de lui ; rien de certain, ni rien de probable ; pas même quoi que ce soit de possible, jusqu'en 1489. Cette année-là, maître Pierre Levet, un des pionniers parisiens de la toute nouvelle « imprimerie », édite *Le Grand Testament Villon et le petit. Son codicille. Le jargon et ses ballades.*

Nous y voici donc. En 1489, Villon n'aurait eu que cinquante-huit ans. N'aurait eu... ou n'avait ? Les lais du prétendu *Petit Testament* et les poèmes du *Grand Testament* étaient certainement copiés et recopiés depuis la disparition de Villon. Mais les ballades ? Comment leur texte est-il parvenu à Levet ? De bouche à oreille, ou par un manuscrit digne de foi ?

Scientifiquement ou juridiquement parlant, nous n'avons comme garantie de l'attribution des ballades argotiques à Villon que la parole de son imprimeur-éditeur, vingt-six ans après que le poète s'est littéralement évanoui dans la nature, « tricard » de Paris. Aucun témoignage ne confirme qu'il est bien leur auteur ; celles-ci n'ont pas, il s'en faut, la qualité technique, le « ton », du reste de l'œuvre.

Qui les comprenait encore en 1489 ? Qui pouvait les apprécier ? En quoi était-il important qu'elles fussent imprimées en même temps que les *Testaments* qui, eux, étaient déjà des « classiques » à cette date ? Autant de questions qui resteront longtemps sans réponse sérieuse.

La deuxième des six ballades argotiques de 1489 fait état de la mort au gibet de l'homme qui paraît avoir été le mauvais génie de Villon : Colin de Cayeux, dit l'Ecailler ; un coquillard, comme René de Montigny, autre voyou avéré et autre « social » de Villon. Or Colin de Cayeux a été pendu en septembre 1460. Si, comme il est vraisemblable, l'ordre des ballades, tel que le donne Levet, est celui qu'avait voulu le poète et celui dans lequel elles ont été écrites, elles n'ont pu l'être qu'entre la fin de 1460 et le début de 1463.

Pourquoi Levet les a-t-il jointes aux *Testaments* ? Et pourquoi Villon les a-t-il écrites ? On ne peut répondre que très imparfaitement à ces deux questions.

Pour l'éditeur des ballades, leur intérêt était surtout commercial. Il y avait certainement déjà un public pour l'argot, même si les exploits des coquillards, entre 1450 et 1460, relevaient alors de l'histoire ancienne. La publication des ballades contribuait puissamment à créer la légende de « maître François », le poète mauvais garçon. Et puis, six textes de plus ne sont pas à dédaigner quand il s'agit de vendre un volume de ce genre.

Dans l'esprit de leur auteur (ou de leurs auteurs ?), à qui s'adressaient les ballades ? Et pour dire quoi ? Réponse traditionnelle : Aux coquillards, pour les adjurer de se garder de la police, de la justice, des bavards ou des traîtres. D'où l'idée qu'elles constitueraient une sorte de message codé par lequel Villon avertirait ses compagnons et complices que la justice les a à l'œil.

Ce n'est même pas vraisemblable. On verra au chapitre suivant que nombre de coquillards étaient tombés dans les mains des juges en 1455 ; et nombre d'entre eux pendus. Ceux qui n'étaient encore, en 1462 ou 1463, ni « en cabane » ni « sous les fleurs », n'avaient pas besoin des conseils poétiques de Villon pour « se tenir à carreau ».

Les ballades sont d'abord un exercice de style, un jeu poétique extrêmement savant ; ensuite, une sorte de « méthode à Mimile » bien avant la lettre, qui peut avoir servi des années durant de texte d'épreuve et d'initiation à l'usage des candidats à l'entrée dans la grande truanderie (cf. « Un bachotage sanglant », p. 200).

Cette hypothèse expliquerait l'aspect didactique des ballades, adressées successivement aux grands « corps de métier » de la Coquille : la première aux *froarts,* les « casseurs » d'alors ; la deuxième aux *rueurs* ou *gailleurs,* les agresseurs de pantes à détrousser ; la troisième aux *spélicans,* les « arnaqueurs » aux cartes ou aux dés ; la quatrième aux *saupicquets,* les preneurs d'empreintes de clés (ils « piquent les sceaux »), fabricants de « caroubles » (de fausses clés) ; la cinquième aux *joncheurs jonchans en joncheries,* qui sont soit de simples écornifleurs, des « plume-pigeons » ; soit des policiers marrons ; la sixième enfin, aux *contres de la gaudisserie,* petits voleurs au change de monnaie ou au « rendez-moi ».

Elle expliquerait aussi le caractère ambigu des ballades en jargon : œuvres poétiques ou messages ? L'un et l'autre, certes, et c'est en cela qu'elles nous étonnent encore. Mais, poétiquement parlant, elles restent bien inférieures aux pièces des *Testaments.* Elles disent trop de choses pour les dire avec force, simplicité et émotion. A quatre siècles de distance, elles préfigurent ces textes du XIXe siècle finissant qui, à force d'argotismes et de faux secrets cousus bout à bout, font plus argot que nature et lassent l'attention.

En 1968, le regretté Pierre Guiraud publiait *Le Jargon de Villon ou le gai savoir de la Coquille* (Éd. Gallimard). Il y faisait surgir trois « niveaux de signification » des ballades : celui qui s'adressait au tout-venant des coquillards ; celui qui s'adressait plus particulièrement aux tricheurs ; celui enfin qui s'adressait aux homosexuels, aux « tantes » de la Coquille.

Comme tout système poussé à ses limites, celui de Pierre Guiraud fait appel à trop de ruses et d'à-peu-près pour entraîner la conviction. Ce qu'il faut en retenir, c'est l'extraordinaire complexité de cet *engin très subtil,* pour reprendre l'expression que Guillaume de Machault, l'aîné d'un siècle et l'un des modèles de Villon, applique à l'acte d'écrire en général.

Si subtil est en effet cet « engin » (c'est-à-dire cette machinerie, ce piège bien agencé) transmis par les ballades en jargon, que toute traduction en est hasardeuse. Aujourd'hui, bien sûr, même si Pierre Guiraud (auquel nous renvoyons le lecteur désireux d'en savoir davantage) nous paraît très près de la vérité ; mais sans doute de bonne heure. Clément Marot ne s'y risquait pas au siècle suivant : « Touchant le jargon, je le laisse à corriger et exposer aux successeurs de Villon en l'art de la pince et du crochet. »

Corriger, c'est-à-dire rétablir le texte de Villon, que Marot pensait altéré dans l'édition de Levet ; exposer, c'est-à-dire expliquer et

traduire. Si les ballades ont été un texte d'admission dans la truanderie, elles ont exigé dès l'origine une traduction et des commentaires. Et Villon aurait bien pu n'être en ce cas que le « porte-
plume » de la confrérie.

Il nous a semblé dans ces conditions que trois ballades suffiraient
à contenter la curiosité du lecteur. Nous donnons le texte des deux
premières (I et II de l'édition de 1489), exactement dans la forme de
cette édition, dont on trouvera un fac-similé dans l'ouvrage cité de
P. Guiraud. La troisième est l'une des ballades dites « de Stockholm », où a été découvert en 1872 un manuscrit de six ballades
dont l'attribution à Villon, qui parut certaine à l'époque, est
aujourd'hui contestée.

Cette ballade (IV de Stockholm ou X de Villon) sera présentée ici
dans une ponctuation « modernisée ».

BALLADE I

Aparouart la grant mathegaudie
Ou accollez sont duppez et noirciz
Et par les anges suiuans la paillardie
Sont greffez et print cinq ou six
La sont bleffleurs au plus hault bout assis
Pour le euaige et bien hault mis au vent
Escheques moy tost ces coffres massis
Car vendengeurs des ances circuncis
Sen brou et du tout aneant
Eschec eschec pour le fardis.

Broues moy sur gours passans
Abuises moy bien tost le blanc
Et pictonnes au large sus les champs
Quau mariage ne soiez sur le banc
Plus qun sac nest de plastre blanc
Si gruppes estes bes carirux
Rebigues moy tost ces enterueux
Et leur monstres des trois le bris
Quen claues ne soies deux et deux
Eschec eschec pour le fardis.

Plantes aux hurmes voz picons
De paour des bisans si tres durs
Et aussi destre sur les joncs
En mahes en coffres en gros murs
Eschari ces ne soies point durs

Que le grant Can ne vous face essorez
Songears ne soies pour dorez
Et babignes tousiours aux ys
Des sires pour les desbouses
Eschec eschec pour le fardis.

Prince froart dis arques petis
Lun des sires si ne soit endormis
Leues au bec que ne soies greffiz
Et que vos emps nen aient du pis
Eschec eschec pour le fardis.

BALLADE II

Coquillars enaruans a ruel
Men ys vous chante que gardes
Que ny laissez et corps et pel
Quon fist de Collin lescailler
Deuant la roe babiller
Il babigna pour son salut
Pas ne scauoit oingnons peller
Dont lamboureux luy rompt le suc

Changes andosses souuent
Et tires tout droit au temple
Et eschicques tost en brouant
Quen la iarte ne soiez emple
Montigny y fut par exemple
Bien atache au halle grup
Et y iargonnast il le tremple
Dont lamboureux luy rompt le suc

Gailleurs faitz en piperie
Pour ruer les ninars au loing
A la sault tost sans suerie
Que les mignons ne soient au gaing
Farciz dun plumbis a coing
Qui griffe au gard le duc
Et de la dure si tresloing
Dont lamboureux luy rompt le suc

Prince erriere du ruel
Et neussiez vous denier ne pluc
Quau giffle ne laissez lappel
Pour lamboureux qui rompt le suc

Mettons à profit la relative clarté de cette deuxième ballade pour en donner deux traductions des années 1950-1960 qui, en se conformant l'une et l'autre à un « sens » général qui est à peu près assuré, diffèrent sensiblement sur des détails d'interprétation. Ainsi pour les deux premiers vers de la strophe II, et pour la traduction du *ruel* (en a ruant à ruel, errière du ruel).

Voici d'abord celle de Pierre Guiraud (*Le Jargon de Villon*, p. 76).

Coquillards qui donnez dans le meurtre,
Je vous dis de prendre garde
Que vous n'y laissiez corps et peau.
C'est ainsi que Colin l'Ecailleur
Fut amené à répondre à la question.
Il raconta des bobards pour se sauver.
Il ne savait pas dorer la pilule.
A la fin, le bourreau lui rompt la nuque.

Donnez le change, tournez les talons sur le champ
Et gagnez tout droit la colline.
Décampez, en vitesse, au galop,
De peur de vous retrouver la gorge pleine (d'eau).
C'est ainsi que Montigny, pris,
Y fut bien attaché au chevalet,
Et Dieu sait s'il y avala le bouillon !
A la fin le bourreau lui rompt la nuque.

Maîtres, experts en piperie
Pour allonger les coups,
Gagnez la sortie en vitesse ! Pas de sang,
De peur que les compagnons ne soient, au gosier,
Garnis d'une corde, ainsi qu'un fil à plomb
Qui saisit le niais à la gorge
Et l'envoie dans les airs, loin de la terre.
A la fin, le bourreau lui rompt la nuque.

Prince, évitez le meurtre
Alors même que vous n'auriez ni sou ni maille,
De peur que l'appel ne vous reste dans la gorge
Pour le bourreau qui rompt la nuque.

Et voici la traduction (ou la transcription) argotique du Dr Leuret (dans l'*Anthologie de la poésie argotique* de J. Galtier-Boissière, *op. cit.*, pp. 10-11).

Coquillards en balade à Rueil,
Mézigue vous chante mieux que caille
Pour que vous n'y laissiez ni corps ni peau,
Comme le fit Colin l'Ecaille.
Devant la roue à babiller,
Il en croqua pour s'en tirer.
Son baratin ne faisant pas chialer,
Le bourreau lui rompt la moelle.

Changez souvent de frusques
De la tronche aux arpions,
Et faites gaffe en vous esbignant
De ne pas vous faire cravater au colbac.
Montigny le fut, par exemple,
Bien agrafé au gibet.
Et qu'il vous caille ou qu'il tremble,
Le bourreau lui rompt la moelle.

Beaux chevaliers de filouterie,
Pour envoyer la rousse au bain,
Grouillez-vous, et sans les foies.
Sinon, pour les copains, c'est le gros lot :
A l'occiput, la chaîne en plomb
Qui blesse et tient le ciboulot,
Et très loin de la terre,
Le bourreau lui rompt la moelle.

Primo, tirez-vous de Rueil,
N'eussiez-vous ni fric, ni bectance.
Ne laissez pas la peau à la potence
Pour le bourreau qui rompt la moelle.

BALLADE IV
de Stockholm

Brouez, benards, eschequez a la saulve,
Car escornez vous estez a la roue.
Fourbe, joncheur, chacun de vous se saulve,
Eschec, eschec, coquille si s'enbroue !
Cornette court, nul planteur ne s'i joue !
Qui est en plant, en ce coffre joyeulx,
Pour ces raisons il a, ains qu'il s'escroue,
Jonc verdoiant, havre du marieux.

Maint coquillart, escorné de sa sauve
Et desbousé de son ence ou poue,
Beau de bourdes, blandy de langue fauve,
Quide au ront faire aux grimes la moue,
Pourquarre bien affin que on ne le noe
Couplez vous trois a ces beaulx sires dieux,
Ou vous aurez le ruffle en la joue
Jonc verdoiant, havre du marieux.

Qui stat plain en gaudie ne se mauve.
Luez au bec que l'en ne vous encloue !
C'est mon advis, tout autre conseil sauve.
Car quoy ? aucun de la faulx ne se loue !
La fin en est telle comme deloue :
Car qui est grup, il a, mais c'est au mieulx,
Par la vergne, tout au long de la voue,
Jonc verdoiant, havre du marieux.

Vive David ! saint archquin la baboue !
Iehan, mon amy, qui les fueilles desnoue,
Le vendengeur, beffleur comme une choue,
Loing de son plain, de ses flos curieulx
Noe beaucop, dont il reçoit fressoue,
Jonc verdoiant, havre du marieux.

Coquillars enaruans a ruel...

De Villon aux coquillards, la transition est facile. Le poète les nomme à plusieurs reprises, en particulier dans les premiers vers de la ballade II :

Coquillars enaruans a ruel
Men ys vous chante que gardes
Que ny laissez et corps et pel
Quon fist de Collin lescailler.

La traduction de ce passage, exceptionnellement, est presque facile :

Coquillards, en entreprenant un coup dangereux,

Je vous « jargonne » de prendre garde
Que vous n'y laissiez la peau et le corps
Comme il en fut de Colin l'Ecailler.

Encore peut-on interpréter différemment le vers 4 si on l'associe au suivant :

Quon fist de Collin lescailler
Devant la roe babiller...

qui serait alors : Attention, coquillards, [parce] qu'on a fait « babiller » (parler, dénoncer ses complices) Colin l'Ecailler en le mettant devant la roue, face à la roue de supplice, face à la « question ».

Quoi qu'il en soit, Collin l'Ecailler, ami de Villon, était un coquillard ; de même Régnier de Montagny, clerc dévoyé, comme Villon ; de même Christophe Turgis, autre ami ; et à peu près certainement Villon lui-même.

Iceux galans, dit le procès-verbal de 1455 auquel nous arrivons, *s'appellent* [entre eux] *les coquillars, qui est à entendre les Compaignons de la Coquille.* Peut-être le juge d'instruction de l'époque « entendait-il » ce qui se cachait sous cette... coquille. Le fait est que nous ne le savons pas exactement.

On pense tout de suite à la coquille Saint-Jacques, que les pèlerins de Saint-Jacques de Compostelle portaient cousue à leur robe de pèlerinage, et qui leur servait d'insigne de ralliement et en quelque sorte de « certificat » de pèlerinage. Bien vite, la mendicité organisée détourna cette « coquille » de son intention première : les mendiants coquillards feignaient de revenir ruinés du pèlerinage de Compostelle pour recueillir les aumônes de chrétiens compatissants. Mais ces coquillards de petite volée n'étaient pas des malfaiteurs, encore moins des assassins ; ce que furent incontestablement les amis de Villon.

Nous pensons plutôt à une ancienne expression populaire rapportée par Antoine Oudin dans les *Curiosités françoises* (1640) : un bailleur de coquilles est un menteur, un trompeur. Il mange la chair de l'huître et n'en laisse à sa dupe que la coquille — un thème que reprendra La Fontaine. Or, même s'ils ne reculent pas devant la violence, nos coquillards sont essentiellement des « trompeurs ».

La Coquille d'alors n'est pas un gang au sens moderne ; ni une maffia, ni même une bande de loubards. Il faut se la représenter comme une association professionnelle de truands astucieux et bien organisés, dispersée et diversifiée, dont les affidés, des spécialistes de tous les domaines de la délinquance, se « repassent » (et sans doute se vendent) des renseignements et des services.

Hier comme aujourd'hui, une telle association a besoin d'informateurs, d'espions, de « casseurs » de coffres et de serrures ; de complices et de compères d'allure bourgeoise ; de receleurs et de revendeurs ; de rabatteurs et de rabatteuses ; de tricheurs et d'orfèvres complaisants ; et enfin, d'hommes de main et de filles de joie. Autant de... corps de métier que nous retrouverons couchés dans le procès-verbal de 1455. Ce passage du coup de main individuel ou en petite équipe à la délinquance « scientifique » est historiquement plein d'enseignements. Il suppose un recrutement, une initiation et une organisation qui, eux-mêmes, supposent une société dont les cadres et les valeurs traditionnels se désagrègent.

Le groupe ainsi constitué dut fonctionner assez longtemps à la satisfaction de ses membres. Morcelée, disloquée, épuisée par la guerre de Cent Ans, la France de Charles VII avait des soucis plus immédiats que la répression de cette délinquance d'un genre nouveau.

Vint le moment où, la guerre pratiquement terminée en 1445, le roi et ses conseillers reprennent fermement les rênes du gouvernement. Les gens d'arme congédiés ou incorporés dans un début d'armée régulière, c'est la police et la justice civiles qui, peu à peu, s'efforcent avec succès de rendre au royaume l'ordre et la sécurité. Les coquillards — ou au moins quelques-uns d'entre eux — furent les premières victimes de cette pacification.

Combien pouvaient-ils être ? « De cinq cents à mille », estime Pierre Champion (*François Villon,* II, p. 66), suivant en cela les indications du procès. Le chiffre paraît un peu fort : de telles associations ne sont efficaces et ne peuvent subsister que dans la discrétion du petit nombre. Toujours est-il que des coquillards ou supposés tels sévissent sur les foires, les routes et dans les villages de Bourgogne, dans les années 1450, et dans Dijon même. Les échevins chargent le procureur de la ville, maître Jehan Rabustel, de mener enquête, de se saisir des coupables et de les traduire devant le tribunal.

Ce Rabustel paraît avoir été un policier d'expérience et de poigne. Il s'informe ici et là, identifie une dizaine de coquillards, leur tend un piège et les arrête ainsi que leurs complices dijonnais, pour une bonne part des bourgeois apparemment sans reproche. Tout cela occupe l'année 1455. Mais les accusés s'obstinent à se taire : ils ne « mangent pas » de ce pain-là. Le tribunal offre alors au plus jeune de la bande, Dimanche le Loup, de lui rendre la liberté s'il parle ; ce qu'il fait, et après lui le barbier Perrenet. Comme quoi la justice royale, même dans les pires époques, connaissait son métier !

Maître Rabustel écoute les deux « donneurs » et enregistre leurs révélations. Le chef des coquillards, au moins pour l'Est de la France, est un certain Regnault Dambourg, tailleur de pierres du duc de Bourgogne, pas moins ! Sont dénoncés avec lui soixante-deux affidés de la Coquille, et parmi eux des proches de Villon, mais non le poète lui-même.

Faute de flagrant délit ou de preuves certaines, la justice dijonnaise se montrera en bout de compte plutôt bonne fille, au moins selon les idées du temps. Trois coquillards seulement seront pendus ; d'autres simplement condamnés au bannissement de Dijon et de la Bourgogne. Puis le silence se fait durant quatre siècles sur les coquillards. Jusqu'en 1842 exactement. Cette année-là, Jean Garnier, archiviste de la ville de Dijon, remet la main sur le dossier Rabustel, qui dort aux archives départementales de la Côte-d'Or, sous la cote B-360. Complet et lisible ! Qu'on aille après cela sourire du conservatisme administratif !

Il en publie un extrait en 1842, sous le titre : *Les Compagnons de la Coquille, chronique dijonnaise du XVᵉ siècle.* Mais ce n'est qu'en 1890 que Marcel Schwob, l'un des premiers grands « villoniens », en saisit toute l'importance pour une meilleure compréhension de l'œuvre du poète.

Une importance qu'il ne faut pas surestimer. Ce qui intéresse le juge Rabustel, c'est l'organisation de la bande, et non ses pratiques langagières. Quant aux deux traîtres, pourquoi en diraient-ils plus que ce qui leur est demandé ? Sur la petite centaine de mots recueillis par maître Rabustel, les trois quarts sont des appellations particulières d'affidés (crocheteurs, tricheurs, etc.), ou de délits. S'il s'agit de l'argot des coquillards, ce n'est que leur argot technique (comme on parle de l'argot des imprimeurs ou des mécanos). Celui des choses et des actes de la vie courante nous demeure inconnu.

Voici, en tout cas, dans la présentation de Garnier, l'essentiel de ce vocabulaire :

> La compagnie était divisée en plusieurs catégories, savoir : celle des *crocheteurs,* qui crochetaient les serrures ;
> — des *vendengeurs,* qui coupaient les bourses ;
> — des *esteveurs,* qui escroquaient ;
> — *beffleurs,* qui attrayaient les simples compaignons à jouer ;
> — des *pipeurs* ou *desbochilleurs,* qui escroquaient au jeu ;
> — *baladeurs* ou *planteurs,* marchands de pierres et de bijoux faux ;

— *confermeurs de la balade,* qui accompagnaient les précédents ;

— *dessarqueurs,* qui venaient au lieu où l'on voulait mettre un plant et s'enquerraient s'il était nouvelle ;

— *blans coulons,* qui couchaient avec les marchands, leur dérobaient leurs vêtements ou leur bourse qu'ils jetaient par la fenêtre aux compagnons qui les attendaient dans la rue ;

— *fourbes,* qui feignaient d'être de pauvres domestiques de marchands et recevaient dans la rue le vol commis par les précédents ;

— *desrocheurs* ou *bretons,* qui volaient sur les routes ;

— *envoyeurs* ou *bazisseurs,* qui assassinaient ;

— des *Maistres,* qui contrefaisaient l'homme de bien ;

— *longs,* qui étaient les plus savants en l'art de la Coquille.

Et celle des *gascâtres,* apprentis non encore subtils en ladite science.

Après cette énumération, le coquillard voulant faciliter aux magistrats les moyens de découvrir dans la suite les desseins de ses confrères, les initia dans le secret de leur langage. Il leur apprit qu'ils appelaient :

La justice, la marine ou la rouhe.

Les sergents, les gaffres.

Les prêtres, les lieffres ou les rats.

Un homme simple, sire, duppe ou blanc-cornier.

Les dés à jouer, acques.

Les marelles, saint marry, saint joyeux.

Les cartes, taquinade.

Les jeux de dés, madame, la vallée, le gourt, la muiche, le bouton et le riche, la queue de chien.

Précisons que la *marine* et la *rouhe* (la roue) ne sont pas des appellations de la justice « abstraite », mais très concrètement les noms argotiques de la question de l'eau (la marine) et de celle de la roue. Les *gaffes* ou *gaffres* sont restés. Les *rats* doivent se lire les *ras,* ceux qui portent une tonsure rase ; d'où par la suite, et avec un faux sens semi-volontaire : les *ratichons.*

Reprenons le texte du procès. Ils appelaient :

Un homme riche, godiz.

Une bourse, feuillouze.

L'argent, auber, caire, puille.
Une robe, jarte.
Un cachet d'or ou d'argent, circle.
Un cheval, galier.
Le jour, torture.
Un lingot faux, plant.
Le pain, arton.
Le feu saint Antoine, ruffle.
La main, serre.
L'oreille, anse.
Les jambes, quilles.
Ils disaient :
Fustiller, pour changer les dés.
Blanchir la marine, pour s'être échappé des mains de la justice.
Jouer le roy David avec le roy Danyot, pour crocheter avec un crochet.
Bazir, pour tuer.
La soye Roland, pour commettre une effraction.
Que *mouschier à la marine,* signifiait dénoncer à la justice.
Dire *estoffe,* ou je *faugeray,* signifiait demander sa part du butin ou menacer d'une dénonciation.
Que *becquer,* voulait dire regarder.
Parler de l'abbesse, parler de vol.
Faire la cole, feindre d'être marchand.
Parler de la soye Roland, projeter de battre la justice.
Ferme à la bouche, se défendre hardiment devant elle.
Qu'on appelait *beau soyant,* un beau parleur, *bien enlangaigié* qui savait decepvoir la justice ou aultres gens par *belles bourdes.*
Ferme à la manche, celui qui ne trahissait jamais ses camarades.
Et que quand dans un public, l'un d'eux s'apercevait qu'on écoutait leur conversation, *il crachait à la manière d'ung homme enrumey qui ne peut avoir sa salive,* et qu'à ce signal on parlait d'autre chose.

Faux mendiants et vrais soudards

Nous avons évoqué plus haut le second « cortège argotique » de cette anthologie, celui des années 1580-1630. L'exactitude historique nous oblige à mentionner dans l'intervalle deux textes : l'*Abbus et jargon* (1562 environ) et les *Sérées* (les « Soirées ») de **Guillaume de Bouchet** (vers 1584). L'un et l'autre ne nous paraissent pouvoir intéresser que les spécialistes du vocabulaire ; et l'on ne peut tout rapporter, si bien que nous arrivons maintenant aux quatre textes essentiels et très différents de cette période : le sonnet argotique du capitaine Lasphrise, *La Vie généreuse des mercelots,* le pasquil de Fontainebleau et *Le Jargon de l'argot réformé.*

Pour une fois, la formule traditionnelle est encore en dessous de la vérité : la vie de Marc de Papillon, seigneur de Lasphrise, dit plus simplement **le capitaine Lasphrise** (1555-1599), a été un époustouflant roman d'aventures.

C'est un cadet de Gascogne, un Cyrano avant la lettre, né en Touraine où sa famille possède le fief minuscule de Lasphrise. A quatorze ans, il guerroie déjà avec les troupes catholiques ; blessé et reblessé, il repart se battre, cette fois contre les Turcs, en Méditerranée. Puis, de retour en France, il est partout où l'on échange des horions, toujours du côté des catholiques les plus fanatiques. Tout cela entrecoupé de passions torrentielles et d'aventures très gaillardes.

A trente-cinq ans, usé et assagi, il fait retraite et se consacre à une œuvre poétique baroque et souvent très belle, dont l'anthologie des *Poètes du XVIe siècle* (collection de la Pléiade, 1953) a recueilli une dizaine de sonnets.

Connaissant le personnage, on ne s'étonnera pas que l'argot des camps et des campagnes lui ait été familier. A preuve le *Sonnet en authentique langage soudardant* (c'est-à-dire de « soudard », de soldat), que voici, daté de 1599, mais écrit évidemment plus tôt, sans doute dans les années 1580.

Accipant du marpaut la galière pourrie,
Grivolant porte-flambe, enfile le trimart ;
Mais en dépit de Gille, ô gueux, ton girouart,
A la mette on lura ta biotte cônie.

Tu peux gourd-piailler, me credant, et morfie
De l'ornion, du morne ; et de l'oygnan criart,
De l'artois blanchemin. Que ton riflant chouart
Ne rive du courrier l'andrinelle gaudie.

Ne rousse point du sabre au mion du taudis,
Qu'il n'aille au Gaul farault, gergonant de tesis ;
Que son journal, o flus, n'empoupe ta fouillouse.

Embiant ou rouillarde, et de noir roupillant
Sur la gourde fretille et sur le gourd volant,
Ainsi tu ne luras l'accolante tortouse.

Après Émile Chautard (*La Vie étrange de l'argot,* p. 116), risquons, de ce sonnet, une traduction un peu différente de la sienne :

Empruntant la jument pourrie d'un pauvre diable,
Grivolant porte-épée, prend la route ;
Mais en dépit de Gille, ton patron, ô gueux !
On verra au matin ta bête crevée.

Tu peux bien boire, crois-moi, et manger
De l'oie, du mouton ; et du beurre,
Et du pain blanc. Que ton engin en feu
N'engrosse pas la fille du valet !

Ne rosse pas à coups de bâton le garçon de la maison,
Qu'il n'aille pas se plaindre de toi au patron ;
N'empoche pas son salaire de la journée aux cartes.

En allant en compagnie d'une bouteille, en dormant la nuit
Sur de la bonne paille ou une bonne couverture,
Tu ne connaîtras pas la corde pour te pendre.

Il nous est matériellement impossible, dans le cadre d'une anthologie, de justifier les détails de cette interprétation, dont le lecteur se fatiguerait bientôt. Limitons-nous, pour montrer les difficultés et les incertitudes de cet exercice, à un seul vers du sonnet, le onzième ; d'abord tel qu'il figure littéralement dans le texte de 1599 :

Que son journal oflus nempoupe ta fouillouse.

Nous l'interprétons :

Que son journal, au flux, n'empoupe ta fouillouse.

Traduisons et expliquons les mots qui font problème, et sur lesquels bute d'ailleurs Gaston Esnault (*Dictionnaire historique des argots,* sous l'article « empouper »).

Le *journal* est le « gain journalier » du « mion du taudis », du garçon de l'auberge. A la même époque que Lasphrise, La Boétie parle des abeilles, « qui ont à faire leur journal dehors », c'est-à-dire à faire « leur journée » de travail, ou de salaire.

Il faut rétablir : *au flux.* Ce flux est un jeu de cartes bien connu autrefois, une sorte de poker.

Pour expliquer le mot suivant, nous nous souviendrons que le capitaine Lasphrise avait beaucoup navigué, au sens propre du mot. Or *empouper* est un terme ancien de la marine à voile, que connaît encore l'irremplaçable Littré : c'est « prendre un vaisseau en poupe, en parlant du vent ». Ce vent, quand il « empoupe » le vaisseau, fait gonfler ses voiles.

Je traduis donc : « Que le salaire journalier du commis n'aille pas gonfler ta poche » parce que tu auras joué avec lui au flux ; la *fouillouse,* la poche, étant suffisamment connue de nos lecteurs.

Les errances d'un péchon de Ruby

Il faut attendre plus d'un siècle, de 1489 à 1596, pour qu'apparaisse dans notre anthologie un second texte argotique important : *La Vie généreuse des mercelots, gueuz, et Boesmiens, contenans leurs façons de vivre, Subtilitez et Gergon.*

Ce long intervalle s'explique surtout par des raisons commerciales. Nous sommes, de 1500 à 1600, dans le tout premier siècle de l'imprimerie, celui des Estienne à Paris et des Dolet à Lyon. On édite encore fort peu, et pour fort peu d'amateurs fortunés ; et seulement les textes susceptibles de les intéresser : classiques latins et grecs, livres de théologie et de piété, et recueils de poèmes. La littérature populaire n'a qu'une place très mince dans cette activité ; à plus forte raison, la littérature argotique.

Qu'il ait subsisté durant tout ce XVIᵉ siècle une tradition du récit argotique, cela n'est pas douteux. Mais, pour laisser des traces imprimées (ou même seulement manuscrites), cette tradition aurait dû trouver ses auteurs et son éditeur, comme elle les avait trouvés dans le domaine allemand, rhénan et suisse, avec le *Liber Vagatorum,* le « livre des vagabonds », bien connu par ses éditions du XVIᵉ siècle précisément.

Notre *Vie généreuse* doit son existence à la conjugaison de ces trois facteurs : un éditeur, un auteur, une demande commerciale. Il n'en va pas autrement aujourd'hui !

L'éditeur est un Lyonnais, Jean Julliéron. Il imprime, fait notable, « avec permission du Roy » ; c'est-à-dire que ni la censure ecclésiastique ni la censure administrative ne s'opposent à l'impression de ce texte. Après l'édition lyonnaise de 1596, *La Vie généreuse* « monte » à Paris pour trois rééditions, 1603, 1612 et 1618 ; puis rejoint, à Troyes, en 1627, le catalogue de la Bibliothèque bleue, grande pourvoyeuse du colportage.

De l'auteur, nous ne savons rien. Il signe « **Péchon de Ruby** » ; mais le petit lexique français-argot qui suit le récit vend aussitôt la mèche : un péchon de ruby, c'est « un enfant éveillé ». Derrière ce pseudonyme facile, devons-nous chercher vraiment un *gentilhomme breton*, comme l'affirme le titre, et plus précisément un Breton des environs de Redon, comme le dit un passage du texte ?

Pourquoi pas ? A défaut de certitudes, ou seulement de probabilités, nous sommes tentés, pour notre part, de voir dans *La Vie généreuse* un travail de commande proposé ou confié à quelque étudiant mauvais garçon, un Villon au petit pied, breton sans doute et de petite noblesse ou qui, en tout cas, aurait fréquenté une noblesse encanaillée.

Il dédie son petit ouvrage à un *Sieur des attrimes gouvernées* ; c'est-à-dire, si nous traduisons bien, à un « Seigneur des tromperies officielles » ; ou peut-être des tromperies enseignées. Ce dédicataire, inconnu mais sans doute bien réel, a eu son heure de prospérité : *une très-bonne table, très-bien paré, plus brave qu'un Roy Hérode... des poulains et d'assez bons chevaux et bonnes armes...* Il vient d'avoir des revers de fortune : *l'honneur* (dettes de jeu ? duel ? En tout cas, affaire d'honneur, c'est-à-dire de noble) *t'a mis plus bas que de coustume.* Et si Péchon de Ruby, l'auteur, lui dédie *La Vie généreuse,* c'est pour lui permettre de « se refaire », en y trouvant *quelque cautelle pour recouvrer argent.*

Sans attribuer une grande importance à cette épître dédicatoire, les commentateurs l'interprètent comme une invitation à rejoindre les rangs des mauvais garçons du trimard. Mais on peut aussi bien y voir l'aveu d'une connivence d'édition entre deux jeunes gens, marginaux d'un même milieu de petite noblesse aventureuse : l'un,

Péchon de Ruby, offrant à l'autre, le Sieur des attrimes gouvernées, le produit de son travail.

Quoi qu'il en soit, ce court récit (une petite trentaine de pages) est mené vivement et avec humour. Les gaillardises rabelaisiennes y alternent plaisamment avec les scènes de cruauté et même d'horreur (les pendus au gibet) ; les cérémonies faussement sérieuses de l'initiation avec les scènes d'orgie crapuleuse. Le titre lui-même parodie les romans chevaleresques : la vie des truands est « généreuse », c'est-à-dire digne de la noblesse courtoise.

Ce serait faire trop d'honneur à notre Péchon de Ruby que de voir en lui un précurseur du Diderot de *Jacques le Fataliste et son maître*. Mais le rapprochement s'impose à quiconque est familier de l'un et l'autre texte. Et l'on ne peut guère douter que Diderot avait lu *La Vie généreuse*.

Sur la part de vérité historique que contient ou contiendrait l'ouvrage, nous ne saurions nous prononcer. Telle que la décrit l'auteur, la société formée par les gueux décalque le système des corporations d'alors, dans lesquelles on est successivement apprenti, compagnon, puis maître et enfin maître-juré. C'est sans doute trop beau pour être vrai. Le fantasme bourgeois d'une contre-société délinquante ou criminelle rigoureusement structurée, tel qu'on le retrouve poussé à son paroxysme dans le film de Fritz Lang, *M. le Maudit* (1931), est trop constamment démenti par les faits pour que nous prenions au sérieux le « contre-État » aux arcanes duquel *La Vie généreuse* prétend nous initier. Cependant, il y a le précédent des coquillards ; et la Maffia sicilienne (ou la Camorra, qui l'a précédée) est une organisation de chair et d'os. Et de sang !

La meilleure, et en même temps, la plus accessible des éditions de *La Vie généreuse*, est celle qu'en a donnée en 1982 l'éditeur Montalba, dans le volume consacré aux *Figures de la gueuserie**. Nous y renvoyons le lecteur, aussi bien pour y trouver l'intégralité du texte lui-même que pour l'appareil critique et pour la remarquable présentation de Roger Chartier.

Les quelques pages que nous en donnons nous ont paru d'une lecture assez facile pour pouvoir se passer d'une traduction. Nous sommes à cet égard bien loin (en fait, presque à l'opposé) des ballades argotiques de Villon. C'est que le public que visait *La Vie généreuse*, celui de la littérature de colportage, ne devait pas être rebuté

---

* *Figures de la gueuserie,* textes présentés par Roger Chartier, Montalba, Bibliothèque bleue, Paris, 1982, 446 pages.

mais seulement amusé par l'accumulation des argotismes. Et c'est pourquoi aussi l'auteur prend soin de traduire (exactement, de « gloser ») bon nombre de termes.

Quelques-uns méritent un commentaire. Ainsi *peausser,* coucher, devenu *pioncer,* dormir, par un intermédiaire *piausser*; *la dure,* la terre, toujours en usage ; les *ornies,* la volaille, venu du grec *ornix,* oiseau. Par quelle voie ? Plaisanterie d'étudiants ou véritable survivance populaire ? Nous l'ignorons, mais *ornie* s'est maintenu en bon argot jusqu'au milieu du XIXe siècle.

Par contre, *gousser,* manger, *ambier le pelé,* prendre un chemin, la *targue,* la ville, *river le bis,* faire l'amour (pour un homme), entre autres, ont disparu avant le XVIIIe siècle.

L'action se passe en pays d'Ouest, entre Anjou et Poitou. Les *blèches* sont des « loubards » traîneurs de chemins ; le mot est une variante ancienne et régionale de *blette* (une poire blette). Un homme blèche est (en particulier en Normandie) un homme faux, trompeur, un « pourri ». Quant aux mercelots, merciers, coesmelotiers et coesmes, ce sont des colporteurs ou des marchands ambulants, ou se donnant pour tels, et qui vivent de rapines et de ruses.

LES FAÇONS DE SE COUCHER

Nostre vie estoit plaisante, car quand il faisoit froid, nous peaussions dans l'abbaye ruffante, cest dans le four chaud, où l'on a tiré le pain de n'aguère, ou sur le pelard, cest sur le foing ; sur fretille, sur la paille ; sur la dure, la terre : ces quatre sortes de coucher ne nous manquaient selon le temps : car si nos hostes faisoient difficulté de nous loger, ou la nuict nous prenoit s'il pleuvoit, nous logions dans l'abbaye ruffante, au beau temps sur le pellardier : c'est à dire le pré. Et là espionnions les ornies, ce sont les poulles, et ornies ce sont les poullets et chapons qui perchent aux villages dans les arbres près des maisons, aux pruniers fort souvent, et là attrimons l'ornie sans zerver et la goussions ou fouquions pour de l'aubert, c'est à dire manger ou vendre. Et en affurant selon nostre vouloir et commodité, nous trouvions souvent à des festins où les péchons se passoient Blesches et Coesme, selon leur capacité. Ainsi faisans bonne chère, chacun apportait son gain ou larcin que je ne mente. J'use de ce mot de gain par ce que tous les larrons en usent. Ceste vie me plaisoit, fors que mon compagnon me faisoit porter la balle en mon rang : mais les courbes m'aquigeoient fermy, c'est à dire que les espaulles me faisoient mal, car j'avois desja veu beaucoup de pays. Nous avions été jusques à Clisson, de la Loire, et aux Lorroux, à Bressuire et en plusieurs fours chauds et froids, de pailliers et prez.

COMME JE FUS CONTRAINT
PRENDRE LA BALLE A BON ESCIENT

Advint qu'en nostre voyage, mon compagnon demeura malade à Monchans en Poictou. Je me résolus à estre habile homme, et aussi que j'avois bon commencement. Laissant là mon compagnon, je prens la balle et la mets sur mon tendre dos, qui peu à peu s'endurcissoit à ce beau mestier, et allé avec d'autres à la foire de Chastaigneraye, près Fontenay, ou je fus accoustré de tous les Péchons, Blesches, et Coesmelottiers hurez, pour sçavoir si j'intervois le gourd et toutime, me demandant le mot et la cérémonie : ce fut à moy à entrer en cartier et payer le soupper après la foire passée, car ils cogneurent que je n'intervois que de treu, c'est à dire que je n'entendois le langage ny les cérémonies. Lors je paye le festin à mes Supérieurs, et sur la fin du souper le plus ancien fait une harangue. Péchon, c'est quand on a la première balle et du premier voyage. En après Blesche, Mercelot, et puis Coesme, c'est Mercier, et puis le Coesmelottier huré, qui porte à col seulement.

LA HARANGUE
QUI FUT FAITE AU NOUVEAU BLESCHE

Coesmes, Blesches, Coesmelottiers et Péchons : le Péchon qui ambié o nosis, qui sesis, on fouqué la morse, il limé en tervatique et gournitique, et son a jà passé d'enterver. Lors ils m'appellent et me font descouvrir, et devant tous me font lever la main, et sur la foy que j'avois pour l'heure jurer que je ne declarerois point le secret aux petits matthois, qu'ils ne payassent comme moy. [...]
Comme les chiens voulurent esmouvoir, nous leur jettons ces cornes, chaque chien prend la sienne et de faire chère, n'aboyans nullement, et prismes ce que bon nous sembla, autour du village : embiasmes le pelé, juste la targue, c'est à dire nous enfilasmes le chemin de la prochaine ville. Mon compagnon aymoit une limougère d'une

taverne borgne, où logions souvent venant de Clisson au Loroux Bottereau, où il nous coustoit pour le peaux hurés deux herpes c'est à dire deux liards pour coucher. La limougère, c'est à dire la Chambrière, venoit au soir coucher avec mon compagnon, et se vient mettre contre moy. Je fus tout estonné, comme n'ayant jamais rivé le bis, toutes fois mon compagnon dormoit. Je m'adventure à river selon mon pouvoir, et si mon choüart eust été comme il est, elle se fust mieux trouvée : encores qu'elle me trouvast assez bon petit gars. Mon compagnon s'esveille, et dessus, et moy de dormir en mon rang : je vous jure que j'avois bien veu river mais jamais je n'avois rivé, mais je ne sçay si je perdy ce qu'on appelle pucellage : car je pensay esvanouir d'aise. Mon compagnon riva fermy, et au matin nous allasmes à Clisson et là trouvasmes une trouppe qui nous surpassoient en felicité, en pompe, subtilité et police plus qu'il n'y en a en l'estat Vénicien, comme verrez cy apres.

Sans prétendre donner une traduction, même partielle, de la petite chanson qui suit dans le texte de Péchon de Ruby, précisons le sens de quelques mots :

Dauluage ou *daulvage,* mariage, union. Origine inconnue.
Bier, aller.
Anticle, église. Déformation probable d'*antique.*
Rivage, union (charnelle). Du verbe *river,* coïter.
Huré, bon, beau, excellent.
Nos is, ou *nos ys,* nous.
Son yme, il, lui.
Fouquer, dénoncer, vendre.

LE DAULUAGE BIANT A L'ANTICLE
rivage huré et violante la hurette,
et polant la mille au Coesre

C'est le mariage des Gueux et Gueuzes quand ils vont espouzer à la Messe ; et comme ils disent ceste chanson en ceremonies.

> Hau rivage trutage,
> Gourt à hiart à nos is :
> Lime gourne rivage,
> Son yme foncera le bis.

Ne le fouque au Coesmes,
Ny hurez Cagous à tris :
Fouque aux gours coesres
Qui le riveront fermis.

***

On appelait *pasquille* ou *pasquil,* au XVIe siècle, un écrit anonyme, satirique ou insultant, touchant soit la politique, soit de hauts personnages. Le mot est une francisation de l'italien *pasquillo* et son origine, si intéressante qu'elle soit, n'a pas sa place ici.

Des dizaines de pasquils dont nous avons conservé le texte, un seul nous retiendra : c'est « le pasquil du [sic] rencontre des cocus à Fontainebleau », de 1623. Il présente en effet un long passage en argot, que voici :

Pourveu que nostre douce mille
Nous face foncer de la bille,
De rien il ne nous faut challoir :
Il fait tousjours bon en avoir.
Il faut aussi que l'andrumelle
Soit comme la maistresse belle,
Et que du marpaut le courrier
Entende fort bien le mestier ;
Mais il nous faut bien engarder
Dessus l'endosse les ripper,
Pour n'offenser point le marpaut,
Afin qu'il ne face deffaut
De foncer à l'appointement...
Et pour ne point avoir du riffle
Sur le timbre ou sur le niffle,
Il nous faut bientost embier,
Et en la taude le laisser,
En rivant fermement le bis
A la personne du taudis.
Si vous n'entendez le narquois
Et le vray jargon du matois,
Il ne faut pas aller bien loing,
Mais seullement au port au foin :
En peu de temps vous l'apprendrez,
Et vray narquois en reviendrez.

Le sens général de ce texte est clair. C'est un souteneur qui parle :
« Pourvu que notre douce compagne nous fasse encaisser de
l'argent, il ne faut nous soucier de rien : c'est toujours une bonne
chose d'en avoir. Il faut aussi que la fille soit aussi belle que la maîtresse (du logis), et que le valet de l'entreteneur connaisse son
affaire. Quant à nous, il faut nous garder d'être sur leur dos, de peur
de déplaire au bourgeois (qui entretient la « mille ») et qu'il cesse de
payer... Pour ne pas risquer de prendre un coup sur la tête ou sur le
nez, il faut s'en aller et le laisser au logis, occupé à faire l'amour
(rivant fermement le bis) à la personne de la maison (la mille). »

« Si vous ne comprenez pas " le vrai jargon du matois ", c'est-à-
dire l'argot, ajoute l'auteur du pasquil, allez seulement au Port-au-
foin (de Paris), vous l'apprendrez en peu de temps. »

Un mot au moins de ce texte appelle une explication : c'est (la)
mille, prononcé comme fille ou bille, avec lequel il rime d'ailleurs.
C'est le respectable (le mot, et non la personne, qui est une femme
ou compagne, souvent prostituée, d'un truand), le respectable successeur du latin *mulier,* femme, par l'intermédiaire de l'italien *moglie*
(prononcé molié), devenu *mille,* au lieu de *moille* ou *moye,* sans
doute sous l'influence de *fille.* Il y a trente ans encore, une fillette
était dialectalement une *mille* dans le Sud-Est de la France, Dau-
phiné et Haute-Loire en particulier.

L'authenticité de l'argot du pasquil de Fontainebleau est confirmée, croyons-nous, par celle des deux textes qui l'encadrent chronologiquement, *La Vie généreuse* de 1596 et *Le Jargon* de 1628.

Fanandel, où trimardes-tu ?

En 1627, nous l'avons dit, un éditeur-imprimeur troyen, Nicolas
Oudot, reprend à son compte *La Vie généreuse* pour en faire une, ou
peut-être deux rééditions. A l'époque, les imprimeurs de Troyes, et
en particulier les Oudot, sont déjà des industriels de la littérature
populaire, vendue dans toute la France à des milliers (et souvent à
des dizaines de milliers) d'exemplaires, par colportage.

C'est donc que le titre, comme l'on dit en édition, intéresse cet
homme d'affaires avisé. Sans en abandonner tout à fait la diffusion,

il ressent cependant le besoin de renouveler ou plutôt de prolonger le genre. D'où l'édition, en 1628, de ce *Jargon ou langage de l'argot réformé,* dont la carrière commerciale sera prodigieuse. Les rééditions du *Jargon,* parfois revues et augmentées pour reprendre la formule traditionnelle, se succèdent en rangs serrés durant tout le XVIIe siècle, puis le XVIIIe, et jusque dans la première moitié du XIXe ; au total, une bonne trentaine, dont la moitié sorties des ateliers de Troyes.

Nous n'avons que peu d'indications certaines sur le tirage de ces éditions, et par conséquent sur le tirage cumulé du *Jargon* durant les deux siècles qui vont, à peu près, de 1628 à 1840. Les estimations les plus raisonnables atteignent ou dépassent la centaine de mille. C'est dire que ce petit volume de cinquante pages a trouvé un public important et sans cesse renouvelé.

Le Jargon ou langage de l'argot réformé comme il est à présent en usage parmi les bons pauvres, tiré et recueilly des plus fameux Argotiers de ce temps, pour rendre à l'ouvrage son titre tout au long, se présente clairement comme le successeur de *La Vie généreuse,* qu'il appelle *Le Livre de la vie des gueux,* et dont il reprend fidèlement quelques anecdotes en les attribuant au « docteur Fourette » : c'est le nom sous lequel Péchon de Ruby dit avoir été reçu chez les mercelots.

Contrairement à celui de *La Vie généreuse,* l'auteur du *Jargon* a tenu à se faire connaître. Il se désigne argotiquement dans le titre comme *un pillier de Boutanche qui maquille en molanche en la Vergne de Tours*; c'est-à-dire comme « un maître de boutique (ou d'atelier) qui travaille la laine à Tours ». Puis, plus clairement encore et nommément, par un sonnet acrostiche dont les lettres initiales des quatorze vers livrent le nom d'**Olivier Chéreau.**

Chéreau a bien existé. C'était un maître sergetier de Tours, auteur par ailleurs d'une *Histoire* (versifiée) *des illustrissimes évêques de Tours* parue en 1654. Cet artisan-commerçant, certainement à son aise sinon riche, sage et même dévot, n'a de toute évidence jamais participé en personne aux activités répréhensibles des argotiers, qu'il rapporte avec complaisance et parfois avec jubilation ; et pas davantage aux cérémonies burlesques de la hiérarchie de l'argot. Or, aussi grande qu'on veuille bien faire la part de l'affabulation ou du grossissement dans les récits du *Jargon,* ceux-ci reposent sur un ensemble de faits réels. Quant au jargon lui-même, c'est-à-dire à ce que nous nommons aujourd'hui l'argot de la délinquance, il n'est pas le fruit de l'imagination d'Olivier Chéreau, même s'il en a « rajouté » pour amuser son public. C'est un argot réel, réellement en usage à l'époque, pour sa plus grande part.

De tout cela, pratiques et lexique, Chéreau est donc bien informé. Par qui ? Nous l'ignorons. Mais nous devons bien soupçonner, derrière notre respectable maître lainier, homme de bien et membre de *la très noble et très ancienne confrérie du Saint Sacrement* !, la présence d'une « confrérie » moins recommandable, celle des colporteurs dévoyés.

Il le laisse d'ailleurs entendre dans le petit texte d'ouverture consacré à « L'origine des argotiers » :

> L'Antiquité nous apprend, et les Docteurs de l'argot nous enseignent, qu'un Roy de France ayant establi les Foires à Nyor [sic], Fontenay [le-Comte], et autres villes de Poitou, plusieurs personnes se voulurent mesler de la mercerie ; pour à quoy remédier les vieux merciers s'assemblèrent et ordonnèrent que ceux qui voudroient à l'advenir estre merciers, se feroient recevoir par les anciens, nommans et appelans les petits merciers péchons ; les autres Bleches, et les plus riches merciers, coesmelotiers hurés. Puis ordonnèrent un certain langage entr' eux, avec quelques cérémonies pour estre tenus par les professeurs de la mercerie. Il arriva que plusieurs merciers mangèrent leurs balles ; néant moins, ne laissèrent pas d'aller aux susdites foires où ils trouvèrent grande quantité de pauvres gueux, desquels ils s'accostèrent, et leur apprirent leur langage et cérémonie. Les gueux réciproquement leur enseignèrent charitablement à mandier. Voilà d'où sont sortis tant de fameux et braves Argotiers qui ordonnèrent un tel ordre qui s'ensuit.

L'intérêt de ce texte est de proposer une explication rationnelle à la naissance de la confrérie des argotiers.

Dans un premier temps, les merciers professionnels (qui sont, rappelons-le, des colporteurs-vendeurs de toute sorte de « petites marchandises », livres compris, mais non de denrées d'alimentation) sont menacés par la concurrence d'amateurs plus ou moins scrupuleux qui écument les foires du Poitou. Ils décident donc de se constituer en corporation de fait. Ils dotent cette corporation (honnête : un colporteur malhonnête serait bientôt mis à l'index par sa clientèle) *d'un certain langage*. Ces merciers sont en effet, par définition, des nomades. Il n'est pas question pour leur confrérie ou leur corporation de tenir des registres, comme le font les corporations sédentaires. Le langage en question est donc un procédé d'identification et une preuve d'appartenance.

Dans un second temps, des merciers « initiés » mangent leur balle ; c'est-à-dire dissipent l'argent qui leur vient de la vente de leur « fonds » de marchandises. Ils ne peuvent en racheter et sont donc en faillite.

Ils n'en continuent pas moins à fréquenter les foires, pour y trouver une occasion de remonter leur commerce. Ils y rencontrent (c'est le troisième temps) des gueux un peu mendiants, un peu voleurs, s'accointent à eux et font échange de bons procédés : le « langage » des merciers contre les « trucs » des gueux. Ainsi naît l'argot.

Ce schéma est depuis longtemps récusé par les linguistes. Ils refusent avec raison de voir dans l'argot, quel qu'il soit et à quelque époque que ce soit, le résultat d'une entreprise cohérente qui aurait visé à créer un langage secret à l'usage des initiés ; en l'espèce, d'un groupe délinquant ou au moins asocial.

Mais ce n'est pas exactement ce que dit Olivier Chéreau. Il parle d'un argot de métier (la mercerie ambulante), constitué à l'origine de quelques termes techniques ou généraux utilisés comme mots de passe entre gens d'une même profession. Ce n'est que par la suite (et très tôt, il est vrai) que ces vues, assez vraisemblables, ont servi de socle à des constructions de fantaisie — le royaume d'Argot, les gardiens du « bon argot » et ses rénovateurs — qui auront force de loi jusqu'à une époque récente de la lexicologie.

Il reste que Chéreau, commerçant en serge établi à Tours, était nécessairement en contacts suivis avec les merciers-vendeurs d'étoffes de serge (entre autres), qui venaient se fournir chez lui ; que ces merciers-colporteurs étaient tout aussi nécessairement en contacts suivis avec « le peuple nomade » des foires de l'Ouest, mendiants et fripons ; et aussi avec les fournisseurs de livres de colportage, dépositaires en particulier de ceux qui sortaient des ateliers de Troyes, en supposant même que Chéreau ait eu besoin de ces colporteurs pour entrer en relations avec les marchands-libraires de Tours, ou même de Troyes, autre ville de grandes foires.

Le Jargon de l'argot réformé est très probablement le résultat de cette triple collaboration entre des merciers-colporteurs (les informateurs), un jeune commerçant à la plume facile et alerte, et par ailleurs avisé (Chéreau, qui n'a sans doute pas écrit *Le Jargon* pour son seul plaisir, ni « pour faire plaisir »), et un éditeur actif, Nicolas Oudot, de Troyes.

Livre de récréation et d'information plaisante, *Le Jargon* n'est pas un roman suivi, même tant mal que bien, comme l'est à la même

époque *La Vraye Histoire comique de Francion* de Charles Sorel
(1623) ; ou plus tard, le *Roman bourgeois* de Furetière (1666). Il est
fait de pièces et de morceaux, au reste habilement cousus, qui per-
mettent à l'auteur de faire alterner le pseudo-sérieux (« L'origine des
argotiers », le dictionnaire argotique) et l'anecdote (« Le dialogue
des deux argotiers »).

Voici donc, pour suivre Chéreau, une partie de l'assez long dialogue dans lequel il met en scène deux de ces mendiants-voleurs auxquels bien des lecteurs du *Jargon* avaient eu à faire un jour ou un
autre. Nous en donnons le texte, puis la traduction.

DIALOGUE DE DEUX ARGOTIERS
*l'un Polisson et l'autre Malingreux, qui se rencontrèrent
juxte la lourde d'une vergne*

LE MALINGREUX. — Le Haure t'aquige en chenastre santu.

LE POLISSON. — Et toi aussi, fanandel. Où trimardes-tu ?

LE MALINGREUX. — En ce pasquelin de Berry, on m'a
rouscaillé que trucher étoit chenastre ; et en cette vergne
fiche-on la tune gourdement ?

LE POLISSON. — Quelque peu, pas guère.

LE MALINGREUX. — La polisse y est-elle chenastre ?

LE POLISSON. — Nenny, c'est ce qui m'a fait ambier hors
cette vergne, car si je n'eusse eu du michon [un peu de
grisy], je fusse cosny de faim.

LE MALINGREUX. — Y a il un Castu dans cette vergne ?

LE POLISSON. — Jaspin.

LE MALINGREUX. — Est-il chenu ?

LE POLISSON. — Pas guère, les piolles [les piaux] ne sont
que de fretille.

LE MALINGREUX. — Le barbaudier du castu est il Francillon ? Se list-il [se dit-il de] la foucaudière ?

LE POLISSON. — Que floutière ; mais tirant vers les cornets
d'espices, il y a trois ou quatre piolles où les piolliers qui
la solissent sont francillons. Mais d'où viens-tu ? Qui a il
de nouveau ?

LE MALINGREUX. — Que floutière, sinon qu'un de nos
frères a affuté [affuré] un Rupin.

LE POLISSON. — Et comment cela ?

LE MALINGREUX. — C'est qu'un de ces luisans, un Marcandier alla demander la thune en un Pipet, et le Rupin ne
lui ficha que floutière : il mouchailla des ornies de balle
qui morfioient du grenu en la cour ; alors il ficha de son

sabre sur la tronche à une, il l'abasourdit, la met dans son gueulard et l'entrolle. Puis quand il fut dehors, il écrivit contre la lourde ce qui suit : Si le Rupin eût fiché du michon au Marcandier, il n'eût pas entrollé son ornie.

Le Rupin sortant dehors vit cet écrit, il le lut, mais il n'y entervoit que floutière. Il demanda au Ratichon de son Village ce que cela vouloit dire, mais il n'entervoit pas mieux que seizière.

Il arriva que je trimardois juste la lourde de ce Pipet, j'avisai cet Écriteau, et commençai à le lire. Une Cambrouze de Pipet me mouchailloit, et en avertit le Rupin, parce que je riois en le lisant. Le Rupin me demanda, disant : Viens-çà, gros gueu, qu'est-ce que tu lis contre ma porte ? Alors je mis le comble en la louche et lui répondis : Monsieur, c'est que ce bon pauvre qui vous demanda l'aumône un de ces jours, à qui vous ne donnâtes rien, a écrit que si vous lui eussiez donné quelque chose, il n'eût pas emporté votre Poulet d'Inde. Alors le Rupin en colère, jura por la tronche du Haure, que s'il attrappoit jamais des trucheurs dans son Pipet, il leur ficherait cent coups de sabre sur l'andosse, et mézière de harper le taillis, et ambier le plus gourdement qu'il me fut possible.

LE POLISSON. — Le Haure garde de mal le frère, puisqu'il a un si bel esprit.

LE MALINGREUX. — Veux-tu venir prendre de la morfe et piausser avec mézière en une des pioles que tu m'as rouscaillé ?

LE POLISSON. — Il n'y a ni ronds, ni herplis, ni broque en ma felouze : je vais piausser en quelque grenasse.

LE MALINGREUX. — Encore que n'y ayez du michon, ne laissez pas de venir, car il y a deux menées de ronds en ma hane, et deux ornies en mon gueulard, que j'ai égraillées sur le trimard ; bions les faire riffoder, veux-tu ?

LE POLISSON. — Girolde, et béni soit le grand Haure qui m'a fait rencontrer si chenastre occasion ; je vais me réjouir et chanter une petite Chanson.

DIALOGUE DE DEUX TRUANDS l'un Polisson (mendiant d'habits) et l'autre Malingreux (faux infirme) qui se rencontrent juste à la porte d'une ville.

LE MALINGREUX. — Dieu te tienne en bonne santé !

LE POLISSON. — Et toi aussi, camarade ! Où vagabondes-tu ?

LE MALINGREUX. — En cette région de Berry, on m'a dit que la fausse mendicité marchait bien. Et dans cette ville, donne-t-on bien l'aumône ?

LE POLISSON. — Pas tellement.

LE MALINGREUX. — La police y est-elle accommodante ?

LE POLISSON. — Non ! C'est ce qui me fait sortir de la ville ; car si je n'avais pas eu d'argent, je serais mort de faim.

LE MALINGREUX. — Y a-t-il un hôpital dans cette ville ?

LE POLISSON. — Oui.

LE MALINGREUX. — Est-il bon ?

LE POLISSON. — Pas très. Les chambres n'y sont que paillées.

LE MALINGREUX. — Le gardien de l'hôpital est-il affranchi ? Rachète-t-il les objets volés ?

LE POLISSON. — Pas du tout ; mais en allant vers la pharmacie (de l'hôpital), il y a trois ou quatre chambres où les chefs de chambre qui la font payer, sont affranchis. Mais d'où viens-tu, qu'y a-t-il de neuf ?

LE MALINGREUX. — Rien du tout, sinon qu'un de nos frères a dupé un riche.

LE POLISSON. — Et comment cela ?

LE MALINGREUX. — Voilà : un jour, un « faux volé » alla demander l'aumône dans une belle maison, et le riche ne lui donna rien. Il vit des dindes qui mangeaient du grain dans la cour. Alors il donne un coup de sabre sur la tête d'une, il l'assomme, la met dans son sac et l'emporte. Puis quand il fut dehors, il écrivit contre la porte ce qui suit : « Si le riche avait donné de l'argent au mendiant, celui-ci n'aurait pas emporté sa volaille. »

Le riche, sortant, vit cet écrit, il le lut, mais n'y comprit rien ; il demanda au curé de son village ce que cela voulait dire, mais celui-ci n'y comprenait pas plus que lui.

Il se trouva que je cheminais pour mendier juste à la porte de cette demeure. Je remarquai cet écriteau et je commençai à le lire. Une femme de chambre de la maison m'épiait, et en avertit le riche, parce que je riais en le lisant. Le riche me demanda et me dit : « Viens ici, gros gueux, qu'est-ce que tu lis contre ma porte ? » Alors, je mis le chapeau à la main et je lui répondis : « Monsieur, c'est que ce brave pauvre qui vous demanda l'aumône un de ces derniers jours et à qui vous ne donnâtes rien, a écrit que si vous lui aviez donné quelque chose, il n'aurait pas emporté votre dinde. » Alors le riche en colère jura par la face de Dieu que s'il attrapait jamais des mendiants dans sa maison, il leur flanquerait cent coups de sabre sur les épaules. Et moi de gagner les bois, et de m'en aller le plus vite possible !

LE POLISSON. — Dieu garde le frère de mal, puisqu'il est si fin !

LE MALINGREUX. — Veux-tu venir manger et coucher avec moi dans une des chambres dont tu m'as parlé ?

LE POLISSON. — Je n'ai pas un sou, pas un liard, pas une pièce en poche. Je vais aller coucher dans quelque grange.

LE MALINGREUX. — Même si tu n'as pas d'argent, viens, car j'ai deux douzaines de sous dans ma bourse et deux poulets dans mon sac que j'ai ramassés sur le chemin. Allons les faire griller, veux-tu ?

LE POLISSON. — D'accord, et béni soit Dieu qui m'a fait rencontrer une si belle occasion. Je vais me réjouir et chanter une petite chanson.

Ces argotiers sont au demeurant les meilleurs fils du monde. Ils mendient (parfois fermement, il est vrai) leur pain de chaque jour et ne se résignent à chaparder une volaille (c'est ce que font les *chenapans,* des mercenaires allemands maraudeurs, qui, en allemand, *schnappent hanes,* c'est-à-dire « volent coqs »), ou à dérober du linge étendu sur la haie, que si les riches sont restés sourds à leur misère.

Ce sont d'ailleurs de bons chrétiens, en tout cas pas plus mauvais que bien d'autres. Quand le Polisson se défend vivement d'avoir jamais été *forgueux ne doubleux* (dénonciateur ni voleur), le Malingreux renchérit : il *rouscaille tous les matins au Grand Havre* l'oraison qui suit et dont, exceptionnellement, nous donnons d'abord la traduction :

O Seigneur, bien que les vagabonds ne soient rien à Tes yeux, néanmoins moi, pauvre et chétif argotier, reconnaissant que tout ce que je mange vient de Ta main sacrée et généreuse, j'ose prendre la hardiesse, prosterné aux pieds de Ta Grandeur, de Te remercier humblement de m'avoir donné à manger jusqu'à présent !

Ensuite, je Te demande pardon de tout le mal que j'ai commis contre Tes divins commandements, que ce soit en volant ou autrement, et je Te supplie humblement de dédommager ceux à qui j'ai volé quelque chose, et de récompenser ceux qui m'ont donné de l'argent ou du pain.

O doux Jésus, vrai Dieu et Homme, garde mon âme du diable d'enfer, et mon pauvre corps de tomber entre les mains du Prévôt de la maréchaussée, de peur qu'il ne me fasse épouser la veuve à l'abbaye de Monte-à-Regret ; ou donner le fouet, ou marquer au fer rouge.

En revanche, ô Roi de l'univers, veuillez inciter les nobles et les marchands à me donner ce qu'il me faut pour vivre, afin que je ne sois pas réduit par une trop grande pauvreté à me faire chenapan, pour couper les cordons ou voler quelque chose. O Patron céleste, je Vous demande toutes ces grâces par le mérite infini de la mort de Votre fils sacré. Amen.

Et voici le texte d'origine de cette prière :

Ô Grand Havre, combien que les marpauts de la dure ne soyent que floutière au regard de tézière, néantmoins mézière pauvre chétif Argotier, recognoissant que mon morfiage toutime vient de ta louche sacrée & liberalle, j'ose prendre la hardiesse, prosterné aux pasturons de ta grandeur, de te remercier humblement de m'avoir fouqué la morfe jusques à présent. En après je te demande pardon de tous les maux que j'ay aquigez contre tes divins commandemens, soit en doublage ou autrement & te supplie humblement de recompenser ceux à qui j'ay doublé quelque chose, & ceux qui m'ont fiché du michon ou de l'artie. O chenastre Jesus, vray havre et marpaut, garde mon âme du glier infernal, & mon pauvre corps de tomber entre les louches du Rovin, craignant qu'il ne me fist espouser la veufve en l'abbaye de monte à regret, ou ficher le bouy ou la tape. Par quelque, ô dabuche de l'univers, veuillez inciter les Rupins & Marcandiers de me ficher mes nécessitez, afin que je ne sois réduit par une trop grande pauvreté à estre myon de boule, pour caser les hanes, ou attrimer quelque chose. Ô patron céleste, je vous demande ces grâces toutimes, par le mérite infiny de la cosne de vostre sacré myon. Amen.

Nombre des mots de ce texte appellent un commentaire linguistique ou historique. Nous les donnons ci-dessous, dans l'ordre de la lecture.

Le Havre : Dieu. Souvent transcrit *Haure, v* et *u* se confondant à l'impression. Mot ancien et inexpliqué.
Les marpauts de la dure sont les hommes qui couchent par terre ; *marpaut* est ancien et inexpliqué.
Mon morfiage : ma nourriture. De *morfier,* plus tard *morfiller,* man-

ger, qu'Hugo replacera dans la bouche de Gavroche, et qui n'a vieilli que récemment ; lui-même de *morfe* ci-dessous. Le *morfiage toutime,* c'est tout ce que je mange ; et *fouquer,* d'origine inconnue, est donner.

L'emploi de louche pour main n'a guère subsisté que dans l'expression *serrer la louche,* la main.

La *morfe* : la nourriture, est très ancien. Il vient de *morphea (panis),* une bouchée de pain, en bas-latin ; *morphea,* bouchée, est sans doute d'origine germanique ou gauloise ?

Le *Glier* ou *Guelier* : le diable, Satan. Il faut sans doute rapprocher le mot du verbe d'ancien français *guiler,* tromper.

Il faut lire « les louches du *Roüin* » ; le mot est une variante de *Rouart,* prévôt de la gendarmerie (de la maréchaussée), sans doute parce qu'il fait *rouer,* supplicier, les criminels.

Ficher le bouis : le mot n'a pas survécu au-delà du XVIe siècle. Il vient sans doute du *buis,* ou des branches de *buisson,* avec lesquelles on fouettait les malfaiteurs.

Ficher la tape : la marque au fer rouge des criminels envoyés aux galères.

Le *mion* (ou myon) *de boulles* est traduit par le lexique de Chéreau, dans toutes les éditions, par « coupeur de bourses » ; mais *caser* (casser) *les hanes* signifie aussi couper les cordons de la bourse d'un bourgeois distrait pour la lui dérober. Cependant les deux expressions ne sont pas synonymes : le *mion de boulles* est, mot à mot, l'enfant de foires, l'apprenti voleur, le pickpocket. Le *casseur de hanes* est un voleur confirmé.

La *cosne* : la mort, de *cosnir,* mourir ; *cônir,* probablement déformation de *cornir,* raidir, se retrouvera dans *crônir,* puis *crounir,* dont le participe passé, *crouni,* mort, était encore en usage voici une vingtaine d'années.

Le texte du *Jargon* est accompagné d'un lexique argot-français, le premier du genre. Nous en donnons ci-après les lettres L, M, N, O et P, en rétablissant, pour en faciliter la consultation, l'ordre alphabétique, passablement malmené par le rédacteur de ce *Jargon de l'argot.*

Nous corrigeons également quelques erreurs manifestes de transcription ou de typographie ; ainsi *lanscailler,* pisser de l'eau (pour *lescailler*), *piaux,* lit (pour *piot*), l'auteur ayant bien noté par ailleurs *lance,* de l'eau, et *piausser,* se coucher.

Sur la cinquantaine de mots de cet échantillon, la moitié environ n'étaient plus employés, ni sans doute compris, au début du XIXe siè-

cle. Mais une autre moitié était restée très vivante, même au prix
d'évolutions du sens ou de la forme. Ainsi *lance, lanscailler, louche,
lourde, morfier, marque* ou *marquise* (femme), *maquiller, mouchailler,
mouscailler, picter, piole,* etc. Une *lime,* une chemise, est l'abrègement du très ancien *linas,* linge de lin, qui s'était maintenu sous la
forme *limasse,* devenu *limace* à la fin du XVIIIᵉ siècle, quand le mot
primitif n'a plus été compris. Un *lingres,* un couteau (fabriqué à *Lan-
gres,* patrie de la coutellerie et de Diderot), est devenu un *lingue;*
piole, taverne ou logement en général (le mot est à rattacher à
l'ancien verbe *pioler,* boire), s'est élargi au sens d'auberge ou de
logement de rencontre ; puis réduit à celui de chambre.

L'argot, qui n'est, rappelons-le, qu'un vocabulaire partiel, et à
aucun degré une langue, « bouge » donc, incontestablement, plus
vite que le français courant ; mais à l'échelle humaine et quotidienne, celle d'une ou deux générations, et si l'on écarte les phéno-
mènes de mode, les « arrive-s'en va » de quelques mois ou même de
deux ou trois ans, c'est plutôt sa stabilité qui frappe.

LE JARGON DE L'ARGOT

L
Lance, de l'eau.
Lanscailler, pisser de l'eau.
Lime, une chemise.
Lingres, un couteau.
Louche, la main.
Lourdaud, un portier.
Lourde, une porte.
Luisant, le jour.
Luisante, une fenêtre.
Luisard, le soleil.
Luisarde, la lune.
Luquet, un faux certificat.

M
Maquiller, travailler.
Marmouzet, le pot au potage.
Marquant, un homme.
Marquin, un couvre-chef.
Marquise, une femme.
Marque, une fille.

Marcandier, marchand.
Marron, du sel.
Menée d'avergots, une douzaine
d'œufs.
Menée de ronds, douze sols.
Ménestre, du potage.
Mézière, moi.
Mion, un garçon.
Mion de boulles, coupeur de
bourses.
Minois, le nez.
Molanche, de la laine.
La morphe, le repas.
Morfier, manger.
Morfante, une assiette.
Mornos, la bouche.
Morve, mouton ou brebis.
Mouchailler, regarder.
*Mouscailler ou filer
du proye,* chier.
Mouillante, de la morue.
Mousse, de la merde.

N

Narquois, un soldat.

Nouzailles, nous.

O

Ornie d'étable, une poule.

Ornie de balle, une poule d'Inde.

Ornions, des chapons.

Ornichons, des poulets.

P

Pacquelin, l'enfer.

Paillard, paillarder, du foin, un pré.

Parfond, un pâté.

Parfonde [Profonde ?], une cave.

Pasquelin, le pays.

Passades ou passifs, des souliers.

Pâté d'Hermine, des noix.

Patron, père.

Pâturons de cornant, pieds de bœuf.

Pâturons de morve, pieds de mouton.

Pérouse, une pistole.

Pharos, le gouverneur d'une ville.

Piausser, se coucher.

Piaux, un lit.

Picter ou pictancher, boire.

Piget, un château.

Pilier du creux, le maître du logis.

Pillots, des paysans.

Pinos, des deniers.

Piole, une taverne.

Piolier, un tavernier.

Pivois, du vin.

Ponifle ou Magnuce, une putain.

Proye ou prose, le cul.

Le Jargon, nous l'avons dit, eut un succès commercial rapide et qui s'annonçait durable. En bon éditeur, Oudot le remet donc régulièrement à jour. En particulier, il fait justifier par les rédacteurs du « dictionnaire argotique » ce que nous appellerions aujourd'hui l'actualisation de ce dictionnaire, en se réfugiant derrière l'argument d'autorité : ce n'est pas nous qui introduisons arbitrairement des nouveautés dans ce dictionnaire, ce sont les argotiers eux-mêmes :

Pour ôter le scrupule que quelques-uns pourroient avoir de ce qu'on n'use plus de beaucoup de mots qui étoient en usage en l'ancien Jargon, c'est que les Archi-suppôts qui sont les Écoliers débauchés, mouchaillans que trop de marpaux entervoient, retranchèrent les mots suivans. Premièrement, la tête on la nommoit calle, à présent c'est la tronche. Un chapeau, on le nommoit place, à présent c'est un comble. Les pieds, on les nommoit trotins, à présent des pâturons. Un manteau, c'étoit un volant, à présent c'est un tabar ou tabarin ; du potage s'appelloit de la jafle, à présent de la ménestre. Une chambrière se nommoit limogère, à présent c'est une cambrouze. Un chemin, on l'appelloit pellé, à présent c'est un trimard. Manger, c'étoit briffer ou gousser, à présent c'est morfier. Une écuelle se nommoit crolle, à présent saliverne. Une fressure se nommoit pire, à présent encençouer. Manneau, c'étoit-à-dire moi, à présent c'est mézière ou mézingand, tonnant c'étoit-à-dire toi, à présent on dit tézière ou bien tézingand.

Un si long silence

L'apparition en plus ou moins grand nombre de textes argotiques est évidemment liée à une situation historique et sociale déterminée. Or, de 1630 à 1790, cent soixante ans vont s'écouler sans que nous ayons mieux à proposer que deux textes assez plats, auxquels, en tout autre époque, nous n'aurions guère prêté attention.

C'est qu'en 1630, la France est encore engagée dramatiquement dans la guerre civile et religieuse. L'autorité royale, et plus encore celle du cardinal de Richelieu, sont violemment contestées. D'où pour une bonne part le succès du *Jargon de l'argot réformé,* dont le « désordre » subversif fait écho à la subversion politique et militaire du temps.

Bientôt cependant, Richelieu l'emporte. Il fait peser sa poigne de droite et de gauche : sur les nobles et sur le peuple. Sur les « lettrés » aussi, les intellectuels d'alors. Il est significatif que l'institution de l'Académie française (1634) sonne pour longtemps le glas de la littérature argotique. En dépit du mécontentement populaire, de la misère et des troubles, l'ordre du silence régnera sur la classe dangereuse, celle qui crée l'argot, jusqu'à la fin de l'Ancien Régime.

On le voit bien par le premier de nos textes du XVIIIᵉ siècle, l'histoire de Cartouche, qui se transforme en une sorte d'épopée guindée en alexandrins. Mais à défaut d'argot véritable, toute la seconde moitié du siècle se gargarise du contraste entre le trop noble français de l'Académie et le français débraillé du menu peuple parisien — le français « poissard ».

Nous avons donc, à bon droit croyons-nous, appelé pour les années 1750-1790 la littérature poissarde au secours de la littérature argotique défaillante.

Un truand très Régence : Cartouche

L'imagerie populaire a réduit au seul nom de Cartouche ce qui a été l'histoire des (frères) Cartouche et celle, plus étonnante encore, des « cartouchiens ».

Louis-Dominique Cartouche, né en 1693, était le fils d'un mercenaire hambourgeois au service du roi, Jean Garthauszien, dont le nom, prononcé tant bien que mal « Gartouchien », devint, avec la facilité d'assimilation des Français de cette époque, Cartouche. Retiré du service, ce lansquenet, du reste fort honnête homme, s'établit tonnelier à Paris, dans le quartier du Chemin-Vert, au pied de la butte de Ménilmontant, en fait, aux portes du Paris d'alors.

Est-ce un surnom donné à son tonnelier de père, ou plutôt un passeport volé à un marchand, qui fit longtemps présenter Cartouche comme un certain Louis Bourguignon ? On ne sait trop. Toujours est-il que le gamin tourne mal de bonne heure. Il était haut comme trois pommes, mais joli gosse et d'une intelligence redoutable.

Il en fit la preuve très vite, en constituant autour de sa petite personne, à vingt ans, un « gang » très efficace qui rappelle de façon étonnante ce que fut la Coquille trois siècles avant : voleurs à la tire (Louison, le frère de Louis-Dominique, était à douze ans le pickpocket le plus habile de Paris), tricheurs au jeu, receleurs, fondeurs de bijoux, filles de mauvaise vie, policiers et même gentilshommes dévoyés, aubergistes complaisants, rien ne manque au tableau.

Cartouche a tout juste dix-huit ans à la mort de Louis XIV. La France explosait. Même assassin, son banditisme aimable et son inaltérable galanterie étaient dans l'esprit et l'air du temps. Qui, à l'époque des licences de la cour du Régent et des dissipations de la banque de Law, pouvait raisonnablement jeter la pierre à ce truand à la fois habile et charmant, qui dépouillait les passants en plaisantant et à l'occasion les tuait en riant ?

Il fallut tout de même sévir, et faire un exemple sanglant. La gangrène montait déjà trop haut. Cartouche passait (sans doute à raison) pour avoir des informateurs et des complices jusque dans l'entourage proche du Régent. Arrêté, évadé, repris, il fut roué à

Paris le 28 novembre 1721, dans un immense concours de peuple et de femmes de la meilleure société.

Le chef mort (un chef-né, extraordinaire), la bande s'écroula. De recoupements en dénonciations, le procès de Cartouche, de ses frères et de ses complices emplit près de sept ans d'interrogatoires, de comparutions et de condamnations. Sur les sept cent quarante-deux hommes, femmes et enfants accusés d'avoir, de près ou de moins près, pris part aux exactions de Cartouche (un chiffre énorme, incroyable, qui fait du gang de Cartouche le plus étendu qu'on ait jamais connu en France), trois cent cinquante-deux furent jugés et condamnés, la plupart à la pendaison ou à la roue ; si bien qu'on ne cessa de « questionner », de torturer, de rouer et de pendre durant quatre ans en place de Grève. Près de quatre cents accusés en fuite furent jugés par contumace ; on en pendait encore vers 1750.

Et nous, dans tout cela ? Les cartouchiens — au moins les professionnels — avaient certainement en propre un petit « jargon », outre ce qui était alors l'argot criminel de Paris, dont nous ne savons pas grand-chose.

Le fait est cependant que l'histoire de Cartouche, aussi populaire qu'elle devînt dès son arrestation, n'a donné lieu qu'à une plate littérature. Le goût de l'époque était au sang, certes ; mais au sang en dentelle, à tel point que l'épopée cartouchienne n'est restée connue dans la littérature que par un poème en alexandrins et en treize chants : *Le Vice puni, ou Cartouche,* paru en 1722. L'auteur en était un plumitif sans talent, Nicolas Ragot de Grandval ; et l'œuvre est larmoyante à bâiller.

Elle n'a pour nous que l'intérêt assez mince d'un double *Dictionnaire Argot-Français et Français-Argot,* qui en occupe les quinze dernières pages dans l'édition « revue et augmentée » de 1726.

On hésite sur le crédit à accorder à ce petit lexique, dont nous donnons ci-après les lettres A, B et C pour la partie Argot-Français, et M à P pour la partie Français-Argot. Nous sentons à chaque ligne la reprise servile du *Jargon de l'argot réformé,* de 1628, mais quelques apparitions sont intéressantes ; ainsi la *toccante,* la montre ; *daron* et *daronne,* père et mère ; *pasquelin,* pays qui deviendra *patelin* ; *rouscailler,* parler, et *rouscailler bigorne,* parler argot, que reprendra Victor Hugo.

En revanche, une indication comme *l'affe,* la vie, également reprise par Hugo puis par Balzac, prouve que R. de Grandval n'avait de l'argot qu'une connaissance superficielle et livresque.

DICTIONNAIRE ARGOT-FRANÇAIS

A

Abbaïe de monte à regret, la potence.

Abloquir, acheter.

Affe, la vie.

Affurer, tromper.

Ambier, fuir.

Andosse, échine, dos.

Anquilleuse, femme qui porte un tablier, pour cacher ce qu'elle vole chez les marchands.

Antroller, emporter.

Aquiger, faire.

Artie, arton, pain.

Astic, épée.

Attaches, boucles.

Attrimer, prendre.

Avergots, œufs.

B

Babillard, livre.

Babillarde, lettre, épître.

Bâcler, fermer.

Basourdir, tuer.

Batouze, toile.

Baude, vérole.

Baudru, le fouet.

Bauge, coffre.

Bier, aller.

Boule, marché.

Bouliner, voler.

Bouïs, le fouet.

Boutanche, boutique.

Brenicle, rien, non.

Brider, fermer.

Brocante, bague.

Brouée, le fouet.

C

Cachemitte, cachot.

Cagou, voleur solitaire.

Calvin, raisin.

Calvine, vigne.

Cambrouse, servante.

Canton, prison.

Cantoniers, prisonniers.

Caruche, prison.

Cassantes, des noix.

Casser la hane, couper la bourse.

Castroz, chapon.

Chenâtre, chenu, bon, beau.

Coffier, tuer.

Combre, chapeau.

Comte de la Caruche, geôlier.

Cône, la mort.

Coquillards, pèlerins.

Cornant, bœuf.

Cornante, vache.

Cornets d'épices, pères Capucins.

Craquelin, menteur.

Crie, criolle, de la viande.

Creux, maison.

DICTIONNAIRE FRANÇAIS-ARGOT

M

Madame, faraude.

Main (la), la louche.

Maison, creux.

Maître, marpaux.

Maître, père, daron.

Maître des gueux, Coësre.

Maîtresse, mère, daronne.

Faux malades, francs mitoux.

Mandier, droguer.

Mangeaille, la morfe.

Manger, morfier.

Manteau, tabar, tabarin.

Marchand, mercandier.

Marcé, le marché, boule, frémion.

Marcher, battre l'antiffe, trimer, trimarder, trimancher.

Médire de quelqu'un, froller sur la balle.

Menteur, craquelin.

Mère, daronne.

Merde, mousse.

Meunier, gripis.

Moi, mézière.

Monsieur, farot.

Montre, toccante.

La mort, la cône.

Morue, mouillante.

Moulin, torniquet.

Mouton, brebis, morne.

N
Nez, nazonant.

Noix, cassantes, pâté d'hermites.

Non, brenicle.

Nous, nouzaille, nozière.

Nuit, sorgue ou sorgne.

Nuds, ceux qui vont presque nus, polissons.

O
Œufs, avergots.

Oreilles, écoutes.

Oter le linge de dessus les haies, déflourir la picoure.

Ouvrir, débâcler, débrider.

Oui, gy, gyrolle, jaspin.

Oyes, angluces.

P
Paille, fretille.

Pain, artie, arton.

Pain blanc, artie de Meulans.

Pain bis, artie de gros Guillaume.

Pays, pasquelin.

Paysan, pallors.

Parler, rouscailler, jaspiner.

Parler jargon, jaspiner, rouscailler bigorne.

***

Avis aux amateurs : la littérature poissarde attend son anthologie et son historien. C'est pas mon blot : une chose est le poissard, autre chose est l'argot, encore que l'un et l'autre aient pour point commun l'intérêt qu'ils portent au *poisse,* c'est-à-dire au voleur.

Il y a cependant entre les deux une différence essentielle : le poissard est la langue d'un groupe social caractérisé et mince, celui des Dames de la Halle — harengères, bouquetières, marchandes d'habits. Dans sa syntaxe, le mouvement de sa phrase, son accent surtout, il est encore très proche du français des campagnes, à la fois gras, sonore et lourd. Il n'invente pas, il ne s'amuse pas : il gueule.

La preuve : un des premiers textes poissards du répertoire est une grosse farce de **Pierre Boudin** (ça ne s'invente pas) : *Madame Engueule, ou les Accords poissards* (1754). Madame Engueule, rhabillée, deviendra la Madame Angot que tout le monde connaît. Voici un échantillon du parler poissard de cette farce.

Mme ENGUEULE. — Tu te battras donc toujou, hai, enfant de vipère ?

CADET, *effrontément.* — Eh ben, quoi ! Qu'est-ce que vous bavez, vous ? Ne faut-il pas que je nous laissions saccager, voyons ? Car v'là comme c'est venu, tenez : j'étions dévalé à ce chou... y-là... sous les pilliers, où je tapions simplement d'mi-sequier de six yards à l'avenant du contoi. Oh ! Tape-à-l'œil était là itou qu'entarroit le darnier coup de sa chopine, et parce qu'il a de la rancune en devars nous, au vis-à-vis de ce que je l'ons triché eune miette à ce matin à la brique, y s'émaginoit que j'allions fouiner raide ; mais un chien qui recule, avec nous ! Si ben donc que ça li fichoit malheur. Oh ! le v'là qui file du long, et qui m'accueille d'un revars dans l'z'œils en façon de salut. Parle-donc, hai, faraud de la goaille, j' ly dis : non, c'est de bon, m' fit-y : y sort, moi de même ; zon, je vous ly détache deux empans sur les visières, y me repare queuques coups de souyers en venant à l'accolage. Oh ! un moment, m' fis-je, Cadet : pas d'abattage, ici. Sans parde de tems je recule six pas pour prendre du champ ; et pis, zin, zon, toujou de volée, je li sarvons par-ci par-là queuques suçons sur la gueule ; y tombe à gauche, et là j' vous le travaillerions encore d'un fier goût, si La Vigueur n'étoit venu m'arracher sa voirie, allez. Eh ben ! direz-vous que j'ons tort ?

***

La plus connue des œuvres du plus connu des auteurs poissards, **Jean Vadé** (1720-1757), est un poème « épitragipoissardhéroïcomique », *La Pipe cassée* (1743), qui met en scène les Forts du Port au blé et leurs dames.

Au chant III, celles-ci (trois commères querelleuses) ont pris part à une vente aux enchères et en ont rapporté des pièces de tissu et d'habillement. Le partage de ces trésors amène une querelle, que Jérôme, le sage du quartier, apaise ainsi, dans les derniers vers du chant :

— Pour un rien, vous vous argottez.
Quoi ? Qui vous met tant en colère ?
Des gnilles ? V'là ce qu'y faut faire :
Faut les solir chez l' tapisser,

Et puis partager le poussier.
— Compère, interrompt La Tulipe,
Je donnerais quasi ma pipe
Pour être comme toi chnûment
Retors dans le capablement ;
Tu dis ben, faut faire s'te vente,
Et dès demain, dà, j' m'en vante,
Ou ben moi, je fiche à voyeau
Les pots, le chenet, le rideau
Le lit, les femmes et la chambre.
Lors, tremblantes en chaque membre,
Elles firent ce qu'on voulut,
Et puis, qui voulut boire, but.

LES ANCIENS

première partie

1790-1840

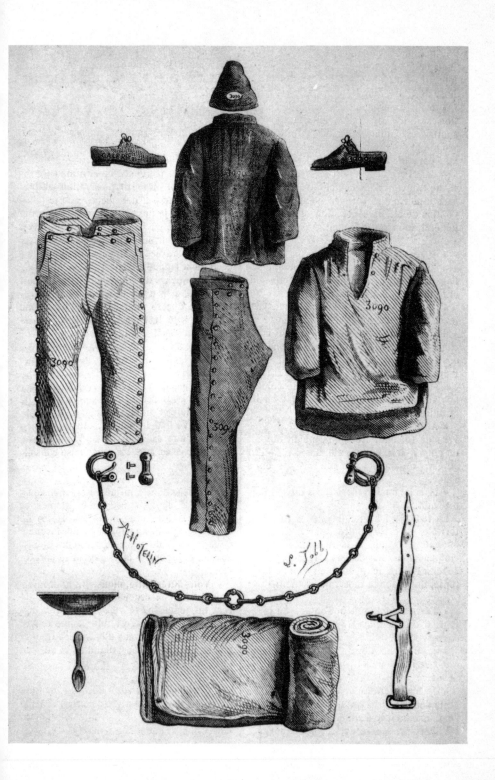

Le Rat du Châtelet

Nous ne savons rien de l'auteur de cette plaquette d'une trentaine de pages, sortie des presses en 1790, à Paris. Jeté en prison (le Châtelet était celle de la prévôté de Paris) pour quelque délit mineur, ce n'est pas un malfrat ; tout au plus un plumitif dévoyé ou quelque chevalier d'industrie frotté de littérature. Ce malheureux accident mis à part, notre homme rappelle beaucoup, à la même époque, les deux grands « reporters » de la vie parisienne populaire et crapuleuse que furent Sébastien Mercier (*Le Tableau de Paris,* 1788 et 1799) et surtout Rétif de la Bretonne (*Les Nuits de Paris,* 1788, 1790, 1794).

Il a sur eux un avantage : autant Mercier et Rétif sont grandiloquents, larmoyants et souvent verbeux, autant notre homme est simple, vif et direct. Un autre avantage, grand en ce qui nous concerne, est qu'il ne *fait* pas parler : il *laisse* parler.

Qu'il ait été un témoin de première main des scènes qu'il rapporte, on ne peut en douter. S'il n'avait été qu'un argotier en chambre, un compilateur de dictionnaires, le dernier en date dont il aurait pu se servir est le maigre lexique du *Cartouche* de Grandval, de 1725 ; ou une édition des années 1760 de l'increvable *Jargon de l'argot réformé.* Or son texte fourmille de nouveautés qu'il est le premier à attester et qu'on ne retrouvera ensuite pour une part que dans les notes prises par Ansiaume en 1820, au bagne de Brest ; caution bourgeoise, si nous osons dire.

Auditeur attentif, il s'est sans doute fait répéter les mots sur lesquels il hésitait et qu'il transcrit dans l'ensemble avec beaucoup d'exactitude. L'échantillon d'une quarantaine, que nous donnons à la suite d'un extrait du texte, témoigne de la qualité de son observation et en même temps d'un renouvellement intense du vocabulaire argotique dans le dernier quart du XVIIIᵉ siècle ; si bien que nous avons avec lui le sentiment de lire un texte presque contemporain, en tout cas contemporain par exemple des *Misérables* de Hugo, de plain-pied avec l'argot vivant du XIXᵉ siècle, qu'il revenait donc légitimement au *Rat du Châtelet* d'inaugurer dans notre ouvrage.

J'eus beau faire pour écouter, j'entendis tout et ne compris rien; c'étoit, je crois, un composé de mots grecs, hébreux et français. Combien j'ai regretté de n'avoir pas étudié toutes les langues! J'aurais, peut-être, appris bien des choses.

— Mon affaire va à trois *plombes de bachasse*, disait l'un. L'autre répondit :

— J'irai à *viorc de Flandres*.

Un troisième disait à son camarade :

— Quel bagou aurais-tu pris, si les railleux t'avaient *coltiné* avec six *peignes* dans ta *profonde*, et un *dauffe* sous ton frusque, pris dans la *cambriolle*, avec douze blavins, quatre *bogues* de jonc, six *louches* et deux *bêtes à cornes* de cé, et *reconnoblé* chez le *cardeuil*?

L'autre lui répond :

— Donne-moi du *mince*, je vais macquiller ta babillarde. Si tu n'es pas reconnoblé là-haut, *poitou*. *Aboulez* une rouillarde d'*eau-d'affe* et deux rouillardes de picton, et pictanchons! As-tu de l'auber? Si tu n'as pas d'auber, poitou.

Enfin, vous dis-je, un sacré baragouinage, que le diable n'y connaîtrait goutte.

[...]

J'entendis ouvrir la porte, c'était un guichetier qui amenait un prisonnier.

— Neficot, dit-il, *allume le miston*.

Ce particulier fut tout à coup reconnu de tous ses confrères qui l'accueillirent en lui disant :

— Sur quoi es-tu fait?

— Sur une *cambriolle*, répondit-il.

— Y a-t-il du *ragoût*?

— Oui, j'ai été fait en travaillant la *bauche*; la *marque crible au charron*, *bride la lourde de la longue*, les *mistringues aboulent*, on me *trimbale* chez le *cardeuil*, on me *rapiote*, mais *poitou*; j'avais *planqué* mes *peignes* et ma *camelotte* dans la *longue*. Les *mistringues* ont tout apporté chez le cardeuil, mais poitou, je n'ai rien reconnoblé. Le cardeuil m'a demandé si j'avais été *en canton*; j'ai répondu que je ne savais pas ce que voulait dire *canton*; que j'étais innocent. Mais comme la marque *crossait* indignement, il m'a fait *abouler* ici.

— Tu monteras demain devant Nicolas de Satou. Il te demandera qu'est-ce que tu allais faire dans cette maison. Tu diras que tu allais faire tes besoins, mais que tu n'es pas entré dans aucune chambre ; que tu ne connais pas ce qu'on veut te dire ; et que la *marque* est une coquine. Puisqu'il n'y a pas de *parrains, poitou.* Ne va pas *débiner.* Ne *reconnoblez* pas les *peignes* ni la *camelotte.*

— Est-ce que j'ai besoin, reprit l'arrivant, que tu me *refiles le bagou*? Crois-tu que je sois si *loffe* que de *débiner*?... *Pitanchons*, pitanchons, les *cantonniers*! Allons, de l'eau-d'affe! Je serais *décarré* avant huit jours ; je *refilerai* deux *maltaises* là-bas, et poitou.

En voici la traduction :

— Mon affaire me fait risquer trois ans de bagne, disait l'un. L'autre répondit :

— Je serai condamné à vie pour avoir tenté de m'évader.

Un troisième [...] quel mensonge aurais-tu inventé, si les policiers t'avaient mis la main au collet avec six (fausses) clés dans ta poche et une pince-monseigneur sous ta veste ; pris dans la chambre que tu cambriolais, avec douze mouchoirs, quatre bagues en or, six cuillers et deux fourchettes d'argent et qu'ils t'avaient reconnu chez le commissaire de police ?

L'autre lui répond :

— Donne-moi du papier, je vais écrire (ou falsifier) ta lettre. Si tu n'es pas identifié là-haut, tais-toi, ce n'est rien ; apportez une bouteille d'eau-de-vie et deux de vin, et buvons. As-tu de l'argent ? Si tu n'en as pas, il n'y a rien de fait.

[...]

— Sur quoi es-tu fait ?

— Sur un cambriolage, répondit-il.

— Y a-t-il du flagrant délit ?

— Oui, j'ai été fait en forçant (la porte de) la maison. La femme crie au voleur, ferme au verrou la porte du couloir, les agents arrivent, on me conduit chez le commissaire de police, on me fouille, mais on ne trouve rien ; j'avais caché mes clés et mon attirail (ou mon butin) dans le couloir ; les agents ont tout apporté chez le commissaire, mais rien à faire, je n'ai rien reconnu. Le commissaire m'a demandé si j'avais été en prison [...]

— Puisqu'il n'y a pas de témoins, nous ne risquons rien. Ne reconnaissez pas les clés ni les marchandises.

— Est-ce que j'ai besoin, reprit l'arrivant, que tu me fasses la leçon ? Me crois-tu assez bête pour avouer ? Buvons, buvons, les prisonniers ! Allons, de l'eau-de-vie ! Je serais sorti (de prison) avant huit jours. Je donnerai deux louis là-bas, et on n'en parlera plus.

Le Rat du Châtelet, nous l'avons dit, est particulièrement riche en nouveautés argotiques. Nous en donnons ci-dessous la liste commentée, dans l'ordre où ces mots apparaissent dans le texte :

Plombe : ici année de prison, de bagne ; par la suite, mois, puis durée d'une heure ; enfin, heure qui sonne. La *plombe* est primitivement le poids d'une livre appliqué aux fers ou au boulet du bagnard. D'où, l'année de bagne, qui « pèse lourd ».

Bachasse : bagne. Sans doute d'un mot italien, comme *bagne* lui-même.

Aller à viorc de Flandres : lire *à vioque,* c'est-à-dire « à vie », en parlant d'une condamnation. *De Flandres :* sans doute « comme récidiviste ». Origine inconnue.

Bagou, et plus loin *refiler un bagou :* ce qu'on raconte aux policiers ou au juge pour se disculper ; souffler à un accusé ce qu'il devra raconter au juge. L'idée de bavardage mensonger se retrouve affaiblie dans le sens actuel du mot, qui n'est plus que familier. Du verbe *bagouler,* parler beaucoup, vite.

Railleux : espion de la police, mouchard. D'où, policier.

Coltiné : lire *coltigé,* « pris au collet », qui est déjà signalé au milieu du XVIIIe siècle.

Peigne : clé à dents nombreuses et fines, comme celles d'un peigne.

Profonde : poche.

Dauffe : pince à effraction, dite pince-monseigneur. Abrégement de *dauphin* (c'est-à-dire « fils de roi »), qui n'est guère employé en ce sens, alors que *dauffe* ou *daufe* est entré de bonne heure dans l'argot classique. Dans l'argot de Villon et des coquillards, le crochet ou l'outil servant à forcer une serrure ou un coffre est un [roi] *David,* un *Davyot,* sans doute par allusion à la clé de David d'un psaume, « qui ouvre ce que nul ne referme ». Du « roi David », ou du « petit David », on a pu passer à l'idée d'un fils de roi, d'un « dauphin », pour désigner cette pince.

Cambriolle : chambre ou pièce d'un logement, toujours avec l'idée du vol, du cambriolage. La cambriolle n'est jamais une pièce d'habitation en tant que telle. D'où, plus loin : être *fait sur une cambriolle,* pris en flagrant délit de cambriolage.

Blavin : mouchoir. Ici au sens ancien : fichu de gorge, d'une certaine valeur. Origine inconnue. Argot classique tout au long du XIXᵉ siècle.

Bogue : montre (de valeur, sinon ce n'est qu'une *toccante*). Origine inconnue.

Jonc : or (de bijouterie), mais jamais en tant que tel, ou en pièces ; une pièce de jonc, pour « une pièce d'or », n'existe pas. Cependant, après 1950, *jonc* désigne aussi l'or en lingot. Classique jusqu'à nos jours. Le « jonc » est d'abord un anneau d'or, une alliance fine. Puis, par métonymie, le métal.

Louches : ici, cuillers à potage en argent.

Bêtes à cornes : fourchettes. Celles-ci n'ont longtemps que deux dents, longues et courbées : des « cornes », d'où les « bêtes à cornes ». L'appellation n'a guère subsisté.

De cé : d'argent (métal). L'appellation remonte au milieu du XVIIIᵉ siècle, mais ne devient classique qu'au début du XIXᵉ. Ce *cé* est la lettre C majuscule, soit parce qu'elle est le symbole de l'argent dans la nomenclature alchimique ; soit parce qu'il s'agit d'un poinçon d'atelier. De même, le *gé* (le G) est l'or.

Reconnobler : reconnaître. D'où *connobler,* connaître, l'un et l'autre classiques jusque vers 1900. Origine obscure : le radical est en partie celui de « connaître », mais l'élément *nobler* est inexpliqué.

Cardeuil : déformation graphique de *quart d'œil,* c'est-à-dire œil (surveillance, police) du « quart », d'un quartier de Paris. Le « cardeuil » est le commissaire de police du quartier. L'expression est classique durant tout le XIXᵉ siècle et devient par abrégement au XXᵉ, *le quart.*

Du mince : du papier.

Poitou : non, rien à faire. Ancien et mal expliqué.

Abouler : ici, faire venir, apporter. Plus loin, *les mistringues aboulent,* viennent, arrivent. Argot encore classique.

Eau-d'affe : eau-de-vie. C'est de là que Balzac tire un imaginaire *affe,* « vie ». En fait, il s'agit de l'eau *naffe,* ou *de naffe,* ancienne appellation de l'eau de fleurs d'oranger ; de l'arabe *nafah,* odeur agréable, par l'italien *nanfa.* C'est par dérision que l'eau naffe, de fleurs d'oranger, est devenue pour les malfrats de l'eau-de-vie.

Une rouillarde de picton : une bouteille de vin.

Allume le miston : regarde, observe cet individu.

Du ragoût : du danger, du scandale, un risque de flagrant délit, ce qui donne lieu aux soupçons de la police. Altération de *regoul,* scandale, affaire déplaisante, lui-même à rapprocher de *dégoût* et de *regouler,* vomir.

La bauche : la maison ; *travailler la bauche,* forcer l'entrée d'une maison pour voler. Variante régionale de *bauge,* hutte, cabane de torchis. Le mot ne reparaît pas dans l'argot du XIXᵉ siècle.

Crier au charron : appeler au secours. Une voiture dont l'essieu est mal graissé « crie au charron » comme pour l'appeler et être secourue. Argot classique jusqu'à une époque récente.

Bride la lourde de la longue : ferme la porte du couloir d'entrée. Si *brider la lourde,* fermer la porte, est d'argot ancien (et toujours classique), *la longue,* « l'allée couverte (plutôt que le couloir) qui va de la rue à une maison », n'a pas subsisté.

Mistringue : agent de police. Variante probable de *miston.* Le mot n'a pas subsisté.

Trimballer : conduire, emmener, puis porter, transporter, est alors nouveau et argotique. C'est une variante des anciens *tribaler* ou *trambaler,* formations expressives à partir de *train* et de *baler* ou *baller ?*

Rapioter : « fouiller un individu arrêté ou suspect ». C'est à peu près « retourner (les vêtements) jusqu'à la peau », avec un RA représentant un RE intensif. Le mot, ainsi que *rapiotage* et *rapiot,* n'est plus en usage suivi après 1860.

Planquer, en revanche, poursuit une belle carrière argotique. C'est cacher, soit pour se débarrasser d'un objet ou d'un butin compromettant (c'est le cas ici), soit pour en disposer plus tard, s'il s'agit d'argent. Le mot s'est créé sans doute par convergence de *planter,* cacher, déjà connu de Villon et des coquillards ; et de *plaquer* (au sol), jeter à terre un objet ou un individu, pour s'en défaire.

Canton : prison, est ancien et a très probablement été connu de Villon et des coquillards, même s'il n'apparaît dans les textes qu'un peu plus tard, au milieu du XVIᵉ siècle ; de même *cantonnier,* prisonnier. On ne les retrouve ni l'un ni l'autre après 1800. Origine incertaine.

Crosser : crier pour récriminer, appeler à l'aide, se quereller. Le verbe et ses dérivés *(crosses, crosseur)* restent en bon usage durant tout le XIXᵉ siècle. Il s'agit sans doute d'une altération d'un régional *grousser,* devenu *crousser,* crier d'une voix aigre, comme une volaille en colère.

Marque : femme, et le plus souvent femme légitime ou maîtresse attitrée, est ancien. On peut le rapprocher du masculin *marc,* maître du logis, qui a, lui, disparu de bonne heure. De *marque* dérive *marquise,* et non l'inverse.

Parrain : témoin qui risque de vous faire convaincre d'un délit. Explication : comme le parrain religieux, il reconnaît l'enfant (le coupable) et lui impose un nom. On a distingué le *parrain fargueur,* témoin à charge, et le *parrain d'altèque* (bon), témoin à décharge, puis le *parrain* devient l'avocat, et même le juge. Sous cet excès de significations, le mot disparaît après 1860.

Loffe : sot, vient de l'argot italien et n'a guère subsisté au-delà des années 1860.

Débiner : en première attestation, est ici passer aux aveux ; d'où par la suite dénoncer un complice ; et avec affaiblissement, dire du mal d'un autre, se moquer de. L'idée générale est toujours celle de laisser ou se laisser aller (d'où : *se débiner,* s'enfuir), qu'il s'agisse de la parole, de l'individu lui-même, ou de ses biens : la *débine,* c'est la pauvreté, la fuite de l'argent.

Chauffe, François, chauffe !...

De 1791 à 1796 environ, une bande particulièrement redoutable et bien organisée mit au pillage le nouveau département du Loiret, entre Orléans, Pithiviers et Montargis.

Ce n'était pas absolument une nouveauté née du désordre de l'époque. Depuis trois siècles et plus, cette région de riches fermes abritait nombre de mendiants, de trimardeurs et de chenapans, à qui les fermiers donnaient, plus souvent qu'on ne le croit, un morceau de pain et une place dans le « taudion », le gîte réservé aux mendiants et aux errants dans toute ferme honorable.

Cependant, la bande du Loiret passa bientôt de la mendicité menaçante aux voies de fait pures et simples. Elle en était venue à compter près de deux cents affidés et à disposer de repaires à peu près inaccessibles. Là vivaient à l'abri les femmes, les enfants et les vieux qui ne participaient pas aux expéditions ; la bande, disent les chroniqueurs, avait son curé, son instituteur et ses élèves :

> Le curé, vieillard à cheveux blancs et presqu'octogénaire, étoit un des brigands exclusivement désigné pour recevoir les déclarations des mariages qui se célébroient suivant leurs *us et coutumes.* Plus loin nous en donnons la formule et les détails.
> Les *Mioches* sont de jeunes élèves, depuis dix jusqu'à quinze à vingt ans, qui, sous le prétexte de mendier ou de

prendre gîte, vont dans les fermes ou autres habitations qui leur sont désignées par les chefs. Là, ils remarquent avec attention, le nombre des personnes qui y demeurent, s'attachent particulièrement à reconnoître la situation des lieux, et viennent en faire leur rapport au chef, qui commande en conséquence le nombre d'hommes nécessaires pour l'expédition. Si quelqu'un de ceux qui en reçoivent l'ordre, refusent d'y obéir, la première, la plus terrible règle de leur discipline (obéissance ou la mort), est mise à exécution, sans appel, sans *interlocutoire.* Nous rapporterons dans la suite de cet ouvrage, plusieurs exemples de cette sévérité inflexible.

L'instituteur, connu sous le nom de père *des Mioches,* étudioit avec soin le caractère de ceux-ci, pour les éduquer et les rendre propres au genre de vie qu'ils devoient mener, suivant leurs dispositions. Par-tout il les accompagnoit ; il s'appliquoit sur-tout à leur apprendre à parler l'*argot,* à jouer adroitement du bâton, à frapper un homme, de manière à le tuer sur le champ, à passer lestement par-dessus les murs, pour ouvrir les portes, etc. etc. C'est ainsi qu'ils devenoient, par degrés, des voleurs habiles et des assassins consommés.

Quant aux mâles du troupeau, les actes de l'instruction nous ont conservé le nom, ou plutôt le surnom, du plus grand nombre. Ainsi, Petit-Teigneux, Grand-Teigneux, Julien-le-Manchot, le curé des pingres, Breton-le-cul-sec, La Cloche, Henri-le-Gausseur (« le marrant »), le Beau-François (leur chef) et le Borgne-de-Jouy, qui les dénonça. Du côté des femmes, contentons-nous de Marie-la-grande-dent et de Marie-beau-cul.

Ils sont restés connus dans la petite histoire sous le nom des « chauffeurs d'Orgères ». Chauffeurs, parce qu'ils employaient pour faire parler leurs victimes un procédé qu'ils n'avaient pas inventé, et dont l'efficacité reste connue ; d'Orgères, parce qu'ils avaient assassiné un fermier d'Orgères, le citoyen Fausset.

La maréchaussée finit par forcer leur repaire, grâce à la trahison du Borgne-de-Jouy, et à mettre la main sur la plus grande partie de la bande. Leur procès se déroula en l'an VIII de la République, à Orléans. Et, comme on pouvait s'y attendre, un certain Leclair fit aussitôt de leur histoire un livre, déclamateur et confus, qui n'a pour nous que l'intérêt du dictionnaire d'argot recueilli d'après les aveux des accusés à l'instruction, et dont voici un extrait :

DICTIONNAIRE D'ARGOT
OU LANGAGE DES VOLEURS

Les brigands d'Orgères et généralement tous les voleurs qui courent les Départemens, ont un langage qui leur est propre, et qui n'est entendu que par eux seuls. Il en est parmi eux qui le parlent avec toute la facilité que leur a donnée une vieille habitude du crime. Ce jargon barbare est d'autant plus dangereux, que ces bandits s'en servent au milieu même de ceux qu'ils doivent assassiner la nuit suivante, ou dans le jour même. Le faire connaître, c'est, ce nous semble, l'anéantir et présenter spécialement aux cultivateurs le moyen de se garantir d'une infinité de maux, en y faisant attention, et en prenant des mesures promptes contre le brigandage et la scélératesse.

Nous avons recueilli avec le plus grand soin, et nous donnons ici tous les mots qui entrent dans la composition de ce langage *hétérogène*.

« Tous les mots » est une exagération manifeste. Mais ce souci très comptable de la quantité au détriment de la qualité critique, du « complet », est commun durant tout le XIXe siècle à tous les dictionnaires, qu'ils soient du français académique, commun ou argotique.

Plus intéressante est l'indication (soulignée par le rédacteur lui-même) qu'il s'agit d'un langage *hétérogène*. Sans doute veut-il dire par là que les argotismes de son « dictionnaire » sont les uns anciens, les autres récents ; provinciaux ou parisiens. C'est en tout cas une brèche dans la croyance à un langage, l'argot, constitué systématiquement (et donc homogène), pour les besoins des argotiers, confondus avec les criminels.

Nous donnons ici les lettres A, B, C, D, E et F de ce petit lexique français-argot. Rectifions quelques erreurs de l'auteur. Un *grinche* n'est pas un amoureux, mais un voleur ; lui et *grinchir*, voler, resteront en usage durant tout le XIXe siècle ; *tapiner*, amener, est très douteux ; une *voiterne*, une croisée, doit se lire *vanterne* ; la *chique*, l'église, est sans doute aussi, dans d'autres contextes, une maison ; du tzigane *tchikè*, maison. C'est un témoignage remarquable de l'influence ancienne du tzigane (ou du manouche) sur l'argot.

On notera aussi l'attestation d'un commencement de vocabulaire sexuel : *rivancher*, pour faire l'amour, b...r, écrit pudiquement l'auteur. De même, les *chibres*, mal traduit par les testicules ; il s'agit du *chivre* ou *chibre*, pénis, mot d'un argot vénérable. Une *gailloterie*, une écurie, suppose évidemment un *gaillot*, cheval, plus ancien ; qui suppose à son tour un *gaille*, cheval, dès le XVIIIᵉ siècle. De même, le *repoussant à deux trillages*, « à deux coups », confirme l'ancienneté de *trillage* (ou *triage*), coup, fois, qui est resté d'excellent argot classique jusque dans les années 1960.

A

Assassiner, conir, escarper, escoiffier. travailler.

Auberge, une piole.

Abboyer, empresser.

Amoureux, un grinche.

Amoureux (être), grincher.

Anes, des branles.

Aller (s'en), vanner.

Arracher, décônir.

Amener, tapiner.

Aller, bouler.

B

Bourgeois, un roupin.

Bas (des), des tirans.

Bas de soie, des tirans radoucis.

Boucles de souliers, des attaches de passifs.

B...er, rivancher.

Boutique, un boucart, une boutrolle.

Bâton, un satou, *id.* juge de paix.

Bled, du grenu.

Battre le bled, sabouler le grenu.

Batteur en grange, chiqueur de grenu.

Bouteille, une rouillade.

Bouteille de vin, une rouillade de picton.

Bouteille d'eau-de-vie, une rouillade d'eau d'affe.

Bonnet, un loubion.

Boire, piqueter.

Battre (se), se chiquer.

Berger, un mornier.

Bois (des), des barroux.

Bourreau (le), le tôle.

Bouche, la mouloire.

Beurre, du fondant.

Brigands (des), des bijoutiers au clair de lune.

C

Coutre, un doffe.

Charrue, une roulotte.

Cheval, un gré.

Chevaux (des), des grès.

Chauffer les pieds, ériffler les paturons.

Clef, une tournante.

Cidre (du), du godelay.

Culotte, une culbute, une montante.

Chapeau, un comble.

Croix d'or, une branlante en gé.

Croix d'argent, Id. en cé.

Chapeau bordé, un comble galuché.

Couteau de chasse, un tranchant.

Cave (la), une prophète.

Charretier, un fait de gaffe.

Cheveux, des douillets.

C...les (les), les chibres.

Chemin, le tiche.

Curé (un), un ratichon.

Chemise, une limasse.

Cabaretier, un pioller.

Cabaret, une piole.

Chier, filer le rondin.
Chapons (des), des barons.
Cave (jeter à la), mettre au noir.
Cuillers (des), des louches.
Cane, une barbotte.
Canard, un barbottier.
Commissaire (un), un quart-d'œil.
Couteau, un lingre, un bargaya.
Corps (le), le bauge.
Courir après quelqu'un, sabouler.
Cordages, des ligotandes.
Cachot, les mittes.
Cachot (mettre au), mettre aux mittes.
Concierge (le), l'oncle.
Croisée, une voiterne.
Chambre, une cambriole.
Chandelles, des mouchiques.
Couper la gorge, sciager la gourgane.
Col (le), la gourgane.
Château, un pipet.
Coq, un caporal.

D
Dénoncer, manger le morceau.
Demander l'aumône, aller en musique.
Domestique (une), une cambrouse.
Id., une cambreline.

Dinde (un), un pique-en-terre.
Draps (des), des empaffes.

E
Eau-de-vie, eau d'affe.
Eau-de-vie (boire l'), piqueter de l'eau d'affe.
Eau, de la lance.
L'écho d'un satou, le coin d'un bois.
Église, une chique.
Écurie, une gailloterie.
Étable, une corbeterie.
Enfoncer une porte, travailler à la bombe.
Entrer dans une maison, enturner.
Enlever une chemise sur une haie, déflorer la pigouse.
Escalader un mur, passer le durier.

F
Femme (une), une marquise, une marque.
Feu (le), le riffe.
Fusil simple, un repoussant.
Fusil à deux coups, un repoussant à deux trillages.
Fuir, cramper.
Fers aux pieds (les), les durs aux paturons.

PHRASES FAMILIAIRES [sic]
EN STYLE D'ARGOT

— *Je cimois de vergne en vergne en jabottant à turbiner, et un minçon d'artifaille, quand il n'y avoit ni berque à turbiner.*

J'allais de ville en ville, demandant de l'ouvrage et un petit morceau de pain, quand je n'en trouvais pas.

*— Si un grinche se retape devant mezière, un satou à la
pogne, je le conirai ou je le faucherai au colas.*
Si je rencontre un voleur devant moi, un bâton à la main,
je le tuerai ou je lui couperai le cou.
*— Roulant ma fardenne et me trouvant chopé, je mis flam-
berge en pogne et je l'ai coni.*
Emportant mes effets et me trouvant pris, je mis l'épée à
la main, et je l'ai tué.
*— La carante ouverte, on nous donna du rouâte et du lar-
ton savonné.*
La table étant mise, on nous donna du salé et du pain
blanc.
— Ma brave dame, êtes-vous grinche ou franche ?
— Je suis grinche, vieux bonique, et je sais poisser.
*— S.N.D.D. ! ma brave dame ! quand je me repose auprès
d'un satou, je retaille la raille à bouler ; s'ils sont chenus à
faire, ou à escoffier, je tire mon lingre de ma fouillouse, je
leur saute au colas, et je les conis, surtout quand j'ai deux
bottes de mioches avec moi.*
Ma brave dame, êtes-vous voleuse ou receleuse ?
Je suis voleuse, bon homme, et je sais voler.
S.N.D.D. ! ma brave dame, quand je me repose près d'un
bois, j'examine les passans ; s'ils sont bons à tuer ou à
voler, je tire mon couteau de ma poche, je leur saute à la
gorge, et je les tue, sur-tout quand j'ai deux jeunes gens
avec moi.

Ce propos (ajoute l'auteur de la relation), extrait de l'interroga-
toire du père Souillot, dit le Vieux-Limousin, lors âgé de quatre-
vingt-deux ans, était par lui tenu, avec son accent d'Auvergnat, à
une jeune fille de la bande qu'il voulait disposer à voler.

A deux reprises déjà, autour de Villon et dans les dernières
années du XVIe siècle, nous avons vu se constituer des « cortèges »
argotiques rompant de longues plages de silence ; ou si l'on préfère,
des périodes de mode échevelée succédant à de longs temps d'indifférence.
Depuis l'inusable *Jargon de l'argot réformé* de 1628, il ne s'est à
peu près rien passé dans notre domaine. Ni Cartouche, ni le théâtre
poissard, ni la Révolution, ni le tohu-bohu militaire du Ier Empire
n'ont provoqué, nous l'avons dit, de « vague » argotique ; à peine des
vaguelettes.

Il y a bien, vu de notre époque, *Le Rat du Châtelet* et l'*Histoire des bandits d'Orgères.* Mais le premier n'a pu être lu que de très peu d'amateurs ; et la seconde intéressait davantage par le récit des crimes des « chauffeurs » que par leur argot, au demeurant assez pauvre.

En fait, le public vit encore, dans les années 1820, sur l'image de l'argot que proposait deux cents ans plus tôt le livre d'Olivier Chéreau, inlassablement réimprimé à Caen (1821 et 1822), à Rouen (vers 1823), à Épinal (vers 1824) et à Tours encore, en 1838.

On perçoit cependant quelques frémissements de nouveauté dans le petit *Dictionnaire du bas-langage* de d'Hautel (1808) ; et plus encore dans le *Dictionnaire d'argot,* ou « Guide des gens du monde pour les tenir en garde contre les mouchards, filoux et filles de joie et autres Fashionables et petites maîtresses de la même trempe, par Un monsieur comme il faut, ex-pensionnaire de Sainte-Pélagie » (1827), qui offre, à côté de vieilleries recopiées telles quelles du *Jargon* de 1628, bon nombre de mots contemporains ; et surtout, qui se présente comme le témoignage direct d'un monsieur « comme il faut », un bourgeois, emprisonné pour dettes à Sainte-Pélagie, qui profite de cette ... expérience pour noter de vif des mots d'argot effectivement en usage ; ce que fera deux ans plus tard le narrateur du jeune Hugo.

Et brusquement, comme pour répondre à une attente inexprimée du public, c'est le déferlement des années 1828-1829. Le premier volume des *Mémoires* de Vidocq paraît, selon la « Bibliographie de la France » de 1828, entre le 30 septembre et le 3 octobre de cette année. La réplique de Raban, les (mauvais) *Mémoires d'un forçat,* le 6 décembre. La toute première édition du *Dernier Jour d'un condamné,* non signée de Hugo, est annoncée (toujours par la « Bibliographie ») le 7 février 1829 chez Gosselin, 9, rue Saint-Germain-des-Prés. La seconde, cette fois avec une signature (autographe) de Hugo, la semaine suivante, le 14 février. Les *Mémoires d'un forban philosophe,* anonymes, sortent le 19 ou le 20 mai 1829, et paraissent avoir été saisis dans la quinzaine suivante.

Dès lors, c'est la ruée vers l'or des éditeurs et des faiseurs. On bâcle des *Mémoires* de forçats, des *Suppléments* aux *Mémoires* de Vidocq (1830 et 1831), des dictionnaires (d'un certain Bras-de-Fer, de la brigade Vidocq, en 1829), des *Souvenirs* ou des *Intérieurs de prison* (1841, 1846), *de bagnes* (Sers, 1842). Le grand savant et homme politique François-Vincent Raspail, condamné en 1832 à quinze mois de prison pour républicanisme avéré et provocant, puis de nouveau en 1833, et à deux ans encore en 1835, met à profit ce dernier épisode (à la prison de la Force) pour noter, en savant, un grand nombre d'argotismes nouveaux, que feront connaître en 1835 des articles du *Réformateur*.

Dans cette masse, il nous a fallu faire un choix. Plutôt qu'une mosaïque de témoignages partiels ou sujets à caution, nous avons retenu les trois auteurs majeurs de cette brève période : Vidocq et les *Mémoires*; Victor Hugo et *Le Dernier Jour d'un condamné*, et l'auteur anonyme des *Mémoires d'un forban philosophe*.

Un héros mythologique : Vidocq

Tous ceux qui l'ont approché ou fréquenté (et ils furent nombreux, des truands aux duchesses) le proclament : **Jean-François-Eugène Vidocq** (1775-1857) fut un personnage tout à fait hors du commun et au-dessus. L'intelligence, la ruse, les qualités de cœur, la décision, la force physique et les capacités amoureuses : tout contribuait à faire de lui, de son vivant, une sorte de héros de la mythologie antique.

Nous n'avons pas à refaire ici l'histoire de sa vie. Renvoyons pour cela le lecteur, entre autres études, au « Portrait de Vidocq » (voir plus loin) que l'on doit à Jean Savant, grand « vidoquien » s'il en est.

Ce sont les femmes, les duels, son impétuosité et en définitive son bon cœur, qui menèrent Vidocq au bagne. Et c'est le bagne qui, indirectement, l'amène à se faire policier. Il n'aspire qu'à vivre honnêtement d'une industrie avouable ; et nul doute qu'il eût été un grand industriel, comme aussi bien un général de génie ou un banquier heureux. Mais les hommes de la haute pègre le retrouvent, le relancent, le menacent ; et c'est pour se débarrasser d'eux qu'il passe de l'autre côté, avec le succès que l'on connaît.

En 1827, une basse intrigue l'oblige à démissionner de la Sûreté criminelle qu'il avait créée et dirigeait depuis dix-huit ans.

Il profite de ce loisir forcé pour entreprendre d'écrire ses *Mémoires* et les propose à un éditeur. Celui-ci lui en offre, pour les trois tomes prévus par Vidocq, un forfait (on achetait alors, une fois pour toutes, un manuscrit à son auteur) de douze cents louis, vingt-quatre mille francs-or. Une somme considérable : on vit bien, en 1830, avec deux cents francs par mois (un bon ouvrier en gagne cinquante), et ces vingt-quatre mille francs représentent, dans une estimation très raisonnable, un million de nos francs 1985, cent millions de centimes.

En janvier 1828 (nous devons toutes ces précisions à l'édition de M. Jean Savant, à laquelle nous renvoyons instamment le lecteur), Vidocq remet son manuscrit à Tenon, l'éditeur ; lequel l'édulcore, l'expurge, le délaie et le châtre pour le rendre conforme au goût anecdotique et déclamatoire de l'époque. La fureur de Vidocq n'y changea rien. Pis encore : Tenon fit écrire par Émile Morice un quatrième tome, qui ne devait évidemment rien à Vidocq.

Nous ne disposons donc que d'un texte bâtard, sans couleurs, et certainement moins riche en scènes argotiques que l'était le texte originel de Vidocq. L'importance de ce texte et de l'homme lui-même n'en reste pas moins immense. Ils ont donné l'envoi à la grande vague argotique du XIXe siècle et fourni à Balzac et à Hugo — entre autres — les personnages de Vautrin et de Valjean.

Les *Mémoires* de Vidocq sont réédités de temps à autre, y compris en « poche », avec plus ou moins de scrupules et d'exactitude, d'ailleurs. Notre édition de référence est celle, irréprochable, publiée sous la direction de Jean Burnat, à tirage réduit malheureusement, par le Club du Livre d'histoire, en 1959. Elle est précédée du « Portrait de Vidocq » de M. Jean Savant, déjà cité.

Nous sommes, dans ce premier extrait des *Mémoires*, à Bicêtre. Condamné, évadé, repris, Vidocq y attend avec ses camarades le départ de la chaîne des forçats pour le bagne de Brest. Arrivent le capitaine de la chaîne et son lieutenant (p. 146).

Il était difficile que le capitaine, c'était Viez, ne s'enivrât pas un peu de ces hommages ; cependant comme il était habitué à de pareils honneurs, il ne perdait pas la tête, et il reconnaissait parfaitement les siens. Il aperçut Desfosseux : « Ah ! ah ! dit-il, voilà un *ferlampier* qui a déjà voyagé avec nous. Il m'est revenu que tu as manqué d'être *fauché* à Douai, mon garçon. Tu as bien fait de manquer, mordieu ! car, vois-tu, il vaut encore mieux retourner au *pré* que le *taule* ne joue au panier avec notre *sorbonne*. Au surplus, mes enfants, que tout le monde soit *calme,* et l'on aura le bœuf avec du persil. »
Le capitaine ne faisait que commencer son inspection, il la continua en adressant d'aussi aimables plaisanteries à

toute sa *marchandise*, c'était de ce nom qu'il appelait les condamnés.

Quelques éclaircissements : le ferlampier est un vaurien, un pauvre diable. Dans la bouche du capitaine, le mot est presque amical ; le texte de l'édition Tenon y ajoute la parenthèse (condamné habile à couper ses fers), qui n'est certainement pas de la main de Vidocq. D'où cependant un contresens souvent répété. En fait, le mot est assez ancien (XVIIe siècle), et sans rapport avec un « fer » quelconque. Il pourrait venir de l'allemand *verlumpt,* en guenilles. *Fauché,* guillotiné ; *le pré* (marin), les galères ; *le taule,* le bourreau ; *la sorbonne,* la tête.

Vidocq s'évade, on est tenté de dire « évidemment ». Il est repris et se retrouve le 12 fructidor an VII de la République (août 1799) au bagne de Toulon, cette fois. Il y fait la connaissance de l'un des fils du fameux Cornu, père et chef d'une famille de « chauffeurs » normands qui semaient l'effroi dans les campagnes. D'où, au passage, l'anecdote que voici (pp. 196-197) :

> Vivement poursuivi par la police de Caen et surtout par celle de Rouen [...], Cornu prit le parti de se retirer pour quelque temps dans les environs de Paris, espérant ainsi dépister son monde. Installé avec sa famille dans une maison isolée de la route de Sèvres, il ne craignait pourtant pas de venir faire sa promenade aux Champs-Élysées, où il rencontrait presque toujours quelques voleurs de sa connaissance. « Eh bien ! père Cornu, lui disaient-ils un jour, que faites-vous maintenant ? — Toujours le *grand soulasse* (l'assassinat), mes enfants, toujours le grand soulasse. — Il est drôle, le père Cornu... Mais la *passe* (la peine de mort)... — Eh ! on ne la craint pas quand il n'y a plus de *parrains* (témoins)... Si j'avais *refroidi* tous les *garnafiers* que j'ai mis en *suage,* je n'en aurais pas *le taf* aujourd'hui (si j'avais tué tous les fermiers auxquels j'ai chauffé les pieds, je n'en aurais pas peur aujourd'hui). »

Six ans de bagne à Toulon, entrecoupés comme il se doit de deux ou trois tentatives d'évasion. La dernière réussit. Vidocq erre plusieurs mois entre Toulon et Lyon, ne rencontre pas d'évêque Myriel, échappe néanmoins à tous les mauvais hasards de ce genre d'errance et parvient à Lyon où, sans un liard, il trouve asile dans un « tapis » misérable. Épuisé, il s'endort (pp. 212-213).

A mon réveil, des mots d'une langue qui m'était familière, viennent jusqu'à moi.

— Voilà six *plombes* et une *mèche* qui *crossent,* dit une voix qui ne m'était pas inconnue ; tu *pionces* encore !

— Je crois bien ; nous avons voulu *maquiller à la sorgue* chez un *orphelin,* mais le *pantre* était chaud ; j'ai vu le moment où il faudrait *jouer du vingt-deux* ; et alors il y aurait eu du *raisinet.*

— Ah ! ah ! tu as eu peur d'aller à l'abbaye de *Monte-à-regret...* Mais en *goupinant* comme ça, on n'*affure* pas d'*auber.*

— J'aimerais mieux faire *suer le chêne* sur le *grand trimard,* que d'*écorner* les *boucards* ; on a toujours les *lièges* sur le dos.

— Enfin, vous n'avez rien *grinchi...* Il y avait pourtant de belles *fousières,* des *coucous,* des *brides d'Orient.* Le *guinal* n'aura rien à remettre au *fourgat.*

— Non. Le *carouble* s'est *esquinté* dans la *serrante* ; le *rifflard* a battu *morasse,* et il a fallu se *donner de l'air.*

— Hé ! les autres, dit un troisième interlocuteur, ne balancez donc pas tant le *chiffon rouge* ; il y a là un *chêne* qui peut prêter *loche.*

L'avis était tardif ; cependant on se tut. J'entrouvris les yeux pour voir la figure de mes compagnons de chambrée, mais mon lit étant le plus bas de tous, je ne pus rien apercevoir. Je restais immobile pour faire croire à mon sommeil, lorsqu'un des causeurs s'étant levé, je reconnus un évadé du bagne de Toulon, Neveu, parti quelques jours avant moi. Son camarade saute du lit... c'est Cadet-Paul, autre évadé ; un troisième, un quatrième individu se mettent sur leur séant, ce sont aussi des forçats.

Il y avait de quoi se croire encore à la salle n° 3. Enfin, je quitte à mon tour le grabat ; à peine ai-je mis le pied sur le carreau, qu'un cri général s'élève : « C'est Vidocq !!! » On s'empresse, on me félicite.

Même si l'accumulation systématique de mots d'argot dans un dialogue est devenue de bonne heure un simple procédé littéraire (qu'utiliseront à satiété Eugène Sue, Balzac et Hugo), nous n'avons pas de raisons de mettre en doute l'authenticité de celui-ci. Après tout, nous sommes entre forçats en rupture de ban ; et les notes d'Ansiaume montrent bien que la population des bagnes s'était constitué ce qu'il n'est pas excessif d'appeler, après Vidocq, *une langue*.

Pour restituer à celle-ci sa vigueur originelle, nous avons allégé le dialogue des parenthèses qui en donnent la traduction, établie par Vidocq lui-même. Cependant, quelques mots méritent au moins un commentaire. Ainsi, *maquiller à la sorgue,* c'est voler de nuit, chez *un orphelin* : un orfèvre. Le jeu de mots, signalé par Ansiaume, porte seulement ici sur le voisinage phonétique ORFèvre/ORPHelin. Quant à *maquiller* pour « faire », c'est-à-dire faire un mauvais coup, il est très ancien (XVIᵉ ou XVIIᵉ siècle) et toujours vivant : c'est le verbe d'ancien français (non argotique) *maquier,* venu de l'allemand ancien *maken* (all. moderne *machen*), faire.

Le *pantre* était *chaud* : la victime, le bourgeois (ici le boutiquier) était sur ses gardes.

Le *vingt-deux* est un coutelas, peut-être à lame de 22 centimètres ; le *raisinet,* ou *raisiné,* du sang. *Faire suer un chêne,* tuer un homme, est également ancien : le chêne est le corps ; *écorner les boucards,* dévaliser des boutiques, n'appelle pas de commentaires, *boucard* est une variante de *bocard. Un liège,* pour un gendarme, paraît n'avoir été à la mode argotique que peu de temps : le mot apparaît vers 1820 et ne se retrouve plus après 1830. Il reste inexpliqué.

Les *fousières,* les *coucous* et les *brides d'Orient* sont des tabatières, des montres et des chaînes d'or. Le *guinal* est un juif, brocanteur, usurier, et le plus souvent receleur et revendeur de bijoux volés ; mot sans doute ancien, et inexpliqué.

Ce *rifflard* qui a battu *morasse,* c'est le bourgeois dévalisé qui a crié au secours. Le riflard (ou rifflard) est vers 1840 un richard, un bien-nourri (*rifler,* se goinfrer).

La réussite commerciale des *Mémoires* provoqua un raz de marée de réponses, de « suites », de plagiats et de succédanés dont le détail n'a pas sa place ici. Vidocq lui-même signa (et tout de même, dicta ou prépara) *Les Voleurs,* parus sous son nom en 1837. Le livre n'est pour l'essentiel qu'un dictionnaire (œuvre d'un incertain Saint-Edme) qui n'apporte à peu près rien de neuf, sinon beaucoup d'erreurs, précédé d'une préface qui propose, en les présentant comme des documents incontestables, quelques lettres de « pègre ». Ce sont, sinon de pures inventions, du moins des textes originaux très enjolivés ou systématiquement argotisés.

En voici un choix, avec les traductions de l'édition de 1834 dont, à notre connaissance, il n'existe pas de réédition accessible.

Un voleur déclare son amour à la femme qu'il aime.

> « Girofle largue,
> « Depuis le reluit où j'ai gambillé avec tézigue et remou-
> ché tes chasses et ta frime d'altèque, le dardant a coqué le
> rifle dans mon palpitant, qui n'aquige plus que pour tézi-
> gue ; je ne roupille que poitou ; je paumerai la sorbonne si
> ton palpitant ne fade pas les sentiments du mien.
> « Le reluit et la sorgue je ne rembroque que tézigue, et si
> tu ne prends à la bonne, tu m'allumeras bientôt caner. »

Suit, en note, la traduction de cette épître.

> Aimable femme,
> Depuis le jour où j'ai dansé avec toi et vu tes jolis yeux et
> ta mine piquante, l'amour a mis le feu dans mon cœur qui
> ne bat plus que pour toi ; je ne dors plus, je perdrai la tête
> si ton cœur ne partage pas les sentiments du mien.
> Le jour et la nuit, je ne vois que toi, et, si tu ne m'aimes,
> tu me verras bientôt mourir.

Deuxième lettre : un voleur convie sa sœur au baptême de son fils.

> « Frangine d'altèque,
> « Je mets l'arguemine à la barbue, pour te bonnir que ma
> largue aboule de momir un momignard d'altèque, qu'on
> trimbalera à la chique à six plombes et mèche, pour que
> le ratichon maquille son truc de la morgane et de la
> lance ; ensuite on renquillera dans la taule à mézigue
> pour refaiter gourdement et chenument pavillonner et
> picter du pivois sans lance.
> Chenu sorgue ; roupille sans taffe. Tout à tézigue,
>   Ton Frangin. »

Et (toujours de Vidocq ou de son porte-plume), la traduction de
cette invitation :

> Bonne sœur,
> Je mets la main à la plume pour t'apprendre que ma
> femme vient d'accoucher d'un joli garçon, qu'on mènera
> demain à l'église à six heures et demie, afin qu'il soit bap-
> tisé (mot à mot : pour que le prêtre fasse son truc du sel et
> de l'eau) ; nous rentrerons ensuite chez moi pour bien
> dîner, rire et boire du vin sans eau.

Bonne nuit ; dors sans peur. Tout à toi,

Ton Frère.

Troisième (fausse) lettre : un voleur apprend à son frère et à sa sœur qu'il vient d'être arrêté.

« Frangin et frangine,
« Je pésigue le pivot pour vous bonnir que mézigue vient d'être servi maron à la lègre de Canelle ; j'avais balancé la bogue que j'avais fourlinée, et je ne litrais que nibergue en valades ; mais des parains aboulés dans le burlin du quart-d'œil m'ont remouché et ont bonni qu'ils reconobraient ma frime pour l'avoir allumée sur la placarde du fourmillon, au moment du grinchissage. Je n'ai pas coqué mon centre, de peur d'être ravignolé ; ainsi si vouzailles brodez à mézigue, il faut balancer la lazagne au centre de Jean-Louis Laurent, au castuc de Canelle.
Le curieux a servi ma bille ; mais j'ai balancé mes escraches. »

Frère et sœur,
Je prends la plume pour vous dire que je viens d'être arrêté en flagrant délit à la foire de Caen ; j'avais jeté la montre que j'avais prise, et je n'avais rien dans mes poches ; mais des témoins venus dans le bureau du commissaire de police m'ont vu et ont assuré qu'ils reconnaissaient ma figure pour l'avoir vue sur la place du marché au moment du vol. Je n'ai pas dévoilé mon nom de peur d'être identifié [comme récidiviste]. Ainsi, si vous m'écrivez, il faut adresser la lettre à Jean-Louis Laurent, à la prison de Caen.
Le juge d'instruction a saisi mon argent ; mais je me suis débarrassé de mes papiers.

Dans cette même préface, et dans le même argot laborieux, un voleur raconte l'exécution d'un camarade (p. 19).

« En enquillant dans la vergne d'Arnelle, pastiquant sur la placarde, j'ai rembroqué un abadis du raboin ; en balançant mes chasses, j'ai remouché la béquille, et la cognade à gayet servant le trèpe pour laisser abouler une roulotte chargée d'un ratichon, de Charlot et de son larbin, et d'un garçon de cambrouze que j'ai reconobré pour le Petit Nantais ; il rigolait malgré le sanglier qui voulait lui faire remoucher et bécoter Hariadan Barberousse. J'ai prêté loche [*sic*, pour *l'oche*] pour entraver le boniment du garçon qu'on allait brancher, etc., etc. »

Traduction (dans le texte) :

En entrant dans la ville de Rouen, passant sur la (Grand) place, j'ai vu un rassemblement du diable ; en jetant mes regards çà et là, j'ai vu la potence, et la gendarmerie à cheval qui faisait ranger la foule pour laisser approcher une charrette chargée d'un prêtre , de Charlot (le bourreau) et de son aide, et d'un voleur de grande route que j'ai reconnu pour le Petit Nantais ; il riait malgré le confesseur [le prêtre] qui voulait lui faire regarder et baiser le crucifix. J'ai prêté l'oreille pour comprendre le discours du voleur qu'on allait pendre, etc., etc.

Dans ce dernier texte, quelques-uns de ces mots d'argot collés à la file appellent un commentaire :

Enquiller [dans], c'est plutôt « pénétrer », avec l'idée d'un obstacle à forcer, qu'entrer tout simplement. Le verbe s'est formé sur *quille*, « jambe », comme « enjamber » sur celle-ci. Assez ancien (première mention en 1725), le mot est resté de bon argot classique jusqu'aux années 1960.

Pastiquer, passer, pour la première fois dans ce texte, a servi de modèle à *chanstiquer* (pour * *changetiquer*) et à *balanstiquer* (pour * *balancetiquer*), plus récents. Tous trois étaient encore de bon argot classique voici vingt ans. La suffixation *-stiquer* nous paraît avoir été provoquée par *astiquer,* qui a été d'abord de l'argot militaire, puis de l'argot-argot, avant de passer vers la fin du XIXe siècle dans la langue familière.

Un *abadis,* un rassemblement de gens, d'où un *abadis du raboin,* du diable, une sacrée foule (également pour la première fois ici), est à rapprocher du groupe représenté aujourd'hui par *badaud,* et dans le Midi par *bader* et le provençal *abada,* faire le badaud.

La *cognade,* c'est l'ensemble des cognes, des gendarmes. Ceux-ci sont *à gayet,* variante de *à galier,* à cheval. Ces gayet ou gailler, et gayer, sont des altérations ou des diminutifs du *gail,* le cheval, qui a bien subsisté en argot classique.

Balzac (*La Dernière Incarnation de Vautrin*) a fait un sort au *sanglier,* le prêtre des prisons (voir p. 164). Pourquoi « sanglier » ? Parce que, dit G. Esnault, la robe du prêtre est noire. La sienne, oui ; mais celle du sanglier ne l'est pas de façon caractéristique. D'autre part, le

« sanglier » n'est pas n'importe quel prêtre comme le « ratichon ». C'est le prêtre des prisons, l'aumônier ; et spécifiquement, le confesseur du condamné à mort. Nous pensons donc que l'assimilation du prêtre-confesseur au sanglier-animal ne porte pas sur une simple et vague ressemblance d'habit. L'argot est trop subtil pour se contenter de cela. Mais le confesseur fouine, retourne, déterre la conscience et le cœur du condamné pour en tirer un aveu décisif, qui sera pour lui et pour la justice, « une truffe ».

Hariadan Barberousse, dit G. Esnault *(Dictionnaire historique des argots français),* est le héros d'un mélodrame à la mode dans les années 1830. Au dénouement, il embrasse théâtralement son adversaire Ramine dans lequel il vient de reconnaître son fils disparu. Cette appellation baroque du crucifix, qui partait d'une mode très passagère, n'a pas vécu.

Le document suivant (toujours dans la préface de 1836, p. 20) est plus digne de foi. Vidocq, si l'on veut, le présente comme « une note trouvée dans les papiers de l'un des complices de Sallambier, chauffeur des provinces du Nord, exécuté à Bruges il y a déjà plusieurs années ».

Le fait est que Sallambier a bien existé, que la bande des chauffeurs du Nord parlait beaucoup argot, et que Vidocq a fort bien pu trouver la note qu'il reproduit dans le dossier de l'instruction.

Ajoutons à cela que si l'on ne voit pas du tout pourquoi un malfaiteur inviterait en argot sa sœur au baptême de son momignard et au gueuleton qui s'ensuivra, on voit très bien pourquoi la note en question, pièce à conviction fondamentale si elle venait à être découverte, est rédigée de façon à égarer ou à détourner les soupçons de la justice ; c'est-à-dire dans l'argot le plus « argot » possible. La voici donc :

> « Un suage à maquiller la sorgue dans la tolle du ratichon du pacquelin ; on peut enquiller par la vanterne de la cambriolle de la larbine qui n'y pionce quepoique, elle roupille dans le pieu du raze ; on peut les pésiguer et les tourtouser en leur bonnissant qu'ils seront escarpés s'il y a du criblage ; on peut aussi leur faire remoucher les bayafes : alors le taffetas les fera dévider et tortiller la planque où est le carle ; le vioque a des flaculs pleins de bille ; s'il va à Niort, il faut lui riffauder les paturons. »

Et en voici la traduction, donnée par Vidocq, à l'exception d'une phrase omise par lui, que nous avons rétablie entre crochets.

« Un chauffage [vol sous la menace de torture, comme le pratiquaient les chauffeurs] à faire la nuit dans la maison du curé du pays ; on peut entrer par la fenêtre de la chambre de la servante, qui n'y couche jamais, elle dort dans le lit du curé ; on peut les saisir et les lier de cordes en leur disant qu'ils seront égorgés s'ils crient [on peut aussi leur faire voir les pistolets] ; alors la peur les fera parler et les engagera à indiquer l'endroit où ils cachent l'argent ; le vieux a des sacs pleins d'argent ; s'il le nie, il faut lui brûler les pieds. »

Une seule remarque : le *taffetas,* la peur, n'est pas le mot originel dont le *taf,* classique et encore usuel naguère, serait un abrègement comme il est fréquent en argot. C'est bien d'abord « le taf » (fin du XVIᵉ siècle) qui exprime les battements sourds du cœur, dans la peur ; *taffetas* en est un allongement (pour la première fois dans ce texte), amené évidemment par le voisinage phonétique du taffetas-étoffe et du taftaf de la peur.

A cette lettre (ou billet) sans doute authentique, Vidocq propose la réponse suivante, qui peut se passer d'une traduction intégrale. Les chauffeurs sollicités acceptent de faire le coup à condition de tout tuer : il n'y a que les morts qui ne parlent pas. Ils passeront la nuit du crime dans le bois du seigneur du village, à cinquante pas de l'église « de la Mère de Dieu ». Voici cette réponse :

« Nous voulons bien maquiller le suage de ton rochet, l'ouvrage nous paraît bon ; mais nous ne pouvons le maquiller qu'à la condition de tout connir : il n'y a que les refroidis qui ne rappliquent nibergue ; en goupinant de cette sorte les parains seront estourbis ; il sera donc impossible de jamais être marons. Si tu consens à nous laisser rebâtir le ratichon et sa larbine, nous irons pioncer dans le sabri du rupin de ton villois, à cinquante paturons de la chique de la daronne du mec des mecs ; nous ne voulons enquiller chez aucun tapissier, c'est se mettre sur les fonds du baptême ; voilà notre dernier mot. Nous attendons ta salade. »

Ne quittons cependant pas le « dictionnaire » des *Voleurs,* si médiocre qu'il soit, sans en donner un extrait qui, à défaut de vocabulaire argotique, apporte un témoignage intéressant sur la vie des années 1830-1850 et sur le « style » de ce genre d'ouvrages.

CANAPÉ, s.m. — On trouve dans le langage des voleurs,
dix, vingt mots même, pour exprimer telle action répré-
hensible ou tel vice honteux ; on n'en trouve pas un seul
pour remplacer ceux de la langue usuelle, qui expriment
des idées d'ordre et de vertu ; aussi doit-on s'attendre à
trouver, dans un livre destiné à faire connaître leurs
mœurs et leur langage, des récits peu édifiants. J'ai réflé-
chi longtemps avant de me déterminer à leur donner
place dans cet ouvrage ; je craignais que quelques cen-
seurs sévères ne m'accusassent d'avoir outragé la pudeur,
mais après j'ai pensé que le vice n'était dangereux que
lorsqu'on le peignait revêtu d'un élégant habit, mais que,
nu, sa laideur devait faire reculer les moins délicats ; voilà
pourquoi cet article et quelques autres semblables se
trouveront sous les yeux du lecteur ; voilà pourquoi je n'ai
pas employé des périphrases pour exprimer ma pensée ;
voilà pourquoi le mot propre est toujours celui qui se
trouve sous ma plume. Je laisse au lecteur le soin de
m'apprendre si la méthode que j'ai adoptée est la meilleure.

Le *Canapé* est le rendez-vous ordinaire des pédérastes ;
les *Tantes* (voir ce mot) s'y réunissent pour procurer à ces
libertins blasés, qui appartiennent presque tous aux
classes éminentes de la société, les objets qu'ils convoi-
tent ; les quais, depuis le Louvre jusqu'au Pont-Royal, la
rue Saint-Fiacre, le boulevard entre la rue Neuve-du-
Luxembourg et la rue Duphot, sont des Canapés très
dangereux.

On conçoit, jusque à un certain point, que la surveillance
de la police ne s'exerce sur ces lieux que d'une manière
très imparfaite ; mais ce que l'on ne comprend pas, c'est
que l'existence de certaines maisons, entièrement dévo-
lues aux descendants des Gomorrhéens [1], soient tolérées ;
parmi ces maisons, je dois signaler celle que tient le
nommé, ou plutôt (pour conserver à cet être amphibie la
qualification qu'il ou elle se donne), la nommée Cottin,
rue de Grenelle Saint-Honoré, n° 3 ; la police a déjà plu-

---

1. Dans son souci d'éviter le mot propre, ou peut-être de paraître mieux
informé, l'auteur attribue aux Gomorrhéens, dont le désir « anti-physique » ne
s'adressait qu'aux femmes, ce qu'il faut rendre aux Sodoméens, dont le désir s'adressait aux jeunes gens.

sieurs fois fait fermer cette maison, réceptacle immonde de tout ce que Paris renferme de fangeux, et toujours elle a été rouverte.

Pourquoi ? Je m'adresse cette interrogation sans pouvoir y trouver une réponse convenable. Est-ce parce que, quelquefois, on a pu y saisir quelques individus brouillés avec la justice ? Je ne puis croire que ce soit cette considération qui ait arrêté l'autorité ; on sait maintenant apprécier l'utilité de ces établissements où les gens vicieux se rassemblent pour corrompre les honnêtes gens qu'un hasard malheureux y a amenés.

Ces considérations, trop morales pour être tout à fait honnêtes, sont lourdes d'arrière-pensées. Quand paraissent *Les Voleurs,* en 1836, Vidocq est en conflit ouvert avec les hommes de la police officielle de Louis-Philippe qui ne lui pardonnent pas de réussir (il a fondé une agence privée de « renseignements et de sauvegarde des biens »), là où ils échouent sans cesse et sans gloire.

Le conflit ira jusqu'à l'arrestation de Vidocq, le 28 novembre 1837. Arrestation arbitraire, mais qui permet au moins aux hommes de la préfecture de saisir et de détruire les dossiers de l'agence Vidocq, qui les gêne.

Les adversaires de Vidocq étaient bien loin de le valoir. Beaucoup étaient corrompus. Les petits journaux de l'époque parlent par exemple d'un chef de service (de la préfecture de police) « qui se fait donner vingt francs par jour (mille francs actuels) par une maison de prostitution dont il a fait accorder l'ouverture ».

L'article CANAPÉ du dictionnaire résonne donc comme un avertissement sans frais adressé indirectement par Vidocq aux « pourris » de la préfecture : qui laisse régulièrement rouvrir le petit bordel « gay » de la nommée Cottin ? Et en échange de quoi ?

Le premier Hugo argotier

« A la fin de l'été 1825 (raconte *Un témoin de sa vie,* qui est Adèle Hugo, son épouse), comme il allait à la bibliothèque du Louvre, [Victor Hugo] rencontra M. Jules Lefèvre qui lui prit le bras et l'entraîna sur le quai de la Ferraille. La foule affluait des rues, se dirigeant vers la place de Grève.

— Qu'est-ce donc qui se passe ? demanda-t-il.

— Il se passe qu'on va couper le poing et la tête à un nommé Jean Martin qui a tué son père. Je suis en train de faire un poème où il y a un parricide qu'on exécute, je viens voir exécuter celui-là, mais j'aime autant ne pas y être tout seul.

L'horreur qu'éprouva M. Victor Hugo à la pensée de voir une exécution était une raison de plus de s'y contraindre ; l'affreux spectacle l'exciterait à sa guerre projetée contre la peine de mort. »

A vingt-trois ans, marié, père de famille, auteur à succès et poète quasi officiel du roi Charles X, dont il a reçu une pension et la Légion d'honneur, **Victor Hugo** (1802-1885) n'a rien à gagner, et tout à perdre, dans cette *guerre projetée contre la peine de mort*.

Tout à perdre, littérairement et littéralement. La mort, et la mort tragique, est à l'époque l'ingrédient essentiel du roman noir ou romantique. La peine de mort, elle, n'intéresse personne. Plus encore : elle rebute. Le public est friand de la fin des beaux héros ; pas de celle des misérables. Si l'estimable Jules Lefèvre, aîné de quelques années de Victor Hugo, auteur de tragédies injouables (et injouées), de romans hétéroclites et de poèmes sans intérêt, entraîne Hugo vers la place de Grève, c'est en poète consciencieux, qui veut assister à un spectacle directement instructif pour lui. De pitié pour Jean Martin, de révolte ou au moins de dégoût devant cette boucherie, il n'en éprouve pas l'ombre. Au reste, les exécutions publiques en place de Grève sont-elles alors autre chose qu'un *happening* (mais non un événement) bien parisien ?

Pour Hugo, au contraire, la mort, même du plus criminel des hommes, ne peut pas, ne doit pas être un spectacle gratis. Celle à laquelle il va assister ne soulève en lui qu'indignation, dégoût, révolte. Se sentant et se sachant ainsi à contre-courant des réactions de toute la société d'alors, politique comme littéraire, il n'en persiste pas moins dans sa guerre projetée. Ce qu'il mettra en scène pour obliger son lecteur à s'émouvoir, à réfléchir et à s'indigner, ce n'est pas l'ignoble mise à mort elle-même, mais son attente. Ainsi naît *Le Dernier Jour d'un condamné*.

Si grand qu'il soit, le courage de Hugo ne va pas, dans un premier temps, jusqu'à signer de son nom *ce livre abominable*, présenté anonymement dans ses premières éditions comme *une liasse de papiers jaunes et inégaux sur lesquels on a trouvé, enregistrées une à une, les dernières pensées d'un misérable*.

La révolution de 1830 et l'écroulement de la monarchie de droit divin font espérer un temps que s'écroulera aussi cette autre insulte à la civilisation, la peine de mort. Le croyant et l'espérant, Victor Hugo signe alors *Le Dernier Jour d'un condamné,* en le faisant précéder d'une « Introduction » admirable.

On sait ce qu'il en a été : ce qu'il voyait se dessiner dans un prévisible et proche avenir, il a fallu — de 1831 à 1981 — un siècle et demi, cent cinquante ans, pour que cela advînt !

Et l'argot, dans tout cela ? N'est-il dans l'ouvrage qu'un ornement gratuit, un appât pour la clientèle et, pour tout dire, un argument de vente ?

Non, bien sûr. Le condamné à mort de Hugo est un homme du monde, un jeune bourgeois instruit, lettré — comme l'est Hugo lui-même, au fond. Ce n'est pas un crime crapuleux ou sordide qui l'a mené où il est ; mais, laisse clairement supposer l'auteur, un crime passionnel. Il est déjà étonnant qu'il ait été condamné à mort. Il serait tout à fait invraisemblable qu'il entendît parler autour de lui, dans le cachot, le français des bourgeois, qui est à l'époque celui d'un condamné à mort sur mille, ou moins encore. Les autres, tous les autres, ne parlent et ne peuvent parler que la langue des classes dangereuses, l'argot.

D'où cette provocation ajoutée au scandale : non seulement le jeune Hugo plaide avec violence contre la peine de mort, mais il plaide aussi, indirectement, contre *le vieux dictionnaire,* en le coiffant du *bonnet rouge* des forçats. Pour la première fois, l'argot échappe à la simple loi du pittoresque, du baragouin, pour accéder à la dignité d'objet littéraire, même si cette dignité n'est encore que celle d'*une liasse de haillons que l'on secouerait devant soi,* comme on va le lire.

> Tous les dimanches, après la messe, on me lâche dans le préau, à l'heure de la récréation. Là, je cause avec les détenus : il le faut bien. Ils sont bonnes gens, les misérables. Ils me content leurs *tours,* ce serait à faire horreur, mais je sais qu'ils se vantent. Ils m'apprennent à parler argot, à *rouscailler bigorne,* comme ils disent. C'est toute une langue entée sur la langue générale comme une espèce d'excroissance hideuse, comme une verrue. Quelquefois une énergie singulière, un pittoresque effrayant : *il y a du raisiné sur le trimar* (du sang sur le chemin), *épouser la veuve* (être pendu) comme si la corde du gibet était

veuve de tous les pendus. La tête d'un voleur a deux noms : *la sorbonne,* quand elle médite, raisonne et conseille le crime ; *la tronche,* quand le bourreau la coupe. Quelquefois de l'esprit de vaudeville : *un cachemire d'osier* (une hotte de chiffonnier), *la menteuse* (la langue) ; et puis partout, à chaque instant, des mots bizarres, mystérieux, laids et sordides, venus on ne sait d'où : *le taule* (le bourreau), *la cône* (la mort), *la placarde* (la place des exécutions). On dirait des crapauds et des araignées. Quand on entend parler cette langue, cela fait l'effet de quelque chose de sale et de poudreux, d'une liasse de haillons que l'on secouerait devant soi.

Après cette brève et vive théorie de l'argot, sa mise en pratique, à travers le récit biographique prêté par Hugo à un autre condamné à mort qui vient prendre, dans le cachot qui leur est réservé à la Conciergerie, la place du Je narrateur de Hugo, que l'on mènera avant le soir à la guillotine.

Tout oppose les deux hommes : l'âge (l'intervenant est un vieillard, le Je narrateur un homme jeune) ; leur condition (l'un est un délinquant-né, un bagnard récidiviste, l'autre un homme de la bonne société) ; leur parler enfin. Seule les rapproche — un rapprochement que nous n'osons dire capital — l'imminence de la même mort horrible. Et encore ! Car le vieux misérable la voit venir avec une désinvolture narquoise ; l'autre, avec une angoisse qu'il ne peut dissimuler.

Une opposition aussi visiblement construite ne laisse pas d'engendrer une certaine froideur. Nous nous attendons à ce qui va être dit. C'est que le procédé qui consiste à opposer brutalement le français de la bourgeoisie et l'argot des criminels, comme deux langues « étrangères » l'une à l'autre, a été surexploité par la suite. C'est aussi, heureusement, que nous ne savons plus ce qu'est l'horreur... excitante des exécutions publiques, ni même de la guillotine ; une horreur profondément sincère chez Hugo, littéraire chez ses nombreux successeurs dans ce domaine.

A cette sincérité s'ajoute la discrétion. Comme on le verra, le récit du « vrai » condamné à mort est à peine argotique ; moins en tout cas que ceux qui l'ont précédé dans cette anthologie ou le suivront. C'est pourquoi nous n'avons pas jugé utile de l'affadir par une traduction.

Nous ne retrouverons pas cette discrétion dans les épisodes argotiques des *Misérables* (voir plus loin, pp. 180-181). Affaire de mode, sans doute ; sans doute aussi de respect pour cet homme qui, si coupable qu'il paraisse à la société de l'époque, et si peu digne d'intérêt, est pour le jeune Hugo un homme qui va mourir.

Voici ce récit :

— Que veux-tu ? voilà mon histoire à moi. Je suis fils d'un bon peigre ; c'est dommage que Charlot ait pris la peine un jour de lui arracher sa cravate. C'était quand régnait la potence, par la grâce de Dieu. A six ans, je n'avais plus ni père ni mère ; l'été, je faisais la roue dans la poussière au bord des routes, pour qu'on me jetât un sou par la portière des chaises de postes ; l'hiver, j'allais pieds nus dans la boue en soufflant dans mes doigts tout rouges ; on voyait mes cuisses à travers mon pantalon. A neuf ans, j'ai commencé à me servir de mes louches, de temps en temps je vidais une fouillouse, je filais une pelure ; à dix ans, j'étais un marlou. Puis j'ai fait des connaissances ; à dix-sept ans, j'étais un grinche. Je forçais une boutanche, je faussais une tournante. On m'a pris. J'avais l'âge, on m'a envoyé ramer dans la petite marine. Le bagne, c'est dur ; coucher sur une planche, boire de l'eau claire, manger du pain noir, traîner un imbécile de boulet qui ne sert à rien ; des coups de bâton et des coups de soleil. Avec cela on est tondu, et moi qui avais de beaux cheveux châtains ! N'importe !... j'ai fait mon temps. Quinze ans, cela s'arrache ! J'avais trente-deux ans. Un beau matin on me donna une feuille de route et soixante-six francs que je m'étais amassés dans mes quinze ans de galères, en travaillant seize heures par jour, trente jours par mois, et douze mois par année. C'est égal, je voulais être honnête homme avec mes soixante-six francs, et j'avais de plus beaux sentiments sous mes guenilles qu'il n'y en a sous une serpillière de ratichon. Mais que les diables soient avec le passeport ! il était jaune, et on avait écrit dessus *forçat libéré*. Il fallait montrer cela partout où je passais et le présenter tous les huit jours au maire du village où l'on me forçait de tapiquer. La belle recommandation ! un galérien ! Je faisais peur, et les petits enfants se sauvaient, et l'on fermait les portes. Personne ne voulait me donner d'ouvrage. Je mangeai mes soixante-six francs. Et puis, il fallut vivre. Je montrai mes bras bons au travail, on ferma les portes.

J'offris ma journée pour quinze sous, pour dix sous, pour cinq sous. Point. Que faire ? Un jour, j'avais faim. Je donnai un coup de coude dans le carreau d'un boulanger ; j'empoignai un pain, et le boulanger m'empoigna ; je ne mangeai pas le pain, et j'eus les galères à perpétuité, avec trois lettres de feu sur l'épaule. — Je te montrerai, si tu veux. — On appelle cette justice-là *la récidive*. Me voilà donc cheval de retour. On me remit à Toulon ; cette fois avec les bonnets verts. Il fallait m'évader. Pour cela je n'avais que trois murs à percer, deux chaînes à couper, et j'avais un clou. Je m'évadai. On tira le canon d'alerte ; car, nous autres, nous sommes, comme les cardinaux de Rome, habillés de rouge, et on tire le canon quand nous partons. Leur poudre alla aux moineaux. Cette fois, pas de passeport jaune, mais pas d'argent non plus. Je rencontrai des camarades qui avaient aussi fait leur temps ou cassé leur ficelle. Leur coire me proposa d'être des leurs, on faisait la grande soulasse sur le trimar. J'acceptai, et je me mis à tuer pour vivre. C'était tantôt une diligence, tantôt une chaise de poste, tantôt un marchand de bœufs à cheval. On prenait l'argent, on laissait aller au hasard la bête ou la voiture, et l'on enterrait l'homme sous un arbre, en ayant soin que les pieds ne sortissent pas ; et puis on dansait sur la fosse, pour que la terre ne parût pas fraîchement remuée. J'ai vieilli comme cela, gîtant dans les broussailles, dormant aux belles étoiles, traqué de bois en bois, mais du moins libre et à moi. Tout a une fin, et autant celle-là qu'une autre. Les marchands de lacets, une belle nuit, nous ont pris au collet. Mes fanandels se sont sauvés ; mais moi, le plus vieux, je suis resté sous la griffe de ces chats à chapeaux galonnés. On m'a amené ici. J'avais déjà passé par tous les échelons de l'échelle, excepté un. Avoir volé un mouchoir ou tué un homme, c'était tout un pour moi désormais ; il y avait encore une récidive à m'appliquer. Je n'avais plus qu'à passer par le faucheur. Mon affaire a été courte. Ma fois, je commençais à vieillir et à n'être plus bon à rien. Mon père a épousé la veuve, moi je me retire à l'abbaye de Mont'-à-Regret.

— Voilà, camarade.

Menée de main de maître, cette « histoire d'une vie » reste aujourd'hui encore saisissante de violence et de vérité.

On peut situer autour de 1765 la naissance du narrateur, anti-héros exemplaire. Il est *le fils d'un bon peigre* ou *paigre,* ou *pègre.* L'orthographe du mot n'est pas fixée. Il n'est pas antérieur aux dernières années du XVIIIᵉ siècle. C'est-à-dire en tout cas d'un voleur de profession, pendu haut et court par la justice du roi en 1770 ou 1771.

Son fils survit d'aumônes, puis de chapardages, puis de vols qualifiés. A dix ans, c'est *un marlou,* écrit à tort Hugo. Le marlou des années 1820-1830 est un « merle » : un homme rusé, beau parleur, astucieux. Et déjà, un joli garçon, un séducteur de bals de barrière ; en fait, un jeune souteneur. A dix ans, on n'est rien de cela !

A dix-sept ans, notre homme est *grinche,* voleur. Le mot dérive directement de *grinchir,* « voler », venu de l'argot italien vers 1800, avec les chauffeurs d'Orgères.

Il est arrêté, en 1786 ou 1787 ; envoyé aux galères ; plus exactement au bagne, sans doute celui de Toulon. Il en sort vers 1801 ou 1802, avec les soixante-six francs et le terrible passeport jaune des forçats libérés ; de quoi survivre trois mois. Un pain volé, c'est la première récidive, le retour à Toulon, cette fois condamné aux galères (qui ont disparu depuis près d'un siècle ; en fait, aux travaux forcés) *à perpétuité,* avec *les bonnets verts,* les « définitifs ».

Il s'évade, sans doute peu de temps après avoir été repris. Le laisser plus de trois ou quatre ans à Toulon amènerait à lui en supposer plus de soixante à l'époque de son récit, ce qui n'est guère vraisemblable. Par ailleurs, les exploits de la bande à laquelle il s'affilie — rançonner *tantôt une diligence, tantôt une chaise de poste, tantôt un marchand de bœufs à cheval* — rappellent point pour point ceux des chauffeurs d'Orgères qui, dans les années anarchiques qui vont de 1795 à 1801, faisaient la grande soulasse sur le trimar, si l'on en croit Hugo.

Cette *soulasse* mérite un commentaire historique. C'est à l'origine, très lointainement et sous la forme (un) *solas,* l'héritier dans notre langue du latin *solacium,* « consolation ». De l'idée de consolation, on passe bientôt, et toujours en excellent français du Moyen Age, à celle de « soulagement » ; puis d'amusement, de jeu, de fête, de divertissement. Tel quel, le mot est déjà vieux dès la fin du XIVᵉ siècle dans la France du nord de la Loire ; archaïque au siècle suivant ; inconnu au XVIIIᵉ.

Cependant, il a mieux résisté à l'usure en Provence, où il est prononcé *soulasse,* et non *soulâ* comme en pays d'oïl. De Provence, il est passé en Italie : la *sollazzo* est une récréation, un jeu. On ne s'étonnera donc pas de le savoir encore très vivant à Toulon au XVIIIe siècle ; et en tout cas, dans le vocabulaire des bagnards, donc de notre homme.

Du bagne de Toulon, le *soulasse* est en quelque sorte réexporté dans toute la France par des bagnards libérés ou en rupture de ban. On le retrouve en 1820 en... Normandie ; et surtout en 1828 dans les *Mémoires* de Vidocq, et dans *Le Forban philosophe,* les deux sources du récit du pègre condamné à mort dans le roman de Hugo. Ce qui, au passage, établit que le texte de celui-ci a été remanié et enrichi (pour les argotismes) jusque dans les premières semaines de 1829, sans doute sur les épreuves même de l'imprimeur.

Mais le soulasse, devenu au passage *la* soulasse, est avant tout dans les années 1820 « le jeu », comme le veut son étymologie ; et en particulier un jeu de carte ou de dés organisé pour plumer un pigeon. De là, cette *grande soulasse* est reprise à quelques mois de distance (quant aux dates d'édition), et par *Le Forban philosophe,* et par *Le Dernier Jour d'un condamné,* qui en font l'un et l'autre « une grande soulasse sur le trimar », des vols à main armée sur les routes, qui n'a probablement jamais été du véritable argot de malfaiteurs, et n'a donc pas survécu à l'exercice littéraire qui lui avait donné naissance.

Elle prend fin en tout cas par la victoire des gendarmes qui, à l'époque, passent en effet le lacet, et non les menottes, à leur prise. Par la suite, avec la mode des corsages lacés de la gorge au nombril, apparaît dans les années 1840 l'accessoire de toilette logiquement baptisé un *passe-lacet(s)* qui est une sorte de grosse aiguille.

Il faut cependant une quarantaine d'années pour que ce « passe-lacets » en vienne par plaisanterie à désigner les gendarmes. Et une bonne trentaine d'années encore pour que l'on parle populairement d'être *raide comme un passe-lacets,* radicalement sans le sou.

Mais de quel passe-lacets s'agit-il ? De l'aiguille des dames ou de l'homme de la maréchaussée ? De celui-ci, presque certainement. La première, il est vrai, fournit le même sens, la même idée de raideur impassible ; mais pas plus qu'une barre ou qu'un manche à balai. Et si ce passe-lacets pouvait être familier aux ouvrières en corsets ou aux femmes de chambre, il était inconnu des hommes du peuple, alors que le gendarme, lui, ne leur était que trop connu. Quoi de plus « raide » qu'un gendarme, sinon la justice elle-même ?

Un roman d'aventures vécues

Mieux encore que les larges extraits que nous allons en donner, les anonymes *Mémoires d'un forban philosophe* mériteraient une réédition intégrale, dont il est étonnant qu'elle n'ait pas encore été réalisée alors que l'on a ressorti des oubliettes, ces dernières années, des textes à peine médiocres qui n'avaient que l'intérêt d'une signature connue.

L'histoire de l'ouvrage est enveloppée d'obscurité. Sitôt paru, il est saisi et détruit par la police de Charles X ; non pas pour des raisons de convenance sociale (l'argot et le récit eux-mêmes), mais pour des raisons politiques. Inconnu de nous jusqu'à de meilleures recherches, l'auteur ne l'était certainement pas de la police royale, qui devait le tenir à juste titre pour un républicain dangereux : ne parle-t-il pas, à propos des émigrés auxquels la monarchie restaurée venait de faire cadeau d'un milliard de francs-or, « des hommes qui ont porté les armes contre leur patrie » ?

Ainsi considérés, les *Mémoires* étaient bien plus subversifs que le réquisitoire du jeune Hugo contre la peine de mort dans *Le Dernier Jour d'un condamné*, qui est de la même année que les *Mémoires*, parus en 1829 (ou peut-être même dès 1827 ?) chez Moutardier, libraire, 4, rue Gît-le-Cœur.

A en croire leur présentateur, le manuscrit des *Mémoires* aurait été remis à un voyageur de passage, français, par son auteur (français aussi, bien sûr), à la veille d'être pendu haut et court par les Anglais pour rébellion.

Comme il fut très longtemps de règle pour ce genre d'ouvrages, le sieur Moutardier, la main sur le cœur, proteste dès la première page de la pureté de ses intentions :

> « L'éditeur espère que les *Mémoires d'un forban philosophe* seront le dernier sacrifice offert au goût du jour, et que la littérature des criminels sur son déclin pâlira désormais devant le dégoût du public éclairé. »

On sait ce qu'il en a été : la littérature des criminels s'est portée de mieux en mieux après 1829. Mais l'expression est ambiguë : s'agit-il d'une littérature consacrée aux criminels (et faite par d'honnêtes gens) ? ou produite par les criminels eux-mêmes ?

Quoi qu'il en soit, véridique, imaginée, ou moitié-moitié, la vie de ce forban est riche d'aventures. Il est né à Nantes vers 1780, dans une famille bourgeoise et riche. Sa mère, royaliste, s'enfuit avec un amant émigré ; son père, républicain, le place en pension. Alors qu'il a quatorze ans, ce père le chasse (parce qu'il le croit adultérin) au profit d'un frère cadet. Notre auteur s'engage, fait le coup de feu avec l'armée de la Révolution, retrouve son père, qui le chasse de nouveau, le renvoyant ainsi à la rue. Il se fait maquereau, protège un bordel et, un beau jour, fatigué de ce tracas, entre... dans l'Église, comme curé de village. Ses opinions, ses méthodes le font détester de ses confrères et même des villageois. Un jour, le feu prend mystérieusement à son église. Tout le monde l'accuse ; il est condamné à mort. Sa peine est commuée en détention à vie au bagne.

C'est le moment pour l'éditeur de lancer un appel angoissé à son public (p. 6) :

« Lecteur, avant d'aller plus loin, je t'arrête pour te demander si tu te sens la force de descendre avec moi dans l'antre du crime et du malheur ? Ton oreille pourra-t-elle entendre la voix rauque d'un geôlier ou d'un garde-chiourme ? Je te préviens !... tu vas respirer l'air cadavéreux des égouts du bagne, tu vas visiter les cachots !... Soulève cette paille fétide et brisée... Tu frémis !... Eh bien ! un homme est caché dessous pour se garantir du froid ! Mais n'entends-tu pas des cris de miséricorde ? N'entends-tu pas le rotin qui résonne sur la chair et qui brise les os ? C'est un forçat qui a voulu rompre sa chaîne. Écoute ! on n'entend plus sa voix ; le bourreau frappe toujours, mais il ne frappe plus qu'un cadavre !... La victime est morte. »

On devine avec quelle jubilation hypocrite le lecteur bourgeois de 1829 se précipitait sur les passages aussi habilement offerts à son appétit d'émotions fortes, ou, comme le dit l'éditeur, de « nouveaux frémissements ». Il n'était certainement pas déçu : les *Mémoires d'un forban philosophe* (qu'il ne faut pas confondre avec les *Mémoires d'un forçat,* parus la même année 1829, et qui ne sont qu'un mauvais démarquage des *Mémoires* de Vidocq) sont remarquables de vivacité, d'émotion, et même d'élégance littéraire.

Quant à l'argot, il y est abondant à partir du moment où le narrateur est emprisonné (à Nantes), en attendant de partir pour le bagne de Toulon (pp. 85 et suivantes). Nous sommes vraisemblablement en 1818 ou 1819.

Nous avons conservé pour ces extraits la présentation de l'ouvrage lui-même.

> La chambre où j'étais pouvait contenir quarante individus ; on se parlait autant qu'il était permis de s'entendre, et pour s'entendre, il fallait crier.
>
> « Quel *guignon* d'être au *collège* à présent ! dit un prisonnier : c'est demain la foire de Guibrai ; les *tireurs affureront de la bille*[1] !
>
> — Quelle *sorgue* ! dit un autre ; comme il *lansquine,* quel beau temps pour les *escarpes* de grand *trimard*[2] !
>
> — Ah çà ! mais le *ratichon,* qu'a-t-il mangé pour *tirer* vingt *longes*[3] ?
>
> — Il a *riffaudé l' bocard* du *rabouin* qui *l'esbine*[4].
>
> — Ah ! Billaud, quand nous serons *décarés,* gare les *pantres* ! gare les *sergoles*[5] !
>
> — N'est-ce pas bientôt la *décarade* de la *cadène* de *Pantin*[6] ?
>
> — J' crois qu' oui.
>
> — Combien peut-il y avoir de *fagots* à Toulon[7] ?
>
> — Je n' sais pas ; d' mon temps il y en avait deux mille. »
>
> Vive le métier où l'on coupe les bourses,
>> Il y a d' la ressource,
>> Cela donne du soin
>> A ceux qui n'en ont guère.
>
> Vive le métier où l'on coupe les bourses,
>> Il y a d' la ressource,
>> Cela donne du soin

1. Argot qui veut dire : Quel guignon d'être en prison à présent ! les filous gagneront de l'argent.
Celui qui a substitué le mot de collège pour celui de prison ne s'est pas trompé, car la prison est un vrai collège où il y a des professeurs et des docteurs de tous genres qui forment des élèves dignes de leurs maîtres.
2. Quelle nuit ! comme il pleut ! quel beau temps pour les voleurs de grands chemins.
3. En parlant du *ratichon,* on s'entretenait de moi ; voici le sens de la phrase : Le curé, qu'a-t-il fait pour subir vingt ans ?
4. Il a brûlé la maison du diable qui l'emporte.
5. *Décarer,* sortir ; *pantre,* qui n'est pas voleur ; *sergole,* ceinture où l'on met de l'argent.
6. *Décarade,* départ de la *cadène* de *Pantin* ; de la chaîne de Paris. Cadène est français.
7. *Fagot,* forçat.

A ceux qui n'en ont point[8].

Tel était le refrain qui était entonné par une voix grêle, quand le chanteur fut interrompu par cette apostrophe. « Fais taire ta gueule, eh! tu nous enrhumes, mauvais *grinchisseur* de *limaces boulinées*[9].

— Ne voudrais-tu pas te faire passer pour la fleur de la *paigre,* toi, Rousti, répondit la voix grêle? Peux-tu seulement te vanter d'avoir *grinchi* une *broquille*? Tu n'as jamais été qu'un *fadeur,* un ...[10].

— Un *fadeur*! s'écria Rousti de toute sa force. »

Le prévôt suspendit la dispute en s'adressant à toute la chambrée: « Faites silence, messieurs; Brulin va nous dire une histoire!

— Est-ce vrai, Brulin, qu' tu vas *jaspiner*[11]?

— Oui, mais à condition que d'main j'aurai une soupe sur l' restant du baquet.

— Ça y est, Brulin! Silence donc! Brulin va conter un conte!

— Ça y est-il?

— Oui!

— Cric!

— Crac[12], répète l'auditoire!

— Il y avait une fois, messieurs, un grand prince qu'était parent du roi de Venise à cause qu'il avait marié sa sœur; mais par la suite, je ne sais trop comment qu' ça c'est fait, y s'sont chamaillés du bon coin. Si ben donc, que l' prince a été obligé de *tirer* sa *crampe*[13]; mais c'est qu'il avait des amis dans Venise, et des amis comme y n'y en a pus dans la *paigre.*

Le v'là parti. Il arrive sur une montagne avec sa p'tite femme, et là, il entre dans une cabane de paysan pour se loger. Après qu' les gens de cette cabane les eurent ben examinés, la bonne femme du logis leur a adressé la parole: « Monseigneur n'est pas sans doute du *paclin*[14]?

8. Ce refrain est assez connu dans les bagnes et dans les prisons.
9. *Grinchisseur* de limaces boulinées, voleur de chemises déchirées.
10. La *paigre,* c'est le corps des voleurs. *Grinchi,* volé; *broquille,* bague ou boucles d'oreille; *fadeur,* c'est un individu qui suit les filous à la foire, surveille leurs démarches, et exige de partager le butin avec eux, ou il menace de les dénoncer.
11. *Jaspiner,* parler.
12. Acclamations dans les casernes et les prisons, quand un individu se prépare à raconter une histoire.
13. *Tirer sa crampe,* se sauver.
14. *Paclin,* pays.

— Si fait, qui dit, j' suis du *paclin*; mais j' suis en *cavale* parce que le roi veut me faire *butter*[15]. »

Mais v'là-t-y pas qu' la princesse, qu'était enceinte, s' prit du mal d'enfant; elle accoucha d'un beau garçon, et on lui donna le nom de Rinaldi.

C'était zun lapin, messieurs, qu' Rinaldi; j' réponds que celui-là n'aurait pas craint dix *cognes*[16] et la bande à Vidocq. C'est c' Rinaldi-là qu'a fait tant de belles prouesses; Cartouche et Mandrin étaient des *loffes*[17] au vis-à-vis de lui. Un jour donc...

— Silence !

— Qu'est-ce qui crie silence, là ?

— Tais-toi Brulin : c'est le factionnaire qui dit qu'il est huit heures.

— Ah ça ! j'aurai ma soupe au moins ?

— Quand tu auras fini ton histoire.

— Va-t-on faire silence là-dedans ? Prévôt, il est huit heures, faites faire silence ! »

Nous ne saurons donc jamais comment se terminait l'histoire de Rinaldi, prince de Venise et des voleurs. Cependant le forban philosophe, pour l'heure prêtre et forçat, fait de nouvelles connaissances : celle d'abord d'un Parisien (« le Pantinois ») et d'un certain Carouble (clé, c'est-à-dire fausse clé), tous deux « tombés » au bagne pour un délit d'opinion ou des propos subversifs, entendez « républicains » (pp. 91-93).

« Comment ça va, Pantinois ?

— Bien ; et toi, Carouble ?

— Comme tu vois ; mais qu'as-tu donc ? tu es tout sombre.

— J'ai *morfillé* tout mon *larton*; *je cannerai la morgane à la sorgue*[18].

— Ne te chagrine pas, je t'en prêterai un quart. Ah ! çà, tu les paies cher assez, j'espère, tes propos séditieux ?

15. *Butter,* tuer ou périr sur l'échafaud. Il ne faut pas s'étonner si un détenu fait sortir de l'argot de la bouche d'un prince.

16. *Cognes,* gendarmes.

17. *Loffe,* imbécile.

18. J'ai mangé tout mon pain ; je crèverai de faim cette nuit. Mais l'auteur des *Mémoires* fait ici une confusion entre « la morgane », le sel, et « l'organe », la faim ; confusion que l'on retrouvera plus loin, p. 114, et qui est d'ailleurs la seule erreur argotique des *Mémoires*. Une erreur d'autant plus compréhensible qu'il existe bien un verbe *morganer,* mordre ou dévorer, d'où pourrait venir un substantif, la morgane. *(Note de J. C.)*

— Tais-toi donc ! Faut-il que les hommes soient loffes de se faire emballer à propos d'opinion ! Cependant, à bien considérer les choses, si les peines n'étaient pas si longues, il me semble que le collège forme le caractère. Car voilà moi, j'aurais toujours été *grivier*, au lieu qu'à présent j'ai de l'espoir, je suis devenu *mariol*, et je puis t'assurer que si je suis encore *gerbé*, ce ne sera pas pour opinion [19].

— Au résultat, que feras-tu pour *affurer ta tortillade* ? Tu n'as jamais été ni *à la tire*, ni *à la carre*, ni *au bonjour* ; tu ne sais pas manier le *cadet* ni les *fauchants* ; tu ne seras tout au plus qu'un *grinchisseur de blavins* [20].

— Un grinchisseur de blavins, Carouble ? c'est bon pour les *momes* ; moi, je *servirai les orphelins* ; avec un *emplâtre* je *frangirai* les *vanternes* sans qu'on puisse *prêter loche* ; et puis, à moi les *broquilles*, à moi les *bogues*, à moi... [21].

— A toi, à toi ? et si tu es *maron* [22] ?

— Si je suis maron ? eh bien, j'irai à *Tunes* [23] ; au moins ce sera pour quelque chose. »

Le nouveau venu, prétendument prêtre et donc ignorant tout de la vie des condamnés, est attentivement observé par ses camarades, et en particulier par un forçat d'un certain âge, Taupin, dont nous apprendrons qu'il est un des hommes les plus en vue de la haute pègre, et qui jouera un rôle décisif dans la suite du récit.

A la suite d'une altercation provoquée, le forban (qui, ne l'oublions pas, a été soldat) corrige magistralement les « crânes », les fiers-à-bras, de la chaîne. Taupin, comme les autres détenus, a été témoin de la scène (p. 101).

A la rentrée du soir, il me pressa secrètement la main. « Je suis content de vous, me dit-il, car vous êtes un bon enfant ; vous savez mieux *battre* que je ne le pensais [24]. Vous n'avez pas toujours fréquenté la *chique* [25], on le voit

19. *Grivier*, simple soldat ; *mariol*, malin, rusé ; *gerbé*, condamné et incarcéré.
20. Que feras-tu pour te procurer à manger ? Tu n'as jamais volé à la tire, ni à la marchandise qu'on cache ni à la surprise (dans un hôtel) ; tu ne sais manier ni la pince-monseigneur ni les ciseaux à effraction ; *un grinchisseur de blavins*, un voleur de mouchoirs.
21. Je dévaliserai les orfèvres ; je casserai les carreaux sans qu'on puisse dresser l'oreille [*loche*, comme souvent, est à corriger en « l'oche », l'oreille] ; *les broquilles*, les boucles d'oreille ; *les bogues*, les montres.
22. *Maron* : pris en flagrant délit.
23. *Tunes*, c'est la prison où l'on met les vieux mendiants ou voleurs que l'on ne peut conduire au bagne en raison de leur âge ou de leur état physique.
24. *Battre*, feindre.
25. *Chique*, église.

bien ; vos manières me plaisent ; plus tard je vous parlerai en *franc*[26]. »

Un miracle nous fera peut-être retrouver un jour l'exemplaire des *Mémoires d'un forban philosophe* dont s'est servi Hugo pour préparer les dialogues argotiques des *Misérables*. « Servi » est un mot faible : Hugo a pillé *Le Forban philosophe* qui est, beaucoup plus que les *Mémoires* ou *Les Voleurs* de Vidocq, sa source essentielle pour les personnages de Thénardier, de Gueulemer, de Montparnasse ou de Gavroche.

Ce n'est pas un reproche : le choix était heureux, *Le Forban philosophe* présentant pour lui le double avantage d'être un véritable texte à situations romanesques, et d'être tombé, en 1862, dans un oubli complet.

C'est chez notre auteur, par exemple, que Hugo a trouvé ce que nous nous permettons de nommer « le coup du dig ». Dans les *Mémoires,* il se réduit à une phrase et une note :

— Dig* ! Vous vous trompez, mon camarade !
* La syllabe dig, entremêlée dans la conversation des filous, les avertit de se tenir sur leurs gardes.

Et voici ce qu'en fait Hugo dans *Les Misérables* :

Malheureusement, Montparnasse était soucieux. Il posa sa main sur l'épaule de Gavroche et lui dit en appuyant sur les mots :
— Écoute ce que je te dis, garçon, si j'étais sur la place, avec mon dogue, ma dague et ma digue, et si vous me prodiguiez dix gros sous, je ne refuserais pas d'y goupiner, mais nous ne sommes pas le mardi-gras.
[...]
La phrase amphigourique par laquelle Montparnasse avait averti Gavroche de la présence du sergent de ville ne contenait pas d'autre talisman que l'assonance *dig* répétée cinq ou six fois sous des formes variées. Cette syllabe dig, non prononcée isolément, mais artistement mêlée aux mots d'une phrase, veut dire : Prenons garde, on ne peut pas parler librement.

Deux épisodes du *Forban,* en particulier, sont repris par *Les Misérables* : celui des retrouvailles, dans l'indifférence, d'un fils et d'un

26. *Franc,* bon enfant, bon ami.

père, tous deux pègres (Taupin et son père pour le premier, Gavroche et Thénardier pour le second) ; et celui de l'évasion. Voici la rencontre à la prison de Bicêtre de Taupin, alors âgé de trente ans peut-être, et de son père, telle que la raconte Taupin à son nouvel ami (pp. 113-116) :

Les condamnés de la capitale et des environs sont ordinairement enfermés à Bicêtre pour y attendre le départ de la chaîne, et quand j'eus passé par tous les petits désagréments attachés à ma condamnation, je fus relégué dans cette maison, où le premier individu que je rencontrai était mon père.

« Quoi ! c'est toi là, *daron*, m'écriai-je en le voyant ?

— Qui êtes-vous ? me répondit-il : je ne vous connais pas.

— Mais, pourtant...

— *Dig*[27] ! vo l'ous vous trompez, mon camarade.

— A plus tard, alors. »

Après avoir satisfait à toutes les questions des condamnés, je laissai couler plusieurs semaines avant de parler à mon père, et cette fois il approuva ma prudence par un sourire.

« Es-tu bien *malade*, mon pauvre *daron*, lui dis-je ?

— Oui, bien *malade*; et toi ?

— Comme ci, comme ça, à dix *longes*[28] ; et toi ?

— A *vioc*! mais j'ai un *bastringue*. Ici il n'y a pas moyen : nous attendrons la *décarade* de la *cadène* pour nous *la donner* sur le *trimard*; surtout n'ayons pas trop l'air de nous *colomber*[29]. Comme on accouple ordinairement les condamnés à cinq et dix ans avec ceux à vingt ans et à vie, il nous sera facile d'être au même cordon : alors tu penses bien...

— Mais ta *larque*?

— Elle est maintenant avec un *paigre* de *la basse*, elle s'est déshonorée, je ne veux plus en entendre parler. A

27. La syllabe *dig*, entremêlée dans la conversation des filous, les avertit de se tenir sur leurs gardes.

28. Dix ans, *longes*.

29. A vie, *vioc*; mais j'ai une scie propre à couper les barreaux, *bastringue*. Ici il n'y a pas moyen : nous attendrons le départ, la *décarade*, de la *cadène* pour nous évader, *nous la donner*, sur la route, le *trimard*; surtout n'ayons pas l'air de nous connaître, *colomber*.

propos, retire-toi, et n'oublie pas la *décarade* de la *cadène.* »

Le moment du départ de la chaîne arrivé, j'ai le bonheur de faire partie du cordon où était mon père, et comme il dépend de chacun de se placer à sa manière, je me mis dos à dos avec lui pour que ma chaîne correspondît à la sienne.

Arrivés à quinze lieues de Paris, mon père me prévint qu'il était temps de songer à nous.

« Mais, lui dis-je à l'oreille, ne ferons-nous pas *cramper* tout le cordon ?

— Comment peux-tu encore être si *loffe* ! me répondit-il. Si tout le cordon se *cavale,* toute la *cogne* sera sur le *trimard* et nous serons *maronnés,* tandis que pour deux on n'y prendra pas garde. »

Le *daron* disait vrai. Nous logions sous un vaste hangar ; les sentinelles étaient peu attentives, s'en rapportant à la grosseur de nos chaînes : alors mon père arrange son *bastringue,* en trois quarts d'heure nos fers sont coupés, et nous fuyons ayant encore le collier au cou.

Après le long récit de la vie de Taupin par lui-même, nous revenons au présent : c'est-à-dire à l'évasion qu'il prépare pour le forban et lui (pp. 144-146). Pour les ressemblances entre cet épisode et celui de l'évasion de Thénardier, le lecteur voudra bien avancer jusqu'à la page 180 de notre anthologie.

L'orage commençait seulement à gronder, la pluie tombait avec bruit, l'obscurité n'était interrompue que par les éclairs.

« Quelle bonne *sorgue* pour une *crampe* ! s'écria Taupin ; il faut en profiter. Ratichon, prends un *satou,* fais *gaffe* à la *lourde,* et *butte* le premier qui *criblera* ! Silence dans la *cambre,* surtout, ou bien vous êtes *sourinés*[30] ! »

[...]

A onze heures trois quarts, ce courageux vieillard vint me trouver : « Le *boulin* sera prêt dans un instant, dit-il ; *fauchez* nos *empaffes* ; *maquillez une tortouse* et la fortifiez

30. Quelle bonne nuit pour une évasion... Prêtre, prends un bâton, fais attention à la porte et tue le premier qui criera ! Silence dans la chambre, surtout, ou bien vous êtes poignardés !

avec de la *fertille lansquinée*; Frédéric *goupinera* avec *ton orgue*[31]. »

En effet, un prisonnier vint me prêter la main, et la corde fut bientôt achevée. Cependant le tonnerre grondait, la grêle frappait les vitres; les éclairs et la mèche arrangée en manière de lanterne sourde éclairaient nos travaux.

A minuit, Taupin vint encore me trouver :

« Est-ce fini, Ratichon ?

— C'est fini.

— Frédéric, *ligotez* la *tortouse* au *pieu* de la *vanterne*, et *balancez-la* dehors; le *boulin* est prêt[32]. Suis-moi, ratichon. Le temps est superbe; nous allons *cavaler*. Laisse-moi passer d'abord; quand tu sentiras s'agiter la *tortouse*, tu descendras et tu prendras bien garde de faire du bruit, car tu passeras près des factionnaires. »

Taupin, étant descendu par le trou, se laissa glisser le long de la corde, et lorsque je la sentis remuer, je passai à mon tour. Je n'étais plus qu'à vingt pieds du sol que j'entendis une grande rumeur dans la chambre : « *Fauchez la tortouse! balancez l'orgue*, criait-on, ou bien il se *cavale*! »

L'évasion échoue. Taupin se laisse reprendre pour ne pas abandonner son camarade et prépare une nouvelle « cavale », cette fois par les égouts. Elle réussira, et voici (pour notre dernier extrait, pp. 159-164), les deux hommes en liberté. Ils remontent prudemment jusqu'au côté de Roanne, où Taupin connaît un « tapis » sûr.

« Écoute, me dit Taupin : comme tu n'es pas encore connu de la *paigre*, tu pourras hardiment te montrer sans être *camouflé*[33]; mais moi, je serai obligé d'agir autrement. Nous allons loger à l'enseigne de *la Plume-au-Vent*, dans le faubourg de Roanne. Je connais le *tapissier*: c'est un vieux *fourgat*; il me *coquera* des *frusques*[34].

— Mais, mon pauvre Taupin, à quoi pourrai-je vous être utile ? Je ne sais pas *tirer*, je ne sais pas *carrer*...

31. Le trou dans le mur sera prêt... Coupez nos draps; faites-en une corde et fortifiez-la avec de la paille mouillée; Frédéric travaillera avec toi.

32. Frédéric, attachez la corde à la traverse de la fenêtre et jetez-la à l'extérieur; le trou est prêt... Nous allons nous évader.
Et plus loin : « Coupez la corde [ce sont les gardiens alertés qui parlent], faites tomber l'homme ou bien il s'évade ! »

33. *Camouflé*, déguisé, masqué.

34. *Tapissier*, aubergiste; *fourgat*, receleur; *coquer*, donner; *frusques*, vêtements.

— A quoi tu me seras utile ! plus que tu ne le penses :
d'abord, tu me *porteras gaffe*; quand je *grinchirai* un
bogue ou une *filoche,* je te le *coquerai en pogne* et tu le
planqueras dans ta *valade*; et puis je t'apprendrai à
manier le *cadet,* à *maquiller* des *caroubles,* et à *bouliner*
des *lourdes,* afin que plus tard tu puisses gagner ta vie en
cas de besoin [35]. »

Ainsi que me l'avait annoncé mon camarade, nous des-
cendîmes à *la Plume-au-Vent.* « Est-ce bien toi, père Taupin ? s'écria l'aubergiste.

— *Dig !* avez-vous une chambre séparée pour deux ?

— Oui, messieurs, nous avons tout ce qu'il vous faut.

— Veuillez nous y conduire : nous avons besoin de
repos.

— Par ici, messieurs, par ici ; entrez, il y a deux lits : c'est
votre affaire. »

Quand l'aubergiste eut fermé la porte sur lui, il se mit à
considérer Taupin des pieds jusqu'à la tête. « On m'avait
assuré, pourtant, dit-il, que tu étais *gerbé à vioc.*

— Est-ce que tu n'es plus Romanichel ?

— Si, je suis encore Romanichel ! Oh ! pour cela je m'en
vante, et tout *tapissier* que je suis, il n'y a pas de *paigre*
qui puisse dire en avoir fait autant que moi ; mais à présent je suis sur l'âge, et je me contente de *fourgater,*
quand je connais mon monde.

— N'as-tu pas un autre *centre* [36] ?

— Il y a bien long-temps que je ne me nomme plus
Lapogne. Alors je connaissais ton *daron*... A propos, tu
n'as jamais *colombé* ton *frangin* [37] ?

— Ma foi non.

— Il est venu à la foire l'année dernière : il est vieux et
cassé ; je crois qu'à présent il *fourgate* à Rouen.

— En ce cas, je le verrai peut-être... Ah çà, Lapogne, va
donc nous chercher une vieille *rouillarde* : nous la *picte-
rons encible* [38]. »

35. *Porter gaffe,* faire sentinelle. J'ai déjà donné l'explication des mots *grinchir,*
bogue et *filoche.* *Coquer en pogne,* c'est donner dans la main ; *planquer en valade,*
c'est cacher dans sa poche ; *bouliner* les *lourdes,* c'est faire des trous aux portes pour
y passer.
36. *Centre,* nom.
37. *Colombé* ton *frangin,* connu ton frère.
38. *Rouillarde,* bouteille ; *picter,* boire ; *encible,* ensemble

L'aubergiste sortit, et rentra bientôt avec une bouteille et une assiette chargée de jambon. « J'ai pensé, dit-il, que vous deviez avoir la *morgane*; d'ailleurs la *morphillade* rend le *picton* meilleur. » Et nous nous mîmes à dévorer tous les trois[39].

« Ce n'est pas tout : je pourrais être *maronné*; as-tu des *camouflés* pour *mon orgue*[40] ?

— J'ai tout ce qu'il vous faut; et ton camarade, nous le *frusquinerons* en *larbin*[41] »!

[...]

Comme il me parlait encore, le tumulte nous informa de l'arrivée de nouveaux venus. N'étant pas éloigné de la salle, j'entendis parfaitement la conversation de Lapogne avec l'assemblée.

« Bon soir, *tapissier*!

— Ah ! c'est toi, Lambert ?

— Comme tu vois, et je ne suis pas seul; tout à l'heure Ronchet viendra avec sa *larque*[42]; Guibaut et le grand Lorrain sont avec eux.

— Il y a place pour tout le monde.

— Y a-t-il déjà de la paigre *icigo*?

— Oui, il y en a deux; mais ce n'est pas de votre connaissance.

— Qu'est-ce qu'ils *maquillent*[43] ?

— Tu n'as qu'à leur demander... Messieurs, voulez-vous entrer plus avant ?... Tiens, voilà le père Louis ? Et comment ça va, mon vieux bonhomme ?

— Tout à la douce, comme les marchands de cerises.

— Et la *larque*?

— Elle est au *collège*.

— Et ton *frangin*?

— Il est au *collège*.

— Et ton *mome*?

— Il est au *collège*.

39. *Morgane*, faim (voir p. 107); la *morphillade*, le manger; *picton*, vin.
40. *Maronné*, soupçonné; *camouflés*, déguisements; *mon orgue*, moi.
41. *Frusquiner*, habiller; *larbin*, domestique.
42. Sa femme (épouse ou maîtresse). Le mot est connu d'Ansiaume (1821). C'est le largonji de *marque*, « épouse », qui est ancien : on remplace l'initiale du mot par un L, sans reporter cette initiale, comme il est fait dans *largonji* (de *jargon*), ni ajouter de suffixe, comme dans *louchébem* (de *boucher* + *bèm*). De bonne heure, *larque*, qui n'est plus compris comme un largonji, se transforme en *largue*. *(Note de J. C.)*
43. *Maquiller*, faire. *(Note de J. C.)*

— Tu es donc seul de ta famille ?

— On ne peut pas plus seul.

— Tiens ! Mariette arrive aussi toute seule, dit l'aubergiste en s'avançant vers la porte : qu'as-tu fait de ton homme ?

— Il est *tombé* à Nantes... Martin l'Escarpe n'est-il pas ici ?

— Non... Doit-il venir ?

— Oui, je l'ai quitté ce matin... Mais le voilà justement... Où as-tu donc été depuis tantôt, l'Escarpe ?

— J'ai été en tournée dans le *sabri*.

— As-tu *affuré* ?

— Trente *balles* tout au plus.

— Faut-il être *mésière* de se faire *butter* pour trente *balles* ! s'écria la grosse voix de Lambert.

— Qu'est-ce que ça te fait à toi, *paigre à marteau* ?

— Allons, messieurs, la paix ! vous êtes à peine arrivés et vous disputez déjà.

— Le souper est-il prêt, *tapissier* ?

— Oui, dans un instant. Messieurs de là-haut, voulez-vous descendre ? on vous attend pour souper. »

LA RUE ET L'ALCÔVE

1770-1870

La Tentation.

Chansons de la gouape et du crime

Le goipeux, goipeur ou gouapeur est un personnage familier de la vie des Parisiens misérables dans la première moitié du XIXᵉ siècle. Le mot (gouapeur, 1827) est le descendant un peu lointain du *guapo* espagnol, un ruffian, un coupe-jarret, un vaurien insolent. L'espagnol lui-même est le descendant encore plus lointain du latin populaire, rien de moins ! *vappa,* vaurien. Ajoutez à cela un zeste d'influence germanique transmise à l'espagnol par l'ancien dialecte picard, et vous avez en raccourci son histoire probable.

Gouaper, c'est mener une vie de traîne-savates, de petite crapule débauchée mais sans énergie ; vagabonder, vivre de trucs et de combines ; dormir dans des fours à plâtre ou des carrières ; faire, dans la journée, les bastringues, les mastroquets et les bals de barrière ; le tout en affichant une morgue et une effronterie qui font du gouapeur (devenu *la gouape,* un féminin qui ne s'applique guère qu'aux hommes), un type social intermédiaire entre le vagabond, le voyou et le maquereau.

La gouape (comprenez ici « la vie de gouapeur ») n'est pas le crime et n'y mène pas nécessairement. Mais de celle-ci à celui-là, les frontières sont incertaines. En témoignent les deux chansons qui ouvrent ce chapitre.

Elles remontent aux dernières années du XVIIIᵉ siècle et sont dans le ton et le goût de Cartouche. C'est **Vidocq** qui en a donné pour la première fois le texte au public, dans ses *Mémoires* de 1828 (voir p. 85). Il pouvait les avoir entendues dans sa jeunesse de mauvais garçon, ce qui nous ramène bien aux années 1790. Les voici, telles qu'il les présente dans son récit (pp. 397-400 de l'édition de référence des *Mémoires*).

Alors, afin de neutraliser par la puissance d'un refrain les dispositions chancelantes de notre bataillon, Riboulet, d'une voix dont les cordes vibraient dans la lie, se mit à chanter, dans le plus pur argot du bon temps, une de ces ballades à reprises qui sont aussi longues qu'un faubourg :

En roulant de vergne en vergne
Pour apprendre à goupiner,
J'ai rencontré la mercandière,
Lonfa malura dondaine,
Qui du pivois solisait,
Lonfa malura dondé.

J'ai rencontré la mercandière
Qui du pivois solisait,
Je lui jaspine en bigorne,
Lonfa malura dondaine,
Qu'as-tu donc à morfiller ?
Lonfa malura dondé.

Je lui jaspine en bigorne,
Qu'as-tu donc à morfiller ?
J'ai du chenu pivois sans lance,
Lonfa malura dondaine,
Et du larton savonné,
Lonfa malura dondé.

J'ai du chenu pivois sans lance
Et du larton savonné,
Une lourde, une tournante,
Lonfa malura dondaine,
Et un pieu pour roupiller,
Lonfa malura dondé.

Une lourde, une tournante
Et un pieu pour roupiller.
J'enquille dans sa cambriole,
Lonfa malura dondaine,
Espérant de l'entifler,
Lonfa malura dondé.

J'enquille dans sa cambriole
Espérant de l'entifler.
Je rembroque au coin du rifle,
Lonfa malura dondaine,
Un messière qui pionçait,
Lonfa malura dondé.

Je rembroque au coin du rifle
Un messière qui pionçait ;
J'ai sondé dans ses valades,

Monfa malura dondaine,
Son carle j'ai pessigué,
Lonfa malura dondé.

J'ai sondé dans ses valades,
Son carle j'ai pessigué,
Son carle, aussi sa toquante,
Lonfa malura dondaine,
Et ses attaches de cé,
Lonfa malura dondé.

Son carle, aussi sa toquante,
Et ses attaches de cé,
Son coulant et sa montante,
Lonfa malura dondaine,
Et son combre galuché,
Lonfa malura dondé.

Son coulant et sa montante,
Et son combre galuché,
Son frusque, aussi sa lisette,
Lonfa malura dondaine,
Et ses tirants brodanchés,
Lonfa malura dondé.

Son frusque, aussi sa lisette,
Et ses tirants brodanchés,
Crompe, crompe, mercandière,
Lonfa malura dondaine,
Car nous serions béquillés,
Lonfa malura dondé.

Crompe, crompe, mercandière,
Car nous serions béquillés.
Sur la placarde de vergne,
Lonfa malura dondaine,
Il nous faudrait gambiller,
Lonfa malura dondé.

Sur la placarde de vergne,
Il nous faudrait gambiller,
Allumés de toutes ces largues,
Lonfa malura dondaine,
Et du trèpe rassemblé,
Lonfa malura dondé.

Allumés de toutes ces largues
Et du trèpe rassemblé,
Et de ces charlots bons drilles,
Lonfa malura dondaine,
Tous aboulant goupiner,
Lonfa malura dondé.

Avant de passer à la suivante, il n'est pas inutile d'offrir la traduction de cette rengaine classique, connue également sous le titre de : *La Mercandière* et que l'on peut dater presque à coup sûr des années 1780.

En roulant de ville en ville
Pour apprendre à « travailler »,
J'ai rencontré la cabaretière
Qui vendait du vin.
Je lui demande en argot :
Qu'as-tu donc à manger ?
— J'ai du bon vin sans eau
Et du pain blanc,
Une porte, une clé,
Et un lit pour dormir.
J'entre dans sa chambre,
Espérant la « culbuter ».
J'avise au coin du feu
Un bourgeois qui dormait.
J'ai fouillé dans ses poches,
J'ai pris son argent,
Son argent et sa montre aussi,
Et ses boucles d'argent,
Sa chaîne de montre et sa culotte,
Et son chapeau à galons,
Sa veste et son gilet long,
Et ses bas à broderie.
— Fuyons, fuyons, cabaretière,
Car nous serions pendus !
Sur la place de la ville,
Il nous faudrait gigoter,
Dévisagés par toutes ces femmes,
Et par le peuple rassemblé,
Et par ces bourreaux bons enfants,
Tous venant voir ce qui se passe.

Quelques commentaires lexicaux :

La *mercandière* vend du vin au gobelet dans les rues. Elle tient en même temps un petit cabaret, le plus souvent réduit à une chambre, où elle vend un peu de « cuisine » et reçoit les hommes.

Du pivois sans lance : du vin qui n'est pas coupé d'eau.

Le larton savonné est du pain blanc, comme le *pivois savonné* d'une chanson de 1725 est du vin blanc. Le linge bien lavé, bien savonné, est blanc.

Une tournante a été logiquement une clé, avant de devenir tout aussi logiquement la porte elle-même.

Enquiller : entrer, est resté de très bon argot depuis son apparition, précisément dans cette chanson. Il faut le rattacher à *quille,* jambe, sur le modèle d'*enjamber* (le seuil).

Entifler est une variante du très ancien *antifler,* mener [une femme] à l'église [pour l'épouser]. Il s'agit évidemment ici d'un mariage d'une heure ou d'une nuit. *L'antifle,* l'église, est sans doute une déformation de l'*antique.*

Rembroquer : voir et plutôt examiner, est un renforcement de *broquer,* regarder attentivement ; au sens propre, percer des yeux.

Un messière : un monsieur, a été très à la mode de la fin du XVIIIe siècle (il apparaît pour la première fois dans cette chanson), au milieu du XIXe. Ce « monsieur » est le plus souvent une dupe, un bourgeois bon à plumer. C'est un calque de l'italien *messere,* monsieur ; ou peut-être une simple prononciation ironique de *monsieur.* On ne le confondra pas avec l'ancien *messière,* moi, je, tête de file de la série *tessière,* toi, *sezière,* lui, etc.

Les *valades :* les poches, ne sont plus guère à la mode argotique après 1860-1870. Elles sont remplacées par les *profondes,* puis par les *fouilles.* Quant aux *valades,* elles viennent, soit de l'*avalade,* la descente ; soit plus probablement de l'espagnol *la abalada,* la creuse, la profonde, précisément.

J'ai pessigué son carle : j'ai pris son argent, était déjà en effet du vieil argot en 1829, à l'époque où écrivait Vidocq. C'est le verbe provençal *pessiga* (dans sa forme varoise, donc toulonnaise), pincer, d'où attraper, escroquer. Il n'y a pas lieu de le corriger en *pessigner.* Quant au *carle,* l'argent, c'est aussi un mot de l'argot du bagne de Toulon, qui traduit l'argot italien *carlo,* pièce d'argent ou d'or à l'effigie de Carlo, c'est-à-dire Charles Ier d'Anjou, roi de Naples au XIIIe siècle, qui fit le premier frapper cette monnaie. C'est en somme un équivalent de notre *louis.*

Des attaches de cé : des boucles (de chaussures ou de vêtements) d'argent. *Du cé,* de l'argent (métal), s'oppose au *gé,* de l'or ; sans doute à partir de poinçons d'orfèvrerie.

La signification de *coulant* n'est pas assurée. Le mot désigne une chaîne d'or, plutôt féminine.

La montante : la culotte d'homme, à la française, monte en effet très haut sur le ventre, dans la mode de la fin du XVIIIe siècle.

Au lieu de *combre,* il faut lire *comble,* mot ancien. Le chapeau coiffe la tête comme le comble (le faux grenier) coiffe la maison.

Le frusque est à l'époque et jusqu'au milieu du XIXe siècle un mot masculin et le plus souvent singulier. C'est un abrègement de *frusquin* (d'où est venu le *saint-frusquin*), lui-même d'origine inconnue.

La *lisette* est le long gilet richement brodé que l'on voit aux hommes de la bonne et riche société dans tous les portraits des années 1740-1790. L'origine du mot est inconnue ; il est sans rapport avec la liquette, la chemise.

Nous connaissons depuis longtemps les *tirants* sous leur forme féminine ancienne de *tirandes.* Ici, les *tirans brodanchés,* sont des bas de soie, brodés, d'un prix élevé.

Crompe ! Sauve-toi ! On rapproche généralement *cromper* de *cramper,* et celui de « tirer sa crampe », s'enfuir. Mais la date de cette chanson fait de *cromper* la forme la plus ancienne ; de sorte qu'il est possible qu'il s'agisse de deux verbes différents.

Être *béquillé :* pendu. La potence de pendaison ressemble à une immense béquille plantée en terre. Rappelons à cette occasion que jusqu'à la Révolution les condamnés à mort roturiers n'étaient pas décapités (privilège des criminels nobles), mais pendus.

La placarde de vergne : la place de la ville. Ancien et classique.

Allumer : « regarder avec curiosité, avec intérêt », fournit un passif : *être allumé,* observé, dévisagé, qui est rare (il ne se rencontre guère que dans cette chanson) et n'a en tout cas pas vécu.

Toutes ces largues : toutes ces femmes. Ici encore, se pose un problème de dates. La forme normale du mot est *larque* ; et devrait ou pourrait être *larquème,* le largonji de *marque,* femme, déjà connu de Villon.

Mais *larque* est relativement tardif (vers 1820) et reste rare, alors que *largue* a été usuel des années 1750 (ou avant) aux années 1940.

Le trèpe, la foule, des gens rassemblés, remonte au XVIIIe siècle (dans cette chanson) et est encore de bon argot classique. C'est une prononciation régionale (Savoie) de *troupeau.*

La seconde chanson mise en scène par Vidocq dans ses *Mémoires* est peut-être moins ancienne d'une ou deux dizaines d'années. On la

connaît par un texte de 1811, et elle est sans doute d'origine lyonnaise. La voici.

Riboulet ayant débité ses quatorze couplets, Manon la
Blonde voulut aussi faire admirer l'étendue de son
organe.

— Eh, les autres ! dit-elle, en v'là z'une que j'ai zapprise
à Lazare. Prêtez l'oche et reboctez après moi :

Un jour à la Croix-Rouge,
Nous étions dix à douze.

Elle s'interrompit : — Comme aujourd'hui.

Nous étions dix à douze,
Tous grinches de renom ;
Nous attendions la sorgue,
Voulant poisser des bogues
Pour faire du billon,
Pour faire du billon.

Partage ou non partage,
Tout est à notre usage ;
N'épargnons le poitou.
Poissons avec adresse
Messières et gonzesses,
Sans faire de regoût *(bis)*.

Dessus le Pont au Change
Certain Agent-de-change
Se criblait au charron.
J'engantai sa toquante,
Ses attaches brillantes,
Avec ses billemonts *(bis)*.

Quand douze plombes crossent
Les pègres s'en retournent
Au tapis de Moutron.
Moutron ouvre ta lourde,
Si tu veux que j'aboule
Et piausse en ton bocson *(bis)*.

Moutron drogue à sa largue :
Bonnis-moi donc, Girofle,
Qui sont ces pègres-là ?
— Des grinchisseurs de bogues,
Esquinteurs de boutogues ;

Les connobres-tu pas *(bis)* ?

Et vite ma culbute ;
Quand je vois mon affure,
Je suis toujours paré.
Du plus grand cœur du monde,
Je vais à la profonde
Pour vous donner du frais *(bis)*.

Mais déjà la patrarque,
Au clair de la moucharde
Nous reluque de loin.
L'aventure est étrange :
C'était l'Agent-de-change
Que suivaient les roussins *(bis)*.

A des fois l'on rigole
Ou bien l'on pavillonne,
Qu'on devrait lansquiner.
Railles, griviers et cognes
Nous ont pour la Cigogne
Tretous marrons paumés *(bis)*.

En voici une traduction simplifiée (les numéros renvoient aux commentaires lexicaux qui la suivent) :
Un jour, à la Croix-Rouge (1), nous étions dix à douze voleurs de renom. Nous attendions la nuit pour voler des bijoux et nous faire de l'argent... Ne faisons grâce de rien (2), volons tout, dépouillons (3) adroitement hommes et femmes (4) sans faire de tapage.
Sur le Pont au Change, un agent de change criait au secours (5). Je pris sa montre, ses boucles d'argent et ses billets (6). Quand sonne minuit, les voleurs s'en retournent à l'auberge de Moutron. « Moutron, ouvre ta porte si tu veux que je vienne coucher dans ton boxon ! »
Moutron demande à sa femme : « Dis-moi donc (7), Girofle, qui sont ces voyous-là ? — Des voleurs de bijoux et des casseurs de boutiques. Tu ne les connais donc pas ? — Eh vite, mon pantalon ! Quand je vois un bénéfice à faire, je suis toujours prêt. Je vais à la cave pour vous donner du vin frais. »
Mais déjà la patrouille nous voit de loin à la clarté de la lune (8). L'aventure est étrange : c'était l'agent de change que suivaient les flics ! Bien des fois on s'amuse ou on fait les fous (9) alors qu'on devrait pleurer. La police, les soldats et les gendarmes (10) nous ont tous saisis pour nous mener en prison (11).

1. Il s'agit du carrefour de la Croix-Rouge, à Paris, qui a conservé son nom (VIᵉ arrondissement). Mais peut-être y a-t-il eu déformation de la chanson, à partir du quartier de la Croix-Rousse, à Lyon.

2. N'épargnons le *poitou,* c'est-à-dire rien. Le Poitou, les Poitevins et Poitiers sont associés depuis le Moyen Age à l'idée de l'absence, des vains propos, du néant, sans doute à partir d'une très ancienne plaisanterie argotique sur *Niort,* chef-lieu du Poitou, et « Non ». « N'épargnons le poitou » est donc bien : ne laissons rien à nos victimes, prenons tout.

3. *Poisser* quelque chose, c'est « se le coller aux doigts », le dérober.

4. Les *messières* sont les hommes, et les *gonzesses* les femmes. Le mot apparaît pour la première fois dans cette chanson. Saluons-le au passage !

5. Crier (ou cribler, qui en est une déformation) *au charron,* c'est appeler au secours, comme l'essieu ou la roue « crient » pour réclamer au charron un peu de graisse ou une réparation. L'idée est ancienne et caractérise bien l'humour populaire, créateur d'images : c'est le chariot ou le carrosse qui, d'abord, « crient au charron » ; puis la victime d'une agression, dont les appels au secours percent l'oreille, même si le charron n'a plus rien à y voir.

6. Nous connaissons la toquante, la montre. Elle « toque », comme le cœur qui est (mais beaucoup plus tard), le *toquant,* en argot. Les attaches sont des boucles, le plus souvent de souliers ou de vêtements, en argent. Les billemonts, des billets de banque (ils existent depuis la création de la Banque de France en 1802), ou plutôt des billets à ordre signés par des commerçants, sorte de chèques.

7. Saluons aussi le classique *bonnir,* dire, qui apparaît pour la première fois dans ce texte. Pour l'origine et l'histoire du mot, nous nous permettons de renvoyer le lecteur au *Dictionnaire du français non conventionnel* (Cellard-Rey, Hachette, 1980).
Si *bonir* (le verbe) est resté argotique, son dérivé direct, *boniment,* est passé très vite dans le dictionnaire de l'Académie !
Girofle est la femme ou la compagne (la « largue ») de Moutron, tenancier du *tapis.* Celui-ci est un cabaret populaire ; plus anciennement, un *tapi,* dans lequel le lecteur perspicace devinera le participe passé du verbe « se tapir », s'enfermer, se cacher, se blottir, comme on le fait dans une auberge de ce genre.
Quand le lien entre « se tapir » et « un tapi » n'a plus été senti, on a pensé au « tapis » qui pouvait couvrir la table de jeu de l'auberge, ou le billard ; d'où le S final. Quant au tapis-franc cher aux personnages

d'Eugène Sue, c'est un tapis (un cabaret) sûr (franc), que ne fréquentent bien entendu que les francs camarades, les « affranchis ».

8. La patrouille, c'est la patrarque, et la lune est, par une image très vive, « la moucharde ». En éclairant les rues, elle dénonce, elle *moucharde,* les malfaiteurs.

9. Comme *boniment, rigoler,* d'abord argotique, est aujourd'hui passé dans le simple vocabulaire familier. C'est un mot d'une ancienneté tout à fait remarquable, qui n'a aucun rapport avec la rigole d'eau courante. Il s'agit sans doute d'un croisement entre l'ancien *rioller,* se débaucher, courir les tavernes et les filles, et l'ancien *galer,* danser, se divertir.

Tout aussi remarquable est la très longue éclipse du mot, du XIIe siècle (époque où il apparaît) au début du XIXe, précisément dans cette chanson.

L'histoire (abrégée) de *pavillonner* reste incertaine. G. Esnault le fait venir de « pavillon », adjectif, « pris de boisson », qui serait un diminutif de *paf,* ivre. Nous pensons pour notre part que le premier sens n'est pas « être pris de vin », mais bien « s'amuser, se divertir », en particulier avec des femmes ; et que le mot est une simple altération de *papillonner,* « aller de femme en femme », « faire le galant », etc., sous l'influence de *pavoiser,* « être en fête ».

10. La raille est la police ; mot d'origine incertaine ou inconnue. Les griviers (nous dirions aujourd'hui les grivetons) sont les soldats appelés en renfort pour appréhender les voleurs ; et les cognes sont tout naturellement les gendarmes, qui « cognent » sur les malheureux.

Si dure qu'ait été la vie sur les pontons ou dans les bagnes, elle ne parvenait pas à éteindre le besoin des Français d'alors de faire chanson de tout, y compris de leur malheur. Ajoutons à cela que les forçats poètes ou chansonniers — il n'en manquait pas — s'assuraient auprès de leurs compagnons de chaîne une considération qui n'était pas à négliger.

Ainsi en fut-il de l'escroc Winter, qui fit sous de multiples déguisements de nombreuses dupes à Paris avant d'être arrêté par Vidocq en 1812. « Il était né de parents aisés (écrit Vidocq), et avait reçu une éducation assez brillante pour être à la hauteur de toutes ces métamorphoses... Cet aventurier ne manquait pas d'esprit. Il est, assure-t-on, l'auteur d'une foule de chansons fort en vogue parmi les forçats qui le regardent comme leur Anacréon*. »

* Rien de moins ! Anacréon, poète grec du VIe siècle avant J.-C., a composé de nombreuses chansons dont il ne nous reste que des fragments.

De Winter ou d'un autre, la plupart de ces chansons reprennent à satiété le thème du voleur heureux en affaires et en amour jusqu'au jour où un... incident de parcours l'envoie *gambiller* au bout d'une corde, ou *ramer sur le grand pré*. Vidocq reproduit « l'une de celles qu'on attribue [à Winter] ». Sans mériter une traduction intégrale, elle appelle quelques commentaires.

Elle est chantée par un voleur de nuit (il *travaille la sorgue*) dont les affaires vont au mieux. Sa chambre (sa *cambriote*) est pleine d'objets volés (*rendoublée de camelote*) ; il vit sans crainte ni regret aux côtés de sa jolie maîtresse *(une gironde larguecapé),* mange, boit et s'habille en riche : jabot de dentelle et chapeau galonné *(attaches de gratousse, combriot galuché).* Au reste, il a de l'argent en poche *(de la dalle au flaquet).*

Un jour, il dévalise un bourgeois *(un messière franc),* qu'il a *filé sur l'estrade* (suivi sur le boulevard) à la sortie d'un bal, puis *estourbi* (assommé) et dépouillé de ses bijoux et de ses vêtements *(sa limace, son bogue, ses frusques et ses passes).*

Jalouse de ses succès, sa *largue* fait la sottise d'entrer dans une boutique (elle *encasque dans un rade*) pour y « faire la caisse » (elle *sert,* ou plutôt *serre, des sigues à foison,* des louis en quantité). On crie à la police *(on la crible à la grive),* elle est arrêtée (*pommée,* ou plutôt *paumée marron*) ; le commissaire de police lui fait entrevoir un « arrangement » (lui *monte la couleur*) si elle dénonce ses complices (si elle *mange sur ses nonneurs*).

Elle parle, on arrête son amant, il passe au tribunal *(monte à la cigogne),* est condamné aux galères (on le *gerbe à la grotte*) et à être marqué au fer rouge *(au tap).* Ainsi va le destin ! Tout passe dans la vie *(dans la tigne).* Mais tout de même ! Douze ans de bagne *(douze longes de tirade)* pour une rigolade, *c'est un foutu flanchet* (un coup pourri).

La chanson de Winter a été écrite entre 1815 et 1818 ou 1819. Quelques mots sont des nouveautés. Ainsi *Pantin* pour Paris. On l'explique généralement par une plaisanterie sur le village (à l'époque) de Pantin, au nord-est de la capitale. Nous y voyons pour notre part une double plaisanterie bien différente : d'une part, Paris est la ville des *pantins,* de gens qui s'agitent inconsidérément et se donnent pour ce qu'ils ne sont pas ; d'autre part, et pour des voleurs ou des escrocs, Paris est la ville des *pantes,* des nigauds stupides, bons à être dévalisés, des dupes.

Comme *Pantin, gironde* (jolie, bien faite) était promis à une belle fortune argotique. Par contre le *nonneur* (le « masqueur » dans une équipe de vol à la tire), ou la *tigne*, la vie, ont disparu de bonne heure.

Voici la chanson de Winter (pp. 465-466 des *Mémoires*) :

> Travaillant d'ordinaire
> La sorgue dans Pantin,
> Dans mainte et mainte affaire
> Faisant très bon chopin,
> Ma gente cambriote
> Rendoublée de camelote,
> De la dalle au flaquet,
> Je vivais sans disgrâce,
> Sans regoût ni morace,
> Sans taff et sans regret.

> J'avais fait par comblance
> Gironde larguecapé.
> Soiffant picton sans lance,
> Pivois non maquillé,
> Tirants, passes à la rousse,
> Attaches de gratousse,
> Gombriot galuché,
> Cheminant en bon drille,
> Un jour à la Courtille,
> J' m'en étais enganté.

> En faisant nos gambades,
> Un grand messière franc
> Voulant faire parade
> Sort un bogue d'orient.
> Après la gambriade,
> Le filant sur l'estrade,
> D'esbrouf je l'estourbis.
> J'enflaque sa limace,
> Son bogue, ses frusques, ses passes,
> J' m'en fus au fouraillis.

> Par contretemps, ma largue,
> Voulant s' piquer d'honneur,
> Craignant que je la nargue,
> Moi qui n' suis pas taffeur,
> Pour gonfler ses valades
> Encasque dans un rade,
> Sert des sigues à foison.

On la crible à la grive.
Je m' la donne et m'esquive.
Elle est pommée marron.

Le quart d'œil lui jabote :
« Mange sur tes nonneurs... »
Lui tire une carotte,
Lui montant la couleur.
L'on vient, l'on me ligote.
Adieu ma cambriote,
Mon beau pieu, mes dardants !
Je monte à la cigogne,
On me gerbe à la grotte.
Au tap, et pour douze ans !

Ma largue n' sera plus gironde,
Je serai vioc aussi ;
Faudra pour plaire au monde,
Clinquant, frusque, maquis.
Tout passe dans la tigne,
Et quoiqu'on en jaspine,
C'est un foutu flanchet :
Douze longes de tirade
Pour une rigolade,
Pour un moment d'attrait !

La chanson qui suit oppose le goipeur au voleur, au grinche, l'un et l'autre vantant les avantages de leur état. Elle figure pour la première fois à la fin des *Fragments poétiques* de Lacenaire recueillis par son éditeur en 1835, mais ne doit sans doute rien à l'assassin-poète, ni à son complice Avril qui la chantait en prison. C'est probablement un classique de la gouape des années 1830.

Sans passifs, tirants pleins de crotte,
Quasi rupin comme un plongeur,
Un jour un goippeu en ribotte
Tombe en frime avec un voleur.
Quoi donc ! lui dit-il d'un ton aigre,
Billes-tu le canon d' rigueur ?
— Un canon ? lui répond le pègre ;
Fais-toi voleur, fais-toi voleur ! *(bis)*.

— Quoi, tu voudrais que je grinchisse
Sans traquer de tomber au plan !

J' doute qu'à grinchir l'on s'enrichisse ;
J'aime mieux goipper, c'est du flan.
Viens donc remouquer nos domaines,
De nos fours goûter la chaleur :
Crois-moi, balance tes alènes,
Fais-toi goippeur, fais-toi goippeur *(bis)*.

En voici la traduction :

Sans chaussures, la culotte pleine de boue,
Guère mieux vêtu qu'un ouvrier-plongeur de l'arsenal,
Un jour, un vagabond en promenade
Tombe nez à nez avec un voleur.
— Quoi donc ! lui dit-il d'un ton aigre,
Paies-tu le verre de vin de rigueur ?
— Un verre ? lui répond le voleur,
Fais-toi voleur, fais-toi voleur.

— Quoi, tu voudrais que je me mette à voler
Sans avoir peur de me retrouver en prison ?
Je doute qu'on s'enrichisse à voler,
J'aime mieux vagabonder, c'est sans risques.
Viens donc visiter nos domaines,
Goûter la chaleur de nos fours (à plâtre) ;
Crois-moi, jette ton matériel et ton couteau,
Fais-toi vagabond, fais-toi vagabond.

***

Il naît en 1800 et meurt en 1836, quelques mois avant que paraissent des *Confessions d'un enfant du siècle* qui n'est pas lui et qui ne sont pas les siennes.

C'en est bien un cependant, et non des moindres. Le beau ténébreux romantique, le *desdichado* rejeté par une société qui veut ignorer son génie, le héros byronien dont les grandes ambitions se perdent dans le marécage de l'égoïsme bourgeois, le dandy du désespoir, l'à-qui-rêvent de chlorotiques jeunes filles, le poète assassiné... Pas de doute, c'est lui, **Pierre-François Lacenaire.**

Ne nous étonnons pas que ce séminariste défroqué, soldat déserteur, escroc, faussaire, voleur et finalement assassin sans grandeur, ait été la coqueluche du tout-Paris, de son arrestation en 1835, la troisième, à son exécution, le 9 janvier 1836. Affaire de mode : il était beau (et d'ailleurs homosexuel avéré), il avait pour lui les femmes. Il se disait et on le disait « républicain » : les intellectuels voyaient en lui — déjà ! — la victime d'une société stupide. Il était sorti athée du séminaire, comme bien d'autres ; et l'Église n'était pas aimée. Il poétisait, comme bien d'autres ; et l'on criait au prodige.

Ce fut bien pis quand parurent « à chaud », dès l'été de 1836, les *Mémoires, révélations et poésies de Lacenaire, écrits par lui-même à la Conciergerie.* C'étaient, authentiques cette fois, les derniers jours d'un vrai condamné à mort. Un coup d'édition à ne pas manquer, et qui ne le fut pas : le sang s'est toujours bien vendu.

La seule révélation de ce fatras, c'est que Lacenaire n'avait aucun talent d'écrivain. Sa poésie sirupeuse rappelle celle du Lamartine des plus mauvais jours ; le récit de sa vie est un amphigouri pontifiant. Le tout dans une langue à la fois pompeuse et mollassonne. D'argot, point ou si peu ! Nous n'avons pu sauver du naufrage que la chanson connue qu'il composa (et traduisit « à l'usage des gens illettrés ») quelques jours avant son exécution (Lacenaire, *Mémoires, poèmes et lettres,* Albin Michel, 345 pages, 1968, p. 150).

DANS LA LUNETTE

Pègres traqueurs, qui voulez tous du fade,
Prêtez l'esgourde à mon der boniment :
Vous commencez par tirer en valade,
Puis au grand truc vous marchez en taffant.
      Le pante aboule
      On perd la boule
Puis de la taule on se crampe en rompant.
      On vous roussine ;
      Et puis la tine
Vient remoucher la butte en rigolant.

Traduction à l'usage des gens illettrés
Voleurs poltrons, qui voulez tous part au butin,
Prêtez l'oreille à mes dernières paroles :
Pour commencer, vous fouillez dans les poches,
Puis, quand vous vous mêlez de tirer, vous tremblez.
      La victime arrive,
      On perd la tête,
Et on se sauve de la maison tant qu'on peut.
      On vous dénonce,
      Et puis le peuple
Vient vous voir guillotiner en riant.

***

L'histoire de la chanson qui suit est passablement embrouillée. La tradition, ou la légende, veut qu'elle ait été écrite (vers 1840 ?) sur un mur de la prison de la Grande-Roquette, avec une allumette barbouillée de sang, par un certain **Abadie,** dit « le Troubadour ».

Le *Dictionnaire de l'argot moderne* (1844), « ouvrage indispensable (ajoute le titre) pour l'intelligence des *Mystères de Paris* de M. Eugène Sue », qui ne présente pas par ailleurs d'intérêt particulier, la fait connaître en la présentant comme « la chanson d'un Villon moderne » ; éloge excessif pour cette œuvrette dont le thème (un casse réussi) était classique.

Elle est reprise en 1855 dans un opuscule d'Edouard Paillet, *Voleurs et Volés*. Entre-temps, un autre « argotier » de dictionnaire, Halbert d'Angers, l'a dotée en 1846 d'un troisième couplet, sans intérêt. Émile Chautard, dans *Goualantes de la Villette et d'ailleurs* (Éditions Seheur, 1929) en donne ces trois couplets. Nous nous contenterons ici des deux premiers, qui sont seuls à pouvoir revendiquer le bénéfice de l'authenticité. Et encore...

CHANSON DES PÈGRES

Un certain soir, j'étais dans la débine.
Un coup de vaque il nous fallut donner ;
Pour travailler, j' mis au plan ma rondine,
Et mes outils, nous fûmes les déplanquer.
Mais en passant, le portier nous escrache.
J'étais fargué, mais l'habit cachait tout.
Le jardinant, je frisai ma moustache.
Un peu d' toupé et je passe partout *(bis)*.
En deux temps je remouque et je débride ;
Tous les deux en braves nous barbottions.
Chez un banqué, la caisse n'est jamais vide,
D'or et d' billets, nous trouvons un million.
Je m' suis lancé tout à coup dans l' grand monde
Dans l'espoire *[sic]* de me paré de tout.
J'ai courtisé femmes brunes et blondes :
Quand on est rup' on peut passer partout *(bis)*.

Une traduction partielle n'est pas inutile. La voici :

Un certain soir, j'étais sans un sou.
Il nous fallut faire un coup de fric-frac.

Pour travailler, je mis ma bague au Mont-de-Piété,
Et nous allâmes sortir mes outils de leur cache.
Mais en passant, le portier nous interpelle.
J'étais chargé (de mes outils), mais l'habit cachait tout.
En le narguant, je frisai ma moustache :
Un peu d'audace et je passe partout.
Rapidement, j'examine et je force la porte ;
Tous les deux nous volions en braves.
Chez un banquier, la caisse n'est jamais vide :
En or et en billets, nous trouvons un million, etc.

***

La septième de nos « chansons de la gouape » n'en est pas vraiment une. Son auteur présumé ou imaginaire, **Fanfan Chaloupe,** a fait, dit-il, « ses études au camp de la Loupe ». Le mot mérite une explication car il reparaît souvent à partir des années 1840 et jusqu'en 1910 environ.

A l'époque, *louper* son travail ce n'est pas le « manquer » (ne pas le réussir comme il faut), mais ne pas s'y rendre. C'est aussi flâner, fainéanter au lieu d'être « au boulot ». *La loupe,* c'est la flemme, et le *camp de la loupe* a été le nom donné soit à des terrains de jeu de boules, soit à des cabarets où se retrouvaient les ouvriers « loupeurs », *loupiats* pour les adultes, et sans doute *loupiots* pour les plus jeunes.

Le nom (la *loupe,* la fainéantise) vient-il du verbe, ou le verbe *(louper)* du nom ? Nous l'ignorons, de même que nous restons dans l'incertitude quant à l'origine de cette *loupe.* Le vénérable et irremplaçable Littré est le seul à expliquer le mot, et son explication est séduisante : « Figurément et populairement, *loupe* se dit d'un ouvrier paresseux, par allusion à celui qui travaille à la loupe, et qui par conséquent ne va pas très vite. Quelle loupe ! »

C'est très bien... vu. Dans le détail, on peut penser à un stade intermédiaire : *travailler à la loupe,* avec une minutie — et par conséquent une lenteur — exagérée. D'où, ne pas se tuer au travail ; d'où ne pas y aller, le louper.

Quoi qu'il en soit, voici cette chanson de la loupe. Et d'abord, son titre complet, suivi de sa traduction tels que les donne Émile Chautard (*Goualantes de la Villette et d'ailleurs,* Marcel Seheur éditeur, Paris, 1929, 279 pages, pp. 6-9).

« Romance trouvée dans les vallades de Fanfan Chaloupe, chifforton, cané d'une apoplexie de cochon, à l'âge de 73 longes, à la lourde du sieur Riffaudez-nous, mannezingue, à l'enseigne de la " Sauterelle éventrée ", barrière de la Courtille. — Paris, 1850, placard in-quarto. »
(Chanson trouvée dans les poches de Fanfan Chaloupe, chiffonnier, mort d'une apoplexie d'ivrogne, à l'âge de soixante-treize ans, à la porte du sieur Brûlez-nous, marchand de vins, à l'enseigne de la « Sauterelle éventrée », barrière de la Courtille. — Paris, 1850, placard in-quarto.)

L'ASSOMMOIR DE BELLEVILLE

Biffins qui n'avez que dix rades,
J' vas vous montrer un chouett' courant,
Pour abreuver les camarades,
Au plus bas blot, c'est délirant !
Quand vot' gonzess' vous entortille,
Filez à gauch' de la Courtille
Vous payer un coup d'arrosoir.
                    A l'Assommoir.

Faut pas blaguer, le trèpe est batte,
Dans c' taudion, i's trouv' des rupins.
Si queuq's gonziers traînent la savate,
J'en ai r'bouisé qu'ont d'z' escarpins.
Pour lâcher d'un cran l' genr' canaille,
I' n' leur manqu' que des gants de paille ;
Mais on n'est pas t'nu d'en avoir,
                    A l'Assommoir.

Les ménesses s'aboulent par douzaines,
R'nifler leur petit fade d'eau d'af.
Si leurs châsses coulent comme des fontaines,
Un chopin ne leur colle pas l' taf.
Des fois, quand l' temps s' tourne à la lance,
C'est épatant comme tout ça danse...
V'là l' coup dur du matin au soir.
                    A l'Assommoir.

J'en r'mouche qui frisent pas mal leur naze
A cause des propos incongrus

Qu' mon chiffon, qui n'aime pas la gaze,
Leur lâche en mots un peu trop crus.
C'est qu' j'ai fait, foi d' Fanfan Chaloupe !
Mes études au Camp de la Loupe :
Aussi, j' conobre c' qu'on doit savoir,
                    A l'Assommoir.

Un tas d'bibons à douilles blanches,
Sitôt qu'ils ont du carm' de trop,
N'attendent pas fêt's et dimanches
Pour y pincer un coup d' sirop.
Après tout, moi, je les excuse,
I' faut bien qu' la vieillesse s'amuse ;
Ell' tient si proprement l' crachoir,
                    A l'Assommoir.

Comm' je n' fais pas fi d' la lichance,
Je m' pouss' quèqu'fois d' ce côté-là !
Un courant d'air, pas pus qu' ça d' chance,
J' visit' les aminch's, et voilà...
Ces gens qu' d'aucuns trait'nt de crapule,
Moi j' trinqu' avec eux sans scrupule ;
On est égal d'vant l'abreuvoir,
                    A l'Assommoir.

Traduction :

Chiffonniers qui n'avez que dix sous (en poche),
Je vais vous montrer un bon endroit (?)
Pour payer à boire aux camarades,
Au plus bas prix, c'est délirant !
Quand votre femme vous importune,
Filez à gauche de la Courtille
Vous payer un coup à boire...

Il ne faut pas plaisanter, le public est chic,
Dans ce mauvais lieu, il se trouve des riches.
Si quelques individus traînent la savate,
J'en ai remarqué qui ont des escarpins.
Pour s'éloigner un peu plus du genre canaille,
Il ne leur manque que des gants jaune clair ;
Mais on n'est pas tenu d'en avoir...

Les filles de joie y viennent par douzaines,
Avaler leur petite ration d'eau-de-vie.

Si leurs yeux coulent comme des fontaines,
Une occasion galante ne leur fait pas peur.
C'est merveilleux comme tout ça danse...
C'est la noce du matin au soir...

J'en vois qui pincent plutôt le nez
A cause des propos incongrus
Que ma maîtresse, qui n'aime pas se gêner,
Leur lâche en mots un peu trop crus.
C'est que j'ai fait, foi de Fanfan la Chaloupe !
Mes études au Camp de la Loupe.
Aussi, je connais ce qu'on doit savoir...

Bon nombre de braves gens à cheveux blancs,
Sitôt qu'ils ont de l'argent en trop,
N'attendent pas fêtes ni dimanches
Pour y aller boire un coup.
Après tout, moi, je les excuse !
Il faut bien que la vieillesse s'amuse :
Elle cause si bien...

Comme je ne fais pas fi de la boisson,
Je me pousse quelquefois de ce côté-là !
Un instant, pas plus que cela de chance,
Je rends visite aux amis, et voilà !
Ces gens que d'aucuns traitent de crapule,
Moi, je trinque avec eux sans scrupule :
Nous sommes égaux devant l'abreuvoir...

Biftons et babillardes

Les deux lettres argotiques que voici ont été écrites dans le courant du XIXᵉ siècle.

Il est souvent difficile de dire s'il s'agit de documents authentiques ou de fabrications littéraires. Ainsi en va-t-il de la première, tirée des *Mémoires d'un forban philosophe* (voir p. 103). Elle a (ou aurait) été écrite vers 1820 par une voleuse emprisonnée, **Louise Périgaut**, à son « homme », auquel elle annonce qu'elle va sortir de prison *(décarrer)*, sa peine *(son temps)* achevée, alors que lui-même a encore dix mois à « tirer ».

Elle lui donne donc rendez-vous chez un receleur *(un fourgat)* de Villefranche-sur-Saône. C'est une récidiviste, une habituée de ces courts séjours en prison : la fois *(le triage)* précédente, elle s'est fait reprendre dès sa sortie de prison *(du collège)*.

Une autre femme, la Soudan, est libérée avec elle. Toutes deux vont aller à la foire de Guibray, en Vendée, pour y refaire leurs finances. Comme elle le doit, elle fera parvenir une partie du produit de ses vols *(je t'enverrai de la bille)* à son homme emprisonné.

Un pâle voyou, le petit Lorrain, quitterait, dit-elle, la prison en même temps. Mais elle ne veut pas le fréquenter : c'est un dénonciateur *(un coqueur)*.

Nous en avons évidemment respecté l'orthographe, si l'on peut dire, qui ne prouve d'ailleurs rien de décisif quant à son authenticité.

> « Mon chair ami,
> « Tu sai san doutte que montant fini apre demain et que je vai décaré. Soit bien persuadés mon chair ami que ge noubliret pas les promese que je te fette dans dit mois ton tontant finit aussi alor nou nous reveron, en partant dici tu te randra a villefranche che le fourga qui demeure sur la route de macon ge ti attendret.
> « Gespair mon chair ami que jaurai plus de bonheur a ce triage ici que laute triage ou gai été maronnet en décaran du colaige. comme la soudan decare avec monorgue nous iron de suite a guibrai pour la foirre. soi bien persuadet mon tandre ami que si dieu me donne la grase de reusir ge tenvoirai de la bile. tu pourra mecrire a ladraisse de josefine duhout comme si jetait ta sœur poste restante a guibrai marchande de mouchoir.
> « on dit que le petit lorrin decar avec nosiergue mes ge te previen que ge ne veu pas le frécanter car on dit que cet un coceur.
> « adieu mon tandre ami, je t'embrasse de tout mon cœur ta fidelle ami
>
> Louise Périgaut »

La seconde lettre de ce mini-dossier provient d'un ouvrage de Paul Sers, *Intérieur des bagnes* (Angoulême, 1842). Selon l'auteur, « col-blanc » et bagnard lui-même à Toulon, cette lettre « a été trouvée en décousant les doublures d'une veste qui appartint à un

condamné mort dernièrement à l'hôpital » (p. 53). Son authenticité
ne fait pas de doute.

En voici d'abord la traduction :

> Du bagne de Toulon. — Mon cher camarade, me voilà enfin
> sorti de ce maudit ponton d'amarrage, par la grâce de Dieu ou
> du diable, et sans être malade ; il nous a amenés ici après nous
> avoir secoués pendant quinze jours au milieu de l'océan.
>
> Tu m'as dit avant de t'en aller que je te fasse savoir par une let-
> tre la façon dont les garde-chiourmes de ce bagne nous ont
> traités. Je dirai qu'ils nous ont regardé d'un œil soupçonneux,
> attendu que le commissaire de Rochefort nous a notés en rouge
> auprès de son collègue de ce bagne-ci.
>
> Les garde-chiourmes sont plus durs que là-bas ; il faut avoir ici
> le bonnet à la main pour leur adresser la parole ; ou ils vous
> bousculent comme de véritables brutes.
>
> S'évader est plus difficile que là-bas ; cependant les garde-
> moissons de la campagne n'ont pas la même ardeur à mettre la
> main sur les forçats en fuite [1].
>
> En quantité, la nourriture est la même, mais le vin est meil-
> leur, le pain un peu plus blanc que là-bas, et la toile à che-
> mises plus belle aussi.
>
> La bastonnade tombe à coups redoublés. Le « fouetteur » est
> une vieille saleté qui a la main lourde.
>
> Rien de plus à te dire, sinon que la Fouine, Classique, Escarpe
> et Crève-cœur t'embrassent de grand cœur, et quant à moi, je
> crois que je serai jusqu'à la mort ton dévoué.
>
> La Hyène

Nous n'avons pas conservé la traduction entre parenthèses de
quelques mots, rendue inutile par celle de l'ensemble de la lettre.

> De la traverse de Lontou. — Mon chouette camerluche,
> me voilà enfin démarré de ce maudit ponton d'amarrage,
> par la grâce du meke ou du barbé, et sans être aquigé, qui
> nous a trimballé igo après nous avoir secoué pendant
> quinze reluis au milieu des prés salés.
>
> Tu m'as bonni avant de décarrer que je te raccorde par
> une lazagne du truc dont les artoupans de cette traverse

---

1. Cette ardeur avait deux motifs. D'abord la crainte quasi mythique du forçat
évadé. Ensuite, le fait que l'Administration offrait, pour la saisie d'un bagnard hors
des murs de Toulon, quatre cents francs, une somme énorme pour les paysans
d'alors.

nous ont pésignés. Je bonnirai qu'ils nous ont embroqués d'une chasse moustique attendu que le quart d'œil de Rochefort nous a refilé la manquesse auprès de son camerluche de cette traverse.

Les gaffiers sont plus mouchiques que lago ; il faut igo avoir le loubion en poigne pour leur jacter ; ou ils vous bousculent en véritables artoupans.

La cavale est plus difficile que lago ; cependant les messiers de cambrouse n'ont pas la même chaleur à pessigner les fagots en campe.

La tortillade est la même pour la quantité, mais le pivois est plus chenu, le larton un peu plus savonné que lago et la batouse à limasse plus chenue aussi.

La satonnade roule à balouf. Le toc est un bridon de gaye qui a une poigne esquintante.

Rien de plus à te bonnir sinon que la Fouine, Classique, Escarpe et Crève-cœur te refilent leurs bécots de chouettes, et pour mon arga, je crois que je serai jusqu'au moment de canner ton dévoué.

La Hyène

Éros argotier

« Les prostituées ont-elles un argot particulier ? » Telle est la question que se pose, dans les années 1830, un hygiéniste dont le nom est familier à tous ceux qui s'intéressent à l'histoire sociale du XIXᵉ siècle, **Alexandre Parent-Duchâtelet** (1790-1836). Donnons tout de suite sa réponse.

On a prétendu que toutes les prostituées de Paris avaient un *argot* ou un *jargon* qui leur était particulier et à l'aide duquel elles communiquaient ensemble comme les voleurs et les filous de profession qui ont passé dans les prisons une partie de leur vie ; ceci m'ayant été assuré par différentes personnes en apparence très instruites, et en particulier par des élèves de l'hospice des Vénériens, j'ai dû prendre à ce sujet quelques renseignements ; en voici le résultat.

Il est faux que les filles aient un argot particulier ; mais elles ont adopté certaines expressions, en petit nombre, qui leur sont propres et dont elles se servent lorsqu'elles sont entre elles ; ainsi les inspecteurs du Bureau des Mœurs sont des *rails* [railles] ; un commissaire de police un *flique*, une fille publique jolie une *gironde* ou une *chouette*, une fille publique laide est un *roubiou*, elles appellent la maîtresse d'un homme sa *largue* et l'amant d'une fille publique son *paillasson*.

Toutes ces expressions changent et se renouvellent avec les générations de prostituées : le *paillasson* était il y a trente ans un *mangeur de blanc* ; on le désignait en 1788 sous le nom d'*homme à qualité*, et quelques années auparavant c'était un *greluchon*. Il est probable qu'en remontant plus haut on trouverait encore d'autres synonymes.

Quant aux prostituées qui s'entendent avec les voleurs et qui n'ont recours à la prostitution que pour cacher leur véritable industrie, il n'est pas étonnant qu'elles aient adopté le langage de leurs suppôts, mais on ne peut pas dire que ce langage soit celui des prostituées.

Il y a ici un malentendu. Parent-Duchâtelet, grand bourgeois austère et intelligent, nie que les prostituées parisiennes auraient une langue à part, un argot du crime sexuel, qui feraient d'elles des femmes à part, sur ce plan comme sur les autres. Toute sa thèse, soutenue avec succès dans *De la prostitution dans la ville de Paris, considérée sous le rapport de la morale publique, de la morale et de l'administration* (1836), va dans le même sens : la prostitution, répète-t-il, ne fait pas des prostituées des femmes fondamentalement différentes des autres. Il n'existe pas de « société » des prostituées utilisant un langage codé, un argot impénétrable, comme il existe (pense-t-il, et c'est vrai à l'époque) une « société délinquante » produisant et utilisant sa langue, l'argot des malfaiteurs.

Cependant, si sérieuses qu'aient été ses investigations, il est évident qu'il n'est jamais allé jusqu'à se placer, vis-à-vis de la prostituée parisienne, dans la situation du client, du *michet*, et pas davantage dans celle du souteneur. Quant à faire parler les sujets de son enquête comme elles parlent à leur client ou à leur « homme », cela ne lui était pas davantage possible psychologiquement.

Au reste, son enquête remonte aux années 1820-1830. La prostitution parisienne est déjà importante, mais diffuse et inorganisée. La « demande », comme disent les sociologues, est loin d'être aussi générale et banalisée qu'après 1860. De cette époque, ou de peu avant, datent d'ailleurs les premiers éléments de l'argot professionnel de la prostitution : *faire son quart* (1845), c'est-à-dire, pour une « femme de maison », se tenir à l'extérieur de celle-ci, « sur le pont » comme l'officier de marine qui « fait son quart », mais pour racoler le passant ; *aller au persil* (1841), racoler ; *faire le trottoir* (1852), *la retape* (vers 1860), *le truc* (vers 1860). L'article PROSTITUÉE du dictionnaire de Bruant (voir p. 318) témoigne de la prolifération remarquable de ce vocabulaire dans la seconde moitié du XIXe siècle, et le *Dictionnaire érotique* de Delvau (1864) de sa rareté dans la première moitié.

Précisons qu'il ne s'agit ici que de l'argot non sexuel de la prostitution. Pour le reste (les pratiques, les positions ou les « perversions ») le vocabulaire de la prostituée (et à l'occasion de son client) ne diffère pas de celui des relations sexuelles non vénales. Le « discours érotique » est même généralement plus riche et plus libre dans ces relations que dans l'acte vénal. A preuves, les textes de Sade, de Nerciat ou de Rétif de la Bretonne, dont la crudité ne se retrouve qu'à un degré affaibli dans la littérature érotique-argotique.

Celle-ci sera donc peu représentée dans cette anthologie ; par une courte scène du *Théâtre érotique de la rue de la Santé* (voir pp. 146-148), et par quelques chansons (voir pp. 270-271).

Nous venons de le dire : la crudité du vocabulaire amoureux est une chose, son caractère argotique une autre. *Jouir* est (ou était) un mot tabou au XIXe siècle, et assez tard dans le XXe ; on parlait à la rigueur de *se pâmer*. Ce n'est pas pour autant un mot ou une expression argotique, alors que *arracher son pavé* ou *son copeau* (pour un homme), *y aller de son beurre* ou *prendre son pied* (pour une femme), le sont. C'est pourquoi d'ailleurs ils sont infiniment plus expressifs que le premier cité.

Le *Théâtre érotique de la rue de la Santé*, que nous avons évoqué plus haut, est dans son édition de 1862 le premier texte argotico-érotique d'une certaine consistance. Il s'agissait en fait d'un théâtre de marionnettes « pour adultes avertis », né des propos d'après-boire d'une joyeuse équipe de littérateurs et de journalistes aujourd'hui oubliés, à l'exception peut-être d'Albert Glatigny et d'Henri Monnier, le père de Monsieur Prudhomme.

Ce « théâtre » très libre ne donna que trois ou quatre représentations. L'une des saynètes les plus appréciées de son public bohème et à la mode, fut *Les Jeux de l'amour et du bazar*. On la devait à

Lemercier de Neuville, vaudevilliste, poète et chansonnier fort connu à l'époque.

Le « bazar » en question est une maison « à gros numéro », un bordel bourgeois dont la propriétaire et patronne est une femme — comme il était de règle alors —, Sylvia, comme de juste.

Encore jeune et fort appétissante, Sylvia descend un jour par caprice prendre, sur le seuil du bazar, la place de la « raccrocheuse », dans l'espoir de lever pour son propre compte un « miché » intéressant.

Passe précisément devant le « bazar » un bel homme, Dorante, comme de bien entendu (scène II).

> DORANTE *(Seul. Il se promène de long en large devant une maison à gros numéro.).* — V'là une maison que je n' connaissais pas. Eh bien ! puisque je suis en train de battre ma flemme, je vais la connaître et savoir quelle viande il y a à son étal, à cette boucherie-là... Oui, une idée que j'ai comme ça aujourd'hui, quoi ! Ça me f'ra p't'être rigoler un brin, de changer de rôle, et de mac devenir miché... Il a son charme, le métier de mac, je ne dis pas, surtout au point d' vue d' la vaisselle de poche... mais il y a des fois où c'est assommant, là, vrai !... En ai-je t'y reçu de l'argent des ménesses ! oh ! là ! là ! C'est rien de l' dire ! Oui, elles ont casqué, et dru !... Malgré ça, j' serais pas fâché d' les payer à mon tour, histoire de rire et d'voir l'effet qu' ça m' produira. Ça me rappellera, à moi vieux roublard, le temps où je l'avais encore, où j'étais si godiche avec le sexe, où les femmes m'allumaient si facilement que la première guenon venue qui me mettait la main dessus, me f'sait faire bâton pendant quinze jours...
> [...]
> Enfin... Nous allons voir si l'état d' miché vaut l' mien, et si j' serai assez chançard pour tomber sur un bon morceau... Ça me semble tout drôle d'avoir à abouler d' la braise au lieu d'en recevoir... Bast ! faut tout connaître dans la vie, tout !

Il se laisse donc raccrocher par Sylvia, qui l'a trouvé très à son goût et l'emmène, pour une conversation intime, dans le petit salon du rez-de-chaussée. Là, après quelques préliminaires menés rondement, on passe aux affaires sérieuses.

SYLVIA. — Si tu veux, nous allons faire l'amour... c'est meilleur... Ote ton pantalon...

DORANTE. — Pourquoi ça ?

SYLVIA. — Nous avons des personnes qui aiment ça... on est plus à l'aise...

DORANTE. — Des daims ! J'ôte jamais mes frusques, moi : on n' sait pas c' qui peut arriver.

SYLVIA. — Oh ! la maison est sûre !... Enfin les opinions sont libres : garde ton pantalon... Ça n' t'empêchera pas de me faire ça, n'est-ce pas ?...

DORANTE. — Aux p'tits oignes, mon infante !... Mais si j' n'ôte pas ma culotte, j'suis pas fâché qu'on ôte sa robe quand on veut m' plaire...

SYLVIA (Se déshabillant avec empressement.). — Oh ! ma chemise, si tu veux !

DORANTE. — Non, ta robe seulement. La limace, c'est plus cochon... Je n' bande jamais bien devant une gonzesse qu'est tout à poil... tandis que quand la limace est là, bien blanche, avec ses creux et ses montagnes, ça m' met sens sus d'sous... Allons-y d'attaque !

Tout se passe si bien que Sylvia, décidément éprise, fera de Dorante « son homme », et le véritable patron du « bazar ».

SYLVIA. — Je suis pincée !

DORANTE. — Pincée ? que veux-tu dire ?

SYLVIA (Avec explosion.). — Je veux dire que tu es un crâne fouteur, que tu me chausses comme jamais, en effet, je n'ai été chaussée, et que, si tu y consens, ce n'est pas toi qui me donneras de la braise, c'est moi qui serai ta marmite...

DORANTE. — Est-ce que tu serais ?

SYLVIA. — Je suis la patronne de ce bazar, la mère de dix-huit petites dames, auxquelles il te sera défendu de toucher, par exemple... Ça te va-t-il ?

DORANTE. — Ça me va comme un gant. Je suis entré en fonction dès aujourd'hui puisque je t'ai baisée à l'œil et que tu m'as rincé le bec d'un verre d'absinthe assez suisse... Je voulais tâter du métier de miché, mais je vois que celui de mangeur de blanc est encore le meilleur.

Mangeons du blanc ! mangeons du blanc !

Ça vaut mieux que d' manger du flan !

Mangeons du blanc jusqu'à l'aurore,
Et que Phoebus nous trouve encore
Mangeant du blanc !

SYLVIA. — Toujours rigolo ! Ah ! Je n' sais pas quand il se passera, mais j'ai un fier béguin pour toi, va ! Tu la couleras douce avec moi, je t'en réponds !... *(Elle lui prend la queue avec emportement, comme une femme qui a encore faim.)* Si nous arrosions notre contrat, hein ?

DORANTE *(Jouant l'empressement, quoiqu'au fond il en ait assez pour l'instant.).* — Arrosons !

Quand les savants s'en mêlent et s'emmêlent...

Tout le monde connaît *Trilby, Jean Sbogar* ou *La Fée aux miettes*, et bien d'autres contes de **Jean-Charles Emmanuel Nodier** (1780-1844), régulièrement réédités, en particulier dans les collections récentes de Garnier-Flammarion et de Folio. Ils ne représentent cependant, quantitativement, qu'une partie de l'œuvre immense de Nodier.

Il s'intéressa de bonne heure à ce que l'on appelait alors la philologie, notre « linguistique ». Le *Dictionnaire raisonné des onomatopées françaises* (lui aussi récemment réédité) témoignait dès 1808 de sa curiosité pour les formes spontanées du langage. Cette curiosité devait le porter à jeter sur l'argot un regard neuf. Il le fit par quelques réflexions du *Système universel et raisonné des langues* (1810), reprises et développées dans les *Notions élémentaires de linguistique,* de 1834.

Nodier le premier voit très bien que l'argot n'est pas « une langue » à l'intérieur du français, ni même un langage (une façon de parler la langue) qui serait, par rapport au français banal et bourgeois, ce que sont par exemple les dialectes ou le créole. Implicitement, il énonce cette vérité, souvent oubliée par la suite, que l'argot n'est qu'un vocabulaire.

Ce serait faire beaucoup d'honneur à l'argot que de le ranger parmi les patois. L'argot est une langue factice, mobile, sans syntaxe propre, dont le seul objet est de déguiser, sous des métaphores de convention, les idées qu'on ne veut communiquer qu'aux adeptes. Son vocabulaire doit par conséquent changer toutes les fois qu'il est devenu familier au-dehors, et on trouve dans le *Jargon de l'argot réformé* des traces fort curieuses d'une révolution de cette espèce. Les hommes de tout pays qui parlent l'argot ou une langue analogue forment la classe la plus vile, la plus méprisable et la plus dangereuse de la société ; mais l'étude de l'argot, considérée comme œuvre d'intelligence, a son côté important, et des tables synoptiques de ses synonymies ou divers temps ne seraient pas sans intérêt pour le linguiste.

Nous ne croyons plus guère aujourd'hui que l'argot ait été inventé et créé de toutes pièces par les truands pour leur permettre de s'entretenir, devant leurs victimes ou devant les hommes de la police, en sauvegardant ce que la justice nomme le secret des délibérations ; et nous croyons encore moins qu'il ait jamais existé une quelconque académie de l'argot qui eût décidé de temps à autre de remplacer par d'autres les mots « devenus familiers au-dehors », comme l'écrit Nodier.

Rappelons cependant que le passage de mots d'argot dans le français familier, puis dans le français tout court, n'a commencé — et à très petite échelle — que dans les années 1870. A l'époque où écrivait Nodier, la frontière entre les deux français (l'académique et le populaire, ou argotique) était infiniment plus nette et plus fermée qu'aujourd'hui.

C'est donc à bon droit qu'il voyait dans l'argot un phénomène autonome, et qu'il a pris pour argent comptant la fable du *Jargon de l'argot réformé* (voir p. 59) qui montre les maîtres-argotiers distribuant les punitions et les récompenses, les exclusions et les admissions.

Il est très compréhensible aussi qu'il reprenne à son compte les condamnations grandiloquentes portées tout au long du XIXe siècle contre les réprouvés. Au moins est-il le premier à voir que si les hommes qui l'emploient sont « ce que la société compte de plus vil », l'argot, lui, est loin (linguistiquement parlant) d'appeler le même mépris et la même horreur :

> L'argot de la populace, qui a été fait par des voleurs, étincelle d'imagination et d'esprit [...] Il n'y a personne qui ne sente qu'il y a cent fois plus d'esprit dans l'argot lui-même que dans l'algèbre [...] et que l'argot doit cet avantage à la

propriété de figurer l'expression et d'imaginer le langage. Avec l'algèbre, on ne fera jamais que des calculs ; avec l'argot, tout ignoble qu'il soit dans sa source, on referait un peuple et une société.

On portera également au crédit de Nodier l'idée, reprise par Hugo dans *Les Misérables* (voir p. 175), que l'argot-argot n'est à tout prendre qu'un vocabulaire spécialisé, un ensemble fluctuant de termes spécifiques — nous dirions aujourd'hui une « terminologie » —, comparable, pour le savant, à n'importe quel autre argot de métier.

L'argot est fait, comme je l'ai dit, avec nos radicaux les plus familiers, avec nos mots les plus usuels, mais tournés par la métaphore à un usage bouffon, et plus ou moins ingénieusement *patoisés,* suivant les lieux et les dialectes. Il suffira pour s'en convaincre de jeter les yeux sur les Dictionnaires de l'argot, en espagnol, en italien, en françois, car l'argot a ses dictionnaires, et pourquoi ne les aurait-il pas, puisqu'il constitue tout aussi bien que les nomenclatures scientifiques, une langue dans les langues ? L'argot est généralement composé avec esprit, parce qu'il a été composé pour une grande nécessité, par une classe d'hommes qui n'en manquent pas, et qui auroient peut-être créé une langue nouvelle, si une langue nouvelle étoit possible ailleurs que dans une société primitive.

*****

Francisque Michel (1809-1893) fut l'un de ces érudits du XIXe siècle dont la curiosité (et en fait, l'éclectisme scientifique) n'avait d'égale que leur capacité de travail. Spécialiste du Moyen Age, disciple et admirateur de Nodier, il entreprit d'approfondir les vues de celui-ci sur l'argot. Sa réflexion le mena à un ouvrage imposant, les *Études de philologie comparée sur l'argot et sur les idiomes analogues parlés en Europe et en Asie* (Paris, 1856, 571 pages).

Le projet était ambitieux. Trop, certainement, pour les connaissances d'argot de Francisque Michel, purement livresques. La plupart des étymologies qu'il avance avec assurance sont de pure fantaisie. Il lui manque en outre, comme à tous les... argotologues du XIXe siècle (et à beaucoup de ceux du XXe) cet instinct de l'argot ou du français populaire qui permet presque à tout coup de tomber juste quand les savants s'emmêlent.

On comprendra donc que nous nous en tenions ici à quelques lignes de sa préface (pp. 23-24).

Chacune des langues de l'Europe a, comme on le sait, son argot particulier, dont les caractères principaux sont invariablement les mêmes. En Italie, il est appelé *gergo, furbesco;* en Espagne, *germania;* en Allemagne, *rothwelsch;* en Angleterre, *cant, slang, thieve's latin, pedlar's French, Saint-Giles's Greek; flash tongue, gibberish,* etc.; en Hollande, *bargoens* ou *dieventael.* Dans tous ces pays, comme chez nous, cet argot est en usage parmi les classes les plus viles de la société, surtout parmi les individus qui sont en hostilité permanente contre elle; et l'on se tromperait étrangement si, comme cela s'est vu plus d'une fois, on le confondait avec la langue des Bohémiens, qui en est véritablement une, tandis que l'argot ne saurait aspirer à cet honneur. Nodier le lui dénie, lorsque, après avoir parlé des idiomes spéciaux de la maçonnerie et du compagnonnage, il s'exprime ainsi : « La classe ignoble et rebutée des sociétés humaines, qui a composé l'argot pour dissimuler les secrets de la débauche et ceux du crime, avait un tout autre intérêt à se faire une langue impénétrable; et si elle n'y est pas parvenue, c'est que l'homme n'a le droit et la faculté de faire des langues que dans l'intérêt de la société universelle. Les voleurs, dit Pascal, se sont donné des lois qui les gouvernent entre eux, et il a raison; mais les lois sont placées, relativement aux langues, dans un ordre essentiel de dépendance, comme l'œuvre à l'instrument. On doit donc regarder la proposition suivante comme un axiome sans exception : *Aucune société particulière ne peut se former dans le langage de la société commune un langage qui échappe à sa forme et qui se passe de ses éléments.* »
En effet, je le répète avec le grammairien que je viens de citer, l'argot n'a pas de syntaxe qui lui soit propre; il suit invariablement celle de la langue du pays où il est parlé. Il y a plus, les mots dont il se compose sont, en général, non pas nés au hasard, mais empruntés à la langue maternelle des individus qui le parlent; avec cette différence qu'ils sont pris dans un sens qui diffère plus ou moins de

la signification usuelle et reçue, et pour la plus grande partie dans un sens allégorique. La métaphore et l'allégorie semblent former en effet l'élément principal de ce langage, bien qu'il n'en soit pas le seul ; car il est bien certain que, dans chaque pays qui possède un argot, ce jargon contient nombre de mots qui diffèrent de la langue de ce pays, et qui peuvent être rapportés à des langues étrangères, tandis que d'autres ont une physionomie telle qu'il semble tout à fait impossible de découvrir leur origine. Un fait qui ne saurait manquer de frapper un esprit philosophique à l'aspect de ce dialecte, c'est que partout l'argot est basé sur le même principe, c'est-à-dire sur la métaphore ; et, à cet égard, toutes les branches de ce jargon se ressemblent.

Le respectable Francisque Michel sait s'amuser à l'occasion. C'est ainsi qu'il affirme avoir « transcrit », sans en donner l'auteur, cette version argotique de *La Mère Michel*, qui annonce longtemps à l'avance les innombrables traductions en argot livresque de chansons ou contes populaires.

LA DABUCHE MIQUELON

C'est ma dabuche Michelon
Qu'a pomaqué son greffier,
Qui crible par la vanterne
Qui le lui refilera.
Et c'est l' dab Lustucru
Qui lui a répondu :
« Allez, dabuche Michelon,
Vot' greffier n'est pas pommaqué,
Il est dans le roulon
Qui fait la chasse aux tretons,
Avec un bagaffe de fertange
Et un fauchon de satou. »

Cette œuvrette sans inspiration ne mérite pas de traduction : le chat est dans la gouttière, il fait la chasse aux souris avec un pistolet de paille et un sabre de bois.

***

Une réimpression récente (Jean-Cyrille Godefroy, 1982) a remis en valeur le nom de **Lorédan Larchey** (1828-1897) et son *Diction-*

naire historique, étymologique et anecdotique de l'argot parisien (1872), qui était en fait une sixième édition, toujours « revue et augmentée » comme le veut la formule, de ses *Excentricités du langage* de 1860.

Entre les excentricités et les anecdotes, le dictionnaire de Larchey hésite sans cesse. On y trouve à la fois des mots à la mode, des plaisanteries boulevardières, des vieilleries exhumées d'un quelconque jargon, et tout de même de l'argot, parfois nouveau et bien observé.

Tel qu'il est, il reste intéressant par la longue introduction de l'édition de 1881, dans laquelle Larchey s'essaie à une classification des éléments et des modes de formation des argotismes. De sa nomenclature, il dit lui-même qu'elle est « aussi peu scientifique que possible ». Elle avait du moins à l'époque le mérite d'exister ; et, aujourd'hui encore, celui de pouvoir servir de base à des travaux plus poussés.

Il a bien vu la fréquence, dans la formation des mots d'argot, des bonnes vieilles « figures de rhétorique », qu'il nomme indistinctement des « substitutions ». Ainsi des différentes métonymies : la *toquante* pour la montre, le *grimpant* pour le pantalon, le *pleurant* pour l'oignon, les *fauchants* pour les ciseaux, etc.

De même note-t-il, en mélangeant français familier, français populaire et argot, la fréquence des comparaisons prises dans le règne végétal (p. 6) :

> La dent gâtée est un *clou de girofle* ; la perruque, un *gazon* ; le *chiendent* symbolise la difficulté ; le *cœur d'artichaut*, l'inconstance ; les *pruneaux* sont la mitraille ; les *noyaux*, l'argent ; la *pelure* est l'habit ; la *coloquinte*, une tête énorme ; le *cornichon*, le *melon*, le *cantaloup* désignent un niais d'air biscornu, à dehors épais. L'homme sans consistance est une *fenasse* [?] ; le prête-nom, un *homme de paille*. Le dédaigneux *fait sa poire*. Le *chou* entre dans la composition de six mots d'acception différente [la tête et le postérieur, au moins]. On sait ce que veulent dire *tirer une carotte* et *donner une giroflée à plusieurs feuilles*.
> *Des navets ! des nèfles !* jouent un grand rôle dans les refus. *Mon trognon* est amical. *Aux pommes ! aux petits oignons ! aux truffes !* fournissent trois superlatifs aux gens satisfaits.

Les procédés de déformation, faciles à repérer, le sont évidemment par Larchey : sauf deux (*cipal* pour municipal et *croc* pour escroc), il est à remarquer que les abréviations portent sur les finales. Exemples : *autor* (ité), *achar* (nement), *aristo* (crate), *bénéf* (ice), *champ* (agne), *émosse* (émotion), *estom* (ac), *occas* (ion), etc.

Suivent (p. 21) les formations par métaphore, le même mot du français correct en engendrant couramment une ou deux dizaines en argot, pour autant que le concept ou l'objet à désigner présente un intérêt pour ceux qui le parlent.

> Et ce n'est point là seulement [dans le vocabulaire de l'ivresse] que nous retrouvons une variété significative de synonymes. Prenons *boule*, ou *balle*, ou *coloquinte*, ou *calebasse*! c'est la tête plus ou moins ronde.
>
> Avec *binette, trombine, facies, frime, frimousse,* il y a quelque chose de nouveau : nous voyons se dessiner la physionomie. La *sorbonne* et la *boussole* désignent le cerveau qui conçoit, raisonne et dirige.
>
> Le *caisson* a été fait tout exprès pour représenter le crâne éclatant à l'heure du suicide.
>
> La *tronche* montre la tête tombant sous le couteau de la guillotine.
>
> De la tête, passons à la jambe : grosse, c'est un *poteau*; ordinaire, c'est une *quille*; mince, c'est une *flûte*, un *cotteret*, un *fumeron*, un *fuseau*, un *échalas*; plus mince, c'est une *pincette*, une *jambe de coq*; plus mince encore, c'est un *fil de fer*; tremblante, c'est un *flageolet*. Les jambes du danseur sont des *gigues* ou des *gambilles*; celles du marcheur forment un *compas*, une *équerre*.
>
> Cette précision se retrouve jusque dans les diverses manières de dépenser son argent. Le prodigue *douille*, la dupe *casque*, l'homme qui veut imposer la confiance *éclaire*, l'économe *s'allonge*, l'avare *se fend* jusqu'à s'écorcher.
>
> La mort elle-même semble vouloir prêter un verbe à chaque état. Le pilier de café *dévisse son billard*, le cavalier *graisse ses bottes*, le bavard *avale sa langue*, le chiqueur *pose sa chique*, le fumeur *casse sa pipe*, l'apoplectique *claque*, le troupier *reçoit son décompte, descend la garde, passe l'arme à gauche* ou *défile la parade*, le pauvre *perd* une dernière fois *le goût du pain*, l'agonisant *tourne de l'œil*, l'homme frappé à mort *sue le sang*, le Parisien, toujours logé haut, *lâche la rampe*.

LES ANCIENS

deuxième partie

1840-1875

Eugène le chourineur

Il est de bon ton, aujourd'hui encore, d'afficher à l'égard de l'œuvre d'**Eugène Sue** (1804-1857) une ignorance dédaigneuse. Feuilletoniste, faiseur de mélodrames populaires, socialiste en peau de lapin, infatigable et fatigant p...ondeur de copie à la ligne, démagogue... J'en passe, et des meilleures, dans le lot des épithètes qui lui ont été généreusement décernées.

Il y a du vrai là-dedans. Eugène Sue a vieilli, et mal vieilli. Autant l'homme reste intéressant et sympathique, autant l'écrivain nous rebute.

Au reste, en dépit de leur titre et de leur réputation, *Les Mystères de Paris* (1842) ne sont argotiques que pour une part infime. Deux courts textes suffiront donc à les situer ici. Le premier met en scène le beau, l'invincible Rodolphe, alias Son Altesse Sérénissime le grand-duc de Gérolstein [sic], et face à lui, une bonne brute typique, le Chourineur, boucher d'abattoir en rupture de ban, brave garçon qui, hélas ! pique par moments des crises de folie sanguinaire.

Le second reprend à Hugo le thème de la fatalité de la guillotine.

Le brigand entendit ces mots.

— J'ai la coloquinte en bringues, dit-il à l'inconnu. Pour aujourd'hui j'en ai assez, je n'en mangerai plus ; une autre fois je ne dis pas, si je te retrouve.

— Est-ce que tu n'es pas content ? est-ce que tu te plains ? s'écria l'inconnu d'un ton menaçant. Est-ce que j'ai *macaroné* ?

— Non, non, je ne me plains pas ; tu es un cadet qui a de l'*atout,* dit le brigand d'un ton bourru, mais avec cette sorte de considération respectueuse que la force physique impose toujours aux gens de cette espèce. Tu m'as rincé ; et excepté le Maître d'école, qui mangerait trois Alcides à son déjeuner, personne jusqu'à cette heure ne peut se vanter de me mettre le pied sur la tête.

— Eh bien ! après ?

— Après ?... j'ai trouvé mon maître, voilà tout. Tu auras

le tien un jour ou l'autre; tôt ou tard... tout le monde trouve le sien... A défaut d'homme il y a toujours bien le *meg des megs,* comme disent les *sangliers.* Ce qui est sûr, c'est que maintenant que tu as mis le Chourineur sous tes pieds, tu peux faire les quatre cent coups dans la Cité. Toutes les filles d'amour seront tes esclaves; *ogres* et *ogresses* n'oseront pas te refuser de te faire crédit. Ah çà! mais qui es-tu donc?... tu *dévides* le *jars* comme père et mère! Si tu es *grinche,* je ne suis pas ton homme. J'ai *chouriné,* c'est vrai; parce que, quand le sang me monte aux yeux, j'y vois rouge, et il faut que je frappe... mais j'ai payé mes chourinades en allant quinze ans *au pré.* Mon temps est fini, je ne dois rien aux *curieux,* et je n'ai jamais *grinché.* Demande à la Goualeuse.

— C'est vrai, ce n'est pas un voleur, dit celle-ci.

— Alors, viens boire un verre d'*eau d'aff,* et tu me connaîtras, dit l'inconnu; allons, sans rancune!

[...]

— Après? Est-ce que je suis un veau à deux têtes, comme ceux qu'on montre à la foire?

— C'est vrai... on n'est raccourci qu'une fois, et puisque tu es sûr de l'être...

— Archisûr; le rat de prison me l'a dit encore hier... J'ai été pris la main dans le sac et le couteau dans la gorge du *pante.* Je suis *cheval de retour,* c'est toisé... J'enverrais ma tête voir, dans le panier de Charlot, si c'est vrai qu'il filoute les condamnés et qu'il met de la sciure de bois dans son mannequin, au lieu du son que le gouvernement nous accorde...

— C'est vrai... Le guillotiné a droit à du son... Mon père a été volé aussi... j'en rappelle!!! dit Nicolas Martial avec un ricanement féroce.

[...]

— Mille tonnerres, s'écria le Squelette, je voudrais bien qu'ils nous voient blaguer, ce tas de *curieux* qui nous croient faire bouder devant leur guillotine... Ils n'ont qu'à venir à la barrière Saint-Jacques le jour de ma représentation à bénéfice; ils m'entendront faire la nique à la foule, et dire à Charlot d'une voix crâne:

— Père Samson, cordon, s'il vous plaît!

Nouveaux rires...

— Le fait est que la chose dure le temps d'avaler une chique... Charlot tire le cordon...

— Et il vous ouvre la porte du *Boulanger,* dit le Squelette en continuant de fumer sa pipe.

— Ah! bah!... est-ce qu'il y a un boulanger?

— Imbécile! je dis ça par farce... Il y a un couperet, une
tête qu'on met dessous... et voilà.

— Moi, maintenant que je sais mon chemin et que je
dois m'arrêter à l'*Abbaye de Monte-à-Regret,* j'aimerais
autant partir aujourd'hui que demain, dit le Squelette
avec une exaltation sauvage, je voudrais déjà y être... le
sang m'en vient à la bouche... quand je pense à la foule
qui sera là pour me voir [...] Tous ces yeux qui vous
regardent vous mettent le feu au ventre... et puis... c'est
un moment à passer... on meurt en crâne... ça vexe les
juges et les *pantes,* et ça encourage la *pègre* à blaguer la
camarde.

Balzac, Vautrin et Cie

Au contraire de Hugo, dont la carrière de romancier s'ouvre à peu
près (en tout cas avant les « grands » romans) par l'exercice argotique du *Dernier Jour,* **Honoré de Balzac** (1799-1850) est un tard
venu dans le genre. L'argot n'apparaît dans son œuvre qu'alors que
celle-ci est à peu près achevée (et lui-même près de sa fin), en 1847,
dans les *Splendeurs et misères des courtisanes*; cela même si Jacques
Collin, dit Trompe-la-Mort, alias Vautrin, et en fait Vidocq, nous
sont connus depuis *Le Père Goriot* de 1835.

Au reste, cette entrée tardive de l'argot et de ceux qui le parlent
dans *La Comédie humaine* n'est guère convaincante. Balzac cède là,
visiblement, à une mode triomphante, celle qu'ont lancée les récits
de Vidocq, relayée les aventures et la fin de Lacenaire, et qu'Eugène
Sue a portée à son pinacle avec *Les Mystères de Paris,* en 1842.
Romancier pour grand public, Balzac ne peut ignorer le goût de
celui-ci, bourgeois ou petit-bourgeois, pour le parler des classes dangereuses. Mais, romancier à idées et à thèses, il se doit, comme

Hugo vingt ans plus tôt, d'y aller de sa réflexion socio-linguistique, avant la lettre, sur l'argot.

Tous les adjectifs possibles y passent : l'argot est une langue *énergique, colorée, brutale, ingénieuse, terrible, sauvage, farouche, poétique,* dont il nous invite à admirer *la vivacité,* et pour faire bonne mesure, *la haute antiquité.* De celle-ci, à côté d'*auber* ou de *fouillouse,* qui sont en effet anciens, il donne en exemple, sans parler de l'imaginaire *otolondrer, gironde* ou *cambrioler,* qui ne sont pas antérieurs aux premières années du XIXᵉ siècle. Nous sommes loin du XIVᵉ invoqué naïvement ! *L'affe,* pour la vie, n'est pas du tout de la plus haute antiquité. C'est une fabrication d'argotiers de bibliothèque, à partir de *l'eau-d'affe,* l'eau-de-vie (voir *Le Rat du Châtelet,* p. 75), dans lequel l'*affe* est une odeur de fleurs, de fleurs d'oranger à l'origine, et n'a rien à voir avec une vie quelconque. Nous sommes loin, on le voit, des terrifiantes explications de Balzac sur cette *affe,* d'où seraient sorties les *affres* de la mort.

Peu importe, en vérité. Qui s'aviserait de reprocher à un sculpteur de génie d'ignorer l'histoire du marbre ?

> Donc, avant tout, un mot sur la langue des Grecs, des filous, des voleurs et des assassins, nommés l'*argot,* et que la littérature a, dans ces derniers temps, employée avec tant de succès, que plus d'un mot de cet étrange vocabulaire a passé sur les lèvres roses des jeunes femmes, a retenti sous les lambris dorés, a réjoui les princes, dont plus d'un a pu s'avouer *floué* ! Disons-le, peut-être à l'étonnement de beaucoup de gens, il n'est pas de langue plus énergique, plus colorée, que celle de ce monde souterrain qui, depuis l'origine des empires à capitale, s'agite dans les caves, dans les sentines, dans le *troisième dessous* des sociétés, pour emprunter à l'art dramatique une expression vive et saisissante. Le monde n'est-il pas un théâtre ? Le troisième dessous est la dernière cave pratiquée sous les planches de l'Opéra, pour en receler les machines, les machinistes, la rampe, les apparitions, les diables bleus que vomit l'enfer, etc.
>
> Chaque mot de ce langage est une image brutale, ingénieuse ou terrible. Une culotte est une *montante*; n'expliquons pas ceci ! En argot, on ne dort pas, on *pionce.* Remarquez avec quelle énergie ce verbe exprime le sommeil particulier à la bête traquée, fatiguée, défiante, appelée voleur, et qui, dès qu'elle est en sûreté, tombe et roule

dans les abîmes d'un sommeil profond et nécessaire sous les puissantes ailes du soupçon planant toujours sur elle. Affreux sommeil, semblable à celui de l'animal sauvage qui dort, qui ronfle, et dont néanmoins les oreilles veillent, doublées de prudence !

Tout est farouche dans cet idiome. Les syllabes qui commencent ou qui finissent les mots sont âpres et étonnent singulièrement. Une femme est une *largue.* Et quelle poésie ! la paille est *la plume de Beauce.* Le mot minuit est rendu par cette périphrase : *douze plombes crossent !* Ça ne donne-t-il pas le frisson ? *Rincer une cambriole* veut dire dévaliser une chambre. Qu'est-ce que l'expression « se coucher », comparée à *se piausser,* revêtir une autre peau ? Quelle vivacité d'images ! *Jouer des dominos* signifie manger ; comment mangent les gens poursuivis ?

L'argot va toujours, d'ailleurs ; il suit la civilisation, il la talonne, il s'enrichit d'expressions nouvelles à chaque nouvelle invention. La pomme de terre, créée et mise au jour par Louis XVI et Parmentier, est aussitôt saluée par l'argot d'*orange à cochons.* On invente les billets de banque, le bagne les appelle des *fafiots garatés,* du nom de Garat, le caissier qui les signe. *Fafiot* ! n'entendez-vous pas le bruissement du papier de soie ? Le billet de mille francs est un *fafiot mâle,* le billet de cinq cents un *fafiot femelle.* Les forçats baptiseront, attendez-vous-y, les billets de cent ou deux cents francs de quelque nom bizarre.

En 1790, Guillotin trouve, dans l'intérêt de l'humanité, la mécanique expéditive qui résout tous les problèmes soulevés par le supplice de la peine de mort. Aussitôt les forçats, les ex-galériens, examinent cette mécanique placée sur les confins monarchiques de l'ancien système et sur les frontières de la justice nouvelle, ils l'appellent tout à coup *l'Abbaye de Monte-à-Regret*! Ils étudient l'angle décrit par le couperet d'acier, et trouvent pour en peindre l'action, le verbe *faucher*! Quand on songe que le bagne se nomme *le pré,* vraiment ceux qui s'occupent de linguistique doivent admirer la création de ces affreux *vocables,* eût dit Charles Nodier.

Reconnaissons d'ailleurs la haute antiquité de l'argot ! il contient un dixième de mots de la vieille langue gauloise de Rabelais. *Effondrer* (enfoncer), *otolondrer* (ennuyer), *cambrioler* (tout ce qui se fait dans une chambre), *aubert* (argent), *gironde* (belle, le nom d'un fleuve en langue d'oc), *fouillouse* (poche), appartiennent à la langue du XIVe et du XVe siècle. L'*affe,* pour la vie, est de la plus haute antiquité. *Troubler l'affe* a fait les *affres,* d'où vient le mot *affreux,* dont la traduction est *ce qui trouble la vie,* etc.

Du roman lui-même *(Splendeurs et misères des courtisanes),* nous retiendrons l'épisode dans lequel Jacques Collin, dit Trompe-la-Mort, forçat en rupture de ban, s'est rendu à la Conciergerie sous les vêtements de l'abbé Carlos Herrera, son dernier avatar, pour tenter de s'entretenir quelques instants avec Lucien de Rubempré, emprisonné et condamné à mort.

Il retrouve là, sans s'y être préparé et sans plaisir, ses *fanandels* de la bande des Dix Mille, Fil-de-Soie, La Pouraille et Le Biffon, qui le reconnaissent aussitôt.

— Oh! j'y suis, dit Fil-de-Soie, il a un plan! il veut revoir *sa tante* qu'on doit exécuter bientôt. [...]

— On va *terrer* (guillotiner) Théodore! dit La Pouraille, un gentil garçon! quelle main! quel toupet! quelle perte pour la société!

— Oui, Théodore Calvi *morfile* (mange) sa dernière bouchée, dit Le Biffon. Ah! ses *largues* doivent joliment *chigner des yeux,* car il était aimé, le petit gueux!

— Te voilà, mon vieux? dit La Pouraille à Jacques Collin.

Et de concert avec ses deux acolytes, avec lesquels il était bras dessus, bras dessous, il barra le chemin au nouveau venu.

— Oh! *dab,* tu t'es donc fait *sanglier?* ajouta La Pouraille.

— On dit que tu as *poissé nos philippes* (filouté nos pièces d'or), reprit Le Biffon d'un air menaçant.

— Tu vas nous *abouler du carle?* (tu vas nous donner de l'argent), demanda Fil-de-Soie.

Ces trois interrogations partirent comme trois coups de pistolet.

— Ne plaisantez pas un pauvre prêtre mis ici par erreur, répondit machinalement Jacques Collin, qui reconnut aussitôt ses trois camarades.

— C'est bien le son du grelot, si ce n'est pas la *frimousse* (figure), dit La Pouraille en mettant sa main sur l'épaule de Jacques Collin.

Ce geste, l'aspect de ses trois camarades, tirèrent violemment le *dab* de sa prostration, et le rendirent au sentiment de la vie réelle ; car, pendant cette fatale nuit, il avait roulé dans les mondes spirituels et infinis des sentiments en y cherchant une voie nouvelle.

— *Ne fais pas de ragoût sur ton dab !* (n'éveille pas les soupçons sur ton maître) dit tout bas Jacques Collin d'une voix creuse et menaçante qui ressemblait assez au grognement sourd d'un lion. *La raille* (la police) est là, laisse-la *couper dans le pont* (donner dans le panneau). Je joue la *mislocq* (la comédie) pour un *fanandel en fine pégrène* (un camarade à toute extrémité).

Ceci fut dit avec l'onction d'un prêtre essayant de convertir des malheureux, et accompagné d'un regard par lequel Jacques Collin embrassa le préau, vit les surveillants sous les arcades, et les montra railleusement à ses trois compagnons.

— N'y a-t-il pas ici des *cuisiniers? Allumez vos clairs et remouchez* (voyez et observez !). Ne me *connobrez pas, épargnons le poitou* et *engantez-moi en sanglier* (ne me connaissez plus, prenons nos précautions et traitez-moi en prêtre), ou je vous *effondre,* vous, vos *largues* et votre *aubert* (je vous ruine, vous, vos femmes et votre fortune).

— *T'as donc tafe de nozigues* (tu te méfies donc de nous ?) dit Fil-de-Soie. Tu viens *cromper ta tante* (sauver ton ami).

— Madeleine est *paré* pour la *placarde de vergne* (est prêt pour la place de Grève), dit La Pouraille.

— Théodore ! dit Jacques Collin en comprimant un bond et un cri.

Ce fut le dernier coup de la torture de ce colosse détruit.

— On va le *buter* ! répéta La Pouraille. Il est depuis deux mois *gerbé à la passe* (condamné à mort).

Soupçonné à juste titre par ses anciens complices, Vautrin-Herrera retourne la situation en révélant l'assassinat d'Esther, la courtisane amoureuse, chez laquelle on a volé sept cent cinquante mille francs-or, une somme énorme.

— C'est lui qui a *rincé la profonde* (la cave) de la fille ! dit Fil-de-Soie à l'oreille du Biffon. On voulait nous *coquer le taffe* (faire peur) pour nos *thunes de balles* (nos pièces de cent sous).

— Ce sera toujours le *dab* des grands *fanandels,* répondit La Pouraille. Notre *carle* n'est pas *décaré* (envolé).

La Pouraille, qui cherchait un homme à qui se fier, avait intérêt à trouver Jacques Collin honnête homme. Or, c'est surtout en prison qu'on croit à ce qu'on espère !

— Je gage qu'il *esquinte* le *dab* de la *Cigogne* ! (qu'il enfonce le procureur général), et qu'il va *cromper sa tante* (sauver son ami), dit Fil-de-Soie.

— S'il y arrive, dit Le Biffon, je ne le crois pas tout à fait *Meg* (Dieu) ; mais il aura, comme on le prétend, *bouffardé avec le boulanger* (fumé une pipe avec le diable).

— L'as-tu entendu crier : « Le boulanger m'abandonne ! » fit observer Fil-de-Soie.

— Ah ! s'écria La Pouraille, s'il voulait *cromper ma sorbonne* (sauver ma tête), quelle *viocque* (vie) je ferai avec mon *fade de carle* (ma part de fortune), et mes *rondins jaunes servis* (et l'or volé que je viens de cacher).

— *Fais sa balle* ! (suis ses instructions), dit Fil-de-Soie.

— *Planches-tu* ? (ris-tu ?) reprit La Pouraille en regardant son *fanandel.*

— Es-tu *sinve* (simple) ! tu seras raide *gerbé à la passe* (condamné à mort). Ainsi, tu n'as pas d'autre *lourde à pessigner* (porte à soulever) pour pouvoir rester sur tes *paturons* (pieds), *morfiler, te dessaler,* et *goupiner* encore (manger, boire et voler), lui répliqua Le Biffon, que de lui prêter le dos !

— V'là qu'est dit, reprit La Pouraille, pas un de nous *ne sera pour le dab à la manque* (pas un de nous ne le trahira), ou je me charge de l'emmener où je vais...

De pâles voyous

Pour nous reposer des grands, voyons un peu du côté des petits ; des écrivains mineurs, si l'on veut.

« A défaut de la gloire poétique, si difficile à conquérir », avait écrit modestement **Charles Monselet** (1825-1883), « je me contenterai avec reconnaissance d'un peu de gloire culinaire. » C'est chose faite : il n'y a plus guère que quelques gourmets à connaître encore son nom, et à l'estimer. Eux et les Nantais, qui ont consacré une fort belle rue à cet enfant du pays. Un enfant de circonstance, d'ailleurs : sa famille venait de Bordeaux, autre haut lieu de la gastronomie, et lui-même, monté à Paris à vingt et un ans, ne quittera plus la capitale, dont il fut l'un des hommes les plus en vue.

A côté d'innombrables chroniques gourmandes, il écrivait beaucoup, et de tout. Ainsi, *Le Musée secret de Paris,* dont une courte scène porte un peu abusivement le titre *Les Voyous.* Il ne s'agit en fait que de deux braves ouvriers un peu portés sur l'estaminet ; si bien que l'argot des *Voyous* n'est que du bon et brave français populaire du milieu du siècle dernier.

UGÈNE. — Elle t'a appelé muffe ?

ERNEST. — Lundi ; tu vas voir. Il me restait encore quatre francs de ma paye ; j'avais chauffé le four depuis samedi, et j'allais rentrer chez Milie quand je rencontre Todore.

UGÈNE. — Un puant !

ERNEST. — Il me demande si je veux m'humecter. Je lui dis comme ça que j'ai mon casque. Il me répond qu'un casque de plus, ce n'est pas ce qui nuit à la considération de l'honnête ouvrier, et il offre une tournée au *café Robert.* Qué qu' tu aurais fait à ma place ? Tu lui aurais rendu sa politesse.

UGÈNE. — Plus souvent ! un daim de ce tonneau ! Rasoir !

ERNEST. — Je paye le noir et le mêlé, et je m'enfile de douze sous. Je voyais ben qu'il était poivre lui aussi ; mais ça ne me regardait pas, pas vrai ?

UGÈNE. — Ça te regardait, sans te regarder. Puisque tu en avais plein le boudin !

ERNEST. — Dame ! on ne crache pas sur la consommation. A quoi ça m'aurait avancé de faire ma Sophie ? Todore fait venir deux lavements au verre pilé, que nous avalons en douceur. Pour ne pas rester en affront, je propose l'absinthe ; c'était l'heure : six plombes, quinze broquilles ; si ça n'avait pas été l'heure, j'aurais reniflé dessus. Robert nous apporte deux bavaroises aux choux... c'était ça... presqu'aussi bath qu'au *Champ de navets.* Nous en étouffons encore deux autres ; après quoi, j'avais mon affaire, là, dans le solide. J'y voyais en dedans. Todore parlait pus. Robert, qui voit que nous avons fini de faire aller le négoce, nous dit à tous les deux : « C'est pas tout ça ; vous avez votre cocarde, y faut éclairer. C'est six francs, sans compter la casse. » Je dis à Todore : « Vas-y de ta part. » Todore me répond : « J' suis malade. »

UGÈNE. — Des emblêmes !

ERNEST. — Je te le secoue, il tombe sous la table, en disant : « J' veux un fiacre. » Moi, ça commençait à me fendre l'arche. Je lui dis : « Pas de bêtises, mon vieux ! ça ne serait pas à faire ; blague dans le coin, t'es malade, mais paye ta moitié. »

UGÈNE. — Malade du pouce ; ça empêche les ronds de glisser.

ERNEST. — Sais-tu ce qu'il me répond. « Et ta sœur ? »

UGÈNE. — J'aurais cogné !

ERNEST. — Robert voit le flanche et dit : « Il faut le fouiller. » Todore voulait pas se laisser faire, mais je lui appuie le genou sur l'estom' et je lui nettoie sa pelure de haut en bas. J' trouve une demi-veilleuse.

UGÈNE. — Oh ! là ! là !

ERNEST. — Robert dit : « Je suis levé ! » et il nous appelle filous. Je suis obligé de me lâcher de ma douille, en marronnant. Après ça, nous nous cavalons, moi et Todore, du côté du Temple, en pinçant un feston un peu fiscal. Arrivé devant le liqueuriste : *A la petite chaise,* il me dit : « Pourquoi que la colonne de Juillet remue quand il fait du vent ? » Je lui réponds que ça m'est égal. Là-dessus, v'là mon Chinois qui se fâche et qui me reproche d'avoir payé au *café Robert,* vu que ça l'humilie dans sa dignité. Je l'envoie à la balançoire. Il se monte et veut me passer la jambe. Je dis : « Ça va cesser, n'est-ce pas ? », et je lui détache un coup de pinceau sur la giberne. Il veut repiquer de la même pour un second rampeau. « T'en as pas assez ? que je lui dis. J'en tiens un assortiment dans les prix de fabrique. » Et je m'allonge. Mais v'là-t-il pas ma patte gauche qui lâche le trottoir. Je m'étale, et je me dégrade le portrait.

Putain pour l'honneur

Quand donc l'ombre d'**Henri Bonaventure Monnier** (1799-1877) cessera-t-elle de traîner comme un boulet celle de Joseph Prudhomme ? Non pas que Monsieur Prudhomme soit une figure négligeable, loin de là. Mais Monnier déborde de tous côtés son personnage le plus marquant. Réduire l'un à l'autre, c'est un peu ramener Balzac au père Goriot.

En fait, le bon, le grand Monnier, celui de *L'Enterrement,* du *Roman chez la portière,* de *La Religion des imbéciles,* celui enfin des *Bas-fonds de la société,* ignore et refuse Prudhomme, comme Henri Monnier lui-même a toujours refusé tenacement la paternité d'arrangements médiocres comme *Grandeur et décadence de M. Joseph Prudhomme* ou les *Mémoires* du même.

Henri Monnier présente, dans notre littérature, le cas le plus extrême de l'objectivation de l'observateur. Il n'avait (comme dessinateur, d'ailleurs, autant que comme écrivain) qu'un don : celui de la photographie. Monnier — passez-moi cette comparaison peu académique —, c'est le Polaroïd de notre littérature. Il voit tout et reproduit tout : un tout qui se suffit à lui-même. « Il n'y a jamais eu qu'un seul naturaliste », a dit de lui Victor Hugo, un des rares à l'avoir compris, « c'est Henri Monnier, et il en est mort, lui et son œuvre. »

Il nous intéresse ici par une œuvre marginale dans la marginalité, en quelque sorte : *Les Bas-fonds de la société.* Ce sont huit scénettes (plutôt que « saynètes ») dont trois *(L'Exécution, Une nuit dans un bouge* et *A la belle étoile)* sont peu ou prou argotiques. Nous avons retenu le troisième de ces petits textes, et nous le donnons dans son intégralité.

Les Bas-fonds de la société sont connus dans deux éditions, toutes deux devenues rarissimes. L'une, celle de Paris, signée autographiquement des initiales H. M., parut chez Jules Claye, à Paris, en 1862. L'originale, avec un très beau frontispice de Félicien Rops, fut tirée à deux cents exemplaires ; une deuxième à Paris et une troisième à Amsterdam en 1864 n'étaient également destinées qu'à

« quelques amis ». Il y eut enfin une édition miniature, dite « de Londres », sans date.

Par prudence, et pour obéir à une règle non écrite dont nous avons déjà rencontré des exemples, Monnier fit précéder *Les Bas-fonds* d'une préface dans laquelle, avec une ironie un peu appuyée, il proteste de ses bonnes intentions :

> Nous avons dramatisé parfois ce que Parent-Duchâtelet a écrit. Notre livre est en quelque sorte un livre de médecine sociale : c'est le spéculum de l'observateur substitué au spéculum du médecin. La plaie est hideuse ; il faut qu'un regard ferme se décide à la sonder. Ce n'est pas sans tristesse que nous nous sommes décidé à faire de notre plume un scalpel, et qu'après avoir ri des petitesses de ce monde nous avons osé descendre jusqu'à ses vices et regarder en face les lèpres secrètes qui le rongent.

Ces déclarations prudhommesques ne s'appliquent qu'à deux scénettes, *A la belle étoile* et *Une nuit dans un bouge,* qui toutes deux, en effet, peuvent passer pour des illustrations de ce que Parent-Duchâtelet écrivait en 1836 de la basse prostitution parisienne (voir p. 143). Elles laissent cependant entière une question qui, pour nous, n'est pas anecdotique : à quelle époque au juste ont été écrits *Les Bas-fonds de la société,* et en particulier le dialogue d'*A la belle étoile* ? Dans les années 1860-1861, si l'on prend pour argent comptant la date d'édition de 1862. Cependant, Monnier lui-même a daté de 1829 la scène d'*A la belle étoile.* Pourquoi ce décalage de plus de trente ans si elle a été écrite réellement dans les années 1860 ? A cette date d'ailleurs, la prostitution sordide que décrit Monnier n'avait plus sa place à quelques mètres de la rue de la Paix et du boulevard de la Madeleine. Et Monnier lui-même avait alors plus de soixante ans ; un âge où on ne fréquente plus du tout ce genre de société et de créatures.

Il ne fait pas de doute pour nous que *Les Bas-fonds de la société,* et en particulier ses scènes argotiques, sont des œuvres de jeunesse, des dialogues « photographiés » et mis en forme dans les années 1825-1830, alors qu'Henri Monnier rédigeait précisément les *Scènes populaires,* éditées en 1830 et souvent très proches des scènes des *Bas-fonds.*

Ceux-ci se seraient évidemment, en 1830, heurtés à la censure royale ; si bien que Monnier les remisa sagement, pensons-nous, dans l'attente du jour où il pourrait les faire imprimer sans risque.

Ce n'est donc que pour la bonne règle que nous avons placé ici,

chronologiquement, le dialogue d'*A la belle étoile,* que nous considé-
rons en fait comme un texte des années 1827-1829, peut-être un
peu remanié en 1860.

A LA BELLE ÉTOILE

*A Paris, fin novembre, quatre heures du matin, rue Basse-
du-Rempart, en face de la rue de la Paix et sur le boulevard.
Il neige.*

THÉODORE, *du haut du parapet qui borde le boulevard, et
d'une voix enrouée.* — Hé, Zoé! pas fichue de m' répondre! Hé, Zoé! et dire qu' j'ai passé tantôt rue Montor-
gueil sans ramasser d'z' écailles d'huîtres pour y fout' sur
la tête! *(Il se baisse.)* C'est égal, v'là aut' chose... Aie pas
peur, j' vas t' donner d' mes nouvelles!

ZOÉ, *de la rue Basse, et s'éveillant.* — Quoi qu' c'est qu'i
ya?

THÉODORE. — Monte ici, qu'on t' parle!

ZOÉ. — Quoi qu'on m' jette?... J' sais d' qui ça m' vient.
C'est toi, Todore?

THÉODORE. — Monte un peu, j'ai des compliments n'à t'
faire.

ZOÉ. — Ne m' jette pus rien, v'là que j' monte; c'est
comme des cailloux dans la figure, tant qu' c'est gelé...

THÉODORE. — Faut-y aller t' présenter la main?

ZOÉ. — Me v'là, me v'là!

THÉODORE. — Tu dormais?

ZOÉ. — J' m'avais endormi d' froid : mon gueux [1] s'avait
éteint. J'ai mes pauv' mains et mes pieds que j' les sens
pus.

THÉODORE. — Quoi qu' t'as fait d' ta nuit? Combien qu'
t'as?

ZOÉ. — Pas grand chose... Fait trop froid, rien à faire.

THÉODORE. — Aboule tes fonds.

ZOÉ. — Tu vois, y a pas gras.

THÉODORE. — J' crois ben, tu dors.

ZOÉ. — De froid, que j' te dis.

THÉODORE. — De paresse, salope! T'as bu, t'es soûle! A
preuve, tu vois pas c' qu'on t' donne! Quoi qu' c'est, de
c'te mitraille que j'entrevois là?

---

1. Vase de terre dans lequel on met des cendres chaudes.

ZOÉ. — Des pièces six yards [2].

THÉODORE. — T'en as menti ! C'est des yards... J' t'avais défendu d'en recevoir, pourquoi qu' t'en as reçu ? Dis-le, malheureuse, veux-tu m' le dire, d'où qu'y t' viennent ?

ZOÉ. — D'un enfant.

THÉODORE. — Où qu'est son mouchoir, si c'est un enfant ?

ZOÉ. — J'y ai pas...

THÉODORE. — Tais-toi, j'ai pas fini !... Où qu'il est, son mouchoir ? montre-le-moi, j' veux l' voir.

ZOÉ. — J'y ai pas demandé.

THÉODORE, *s'avançant le poing levé.* — Tu y as pas demandé ?

ZOÉ, *reculant.* — Non.

THÉODORE. — Pourquoi qu' tu y as pas demandé, quand j' te r'commande de l' faire ? Tu pouvais pas y prend'e, bougre de cochonne !... Comme si qu'on pouvait pas non plus leur z'y dire, à ces crapauds-là : Vole ta mère, et viens m' voir !... Pas la mer à boire, pourtant... Mais non, t'aimes mieux te r'poser... Tiens, vois-tu, t'as jamais su rien faire que des bêtises... Et t'as d' l'amour-propre, encore !

ZOÉ. — J' vas t' dire...

THÉODORE. — M'approche pas, tu pues. Mais j'y pense, j'ai deux mots n'à vous dire. Quoi qu' c'est, si vous plaît, de c't' individu qu'on causait avec, hier au soir, cont' Saint-Eustache, sous l' coup d' neuf heures ?

ZOÉ. — Un particulier que j' connais pas.

THÉODORE. — Pas vrai !

ZOÉ. — J' te dis...

THÉODORE. — Moi aussi, j' te dis... j' te dis qu' t'as bu !

ZOÉ. — Mais quant à c' que...

THÉODORE. — Tu vas pas t' taire !... C'était un amant ; il était mal mis, il avait eune veste... Que j' t'y r'prenne, à m' faire des queues... j' t'envoye en paradis !

ZOÉ. — J' te jure sus ma mère...

THÉODORE. — L'invoque pas, a n'a qu' faire là-dedans, a l'est morte, on l'a enterrée, a r'pose, la réveille pas.

ZOÉ. — Faut donc pus rien dire ?

THÉODORE. — Faut obéir, faut s' taire, ou des coups... Tu

2. Jusqu'à sa disparition vers 1840, le liard de bronze valait un quart de sou ; la pièce de six liards, un sou et demi, une somme infime.

m' connais !... Pas un mot, réplique pas, ou j' commence...
J'aime pas les discours, tu sais... J' les ai même jamais
aimés... taisons-nous ! *(Un temps.)* Y a-t'y longtemps qu'
t'as vu Polyte ? réponds !

ZOÉ. — Qui ça, Polyte ?

THÉODORE. — Bon ! V'là qu' tu t' rappelles pus de rien ;
nous allons rire.

ZOÉ. — Connais pas.

THÉODORE. — Tu connais pas ? En v'là eune sévère ! tu
connais pas ! Qu'a travaillé longtemps dans l' Var, en
panetot d' couleur [3] et pantalon jaune, l'amant à boyau
vert... en as-tu assez ? en v' là, me semble, des renseignements !

ZOÉ. — Pas Polyte, *la Gogotte.*

THÉODORE. — Lui-même. Y a longtemps qu' tu l'as vu ?

ZOÉ. — J' sais pus combien.

THÉODORE. — En c' cas, serche à l' voir, tu verras par toi-
même si c'est pas vrai. J'aime plutôt pas Dieu qu' j'invente
rien !... Un chapeau, d'abord, sus sa tête, comme j'en ai
peu vu ; du linge... et du fin, eune cravate, eune toquante
avec ses breloques, un lorgnon, eune canne, un gilet à
boutons d'or... est-ce que j' sais tout c' qu'il a pas ?... eune
redingote blanche qu'i y a d' l'écossais d'dans, un pantalon à sous-pieds, un foulard, des gants, eune pipe en
écume, des chaussettes et des bottes !

ZOÉ. — Tout ça ?

THÉODORE. — Tout ça, et d' l'argent dans sa poche ; oui,
tout ça, salope ! Et moi, nom d'un... quoi que j' possède,
j' te l' demande ? Si j'ai pas d' vermine, c'est pas d' ta
faute. En fait d' chapeau, j'ai eune casquette... et eune
belle, j' m'en moque ! En fait d' redingote, eune veste. Un
pantalon, qu' le commissaire m'a déjà fait dire qu'on
voyait c' que j' portais ; des gilets, j'en manque, j'en ai
jamais évu avec toi ; des bottes qui r'niflent, quand j'
marche pas sus ses tiges... Et j'ai eune maîtresse !

ZOÉ. — C'est-y ma faute, si j'ai maigri ?

THÉODORE. — C'est-y la mienne ?... Tiens, vois-tu, réplique pas, ou j' t'abats !

ZOÉ. — Comme ça tu m' prends tout ?

THÉODORE. — J' prends c' qui m' revient. Avec ça qu'i y a

---

3. La tenue des forçats au bagne de Toulon, dans le Var.

gras !... J' te laisse ta nuit, j' vas m' coucher : travaille,
c' que tu ramasseras, c'est pour toi.

ZOÉ. — Du froid qui fait ? Merci ! J' voudrais t'y voir, tu
rirais... Pus souvent que j' vas en avoir, à l'heure qu'il est,
d' l'ouvrage !

THÉODORE. — Après ?

ZOÉ. — Tiens ! t'es pas raisonnab', vois-tu ?

THÉODORE. — On m' l'a dit avant toi.

ZOÉ. — Tu dis qu' j'ai bu.

THÉODORE. — Je m' répét'rai quand tu voudras.

ZOÉ. — V'là tout à l'heure deux jours que j'ai pas pris
d'eau-de-vie c' qu'entrerait dans n'un dé.

THÉODORE. — Tiens, va-t'en ! t'es trop laide à voir.

ZOÉ. — V'là trois nuits que j' couche dehors.

THÉODORE. — Eh ben ?

ZOÉ. — On veut pus d' moi dans mon garni ; on m'ouvre
pas ; j'y dois trois francs.

THÉODORE. — Ça me r'garde pas, engraisse.

ZOÉ. — J' suis ben heureuse, c'est pas l'embarras !

THÉODORE. — En v'là assez ! mes amitiés chez vous ;
m'embête pas, j' vas m' coucher.

ZOÉ. — Et tu m' laisses...

THÉODORE. — Faut-y pas t' tenir compagnie ? Merci !

ZOÉ. — Sans rien ?

THÉODORE. — Et les manches pareilles.

ZOÉ. — Eh ben, c'est gentil ! Dis donc...

THÉODORE, *tournant les talons.* — Pas l' temps.

ZOÉ, *seule.* — Me v'là putain pour l'honneur !

« Cab roule en anglais et jappe en argot »

Trente-trois ans après *Le Dernier Jour d'un condamné,* Hugo argotier récidive avec *Les Misérables.*

« Condamné », « misérable » (c'est-à-dire à la fois malheureux et
coupable), les titres annoncent la couleur : celle des bas-fonds de la
société. Le mot est à la mode à partir des années 1840 (et d'ailleurs
tout nouveau alors en ce sens) pour désigner, comme le disent

encore pieusement les dictionnaires, « la partie de la population la plus vile, celle qui vit en marge de la société ». De la société bourgeoise et bien-pensante, s'entend.

Pour prendre une consistance romanesque (comme on dit d'une mayonnaise qu'elle prend), des réprouvés doivent parler un langage réprouvé, dont la description devient, sous la plume de **Victor Hugo,** une partie essentielle de la composition des *Misérables*. En bon architecte, il fait donc de L'ARGOT le titre et le thème du septième livre de la quatrième partie du monument ; c'est-à-dire le pendant exact (et le répondant) du septième livre de la deuxième partie, PARENTHÈSE, la parenthèse du couvent.

D'où des pages classiques, superbes, provocantes, d'un lyrisme échevelé et en fin de compte lassant. Tout y passe : l'argot des agents de change (report, prime, fin courant), du joueur (tiers et tout, refait de pique), du philosophe (triplicité phénoménale) ; celui du fantassin « qui dit : Ma clarinette, du cavalier qui dit : Mon poulet d'Inde », du maître d'armes « qui dit : Tierce, quarte, rompez ! » ; et de vingt autres, jusqu'à celui de la Chancellerie pontificale « qui dit grkztntgzval pour envoi, et abfxustgrnogrkzutu pour duc de Modène ».

Duc de Modène vous-même ! On se demande jusqu'à quel point Hugo est sérieux dans ses acrobaties linguistiques. A travers ce fatras se dessine au moins ce qu'on peut appeler une « banalisation de l'argot » qui entre dans le projet d'ensemble des *Misérables*. Puisque les agents de change et la Chancellerie de Sa Sainteté ont leur argot, pourquoi les misérables n'auraient-ils pas le leur ? Pourquoi leur en faire un reproche et une raison supplémentaire d'exclusion de la société ?

Cela dit, Hugo voit bien en quoi pécherait ce raisonnement. Les vocabulaires techniques sont une chose. L'argot, une autre.

> Quant à nous, nous conservons à ce mot sa vieille acception précise, circonscrite et déterminée, et nous restreignons l'argot à l'argot. L'argot véritable, l'argot par excellence, si ces deux mots peuvent s'accoupler, l'immémorial argot qui était un royaume, n'est autre chose, nous le répétons, que la langue laide, inquiète, sournoise, traître, venimeuse, cruelle, louche, vile, profonde, fatale, de la misère. Il y a, à l'extrémité de tous les abaissements et de toutes les infortunes, une dernière misère qui se révolte et qui se décide à entrer en lutte contre l'ensemble des faits heureux et des droits régnants ; lutte affreuse où, tantôt

rusée, tantôt violente, à la fois malsaine et féroce, elle attaque l'ordre social à coups d'épingle par le vice et à coups de massue par le crime. Pour les besoins de cette lutte, la misère a inventé une langue de combat qui est l'argot.

Une langue « laide, inquiète, sournoise, traître, venimeuse, cruelle, louche, vile, profonde, fatale » ? N'en jetez plus, Victor : la cour est pleine. Cette langue de combat est pour le moins « horrible » ? Tant que vous voudrez.

Maintenant, depuis quand l'horreur exclut-elle l'étude ? Depuis quand la maladie chasse-t-elle le médecin ? Se figure-t-on un naturaliste qui refuserait d'étudier la vipère, la chauve-souris, le scorpion, le scolopendre, la tarentule, et qui les rejetterait dans leurs ténèbres en disant : Oh ! que c'est laid ! Le penseur qui se détournerait de l'argot ressemblerait à un chirurgien qui se détournerait d'un ulcère ou d'une verrue. Ce serait un philologue hésitant à examiner un fait de la langue, un philosophe hésitant à scruter un fait de l'humanité. Car, il faut bien le dire à ceux qui l'ignorent, l'argot est tout ensemble un phénomène littéraire et un résultat social.

On ne s'attardera pas à relever les naïvetés, les outrances et les erreurs dont fourmillent les vingt pages qu'il consacre à l'origine, aux racines et au fonctionnement de l'argot. Non, *antan* n'est pas un mot de l'argot de Thunes qui signifiait l'an passé et par extension autrefois, même s'il doit une bonne part de sa notoriété aux *neiges d'antan* de Villon, qui sont bien celles de l'an passé, et non celles d'autrefois. C'est un honnête mot d'ancien français, venu comme bien d'autres, et sans mystère, du latin.

Non, *ménesse*, femme (en mauvaise part, précise Hugo), ne vient pas... du celte *meinec*, plein de pierres ! C'est une déformation de *menestre*, potage, argotique depuis trois siècles quand écrit Hugo, et qui vient de l'italien *minestra*, potage. Pourquoi « femme... de mauvaise vie » ? Parce qu'elle est le « potage », le pain quotidien de son souteneur. Ou, par une métaphore voisine, sa *marmite*.

Il n'y a aucun rapport entre la *sorgue*, la nuit, déformation de l'ancien occitan *sorne* (cf. l'argot espagnol *sorna*, nuit), et *l'orgue*, l'homme, extrait arbitrairement de la série *monorgue*, moi, *tonorgue*, toi, etc., par le même procédé qui permet à Balzac de fabriquer une *affe* imaginaire, la vie, à partir de l'*eau d'affe*, l'eau-de-vie. Et même le *zigue* (un bon zigue) qui existe bien, paraît sans rapport avec la série *mézig,* moi, *tézig,* toi, etc.

Attribué à Villon et digne de lui, « le mot *décarade,* qui exprime le départ d'une lourde voiture au galop » ? Par qui ? Hugo l'a tout bonnement trouvé (mais c'est déjà un mérite de l'avoir remarqué) dans le *Forban philosophe* de 1829, où apparaît en effet pour la première fois ce simple dérivé du verbe *décarrer* (p. 105).

Au reste, bien d'autres en ont écrit de bien pires, qui n'avaient pas l'excuse du génie. Il est tout à fait vrai, et admirablement dit, que *décarade* « fait feu des quatre pieds » ; que l'homme (comprendre : le misérable) est « un dérivé de la nuit ». Et la linguistique la plus moderne ne désavouerait pas ce titre de chapitre : « *Cab* roule en anglais et jappe en argot », dans lequel Hugo joue sur l'homonymie du *cab,* petit cabriolet couvert à deux roues, dont le cocher trône à l'arrière sur un siège surélevé, très à la mode dans les années 1860 ; et du *cab* abrègement de « cabot », chien, qui lui est fourni par l'inépuisable *Forban philosophe.*

Car c'est à lui encore que Hugo emprunte, presque mot pour mot, l'épisode et les dialogues de l'évasion de la prison. Il est vrai qu'en 1862 le *Forban philosophe* de 1829 était déjà bien oublié ; et que l'important n'est pas de savoir de quelle carrière le sculpteur a tiré son bloc de marbre, mais ce qu'il en a fait.

Après l'étymologie, l'histoire. Après les racines, les feuilles. Hugo voit bien, à travers ses dictionnaires, que celles de l'argot tombent leur saison passée, et que d'autres les remplacent :

> L'argot, étant la langue de la corruption, se corrompt vite. En outre, comme il cherche toujours à se dérober, sitôt qu'il se sent compris, il se transforme. Au rebours de toute autre végétation, tout rayon de jour y tue ce qu'il touche. Aussi l'argot va-t-il se décomposant et se recomposant sans cesse : travail obscur et rapide qui ne s'arrête jamais. Il fait plus de chemin en dix ans que la langue en dix siècles. Ainsi le larton devient le lartif ; le gail devient le gaye ; la fertanche, la fertille ; le momignard, le momacque ; les siques, les frusques ; la chique, l'égrugeoir ; le colabre, le colas. Le diable est d'abord gahisto, puis le rabouin, puis le boulanger ; le prêtre est le ratichon, puis le sanglier ; le poignard est le vingt-deux, puis le surin, puis le lingre ; les gens de police sont des railles, puis des roussins, puis des rousses, puis des marchands de lacets,

puis des coqueurs, puis des cognes ; le bourreau est le taule, puis Charlot, puis l'atigeur, puis le brouillard. Au XVIIᵉ siècle, se battre, c'est *se donner du tabac* ; au XIXᵉ, c'est *se chiquer la gueule*. Vingt locutions différentes ont passé entre ces deux extrêmes. Cartouche parlerait hébreu pour Lacenaire. Tous les mots de cette langue sont perpétuellement en fuite, comme les hommes qui les prononcent.

Ici encore, un peu de vrai noyé dans les exagérations, et lourdement nappé de sauce symbolique. « Plus de chemin en dix ans que la langue en dix siècles » ? Rien que ça ?

Notre malchanceux « philologue » accumule d'ailleurs les contre-exemples : *gail* ou *gaye* sont évidemment le même mot ; *larton* et *lartif, fertanche* et *fertille, momignard* et *momacque* ne succèdent pas les uns aux autres : ils coexistent et cohabitent le plus souvent, comme des variantes à peu près indifférentes du même mot. Et Cartouche n'aurait certainement pas « parlé hébreu » pour Lacenaire.

Il reste que reprocher à Hugo ce genre d'approximations, ce serait oublier le courage qu'il fallait, en 1829 bien sûr, mais tout autant en 1862, pour *parler* de l'argot avec autant de sympathie souterraine que de répulsion affichée, autant d'admiration discrète que d'effroi convenu.

Par bonheur, à côté du philologue-philosophe, le romancier-raconteur a, lui aussi, sa petite idée sur l'argot. Une idée qui s'exprime, plus ou moins consciemment, mais de façon saisissante, dans l'épisode de l'adoption par Gavroche de deux petits bourgeois abandonnés. Il vient de les mener dans son « logement » : un recoin de l'énorme éléphant de plâtre de la Bastille qui attend depuis dix ans son enlèvement.

— Monsieur, fit timidement l'aîné, vous n'avez donc pas peur des sergents de ville ?

Gavroche se borna à répondre :

— Môme ! *on ne dit pas les sergents de ville, on dit les cognes.*

Le tout petit avait les yeux ouverts, mais il ne disait rien. Comme il était au bord de la natte, Gavroche lui borda la couverture comme eût fait une mère et exhaussa la natte sous sa tête avec de vieux chiffons de manière à faire au môme un oreiller. Puis il se tourna vers l'aîné.

— Hein ? on est joliment bien, ici !

— Ah oui ! répondit l'aîné en regardant Gavroche avec une expression d'ange sauvé.

Les deux pauvres petits enfants tout mouillés commençaient à se réchauffer.

— Ah ça, continua Gavroche, pourquoi donc est-ce que vous pleuriez ?

Et montrant le petit à son frère :

— Un mioche comme ça, je ne dis pas ; mais un grand comme toi, pleurer, c'est crétin ; on a l'air d'un veau.

— Dame, fit l'enfant, nous n'avions plus du tout de logement où aller.

— Moutard ! reprit Gavroche, *on ne dit pas un logement, on dit une piolle.*

— Et puis nous avions peur d'être tout seuls comme ça la nuit.

— *On ne dit pas la nuit, on dit la sorgue.*

— Merci, monsieur, dit l'enfant.

Ces « on ne dit pas, on dit », soulignés par nous, étaient alors et sont restés très longtemps l'alpha et l'oméga de nos grammaires. On ne dit pas « Je vais au docteur », on dit : « Je vais chez le médecin. » On ne dit pas « les godasses à Pierrot », on dit : « les chaussures de Pierre ».

Or l'intuition de Hugo lui fait toucher du doigt ce qu'est véritablement l'argot : une contre-grammaire. Et pour Gavroche, père-initiateur, le signe obligé et sacralisé de la rupture avec l'ancienne loi (On ne dit pas), et de la soumission à la nouvelle (On dit). En y ajoutant : *On ne dit pas brûler la maison, on dit riffauder le bocard,* et : *On ne dit pas la tête, on dit la tronche,* c'est par cinq fois que revient en moins d'une heure la même double injonction, et c'est à cinq reprises que Gavroche se refuse à répondre sur la chose signifiée, cependant importante (la police, la nuit, le feu). Ce n'est pas qu'il n'ait rien à répondre au petit ; ni qu'il ne veuille le faire. C'est qu'on ne répond au signifié qu'après s'être accordés sur le signifiant.

A côté de cette grande et sobre leçon, combien paraissent artificielles, fabriquées à grands coups de dictionnaires consultés et recopiés hâtivement, les pages dans lesquelles Hugo prétend faire parler authentiquement l'argot, ou plutôt les argots, à ses personnages. Ainsi et, en particulier, dans l'épisode de l'évasion de Thénardier.

Transi, épuisé, Thénardier s'est hissé à plat ventre sur la crête du mur de ronde de la prison de la Force. Il va peut-être se laisser tomber, quand il surprend en bas, dans la rue, la conversation à voix basse de deux ou trois hommes. Ce sont ses complices ; des escarpes, comme lui.

Le premier disait bas, mais distinctement :
— Décarrons. Qu'est-ce que nous maquillons icigo ?
Le second répondit :
— Il lansquine à éteindre le riffe du rabouin. Et puis les coqueurs vont passer, il y a là un grivier qui porte gaffe, nous allons nous faire emballer icicaille.
Ces deux mots, *icigo* et *icicaille,* qui tous deux veulent dire *ici,* et qui appartiennent, le premier à l'argot des barrières, le second à l'argot du Temple, furent des traits de lumière pour Thénardier. A icigo, il reconnut Brujon, qui était rôdeur de barrières, et à icicaille Babet, qui, parmi tous ses métiers, avait été revendeur au Temple.
[...]
Brujon répliqua presque impétueusement, mais toujours à voix basse :
— Qu'est-ce que tu nous bonis là ? Le tapissier n'aura pas pu tirer sa crampe. Il ne sait pas le truc, quoi ! Bouliner sa limace et faucher ses empaffes pour maquiller une tortouse, caler des boulins aux lourdes, braser des faffes, maquiller des caroubles, faucher les durs, balancer sa tortouse dehors, se planquer, se camoufler, il faut être mariol ! Le vieux n'aura pas pu, il ne sait pas goupiner !
Babet ajouta, toujours dans ce sage argot classique que parlaient Poulailler et Cartouche, et qui est à l'argot hardi, nouveau, coloré et risqué dont usait Brujon ce que la langue de Racine est à la langue d'André Chénier :
— Tonorgue tapissier aura été fait marron dans l'escalier. Il faut être arcasien. C'est un galifard. Il se sera laissé jouer l'harnache par un roussin, peut-être même par un roussi, qui lui aura battu comtois. Prête l'oche, Montparnasse, entends-tu ces criblements dans le collège ? Tu as vu toutes ces camoufles ? Il est tombé, va ! Il en sera quitte pour tirer ses vingt longes. Je n'ai pas taf, je ne suis pas un taffeur, c'est colombé, mais il n'y a plus qu'à faire les lézards, ou autrement on nous la fera gambiller. Ne renaude pas, viens avec nousierge, allons picter une rouillarde encible.

— On ne laisse pas les amis dans l'embarras, grommela Montparnasse.

— Je te bonis qu'il est malade ! reprit Brujon. A l'heure qui toque, le tapissier ne vaut pas une broque ! Nous n'y pouvons rien. Décarrons. Je crois à tout moment qu'un cogne me ceinture en pogne.

Les répliques de Brujon et de Babet appellent évidemment une traduction, qui est (en note dans les éditions des *Misérables*) celle de Hugo lui-même. Encore faut-il s'entendre sur ce mot de « traduction ». L'originale, la véritable, n'est pas celle par laquelle le lecteur passe de l'argot des apaches au français des bourgeois ; mais bien celle par laquelle Hugo est passé de ce français (le seul qu'il connût) à cet argot. Voici cependant la première nommée :

— Allons-nous-en, qu'est-ce que nous faisons ici ?

— Il pleut à éteindre le feu du diable. Et puis les gens de police vont passer. Il y a là un soldat qui fait sentinelle. Nous allons nous faire arrêter ici.
[...]
— Qu'est-ce que tu nous dis là ? L'aubergiste n'a pas pu s'évader. Il ne sait pas le métier, quoi ! Déchirer sa chemise et couper ses draps de lit pour faire une corde, faire des trous aux portes, fabriquer des faux papiers, faire des fausses clefs, couper ses fers, suspendre sa corde dehors, se cacher, se déguiser, il faut être malin ! Le vieux n'aura pas pu, il ne sait pas travailler !
[...]
— Ton aubergiste aura été pris sur le fait. Il faut être malin. C'est un apprenti. Il se sera laissé duper par un mouchard, peut-être même par un mouton, qui aura fait le compère. Écoute, Montparnasse, entends-tu ces cris dans la prison ? Tu as vu toutes ces chandelles, il est repris, va ! Il en sera quitte pour faire ses vingt ans. Je n'ai pas peur, je ne suis pas un poltron, c'est connu, mais il n'y a plus rien à faire. Ne te fâche pas, viens avec nous, allons boire une bouteille de vieux vin ensemble.
[...]
— Je te dis qu'il est repris ! A l'heure qu'il est, l'aubergiste ne vaut pas un liard. Nous n'y pouvons rien. Allons-nous-en. Je crois à tout moment qu'un sergent de ville me tient dans sa main.

Un mot encore. Il est remarquable que, dans *Les Misérables,* Hugo ne fait parler argot (peu importe l'authenticité de celui-ci) qu'à des malfrats professionnels, de froides canailles. Si peu d'ouvriers qu'il apparaisse dans l'œuvre, ils parlent un français presque banal. Plus remarquable encore : Jean Valjean parle, lui, un français simple, mais châtié. On se souviendra de l'horreur, ou au moins de l'irritation qu'éprouvait Vidocq, le modèle de Valjean comme il l'était déjà de Vautrin, à devoir entendre de l'argot ou à devoir le parler.

Ce souci du romancier dément les outrances qui font voir au philosophe-sociologue Hugo, dans l'argot, la langue de la misère du prolétariat tout entier ; et non celle du seul « Lumpenprolétariat* ». Mais la confusion des classes laborieuses avec la classe dangereuse était au XIXᵉ siècle un dogme. Même pour lui.

---

* Le prolétariat en guenille, voué à la délinquance, au crime, et finalement à la complicité objective avec la bourgeoisie dominante. Marx le distingue clairement du prolétariat ouvrier.

L'ÂGE D'OR DE L'ARGOT

1875-1895

Un gueux à l'Académie

La poésie savante s'accommode-t-elle de l'argot? Et l'argot de la poésie? Le fait est qu'après Villon, il nous aura fallu attendre plus de quatre siècles pour la voir réapparaître dans ces pages, sous la plume de **Jean Richepin** (1849-1926).

Un égal de Villon? Non, certes; nous en sommes même assez loin. L'homme et l'œuvre n'en méritent pas moins notre attention.

Né en Algérie, fils d'un médecin militaire, ce « pied-noir·» de bonne famille, beau comme un jeune dieu qui serait à la fois Hercule et Apollon, débarque à Paris en 1868 pour entrer, à moins de dix-neuf ans, à l'École normale supérieure. Arrive la guerre; il s'engage dans l'armée de Bourbaki et s'en échappe à temps, les combats terminés, pour revenir mener à Paris l'existence très peu sage de la bohème littéraire de ces années de tumulte.

« Gauchiste » bourgeois de tempérament, et en tout cas peu soucieux à l'époque de faire carrière, il fréquente entre autres cercles d'avant-garde celui que tenaient autour de Verlaine les *Zutistes*; lesquels comptaient dans leurs rangs, outre Verlaine et l'enfant Rimbaud, Germain Nouveau, les frères Cros (Henri, Antoine et Charles, le poète, tous également géniaux), Raoul Ponchon, Maurice Rollinat, André Gill et même le jeune Paul Bourget, alors politiquement et littérairement proche de Richepin, et plus tard académicien sagement conservateur comme lui.

On doit à ces mauvaises fréquentations le premier texte argotique connu de Richepin : une chanson de l'*Album zutique**, précieuse relique de ce Mont-Parnasse avant la lettre, qui tenait ses assises dans les hôtels à étudiants et les brasseries à filles du quartier Latin.

Elle (cette chanson) avait été signée d'abord, sur l'*Album* lui-même : Paul Bourget. Celui-ci en récusa la paternité par ce sixain, inattendu sous la plume du futur auteur du *Disciple* et d'*Au service de l'ordre* :

---

* La seule (et remarquable) édition de l'*Album zutique* est celle qu'en a donnée Jean-Jacques Pauvert en 1962, avec les illustrations d'origine. Le texte de J. Richepin y figure pp. 27-28 de l'original, pp. 224-233 de sa réimpression.

Quand ces vers seraient aussi bons
Que le plus exquis des jambons,
Je les récuserais — Je pense
Qu'il vaut mieux ne jamais rimer
Que d'aller ainsi blasphémer
L'Art malade — qu'il faut qu'on panse.

A la suite de quoi, Richepin authentifia son œuvre. Elle n'ajoute rien à sa gloire (ni le sixain de Paul Bourget à la sienne). Mais quoi! A eux deux, ils n'avaient pas cinquante-cinq ans...

Les couplets de Richepin étaient entrelardés, dans la tradition du café-concert d'alors, de *parlés* qui ne méritent que d'être... tus. Quant au « poème » lui-même, on y retrouvera sans peine le passage qui provoqua l'ire de Paul Bourget.

LE CAFÉ-CONCERT DES GOUGNOTTES

Mince! L'Eldorado, c'est rien vieux!
Moi, l'établissement qui m' botte
C'est l' caf-conce des Gougnottes!
Ah! comme on rigole, nom de Guieu! *(bis)*
Au caf-conce des Gougnottes *(bis)*

Ah! chaleur! ct'e scène! Gnia deux grues,
Deux lampions d' pétrol' qui pue.
Et déjà v'là l' peup'e qui s' rue :
Nous sommes trois dans l'établiss'ment.
L' pianiss' est Espagnol et rote.
L' piano rare d'Érard qu'il p'lote,
N'y manque guère que dix-huit notes,
Mais les pétales *[sic]*, faut voir c' boucan!

C'est toujours l' comique qui commence!
On dirait qu'i gueule une romance.
C' Capouil qui fait d' la sentimence
A z' une ceinture rouge qu'est bossard.
Eune des grues est mère ed' famille.
L'aute a des doigts gros comme des quilles.
Leurs voix sont fines comme des aiguilles,
Et quèqu'fois claquent comme un pétard.

Mais i' n' vient pas un gonce, ça m' froisse.
Dix heures! Nous n' sommes toujours que troisses.
Mon vin chaud s'en va. Mes doigts s' poissent
En suçant l' reste ed' mon citron.

Sont-ils assez cons, tous ces pantes !
I' trouvent que l'art est emmerdante.
Moi j' l'aime, j'en suis fier, et j' m'en vante.
J' l'aime comme un cul aime son étron.

Mince ! l'Eldorado, c'est rien vieux !
Moi, l'établissement qui m' botte,
C'est le caf-conce des Gougnottes.
Ah ! comme on rigole, nom de Guieu !
Au caf-conce des Gougnottes.

On peut dater cette œuvrette, à quelques semaines près, de janvier 1872. Elle précède donc d'une bonne dizaine d'années les débuts de Rodolphe Salis, puis de Bruant, sur la scène du *Chat-Noir,* et l'explosion de la chanson argotique après 1885. Avant de la juger sévèrement, on se souviendra que l'*Album zutique,* déversoir des humeurs salaces ou vengeresses de jeunes gens en révolte, n'était destiné à aucune publication. Il était en revanche ouvert à tous ceux auxquels leurs pairs reconnaissaient du talent, et Richepin était du nombre. Si niaise ou si bâclée qu'on la trouve (mais l'*Album* en voyait bien d'autres !), *La Chanson des gougnottes* n'en annonce pas moins une ère nouvelle, celle des poètes (de métier) argotiers par choix et par goût.

Suivent pour Richepin quelques années d'errance. Il collabore à des feuilles antiversaillaises — *Le Corsaire, La Vérité,* c'est tout dire à l'époque — ; fonde son propre groupe, « les Vivants » ; encore une déclaration de guerre à l'ordre établi sur les morts de la Commune. Et surtout, « bûche » *La Chanson des gueux,* qui paraît chez Debons et Decaux dans les dernières semaines de mai 1876.

Dans les pires jours de « l'ordre moral », c'était une déclaration de guerre, dans la forme comme dans le fond. La Commune était encore toute proche, et ces « gueux » faisaient encore trembler la bourgeoisie :

Paris suinte la misère,
Les heureux même sont tremblants.
La mode est aux Conseils de guerre,
Et les pavés sont tout sanglants...

Le succès et le scandale sont grands. Le livre est saisi le 24 juin (1876), Richepin condamné le 15 juillet à un mois de prison (qu'il fera) et cinq cents francs d'amende (qu'il paiera) « pour outrage à la morale publique et aux bonnes mœurs ».

Le livre demeura saisi jusqu'en 1881, l'année de la loi d'amnistie. Richepin put alors en donner, chez Maurice Dreyfous, une édition

augmentée et presque complète. Y manquaient les cinq pièces entièrement ou partiellement condamnées en 1876 dont *Voyou,* que l'on
trouvera plus loin, et quelques vers de-ci de-là.

« Ma muse — écrit Richepin dans la préface de l'édition de 1881
— est une brave et gaillarde fille, qui parle gras, je l'avoue, et qui
gueule même, échevelée, un peu ivre, haute en couleur, dépoitraillée
au grand air, salissant ses cottes hardies et ses pieds délurés dans la
glu noire de la boue des faubourgs ou dans l'or chaud des fumiers
paysans, avec des jurons souvent, des hoquets parfois, des refrains
d'argot, des gaîtés de femmes du peuple. »

On ne saurait le définir mieux qu'il ne l'a fait lui-même dans ces
lignes. Poète de la misère ? Non, mais du pittoresque de la misère.
Poète du peuple ? Non, mais de la gouaille populaire. Des paysans ?
Pas davantage : de la crasse paysanne. De la révolte ? Surtout pas.
Des coups de gueule, oui.

Cela dit, ne jugeons pas le Richepin de 1876 à l'aune de nos mentalités de 1985. Ce serait facile et injuste. Né bourgeois, il le reste
dans sa descente vers les bas-fonds du petit peuple des villes et des
campagnes. Mais son intérêt pour les réprouvés n'est pas seulement
celui de l'artiste qui sait qu'il tirera de la misère des autres des effets
poétiques nouveaux. Le prolétariat lui reste étranger ; mais, à deux
ou trois exceptions près (qui ne sont ni Hugo, ni Zola, ni même
Rimbaud), à quel écrivain ne l'était-il pas ?

Des *Gueux de Paris,* seconde partie de *La Chanson des gueux,* voici
donc d'abord *Voyou* (pp. 156-158 de l'édition de référence).

Il va de soi que nous avons rétabli les vers condamnés en 1876 et
encore interdits en 1881. Il s'agit du neuvième quatrain : *Mais crottas ! Si j' suis pas d' la haute...* dont le dernier vers : *Ma sœur n'a pa'
encore dix ans,* avait provoqué les fureurs des magistrats bien pen-
sants ; lesquels, au demeurant, salivaient à la perspective des petites
filles livrées à leurs viles passions pour quelques sous. Témoin entre
d'autres, l'épisode de la nymphette à laquelle Marcel Proust donne
cinq francs, et dont les parents le traînent chez le commissaire, qui
gronde l'imprudent et lui confie qu'on peut avoir des Lolitas en guenilles pour bien moins cher.

Bruant, dans *Les Bas-fonds de Paris* (voir pp. 297-303), reprendra
le thème banal de la prostituée de douze ans, « la môme Sucre-
d'Orge ». Banal et affligeant, bien sûr.

A ce quatrain, le dernier du texte de 1876, Richepin ajouta en
1881 les deux couplets qui terminent la pièce dans sa version définitive.

VOYOU

J'ai dix ans. Quoi ! ça vous épate ?
Ben ! c'est comme ça, na ! J' suis voyou,
Et dans mon Paris j' carapate
Comme un asticot dan' un mou.

Sous l' bord noir et gras d' ma casquette,
Avec mes doigts aux ongu' en deuil,
J' sais rien m' coller eune rouflaquette
Tout l' long d' la tempe, là, jusqu'à l'œil.

J' peux m' parler tout bas à l'oreille
Sans qu' personne entende rien du tout.
Quand j' rigole, ma gueule est pareille
A cell' d'un four ou d'un égout.

Mes jambes sont faites comme des trombones,
Oui, mais j' sais tirer (gare là-dessous !)
La savate, avec mes guibonnes
Comme cell's d'un canard eud' quinze sous.

J'ai l' piton camard en trompette.
Aussi, soyez pas étonnés
Si j'ai rien qu' du vent dans la tête :
C'est pa'c' que j'ai pas d' poils dans l' nez.

Près des théâtres, dans les gares,
Entre les arpions des sergots
C'est moi que j' cueille les bouts d' cigares,
Les culots d' pipe et les mégots.

Ben, moi, c't' existence-là m'assomme !
J' voudrais posséder un chapeau.
L'est vraiment temps d' dev'nir un homme.
J'en ai plein l' dos d'être un crapaud.

Les pantes doivent me prend' pour un pître,
Quand, avec les zigs, sur eul' zinc,
J'ai pas d' braise pour me fend'e d'un litre,
Pas même d'un meulé-cass' à cinq.

Mais crottas ! si j' suis pas d' la haute
Quoiqu'en jaspinent les médisants,
Faut pas dire qu' ça soye de ma faute :
Ma sœur n'a pa' encore dix ans.

Vrai, vous savez, c'est pas ma faute.
J' fais quoi que j' peux. J' vous dirais ben
Pourquoi c'est que j' suis pas d' la haute.
J' l'avais même dit à m'sieu Rich'pin.

Mais faut croire que ça doit pas s' dire,
Puisque, pour s'êt' fait mon écho,
On l'a fourré dans la tir'lire
Avec les pègres d' Pélago.

Toujours des *Gueux de Paris,* nous vous proposons ensuite un
« tiercé » de monologues dont nous avons légèrement modifié
l'ordre original (pp. 174-179 de l'édition Dreyfous).

Le premier, *Dos,* est celui d'un beau garçon qui, à tous les métiers
avouables qu'on lui propose, préfère celui de « dos »; c'est-à-dire de
« dos vert »; c'est-à-dire encore, de « maquereau »; c'est-à-dire enfin
et presque honnêtement de souteneur.

L'épicerie ? Ça eut payé... La banque ? Malhonnête pour malhonnête, j'aime mieux être dos. Maître d'école chez les frères ignoran-
tins ? Pas très viril. La police ? Plutôt manger de la m..., *bouffer d' la
mousse.* Alors...

Alors, vrai, vous trouvez qu' je m' gourc ?
Et puis après ? J'ai un chouette moure,
La bouche plus p'tite que les calots,
L'esgourde gironde comme une Ostende.
Aussi j' m'ai dit : Vivons d' not' viande !
      J'aim' mieux êt' dos.

D'ailleurs, c'est pas rien que d' ma faute.
J'ai voulu masser comme un aut'e ;
J'ai eu des jours pas rigolos ;
Mais ça m' rend malade quand que j' chine.
J'ai une arête en place d'échine.
      J'aim' mieux êt' dos.

Franchement, quoi foute ? De l'épic'rie ?
Débiter d' la morue pourrie,
Aussi pourrie qu' les aristos ?
Là, sans blague, c'est-y dans l' commerce
De l'hareng saur qu'un maquereau perce ?
      J'aim' mieux êt' dos.

P't' êt' qu'en maquillant dans la banque... ?
Avec d' la galette à la manque,
On fait suer l' pognon des gogos.
Bon p'tit truc ! J'y dirais bien tope !
Mais bah ! L' mien est encor plus prop'e.
     J'aim' mieux êt' dos.

J'ai pensé, pour me tirer d' peines,
A m' faire frère des écoles chrétiennes.
Ah ! ouiche ! Et l' taf des tribunaux ?
Puis, j' suis pas pour les pantes en robe.
Avoir l'air d'un mâle, v'là c' que j' gobe.
     J'aim' mieux êt' dos.

J'ai bien quèqu' part un camerluche
Qu'est dab dans la magistrat' muche.
Son jaspin esbloue les badauds.
Il veut m'insinuer dans la rousse.
Pourquoi pas m' faire bouffer d' la mousse ?
     J'aim' mieux êt' dos.

Final'ment, sur tout ça j' me mouche.
L' turbin, c'est bon pour qui qu'est mouche.
A moi, il fait nib dans mes blots.
Avec une frime comme j'en ai une,
Un mariol sait trouver d' la thune.
     J'aim' mieux êt' dos.

C'est la raison pourquoi qu' je m' goure.
Mon gniasse est bath : j'ai un chouette moure,
La bouche plus p'tite que les calots,
L'esgourde gironde comme une Ostende.
Aussi, j' m'ai dit : Vivons d' not' viande !
     J'aim' mieux êt' dos.

Après *Dos, Dab.* Un souteneur (le même si l'on veut) vient
d'apprendre que sa *rouchie*, sa *Fifine,* sa *Louis,* bref la femme qu'il a
mise sur le trottoir et des charmes de laquelle il vit, attend (selon la
formule) un heureux événement. « De quoi ? » proteste-t-il. « Père
(dab), moi ? Pas question. Ma régulière a trop de travail *(de masse)*
pour prendre un congé de ce genre. Si elle s'arrête, je me fais *grinche*
(voleur), et je me retrouverai en prison (à Mazas). »

Paraît que j' suis dab ! ça m'esbloque !
Un p'tit salé, à moi l' salaud !
Ma rouchie doit batt' la berloque.
Un gluant, ça n' f' rait pas mon blot.

Qué qu' j'y foutrai dans la trompette,
A c' lancier-là, s'il vient vivant ?
A moins qu'il sorte un jour que j' pète
Et qu'il veuille tortorer du vent !

Et puis quoi, Fifine a trop d' masse
Pour s' coller au pucier. Mais non !
Pendant qu'elle y f'rait sa grimace,
Quoi donc que j' bouff' rais, nom de nom ?

Moi, j'ai besoin qu' ma Louis turbine.
Sans ça j' tire encore un congé
A la Maz ! Gare à la surbine !
J' deviens grinche quand j'ai pas mangé.

Après le père, au moins putatif, *dab* ou *daron,* voici la mère, la *doche, dabuche* ou *daronne.* Ce n'est pas une méchante femme, une marâtre; oh! non! Mais elle se fait vieille : à quarante ans, cinquante tout au plus, elle est déjà usée jusqu'à la corde et traîne la misère. Sans homme à la maison, et les clients disparus, elle se console à l'eau-de-vie de prune, un p'tit verre de temps en temps pour tuer le cafard.

Sa fille est une vraie mignonne, une *gironde,* de quatorze, quinze ans. Sage ; ou en tout cas, d'un tempérament calme. Il faudra qu'elle y passe pourtant, à son tour. Il n'y a plus rien à manger à la maison *(Nib dans l' cabas),* et on ne fait pas ce qu'on veut quand on a faim *(quand l' gaviot gronde).*

Ah! c'est pas la joie *(pas palas).* La mère le sait bien : elle est passée par là. Et par chance, la petite n'a pas d'homme, de *mec,* à nourrir. Alors, qu'elle ne dise pas non au plus vieux métier du monde *(dis pas niort au persil).*

La petite pleure. Mais elle a du cœur (un palpitant) et se résigne donc : elle a compris, elle va « en faire, en moudre, pour nourrir sa daronne (sa mère) ». Après tout, qui s'est donné du mal *(qui qu'a massé)* pour la mettre au monde ? Maman, bien sûr.

Allons, ma fill', l'est temps d' briffer.
Au truc !... Quoi ? tu veux rentiffer ?
Gy ? Pas la pein' d'êt' si gironde !

Alors, ta doche, tu la gobes pas ?
Faut qu'al tortore. Nib dans l' cabas.
Qui qu'a massé pou' t' fout' au monde ?

Bon, tu chiales ! Ah ! c'est pas palasse.
J' conobre l' truc ; l'est dégueulasse,
J' sais ben. Mais quoi ? Quand l' gaviot gronde !
On maquill' pas tout comme on veut.
Mézig, dans l' temps, un peu mon n'veu !
Qui qu'a massé pou' t' fout' au monde ?

T'as pas d' mec. Ça, c'est bath ! Merci.
Tout d' même, dis pas niort au persil.
Sans lui, bonsoir la baguenaude ronde !
Moi j' suis birbasse, j'ai b'soin d' larton.
T'as donc un palpitant d' carton ?
Qui qu'a massé pou' t' fout' au monde ?

T'as entervé. Chouette, mon amour.
Va, la môme, truque et n' fais pas four.
Sois rien mariolle et à la sonde !
Pense à ta daronne qu'al' t'aim' tant.
J' vas prend'e une prune en t'attendant.
Qui qu'a massé pou' t' fout' au monde ?

Les pièces véritablement argotiques n'occupent que peu de place dans *La Chanson des gueux* : sur plus de cent poèmes, moins de vingt, regroupés sous le titre : *Au pays du largonji*.

Pour se hausser au niveau de celles de Bruant ou de Rictus, il leur manque l'émotion, d'abord ; et le sens de l'argot vivant, ensuite. Ce n'est pas que la première soit absente du reste de l'œuvre, au contraire. La sympathie de Richepin pour les gueux de la ville et des champs est réelle (au moins de Richepin jeune), mais elle s'exprime assez simplement.

Les « effets », il les a réservés aux poèmes argotiques, véritables exercices de style dont la virtuosité chasse souvent le sentiment. On le voit bien dans les deux *sonnets bigornes* du recueil ; bigornes, c'est-à-dire dans l'esprit de Richepin, d'argot authentique. L'un, « classique », dans l'esprit et le vocabulaire du XVIe siècle ; l'autre « moderne », c'est-à-dire contemporain de Richepin.

Les voici l'un et l'autre, suivis d'une traduction approximative, la nôtre (pp. 80 et 81 de l'édition Dreyfous).

ARGOT CLASSIQUE

Luyzard estampillait six plombes,
Mezigo roulait le trimard,
Et jusqu'au fond du coquemart
Le dardant riffaudait ses lombes.

Lubre, il bonissait aux palombes :
« Vous grublez comme un guichemard. »
Puis au sabri : « Birbe camard,
« Comme un ord champignon tu plombes. »

Alors aboula du sabri,
Moure au brisant comme un cabri,
Une fignole gosseline,

Et mezig, parmi le grenu
Ayant rivanché la frâline,
Dit : « Volants, vous goualez chenu. »

Le soleil marquait six heures.
J'allais par le chemin,
Et jusqu'au fond du chaudron
Le soleil me brûlait les reins.

Renfrogné, je disais aux palombes :
« Vous criez comme un guichet de prison. »
Puis au bois : « Vieux crevé,
Tu pues comme un sale champignon. »

Alors sortit du bois,
Le nez au vent comme un chevreau,
Une mignonne petite,

Et moi, dans la paille
Ayant baisé la sœurette,
Je dis : « Oiseaux, vous chantez bellement. »

ARGOT MODERNE

J'ai fait chibis. J'avais la frousse
Des préfectanciers de Pantin.
A Pantin, mince de potin !
On y connaît ma gargarousse,

Ma fiole, mon pif qui retrousse,
Mes calots de mec au gratin.
Après mon dernier barbotin
J'ai flasqué du poivre à la rousse.

Elle ira de turne en garno,
De Ménilmuche à Montparno,
Sans pouvoir remoucher mon gniasse.

Je me camoufle en pélican.
J'ai du pellard à la tignasse.
Vive la lampagne du cam !

Je me suis enfui. J'avais peur
Des agents de la Préfecture de police de Paris.
A Paris, quel vacarme !
On y connaît ma physionomie,

Ma tête, mon nez qui retrousse,
Mes yeux de beau garçon.
Après mon dernier cambriolage,
J'ai fait perdre ma trace à la police.

Elle ira de mansarde en chambre meublée,
De Ménilmontant à Montparnasse,
Sans pouvoir me retrouver.

Je me déguise en paysan.
J'ai du foin dans les cheveux.
Vive la campagne !

Jean Richepin a jugé utile de faire suivre *La Chanson des gueux,* toujours dans l'édition de 1881, d'un glossaire argotique d'environ deux cent cinquante mots. Ce mini-dictionnaire se justifiait par la commodité du lecteur de l'époque et n'a plus grand intérêt pour nous. Il est cependant précédé d'un avertissement qui montre qu'à défaut de prétendre le résoudre, Richepin a bien vu le problème qui s'est toujours posé et se pose encore à tous les rédacteurs d'un dictionnaire d'argot.

> Ce serait une œuvre curieuse à faire et terrible à entreprendre, qu'un véritable et véridique dictionnaire d'argot. Pour la partie historique, pour l'étymologie et en quelque sorte la philosophie des vocables, il ne faudrait pas moins

qu'un Littré, consacrant à cette besogne des trésors de science et de patience. Pour les définitions précises et les sens actuels des mots en usage, il faudrait un observateur consumant sa vie dans les milieux étranges et souvent peu accessibles où l'on parle cette langue infiniment variée et renouvelée incessamment. L'auteur du dictionnaire d'argot devrait donc être à la fois le plus consciencieux des rats de bibliothèque et le plus audacieux des batteurs de pavé. Un pareil homme ne saurait se rencontrer, j'imagine, et, en tout cas, ce n'est certes point votre serviteur qui aura jamais la prétention de se donner pour ce merle blanc.

C'est dans le journal...

Le respectable *Figaro* a été longtemps, on le sait, un journal très « parisien », plus attentif aux rumeurs boulevardières, aux faits divers croustillants et aux historiettes légères qu'aux événements politiques de France et d'ailleurs.

Or la grande mode des années 1860 à 1880, c'est l'argot. En témoigne entre autres cette remarque amère de Maxime du Camp — l'ami de Flaubert — en 1872 : « Les voleurs ont un langage pittoresque, très imagé : c'est l'argot. Il est de mode aujourd'hui, tant nos mœurs ont subi de dépression, de se servir de ces termes sales et violents. »

On ne s'étonnera donc pas de voir *Le Figaro* daté du 4 août 1873 ouvrir ses colonnes à la prose d'un certain **Beauvilliers**, jugé et condamné quelques semaines auparavant pour tentative de vol, et qui raconte ici, dans une orthographe un peu défaillante que respecte *Le Figaro,* sa jeunesse aventureuse :

J'ai vingt-trois ans, je suis garçon boucher. A l'âge de quatorze ans je fesai mon apprentissage à la boucherie Duval, à la Madelaine.
lère affaire, 4 millié [4 000 francs], en allant en recète au bout de huit mois que j'étais dans la maison [1]. J'ai mangé

---

1. Beauvilliers disparaît un jour avec la recette de ses livraisons de la journée. Un coup classique et ici fructueux : quatre mille francs-or représentent alors une très grosse somme.

tout, l'espace de quatre mois, mon perd les a remboursé et m'a fait mettre à la Roquette pour trois mois. Il est mort dans l'intervalle, de là j'ai goîpé au théâtre, fesait la portière et je vendai des talbin[2], cigare et du feu.

Dix-sept ans : j'ai commencé à faire l'étalage[3], réussi pendant un an ; pas d'enfilage.

Dix-huit ans : je fesai le rade et la condition[4], je me camouflait et avec des faux faffe j'allai dans les bureaux de placement avec une tune, je ne manque pas le coche de 2 pille chez un troquet[5]. Premier sapement ; six mois. Laissez-là.

Dix-neuf ans : de là j'ai fait les coquines passage Jouffroy[6], notet des ventes[7], etc.

Bien réussi un pédé au chantage de 1 800 francs, un bobe et une bride en jonc, harnais de toute sorte avec mon poteau Coconas.

Vingt ans : je me remets au turbin dans la boucherie, je fais les pièces détaché. Au bout d'un an, poissé avec une pesée de gigot que j'allais fourgué, deuxième sapement. Les trois brêmes[8] pendant six mois, réussi.

La véritable vocation de ce jeune marlou, c'est — on s'en doute — le proxénétisme. De fait, il trouve à « maquer » une gigolette gentille et sérieuse, et le voici assuré d'une rente appréciable. Hélas, tout passe, tout casse...

Où est ce temps-là, j'avais bonheur, argent, amour tranquille, les jours se suive mais ne se ressemble pas. Mon mignon connaissait l'anglais, l'allemand, très-bien le français, l'auvergna et l'argot que je lui aprenais de la boucherie, folie !!!

Un commencement de jalousie me prend et je fais sortir-

2. Des billets de théâtre, au prix fort.

3. A voler aux étalages.

4. Je volais dans les tiroirs-caisse des comptoirs (les rades) et dans les chambres meublées (les conditions).

5. Je me fais prendre en volant deux cents francs (2 piles) chez un marchand de vins.

6. Les coquines sont à l'époque de jeunes prostitués, des invertis. On peut comprendre, soit que Beauvilliers s'est lui-même prostitué passage Jouffroy ; soit qu'il extorquait de l'argent aux coquines du passage, en les « soutenant ».

7. Comprendre sans doute : Je notais des ventes à la Salle Drouot ? J'étais commissionnaire ?

8. Les trois cartes ; c'est le bonneteau, jeu de « coup d'œil » dans lequel le naïf finit toujours par perdre.

mon mignon de la maison, et plus grande folie encore, je la mets sur le turbin.

Pendant six mois, gagneuse d'argent gros comme elle. Au bout de six mois, malade, cinq mois à Saint-Lazare.

Rebectage de mon côté, plus d'argent, goîpé, paillasson, tourné au vinaigre ; hélas ! plus de femme, je la vais perdu.

Vingt et un an, rangé des voitures.

Pas pour longtemps ! A vingt-deux ans, Beauvilliers se laisse entraîner dans le cambriolage qui le mènera en correctionnelle, puis en « tôle » pour quelques mois.

Un bachotage sanglant

Voici un des rares textes dont nous sommes certains qu'il reproduit fidèlement l'argot d'authentiques voyous — et pire — du dernier quart du XIXe siècle.

Nous le devons indirectement à un policier de haut rang, **Gustave Macé,** qui fut commissaire de police à Paris, puis chef de service de la Sûreté criminelle de 1879 à 1884, et employa les loisirs de sa retraite à rédiger ses souvenirs professionnels. Des notes restées manuscrites manifestent dès 1883 son intérêt pour l'argot. Puis viennent *Mes lundis en prison* (1889) et *Mon musée criminel* (1890).

C'est de ce dernier ouvrage qu'est tiré le texte en question. Il s'agit d'un véritable examen de passage imposé par un gang de cinq souteneurs criminels (la police a toujours fait la distinction entre le maquereau pénard et le maquereau dangereux) à un candidat à l'entrée dans leur association, un certain Doibel. Cet examen, auquel assiste Rosa, la maîtresse du chef de la bande, Nucor, comprend en particulier une... rédaction. En somme, l'épreuve de français du bac, dans un contexte un peu particulier.

L'examen finira mal. Nucor et Doibel se battent pour les beaux yeux de Rosa. L'amant en titre poignarde le prétendant. La police intervient très vite, et avec efficacité ; nous sommes, rappelons-le, en 1879.

L'affaire est du 16 janvier. Nucor est arrêté le 8 février et passe en jugement le 4 avril. Il est condamné à six ans de prison. C'était bon marché pour un meurtre, et l'indulgence du jury, sagement conseillé par son président, confirme que la justice est relativement douce au truand assassin d'un autre truand. D'abord en vertu du principe que c'est en tout état de cause un bon débarras ; ensuite parce que l'assassin ainsi ménagé ne fera certainement pas de vieux os à sa sortie de « cabane ». Les amis du mort (on en a toujours) veilleront à faire passer sur lui la justice du Milieu, qui ne plaisante pas.

Le texte de la rédaction de Doibel avait été saisi dans la chambre du crime par la police. Macé en a conservé une copie, que nous avons toutes les raisons de croire exacte dans tous ses détails, et qu'il présente ainsi :

> La scène eut lieu le 16 janvier 1879, dans une chambre de la maison sise rue du Maine, nᵒ 18. Cinq souteneurs étaient réunis autour d'une table ; ils venaient de procéder à l'examen d'un sixième, nommé Doibel, dont le portrait de profil figure au bas de la planche 17.
> Étendue sur le lit, la fille Rosa écoutait son amant Nucor, qui terminait la lecture d'une composition rédigée par Doibel, et qui mérite d'être reproduite pour montrer un échantillon de l'argot de cette classe dangereuse de souteneurs assassins.
> Voici cette pièce en regard de laquelle je crois utile de mettre la traduction :
> ARGOTAGE POUR UN CASSEMENT AVEC BUTAGE.
> Jactage dans une case de linguesé amingo pour fabriquer un pégrage et un refroidissement.
> CONVERSATION AU SUJET D'UN VOL AVEC ASSASSINAT.
> Conversation dans une chambre entre cinq amis disposés à commettre un vol suivi d'un assassinat.

Macé a reproduit scrupuleusement, dans *Mon musée criminel,* le texte qu'il avait sous les yeux. Tel quel, sans ponctuation, il est à peu près illisible. Nous avons donc choisi de le donner ci-dessous dans son état premier ; puis dans une transcription acceptable, à la suite de laquelle nous avons fait figurer notre propre traduction, celle de Macé étant à plusieurs reprises incomplète ou maladroite.

Les cinq amis qui vont, tout au moins dans la « rédaction » de Doibel, assassiner un malheureux « vioque », se nomment La Fouine, Sans-Peur, L'Affreux, Bel-Œil et Bras-d'Acier. Tout un programme !

Sans peur dit sa cavale comme sur des roules gît, à présent le lingue en pogne, nous allons balancé la dernière
gonde et le vioque peut ouvrir les mires et nous frimer,
donc attention, le plume est du côté du frappant, la gondole en dedans, cavalé sur le viogue, figué lui un coup
dans le timpant et un dans la plaque tournante, qu'il n'est
pas le temps de chanter au charpentier. Gigot la Fouine,
cher franco : il faut dinguer la lourde. C'est jouer. Illicot
les leundré font la cavalle sur le vioquard qui entrebail-
lait la gargue pour chanter mais ce fut margue leundré
longuème le dinguère sur le plume, le timpant persé suait
toute sa raisine et la plaque tournante perdait le vent par
une double ouverture. Est-ce turbiné la Fouine, Gigot
mais magnon et retamons Vivaresse, dit donc la Fouine
exile dans ces faffes, mon orgue, j'y entrave que Meulard
ta frime s'y noble laisse sa bé, c'est des loubes à nous faire
friser et sa ne cavalle que d'un poissé rien que bibles,
jonc, platres, briotots et puis les frappés et les dessins
bleues, le restant laissé béard. C'est vu tout est secoué et
bien fesont la jaja, ils rejoignent leurs aminches. — Dit
donc la Fouine c'est dans le sac ; Gigot, mais escourdé leudré vont figué par la grille des rouges et loitré par la
grille des chatouilleux, puis la rende à onze tours à la
case de Bel-Œil, gy, et bien pairont vite à 11 tours ils
sont réunis, illicot, ils exilent les flambeaux sur les
4 pattes, bien fabriquont le falmuchage. Il empile 32 sacs
sans jactage des loubes au moins pour 3 ou 4 sacs, il y a
chaque bobine 6 sacs et 4 pilles entrair pour gourer la
renoblance. Ton orgue Sans-Peur, et toi Bras-d'Acier, il
faut flambarèse vos fringots car il y a de la raisine après et
si vous étiez pinglés sa serait Casse-Bras qui vous rafraî-
chirais les tiffots, ta rognon la Fouine, c'est vut, bien
cavallons chanstiguer les loubes chez monsieur Carre,
tiens vieux fiasse et combien de fric en total 5 sacs et
2 pille figue le fricandeau chaque bouillot 1 sac les 2 piles
c'est pour carmoter les fringots qui sont à la flamberge, à
présent chaque tournique à parto, nous ne nous noblons
plus et ne placé que gninte à vos lards, ni à persifland car
c'est nos plaques tournantes que nous guimperions sur la
sérieuse, vous avez entravé, Gigot et bien une pogne de

grappin et à la revoyance, si il y a du frisage nous ne nous noblons pas.

Sans-Peur dit : « Ça cavale comme sur des roules. — Gy ! à présent, le lingue en pogne ! Nous allons balancer la dernière gonde. Le vioque peut ouvrir les mires et nous frimer, donc attention ! Le plume est du côté du frappant. »

La gondole en dedans : « Cavalez sur le vioque, fichez-lui un coup dans le tympan et un dans la plaque tournante, qu'il n'ait pas le temps de chanter au charpentier. »

— Gigot, la Fouine ! c'est franco. Il faut dinguer la lourde.

C'est joué. Illico, les leundré font la cavale sur le vioquard qui entrebâillait la gargue pour chanter. Mais ce fut margue. Leundré longuème le dinguère sur le plume ; le tympan percé suait toute sa raisine et la plaque tournante perdait le vent par une double ouverture.

— Est-ce turbiné, la Fouine ?

— Gigot ! Mais magnons et rétamons vivaresse !

— Dis donc, la Fouine, exile dans ces faffes. Mon orgue, je n'y entrave que meulard ; ta frime s'y noble.

— Laisse ça bé ! C'est des loubés à nous faire friser, et ça ne cavale que d'un. Poissez rien que bibles, joncs, plâtres, briotots, et puis les frappés et les dessins bleus. Le restant, laissez béard ! C'est vu ? Tout est secoué ? Eh bien, faisons la jaja.

Ils rejoignent leurs aminches.

— Dis donc, la Fouine, c'est dans le sac !

— Gigot, mais esgourdez : leudré vont ficher par la grille des Rouges, et loitré par la grille des Chatouilleux. Puis la rende à onze tours à la case de Bel-Œil. Gy ? Eh bien, pairons vite !

A onze tours, ils sont réunis. Illico, ils exilent les flambeaux sur les quatre pattes.

— Bien ! Fabriquons le jalmuchage.

Il empile trente-deux sacs, sans jactage des loubes ; au moins trois ou quatre sacs. Il y a chaque bobine six sacs et quatre piles entrair.

— Pour gourer la renoblance, ton orgue Sans-Peur et toi

Bras-d'Acier, il faut flambarès vos fringots, car il y a de la raisine après, et si vous étiez pinglés, ça serait Casse-Bras qui vous rafraîchirait les tiffots.

— T'as rognon, la Fouine, c'est vu !

— Bien, cavalons chanstiquer les loubés chez monsieur Carre.

(Chez le receleur.)

— Tiens, vieux fiasse ! Et combien de fric ?

— En total, cinq sacs et deux piles.

— Fiche le fricandeau ! Chaque bouillot un sac, les deux piles, c'est pour carmoter les fringots qui sont à la flamberge. A présent, chaque tournique à parto ! Nous ne nous noblons plus. Et ne placez que niente à nos lards, ni à persiflard, car c'est nos plaques tournantes que nous guimperions sur la sérieuse ! Vous avez entravé ?

— Gigot !

— Eh bien, une pogne de frappin, et à la revoyance ! S'il y a du frisage, nous ne nous noblons pas !

Sans-Peur dit : « Ça marche comme sur des roulettes. — Bon ! A présent, le couteau à la main ! Nous allons forcer la dernière porte. Le vieux peut ouvrir les yeux et nous dévisager, donc attention ! Le lit est sur la gauche. »

Une fois la porte forcée : « Courez sur le vieux, donnez-lui un coup de couteau au cœur et un autre dans la gorge, qu'il n'ait pas le temps d'appeler au secours. »

— Vu, la Fouine ! C'est bon ! Il faut forcer la porte.

C'est fait. Aussitôt, les deux courent sur le vieillard qui ouvrait la gorge pour crier. Mais ce fut... (?? Peut-être mauvaise transcription de *mar,* « tout »). Les deux... (*lon-guème* ne fournit aucun sens) le frappèrent sur le lit ; le cœur percé laissait écouler tout son sang et le cou bâillait par une double ouverture.

— Est-ce du bon travail, la Fouine ?

— Ah oui ! Mais dépêchons-nous et fuyons vivement !

— Dis donc, la Fouine, examine (? Sens incertain) un peu ces papiers. Moi, je n'y comprends rien ; toi, tu t'y connais.

— Laisse cela en place (« tomber »). Ce sont des bouts (de papier) à nous faire prendre (arrêter) et cela ne sert à rien (Sens incertain). Ne prenez que les pièces d'argent (Lire :

biblos, et non *bibles,* pour « bibelots », pièces blanches), ce qui est en or, l'argenterie (ou l'argent en général ?), et puis les pièces d'or et les billets de banque. Le reste, laissez tomber ! C'est vu ? Tout est ramassé ? Eh bien, filons !
Ils rejoignent leurs amis.

— Dis donc, la Fouine, c'est réussi !

— D'accord, mais écoutez : deux d'entre vous vont s'enfuir par la grille de Montrouge et les trois (autres) par la grille de Châtillon. Puis, rendez-vous à onze heures à la cabane de Bel-Œil. D'accord ? Eh bien, partons vite !

A onze heures, ils sont réunis. Tout de suite, ils exhibent le butin (*exilent* ne fournit aucun sens) sur la (ou les) table.

— Bon ! Faisons le partage (Il faut lire *falmuchage,* variante assez usuelle de *fademuchage,* suffixation de *fade,* partage d'un butin).

Ils mettent en tas trente-deux mille francs, sans parler des bijoux (ou des bibelots) : au moins trois ou quatre mille francs. Il y a six mille quatre cents francs par tête (*entrair* ne fournit aucun sens).

— Pour dérouter les recherches (?), toi Sans-Peur et toi Bras-d'Acier, il faut brûler vos vêtements, car ils sont pleins de sang, et si vous étiez arrêtés, c'est le bourreau qui vous couperait les cheveux (avant de vous guillotiner)...

— Tu as raison, la Fouine, nous avons compris !

— Bien ! Courons changer les bijoux (contre de l'argent) chez le receleur (« Monsieur Carre » n'est pas un patronyme ; un *carreur* est un receleur).

— Tiens, vieux frère ! Combien d'argent ?

— En tout, cinq mille deux cents francs.

— Donne l'argent ! Mille francs pour chacun, les deux cents francs, c'est pour rembourser les vêtements qui iront au feu. A présent, chacun s'en va de son côté ! Nous ne nous connaissons plus. Et pas un mot à nos femmes ni à personne, sinon ce sont nos têtes que nous placerions sur la guillotine ! Vous avez compris ?

— Oui !

— Eh bien, une poignée de mains, et au revoir ! S'il y a du danger, nous ne nous connaissons pas !

De Gustave Macé encore, ce bref dialogue (*Mon musée criminel,* p. 101), entendu et noté sans doute dans les années 1885.

A la morgue, j'ai assisté à une scène écœurante qui s'est passée entre trois cyniques criminels incapables d'éprouver la moindre émotion. Le plus âgé, encore mineur, reprochait au plus jeune d'avoir trop « serré la vis » à une rentière dont le cadavre était étendu sur la table servant aux autopsies judiciaires.

— De quoi ?... de quoi ?... répondit Soupape, vaurien de dix-sept ans, en lançant un regard furieux à Tireflûte.

Et il ajouta de sa voix traînante, à l'accent canaille :

— J'ai tenu les *courriers* (pieds) de la *blécharde* (vilaine) et je n'ai pas touché son *tube* (cou).

— *Vanneur* (menteur), s'écria le troisième, surnommé Vasistas, pendant que je *chahutais la cambriole* (je volais dans la chambre), Tireflûte qui tenait les *compas* (jambes) de la *bibassonne* (vieille), t'a *jaspiné* (parlé) et j'ai *escourdé* (écouté). Voilà son *boniment* (paroles) : « Ne *cramponne* (serre) pas si fort le *collier* (cou) pour éviter la *carline* (mort). »

— C'est pas vrai ! s'écria Soupape ; moi, je tenais les *jacquots* (mollets) et Tireflûte l'*avaloir* (gosier) ; ce sont ses *prenantes* (mains) qui ont *ébassi* (assassiné) la *rembasle* (rentière). Elle a fait *qui-qui* et j'ai *bouclé* (fermé) mes *mirettes* (yeux).

Une soirée au Grand-Guignol

Qui se souvient encore du nom du créateur du *Grand-Guignol* (le théâtre et le genre lui-même), ce spectacle de sang et d'horreur qui fit courir nos pères durant les cinquante premières années du siècle ?

Ce fut pourtant un personnage exceptionnel de la fin du XIXᵉ siècle, qui n'en a pas été chiche, que cet **Oscar Méténier** (1859-1913). Fils d'un commissaire de police parisien qui eut l'esprit de caser son rejeton (il avait, paraît-il, « une plume de sergent-major ») comme secrétaire chez son collègue du quartier des Grandes Carrières, à Montmartre, le jeune Méténier put ainsi, sans cesser d'être un fonctionnaire de police extrêmement respectueux de l'ordre établi, parachever sa formation d'argotier.

« C'est (dit de lui son contemporain et ami Georges Courteline) un être tout nerf, qui ne pèse rien et tient une place... Deux yeux lumineux d'intelligence, une conversation de gavroche inspiré, bourrée de Hein ! et de Comprends-tu ? qui sont autant de petits tremplins à la verve rebondissante de cet intarissable bavard, le meilleur fils du monde et le plus exquis des camarades. »

Le fait est qu'au moins pour sa vivacité, sa drôlerie et sa gentillesse naturelle (qui ne l'empêchait pas d'avoir avec sa maîtresse, la belle Lanterme, chanteuse de café-concert, des « explications » d'où elle sortait couverte de bleus et de bosses), Méténier fut très apprécié par d'authentiques écrivains de son temps : Barbey d'Aurevilly, Courteline bien sûr, François Coppée (mais oui !), Huysmans, Laurent Tailhade, Paul Adam (un autre oublié qui publie en 1885 un roman qui fit scandale : *La Chair molle*), Moréas, Félix Fénéon et d'autres moins connus, furent ses amis fidèles.

Son premier roman, *La Chair* (1885), est furieusement attaqué. On lui reproche de se vautrer avec délectation dans le puant, l'ignoble, le sordide. Le monde littéraire était alors au plus fort de la bataille naturaliste ouverte quatre ans plus tôt par *Le Roman expérimental* de Zola, et les coups tombaient dru.

De fait, apôtre inconditionnel de la vérité dans l'art, Méténier affiche un naturalisme farouche et une ignorance agressive (un peu hypocrite, car il sait construire et écrire) des procédés littéraires. Sa doctrine tient en peu de mots : le document, le document avant tout. On reconnaît là le policier qui n'aime pas qu'on « fasse des phrases ». Et bien sûr, le document crapuleux, saignant, de préférence.

Il se vante de n'avoir « ni idée ni style ». Mais, comme Henri Monnier cinquante ans plus tôt, il a l'oreille et l'œil infaillibles. Ce qu'il entend, ce qu'il voit, il le restitue (dit-il) « avec une fidélité bornée ». Voire. Car ses pièces sont soigneusement travaillées, et ses récits bien menés.

Il a beaucoup écrit. Sans doute trop. De la cinquantaine de romans, d'essais, de drames, de vaudevilles même qu'on lui doit, fort peu méritent, d'un point de vue littéraire, d'être tirés des oubliettes ; peut-être *Madame la Boule* (1889), « histoire d'une fille ».

Il avait aussi écrit quelques nouvelles. En 1886, un ami (sans doute Paul Adam) lui suggéra de tirer de l'une d'elles, *En famille,* un acte « réaliste », et lui en apporta même le scénario. L'acte écrit, Méténier le lut à André Antoine, son aîné de quelques mois, qui travaillait déjà activement à la création d'un Théâtre libre sur la scène duquel le public retrouverait le climat agressivement réaliste des romans de l'époque. Antoine s'enthousiasma aussitôt pour la pochade de Méténier : « Cet acte-là, c'est buriné comme une eau-forte ! Ça nous change du chromo ! »

Pour installer le Théâtre libre, Antoine avait d'abord songé au *Chat-Noir,* en alternance avec les soirées de cabaret de Rodolphe Salis ; et c'est chez Salis que Méténier lui lut sa pièce. L'affaire ne se fit pas, et Antoine se rabattit sur la scène minuscule du passage de l'Élysée des Beaux-Arts.

C'est là que fut représenté, le 30 mai 1887, pour l'inauguration du Théâtre libre, le *En famille* de Méténier, avec un succès notable mais malheureusement et littéralement éphémère : la censure en interdit aussitôt la représentation en reprochant à l'auteur « la contexture générale » de la pièce.

L'interdiction dura dix ans. Enfin autorisé, *En famille* fut repris le 20 septembre 1898 au théâtre du Grand-Guignol.

Cette sympathique famille, ce sont le père Paradis (dont Antoine tenait lui-même le rôle à la création), et son épouse Félicité ; puis deux garçons, Alexis et Auguste, aux occupations discrètes et parfois fructueuses ; et une fort belle fille, Amélie, dite la Panuche, qui exerce avec talent et bonne humeur le plus vieux métier du monde, dans le beau monde, d'ailleurs.

Jeunes ou vieux, ce sont de braves gens, joviaux et affectueux. La preuve : c'est aujourd'hui la Sainte-Félicité, la fête de maman Paradis, et on la célébrera « en famille ».

Il y a cependant comme une ombre au tableau. Le meilleur ami d'Auguste, un monte-en-l'air surnommé Guigne-à-Gauche, attend depuis quarante jours dans sa cellule le résultat du recours en grâce présenté par son avocat au président de la République. On espère bien que la peine sera commuée, mais sait-on jamais ? Et le père Paradis, que ce garçon complaisant fournissait régulièrement en marchandises de provenance douteuse, s'inquiète : Guigne-à-Gauche se taira-t-il jusqu'au bout ?

En attendant, voici Alexis ; puis Amélie. On n'attendra pas le retardataire, Auguste, pour servir le potage.

> PARADIS. — Dis donc, la mère, avec quoi que tu fabriques c'te soupe-là ? Elle est rudement chouette !
>
> ALEXIS. — Ça, c'est de la chasse à Bibi ! C'est mon bouquet pour la Sainte-Félicité. Tu sais bien, l'ornichon à

l'Auverpin de la rue Jacinthe, qui chantait le matin à des trois plombes, cocorico !... Eh bien ! y chantera plus !

PARADIS. — Ah ! gosse, c'est pas honnête ! Quant à ça, faut avouer que c'était rudement pas rigolo d'être réveillé comme ça au petit reluit... C'est pas mauvais, la soupe à l'ornichon. Passe-moi-z'en une autre pelletée, la mère !

AMÉLIE. — A propos, dites donc, j'ai été bien inquiète un moment. C' pauvre Guigne-à-Gauche, eh bien !... le v'là à la Roquette ?

LA MÈRE PARADIS, *d'un ton scandalisé.* — Oui, ma fille, crois-tu que le monde est méchant ! Condamné à mort ! Pour s'être défendu ! Il a été surpris un jour qu'il fabriquait la condition d'un pante très chic. Qu'est-ce que tu veux, on l'a attaqué, il s'est rebiffé, et dam ! il a pas eu la main heureuse, ça a porté. Ça a fait assez de bruit dans le moment... plus de bruit que ça ne valait ! Ah ! j'ai cru un instant que ton père en ferait une maladie.

Et voici Auguste (scène VI). Un Auguste d'assez méchante humeur.

LA MÈRE PARADIS. — Qu'est-ce qu'il y a donc ?

AUGUSTE. — Ce qu'il y a ? Y a que ce matin, à quatre plombes et mèche, Guigne-à-Gauche a craché dans le sac, place de la Roquette... et que j'y étais !

PARADIS, *se levant, dégrisé.* — Et le recours ?

AUGUSTE. — Le recours ? Allons donc ! Le bêcheur l'avait trop bien écorné ! Est-ce qu'il y a des recours pour ceux qui turbinent proprement ? Oh ! dam ! pour ceux qui sabotent l'ouvrage, pour les pégriots, ça ne rate pas... mais les autres !... Ah ! tenez, le monde me dégoûte !...

PARADIS. — Dis donc, il n'a pas jaspiné, au moins ?

AUGUSTE. — Macaroner ? Pour qui tu le prends ?

(Le père Paradis se rassied tranquillement. Il boit.)

LA MÈRE PARADIS. — Alors, tu l'as vu de près ?

ALEXIS. — A-t-il été crâne ?

AUGUSTE. — Oh ! il faut avoir un rude cœur au ventre pour pas caner quand on va mettre le nez à la fenêtre ! Je l'ai vu ! Je l'ai vu de près ! J'ai su hier que c'était pour ce matin. En route pour la Grand'Place ! Pauv' Guigne-à-Gauche, j' pouvais pas le laisser partir comme ça... est-ce pas ? C'était un poteau... un ami... un vrai... un social, quoi ! Et on dit qu'il y a une justice ! Place de la Roquette, j' suis monté dans un arbre. Personne m'a vu. A minuit, les railles ont rappliqué, puis les hussards de la veuve... Ils ont refoulé le monde... Mais j'étais dedans... Quand les journalisses sont arrivés, je suis descendu, et je suis resté d'autor et d'achar avec eux !... Les journalisses ! Une jolie race ! Tas de faiseurs ! Tas de casseroles ! Ils ont jaboté jusqu'à ce matin !... Ils jetaient la pierre à Guigne-à-Gauche, ils disaient que c'était bien fait ! En v'là des égoïstes ! Après tout, quoi, qu'est-ce qu'on lui reproche à Guigne-à-Gauche ? Il a défendu sa viande ! La belle affaire ! Vos journalisses ! Si on venait les moucharder quand ils sont sur le turbin et qu'ils se défendent, on leur voterait des remerciements... Nous autres, on nous mène à la butte ! V'là la justice !

AMÉLIE. — C'est pourtant vrai ce qu'il dit là !

PARADIS. — Et on dit qu'on est en République, mais la liberté du travail, où qu'elle est ?

LA MÈRE PARADIS. — Tout ça, c'est bien triste, et nous vivons dans un fichu temps !

AUGUSTE. — Enfin, j'ai battu comtois. C'était dur ! Fallait de l'atout ! Sur le coup de trois plombes, v'là le butteur qu'arrive... Encore un que je voudrais voir jouer à la main chaude ! Il a pas été fégnasse. Il a débâclé sa roulante, tiré son sac, une montante, et v'là la butte dressée. ... A côté, la boîte aux dominos !... Dire que c'est là-dedans qu'on va fiche un zig qu'avait pus de battant que toute la vade qui grouillait autour de moi... Tout d'un coup le jour est venu... le rasoir brillait, un vrai miroir à alouettes. De tous côtés, les cognes et les sergots s'empilaient. Je me suis collé en avant, près de la porte, pour le voir passer... Les gros légumes sont arrivés, les bricules, le grand Condé... Ils donnaient des ordres... En v'là des histoires pour estourbir un pauvre diable ! Cinq plombes crossent ! La Roquette s'ouvre toute grande ! Tous les journalisses taffaient derrière moi ! J'en ai mouché un qui m'écrasait les fumerons... Autant d'aquigé... Et puis Guigne-à-Gauche a paru, ligotté... Il avait bougrement l'air de se fendre l'arche, Guigne-à-Gauche... Il balançait ses châsses... Il m'a dégoté... Il m'a fait signe... Moi, ça m'a retourné ! Puis il a levé le nez et il a vu le rasoir... qui reluisait... Il s'est mis à bicler de la mirette et puis il a continué à marcher... chenûment... Ah ! on peut dire qu'il a défilé la parade crânement ! Il taffait pas tant que les mufles qui me soufflaient dans le dos ! Quand il a été sur le lève-pieds, au bas de la butte, le babillard qui bigottait tout bas l'a embrassé. Ça, c'est bien ! Un coup de bascule ! Rrrrrrrr ! Brouf !... Un jet de raisiné... Et puis j'ai pus rien vu... Mes yeux papillotaient... Quand je les ai rouverts, tout rufait autour de moi, le batteur, les cognes, les lignards... et l'omnibus à conis avait déjà démarré ! Pauvre Guigne-à-Gauche !

Après le repas en famille, vint le drame de *La Casserole,* représenté au Théâtre libre et dédié à André Antoine, qui tenait dans cette pochade grand-guignolesque le rôle du père Chabot.

Cette casserole n'est pas l'honnête instrument ménager dans lequel la mère Paradis fait bouillir ses *crompires* (ses pommes de terre). Le mot désigne alors, surtout de 1880 à 1910, un dénonciateur, un « indic » ; au féminin pour un homme, comme il est de règle, et comme sont féminins *une balance* ou *une donneuse.*

Dans la pièce de Méténier, cette casserole est une femme, La Carcasse, jeune, grande et belle prostituée des faubourgs. Son entourage, jaloux, la soupçonne d'avoir « donné » son amant d'alors, le Marin. C'est elle en effet : le Marin volait, et toute pute qu'elle soit, elle a horreur des *grinches.*

Précisément, le Merlan et Petit-Louis, des amis du Marin, dévalisent le brave père Chabot, que la Carcasse allait « reconduire » chez lui...

SCÈNE IX
Les Mêmes, moins la Rouquine

LA CARCASSE. — Allons, voyons ! Eh bien, paye donc et que ça finisse !

CHABOT, *se fouillant, aterré.* — Porte-monnaie !... Porte-monnaie !... Rien !... Je suis volé !

LA CARCASSE. — Volé ! On t'a volé ! C'est vous autres, tas de mufles, qui lui avez volé sa bourse à ce pauvr' vieux ! Ça se passera pas comme ça ! Ah ! vous me traitez de castrole ! Eh bien, j' vas vous montrer si j'en suis une, de castrole ! C'est que je vous connais tous, moi ! Toi, le Marseillais, c'est pas la peine de te foutre ta casquette sur l'œil, je te vois bien, va ! Et toi, Petit-Louis, avec ton grimpant que t'as fabriqué à la Maube ! Et toi, la Terreur, avec ta pelure que t'as grinché à l'étalage !

LE MERLAN, *s'avançant.* — Et moi ?

LA CARCASSE. — Toi ! T'aurais mieux fait de ne pas ouvrir la gargoine ! Du haut en bas, t'as rien à toi... pas seulement tes croquenauds !

CHABOT. — Je suis volé !... Je suis volé !...

LE MERLAN, *les dents serrées.* — V'là un mot de trop, la Carcasse !

LA CARCASSE. — De quoi, v'là un mot de trop ? Il avait deux cents balles dans sa poche, mon vieux, et vous y avez secoué son porte-monnaie ! A moins que ce soit moi... C'est peut-être bien moi... au fait !

LA TERREUR. — Pourquoi pas ?

LA CARCASSE. — Ah ! mais non, tu sais !... Putain, tant qu'on voudra ! Et encore pas pour toi, entends-tu, la Terreur ! Putain, mais pas voleuse ! A preuve, le Marin, mon ancien amant ! Tant qu'il est resté bon fieu, ça a été ! Mais le jour qu'il est venu me trouver et qu'il m'a dit : — « La môme, je te gobe, si tu veux, on va prendre une chambre ensemble, tu feras le turbin et pour l'argent on s'arrangera ! » J'en ai eu assez !... Le jour qu'il est venu me trouver pour faire un coup, j'en ai eu de trop !... Je mange pas de ce pain-là ! Y ne m'en faut pas de camelotte, à moi ! J' peux pas souffrir les pègres !

LE MERLAN. — Quand t'avais pus le rond, t'étais bien aise de palper ses pièces de vingt balles, au Marin !

LA CARCASSE. — Mais j' savais pas d'où qu'elles devenaient !... D'abord toi, le Merlan, t'étais son ami, son poteau ! Tu passeras en jugement comme lui ! As pas peur, j' vas m'occuper de toi et pas plus tard que demain, au bureau du quart d'œil... Le porte-monnaie du vieux se retrouvera, crains rien ! Viens, mon oncle, t'as pus le rond, eh ben ! c'est moi qui vas casquer !

LE PATRON. — En v'là assez, n'est-ce pas ? Encore une fois, j' veux pas de disputes chez moi ! Allons, oust !

(*Murmures dans la foule. Le patron aidé de son garçon pousse tout le monde dehors, sauf Chabot et la Carcasse.*)

LE MERLAN, *sortant le dernier.* — C'est bon ! C'est bon ! On s'en va !

(*Il jette en sortant un coup d'œil menaçant à la Carcasse, qui soutient son regard.*)

SCÈNE X
La Carcasse, Chabot, le patron, le garçon

LA CARCASSE, *jetant de l'argent sur le comptoir.* — V'là de la galtouze ! Alle est pas grinchée, celle-là !

LE PATRON, *rendant la monnaie.* — Voyez-vous, la Carcasse, moi, j' suis juste ! Tout ça, c'est un peu de vot' faute, si vous aviez pas bu avec le Merlan...

LA CARCASSE. — Laissez-moi donc tranquille ! Tout ça, c'est voleur et compagnie ! *(Allant auprès du père Chabot qu'elle essaye de remettre sur ses jambes.)* Viens, mon vieux, viens-nous-en ! Je te le ferai rendre, moi, ton porte-monnaie, crains rien ! Ils y passeront tous, les uns après les autres !

CHABOT. — Je suis volé... Je suis volé !...

LA CARCASSE. — Va donc ! puisque je te le ferai rendre ! J'irai trouver le quart d'œil ! Demain, ils auront tous les flicards à leurs frousses... ils n'y couperont pas !

LE PATRON. — Allons ! la Carcasse, dépêchons ! C'est l'heure ! En route !

LA CARCASSE, *qui est parvenue à remettre Chabot sur ses pieds.* — Si vous croyez que c'est facile ! Allons, viens-nous-en, mon vieux !

(Elle soutient Chabot et tous deux font quelques pas vers la porte.)

LE PATRON. — Eh ! le loufiat ! Viens m'aider un peu à ranger les bancs dans la salle de bal, avant d'éteindre.

LE GARÇON. — On y va !

(Tous deux disparaissent dans la salle de bal. — Demi-obscurité.)

A la sortie, le Merlan attend la Casserole. Enfin, si l'on peut dire... Elle fait bonne figure, mais n'en est pas moins poignardée par le pote, passablement suspect, du Marin. Et le Merlan, comme le Don José de *Carmen,* se laissera arrêter sans résistance : il veut rejoindre son « ami » sous le couperet de la guillotine.

Deux ans à peine après *La Casserole,* Méténier fait paraître chez Carpentier deux cent quatre-vingt-seize pages d'*Études d'argot,* sous le titre incongru de *La Lutte pour l'amour.* Nous en avons tiré un long récit dramatique, fourni à Méténier par un fait divers qui n'était malheureusement pas exceptionnel alors : un jeune voyou,

Nib-de-Blair (« pas de nez »), « pressé d'argent » (eût dit La Fontaine) pour assister sa maîtresse, la petite Coco, qui tire *six marqués* (six mois) de prison pour vol crapuleux, va en demander à sa mère, une marchande des quatre-saisons dure à la détente. La mère refuse, veut le jeter à la porte ; il l'assassine à coups de couteau.

C'est devant le cadavre de la pauvre vieille que Nib-de-Blair avoue son crime aux policiers (pp. 120-125). Nous avons traduit, à la suite du texte de Méténier, sa confession.

— Eh bien !... oui !... c'est moi ! je l'ai scionnée ! la pauv' vieille !... Mais, c'est de sa faute !... Elle se débattait, elle ne voulait pas !... Ah ! ma foi, tant pis ! j'ai eu peur, ma parole ! mais ça n'a pas duré !... Pauv' dabuche ! au fond, elle était pas méchante, mais pour élever les momignards, elle avait pas le chic ! Quand j'étais gosse, y avait pas de fringue à la boîte tous les jours, l' dab était clapsé. Y fallait de la galette ; alors, all' a dégoté une médaille à la Préfectance, une roulante... moi j'étais le gaille, et va comme je te pousse ! La camelotte démarrait, mais, v'là le chiendent, quand la galtouze a rappliqué, aurait fallu tortorer un peu mieux... Rien ! il y fallait des piles et des piles à la vieille ! La galette au fond d'un bas et rien dans le fusil ! Ça pouvait pas durer ! Je m'ai rebiffé ! on s'a battu ! All' était forte dans c' temps-là ! Alors moi, j'ai décanillé ; j'avais pas douze berges seulement qu'a s'occupait déjà pus de moi. Y avait des copains qu'allaient chez les frangins. Au jour d'aujourd'hui, ils savent triturer une babillarde, lire un charibotage, moi pas ça ! Bête comme une oie ! Et c'est sa faute !

La respiration de Nib-de-Blair devint sifflante. Il était maintenant penché en avant sur sa chaise, les poings fermés. Il fixait le visage de sa mère, parlant à tout le monde, mais semblant ne s'adresser qu'à elle, qui, immobile, regardait toujours. Par moment, au milieu du silence des assistants, alors que lui seul causait, Nib-de-Blair s'arrêtait brusquement, croyant voir la bouche de sa mère, déjà déformée par un rictus, s'élargir encore dans un rire posthume ; il continua :

— Oui ! c'est sa faute ! Pendant qu'elle ramassait de la braise, elle me laissait galvauder ! Un fouitenard déglingué aux gambettes, des pelures dépenaillées, ça y était égal ! J' suis devenu grand, j'étais fatigué de filer la comète, j'en avais assez de la belle, je me suis fait barbe ! Puisque j'y suis, j' peux tout dire, est-ce pas ? Je me suis fait barbe, et puis pègre ! J'ai boulotté de la calijatte, mais les pantes ont casqué et pus de quatre fois ! Tout ça, à cause de qui ? D'elle ! A Tazas, où que je me marrais, elle est seulement pas venue m'assister ! Ah ! malheur de malheur ! Des gerces sans le rond y allaient de leurs pelots pour que j'arrose ma boule d'un peu de vinasse ! Elle, rien ! rien ! Ça ! une mère ! allons donc ! Je greffais pourtant assez souvent ! D'autres fois, j'avais pas de gibe ! dam ! c'est naturel ! quand mon lard était fait ! Ça rapporte rien, Lazaro ! elle s'en battait l'œil ! elle s'en foutait ! ah ! malheur ! malheur !

Nib-de-Blair respira un moment, resta une minute anéanti, puis, peu à peu ses forces revinrent et il reprit, mais cette fois d'une voix rauque et comme brisée :

— Le jour de... l'affaire, au matin, y m'est venu une babillarde de la petite Coco ! Vous savez, la petite Coco ? C'est celle qu'était ma dabuche, ma vraie ! Elle tire six marqués pour dégringolage ; a me demandait de l'assister ! J' fouille mon morlingue ! Rien ! j'étais meule ! J' pouvais pourtant pas la laisser comme ça, sans assistance, c'te pauv' môme ! Et d'puis qu'elle est partie, j'ai pus le rond, j'ai le dix de purée. Fallait en sortir ; mettez-vous à ma place ! Je prends mes clous et j' plaque la colbasse. Me fallait un coup de flan ! J' vas au Caveau. Y avait des types, tous comme Bibi ! Pannés ! Je trouve l'Oncle qui m' dit :

— Y a un coup de vague à pousser. T'as tes clous ?

— Mon sucre de pomme, oui !

— Vaut rien. Nous faut le valant et des caroubles pour faire la condition d'un farfouillard chic. Ça y est-il ?

— Quand ?

— C'te nuit.

— C'est trop tard, c'est tout de suite qu'y m' faut de l'oseille ! Ça presse.

— Hum ! pas facile ! Tu seras fait crème et gare au plan de couillet !

— Tant pire !

Pour me donner du cœur au centre, j'ai pompé. J'aurais bien été flancher, mais fallait trop de temps et une occase. Tout d'un coup, j'ai pensé à la vieille. Mais là, vrai de vrai, je voulais pas scionner, je voulais rien que lui faire peur ! Fallait pas qu'a se débatte ! Après quatre verrées de verte, j'avais mon épingle au col. Me v'la parti, avec mon coup de figure... sur les deux plombes. C'est l'heure qu'elle rapplique à la turne avec son pèze.

J' la trouve et j'y dis :

— Y faut de l'oseille à Coco, tout de suite ! J'en ai pas, je viens en chercher !

— Mets ton alpague au clou, qu'elle dit !

— J'en ai pas, que je lui réponds.

— Eh bien ! turbine, feignant !

Feignant, moi ! Ça, c'est trop fort ! Un moment, j'ai vu rouge ! Je voulais taper, je me suis retenu ! Feignant ! demandez à l'Oncle si j'en suis un feignant ! Feignant ! faut pas l'être, feignant, pour faire la cambriole. Les monte-en-l'air sont des zigs et j'en suis ! Ma patience s'est usée à la fin et pour éviter le schpromme, j'ai pus rien dit, mais j'ai pris mon sucre de pomme et j'ai été à l'armoire. Alors, v'là qu'a se jette sur moi comme une enragée.

— Tu crois que je travaille pour tes mirettes ! Tu te trompes, mon gars, et tu vas voir !

Et elle est venue sur moi avec son couperet à la main. J' vous le demande, qui qu'aurait supporté ça ? Je me suis défendu, je l'ai empoignée et pour l'empêcher de gueuler... je l'ai scionnée ! Rien qu'un coup... sec... ça y a été ! Ah ! bon Dieu de bon Dieu ! v'là qu'elle rit ! Elle rit !

Nib-de-Blair s'était levé tout à coup, hagard. Pendant son discours, l'ombre s'était répandue sur le visage de la défunte et au moment où il criait : « Je l'ai scionnée ! je l'ai scionnée ! » le soleil inondant de nouveau la salle, avait donné une seconde fois à la face de la mère Chapoulle une apparence de vie.

Les inspecteurs de la Sûreté saisirent vivement Nib-de-Blair, qui se tordait en hurlant, en proie à une crise de nerfs effroyable.

Le garçon d'amphithéâtre recouvrit le cercueil.

Traduction :

— Eh bien !... oui !... c'est moi ! je l'ai assassinée ! la pauvre vieille !... Mais c'est de sa faute !... Elle se débattait, elle ne voulait pas !... Ah ! ma foi, tant pis ! j'ai eu peur, ma parole, mais ça n'a pas duré !... Pauvre maman ! au fond, elle n'était pas méchante, mais pour élever des enfants, elle ne savait pas s'y prendre ! Quand j'étais gosse, il n'y avait pas à manger à la maison tous les jours, le père était mort. Il fallait de l'argent ; alors elle a obtenu une médaille de marchande des quatre-saisons à la Préfecture, et une voiture à bras... moi, j'étais le cheval, et va comme je te pousse ! La marchandise se vendait, mais, voilà l'ennui, quand l'argent est rentré, il aurait fallu manger un peu mieux... Rien ! Il lui fallait entasser des piles et des piles de pièces, à la mère ! L'argent au fond d'un bas et rien dans l'estomac ! Ça ne pouvait pas durer ! Je me suis révolté ! On s'est battu ! Elle était forte, dans ce temps-là ! Alors, moi, j'ai quitté la maison ; je n'avais pas encore douze ans qu'elle ne s'occupait déjà plus de moi. Il y avait de mes camarades qui allaient à l'école chez les Frères. Aujourd'hui, ils savent tourner une lettre, lire [1] ; moi, pas ça ! Bête comme une oie ! Et c'est sa faute !

[...]

— Oui, c'est sa faute ! Pendant qu'elle ramassait de l'argent, elle me laissait traîner dans la rue ! Un pantalon mal ficelé aux jambes, des vêtements en lambeaux, ça lui était égal ! Je suis devenu grand, j'étais fatigué de coucher à la belle étoile, j'en avais assez de l'aventure [2], je me suis fait proxénète ! Puisque j'y suis, je peux tout dire, n'est-ce pas ? J'ai fait de la prison [3], mais les dupes ont payé, et plus d'une fois ! Tout ça, à cause de qui ? D'elle ! A la prison de Mazas [4], où je me morfondais, elle n'est pas seulement venue me réconforter ! Ah ! malheur de malheur ! Des femmes qui n'avaient pas d'argent y allaient de leurs sous pour que je puisse boire un peu de vin ! Elle, rien ! rien ! Ça, une mère ! allons donc ! Je me passais pourtant assez souvent de manger ! D'autres fois, j'avais pas d'argent ! dam ! c'est naturel ! quand la fille qui travaillait pour moi était arrêtée ! Ça ne rapporte rien, d'être à Saint-Lazare ! elle s'en moquait ! elle s'en foutait ! ah ! malheur ! malheur !

---

1. *Charibotage,* dérivé rare et douteux de *chariboter,* se moquer de quelqu'un, ou exagérer, n'a pas en tout cas le sens que lui donne ici Méténier, de « texte écrit ». C'est une invention d'auteur.

2. Mot à mot : de l'évasion. Méténier a mal compris *la belle,* la fuite ou l'évasion, qu'il prend sans doute ici pour un abrégement de la belle étoile, dehors.

3. *La calijatte* est une déformation de *la canijotte,* la petite chambre ; *bouffer de la calijatte,* pour faire de la prison, est une invention d'auteur.

4. Prison de Mazas, transformé par plaisanterie en « Ta » Zas.

[...]

— Le jour de... l'affaire, le matin, il m'est arrivé une lettre de la petite Coco ! Vous savez, la petite Coco ? C'est elle qui était ma mère, ma vraie ! Elle fait six mois de prison pour avoir dévalisé un client ; elle me demandait de lui venir en aide ! Je fouille mon porte-monnaie ! Rien ! J'étais sans un sou ! Je ne pouvais pourtant pas la laisser comme ça, sans soutien, cette pauvre fille ! Et depuis qu'elle est partie, je n'ai plus un sou, je suis dans une misère noire. Il fallait en sortir ; mettez-vous à ma place ! Je prends mon matériel de cambriolage et je quitte ma chambre[5]. Il me fallait un coup à faire au hasard ! Je vais au Caveau. Il y avait des types, tous comme moi ! Sans un sou ! Je trouve l'Oncle qui me dit :

— Il y a un vol à faire. As-tu tes outils ?

— Ma pince-monseigneur, oui !

— Cela ne vaut rien. Il nous faut une pince à effraction et des fausses clés pour forcer le logement d'un commerçant[6] chic. D'accord ?

— Quand ?

— Cette nuit.

— C'est trop tard, c'est tout de suite qu'il me faut de l'argent. C'est urgent !

— Hum ! Pas facile ! Tu seras pris, et gare à faire de la prison pour presque rien !

— Tant pis !

Pour me donner du courage, j'ai bu. J'aurais bien été voler au hasard, mais il fallait trop de temps et une occasion. Tout d'un coup, j'ai pensé à ma mère. Mais là, vrai de vrai, je ne voulais pas assassiner, je ne voulais que lui faire peur ! Il ne fallait pas qu'elle se débatte ! Après quatre verres d'absinthe, j'étais soûl. Me voilà parti, avec mon ivresse... sur les deux heures. C'est l'heure où elle rentre chez elle avec son argent.

Je la trouve et je lui dis :

— Il me faut de l'argent, tout de suite ! Je n'en ai pas, je viens en chercher !

— Mets ton manteau au Mont-de-Piété, me dit-elle !

5. Sens douteux : *colbasse* n'existe pas.
6. *Farfouillard* n'a pas grand-sens. On peut comprendre : celui qui « trafique », qui manipule des affaires, de l'argent.

— Je n'en ai pas, lui réponds-je.

— Eh bien ! travaille, paresseux !

Paresseux, moi ! Ça, c'est trop fort ! Un moment, j'ai vu rouge ! Je voulais taper, je me suis retenu ! Paresseux ! demandez à l'Oncle si je suis paresseux ! Paresseux ! Il ne faut pas l'être, paresseux, pour faire des cambriolages. Les cambrioleurs sont des hommes courageux et j'en suis ! Ma patience s'est usée à la fin et pour éviter le tapage, je n'ai plus rien dit, mais j'ai pris ma pince-monseigneur et je suis allé à l'armoire. Alors, voilà qu'elle se jette sur moi comme une enragée.

— Tu crois que je travaille pour tes beaux yeux ! Tu te trompes, mon garçon, et tu vas voir !

Et elle est venue sur moi avec son couperet à la main. Je vous le demande, qui aurait supporté cela ? Je me suis défendu, je l'ai prise à bras-le-corps et pour l'empêcher de crier, je l'ai poignardée ! Rien qu'un coup... un seul... c'était fait ! Ah ! bon Dieu de bon Dieu ! voilà qu'elle rit ! Elle rit !

[...]

Un poète nommé Bruant

De la vingtaine, au moins, de chansonniers et de « diseurs » de talent qui se produisaient avec succès dans les cabarets et les cafés-concerts entre 1875 et 1914, seul **Aristide Bruant** (1851-1925) s'est assuré une gloire durable ; si bien que nous nous le représentons régnant des années, si ce n'est des décennies, sur Montmartre et ses chansons.

En fait, sa carrière a été relativement brève et son œuvre poétique mince, si on les compare à celles des véritables « piliers » de la Butte que furent Émile Goudeau, Jules Jouy ou Alphonse Allais.

Si surprenant qu'il paraisse, Bruant et son œuvre attendent encore leur historien. L'étude de J. Landre, *Aristide Bruant* (Nouvelle Société d'Éditions, 1930) est loin d'épuiser le sujet, et nous renvoyons le lecteur à la biographie rapide, mais remarquable, de Romi, dans l'album *Bruant et son œuvre* qui accompagne heureusement le disque de chansons de Bruant enregistrées par Marc Ogeret (*60 chansons et monologues d'A. Bruant,* Éd. Vogue, 1978).

Ce qu'il faut retenir de cette biographie, ce sont les années d'apprentissage de Bruant argotier. Il est né à Courtenay, Loiret, d'une famille bourgeoise ; celle-ci, à peu près ruinée, « monte » à Paris alors qu'Aristide a onze ans. Il en a à peine seize quand son père le place comme grouillot-saute-ruisseau chez un avoué. Il y gagne (nous suivons toujours Romi) soixante-quinze francs-or par mois — environ trois mille cinq cents francs d'aujourd'hui — sur lesquels subsiste mal toute la famille.

Après la basoche, la broquille : il est apprenti, puis ouvrier-bijou-tier, et la famille toujours aussi décharde. Changement de décor en 1875 : il se fait embaucher comme gratte-papier « au Nord » (aux Chemins de fer du Nord, propriété des Rothschild), aux mirifiques appointements de 166 francs 66 centimes (par mois) ; ce compte bizarre s'expliquant sans doute par le fait qu'il est à l'échelon 5/6 des deux cents francs du titulaire. En tout cas, il mange presque à sa faim.

Petit-bourgeois, un père raté et traqué par les huissiers, le pas-sage chez l'avoué, la bijouterie, la dèche, la vadrouille, les copains et les copines, c'est très balzacien, tout ça ! C'est plus encore, avant l'heure, très célinien. Son étonnante intuition de « l'argot juste », de la « petite musique » du français populaire, Bruant l'a acquise, comme le jeune Louis-Ferdinand Destouches, dans la rue et au bis-trot. Ça ne s'oublie pas.

Il est « boulot » quatre ans durant. Le moyen d'en sortir, à l'épo-que, est tout trouvé : chanter, devenir une vedette de café-concert — comme aujourd'hui de discothèque. Il se produit ici et là en ama-teur, sur des romances à la guimauve qu'il écrit et met en musique. D'abord dans des guinguettes de barrière, puis (vers 1879) à la bar-rière du Trône (aujourd'hui place de la Nation), puis à la très chic Scala. Il est alors chanteur dandy, à peine populaire et pas du tout argotiste. Mais il est déjà lancé : chez Darelli à Nogent, il a six cents francs par mois, le triple de ce qu'il aurait gagné en restant aux Che-mins de fer !

En 1883, Jules Jouy l'amène chez Rodolphe Salis, alors la locomo-tive de Montmartre, propriétaire de ce *Chat-Noir* auquel Bruant consacre aussitôt une rengaine de mirliton qui lancera définitive-ment et le chanteur, et le cabaret :

> « Je cherche fortune
> Autour du Chat Noir,
> Au clair de la lune,
> A Montmartre le soir... »

C'est pour *Le Chat-Noir* qu'il écrit, compose et chante les « chants de barrière » qui le rendront vite plus célèbre que Salis lui-même : *A Batignolles, A la Bastille, A Montparnasse, A Grenelle,* etc. Puis des chants de prison *(A Saint-Lazare, A Mazas)*, de rôdeurs, de filles et de « laquereauxmuches », enfin des monologues. Il réunira le tout dans les deux volumes, admirablement illustrés par Steinlen, de *Dans la rue, chansons et monologues* (1889 et 1895).

Entre-temps, en 1885, il a racheté *Le Chat-Noir* à Salis et en a fait *Le Mirliton.* Tout Paris et le Tout-Paris s'y pressent. Suivent sept ou huit ans d'un succès fabuleux ; et comme Bruant a au plus haut degré, entre autres talents, celui de « faire de l'argent » de ce succès, il se retrouve assez riche en 1895 pour abandonner Montmartre — ce cloaque, dira-t-il avec ingratitude — et se retirer dans le château qu'il a acheté à Courtenay, son village natal du Loiret.

De là, et tout en surveillant les affaires toujours fructueuses du *Mirliton,* il continue à écrire et à publier ; mais *Sur la route* (1899) ne vaut pas *Dans la rue.* Après quoi il se consacre, de 1897 à 1899, à *La Lanterne de Bruant,* un hebdomadaire satirique auquel il donne encore quelques poèmes. Et surtout au roman populaire, quitte à y employer quelques nègres de talent.

On ne sent guère son inspiration et sa plume que dans *Les Bas-fonds de Paris,* dont nous parlons plus loin, pp. 297 à 303. Le reste, y compris un drame patriotique en cinq actes et huit tableaux, *Cœur de Française* (1912), ne vaut pas d'être nommé.

En 1901 paraît sous sa signature un *Dictionnaire français-argot* (*cf.* pp. 313-321).

De son œuvre poétique nous avons retenu trois monologues et une chanson. Deux autres chansons figurent dans le chapitre « Les Messieurs de ces dames », pp. 266-269 ; et un monologue dans les pages des *Bas-fonds de Paris,* p. 298.

Le premier des monologues, *Dans la rue,* demande un éclaircissement : les exécutions capitales, publiques selon la loi, avaient lieu à l'époque devant l'une ou l'autre des prisons centrales ; ici, celle de la Roquette. Le peloton n'est pas celui qui fusille, mais celui qui, toujours au terme du Code pénal, rend les derniers honneurs au guillotiné. Quant à Deibler, c'est le nom de famille de la dynastie des exécuteurs du Second Empire et de la IIIe République.

FOIES BLANCS

Mon dab est mort rue d' la Roquette,
Su' la place, en face l' p'loton,
On y avait rogné sa liquette,
Coupé les ch'veux, rasé l' menton.
Ma dabuche aussi chassait d' race :
A s'est fait gerber à vingt ans
Pour avoir saigné eun' pétasse.
Moi, j' marche pas... j'ai les foies blancs.

J' suis pourtant pas un imbécile !...
Pour mijoter un coup d' fric-frac
Y a pas deux comm' mon gniasse au mille...
Mais quand i' faut marcher, j'ai l' trac !
Nom de Dieu !... c'est-y pas un' honte !...
Pendant que j' me bats les deux flancs,
Les aut' i's font les coups que j' monte.
Moi, j' marche pas... j'ai les foies blancs.

C'est pas qu' j'aye peur ed' la grande sorgue.
J' m'en fous comme de Colin-Tampon :
— La fin du monde après mon orgue —
Mais j' peux pas foute un coup d' tampon,
Et quand faut suriner un pante
Ej' reste là... les bras ballants...
I's ont beau m' dire : Va donc... eh ! tante !
Ej' marche pas... j'ai les foies blancs.

Aussi, vrai, j' me fous d' la turbine
A Deibler et d' tout son fourbi.
Sûr qu'il aura pas la bobine,
La tronch', la sorbonne à Bibi...
Ma tête !... alle est pas pour sa gouge,
Pour sa vieille gouine aux bras tremblants :
A roul'ra pas dans l' panier rouge,
Ma tête... alle aura des ch'veux blancs.

Le héros du second monologue, lui, passera à la guillotine fatale ;
mais à en croire Bruant, sans perdre sa gouaille parisienne et sur le
thème de ce « Monsieur le Bon » qui est d'abord le client anonyme
de sa « marmite », puis le pante, tout aussi anonyme, assassiné par
le marle, enfin le bourreau lui-même.

MONSIEUR L'BON

Quand la marmite elle est su' l' tas,
C'est pour son marlou qu'a trimarde :
Qu'a soye lirond'gème ou toquarde,
Faut qu'alle étrenne, ou gare aux tas !
Et dame ! a choisit pas sa gueule...
Quand mêm' qu'il aurait un bubon...
L' premier qui veut quand alle est meule...
            C'est Monsieur l' bon.

Quand la marmite est à la Tour,
El' marle il est dans la débine...
Pour boulotter, faut qu'i' turbine,
I' s'en va su' l' tas, à son tour ;
A coups d' lingue, au coin d'eune impasse...
Qu'i soye jeune ou qu'i soye barbon !
Tant pis pour el' premier qui passe...
            C'est Monsieur l' bon

Alors el' marle est arrêté,
Et pis on l'emmène à la butte
Oùsqu'i fait sa dernièr' culbute
A la barbe d' la société...
Et pendant que l' bingue i' s'apprête
A poser son doigt su' l' bouton,
L' marle i' dit en passant sa tête :
            V'là Monsieur l' bon !

Troisième monologue : celui d'un *homme* dont la *marmite* est affligée d'un incoercible besoin de jacasser. Il n'y aurait pas grand mal à cela, si son goût du bavardage ne nuisait pas à son rendement professionnel. Hélas ! pendant qu'elle taille d'interminables bavettes avec les copines du trottoir, le client s'envole... Rien ne va plus !

Quelques mots appellent un explication :

Potasser : bavarder, est une variante particulière à Bruant du familier et classique *potiner,* raconter des potins. Le passage de *potiner* à *potasser,* création d'auteur sans lendemain, est amené par le voisinage de *jacasser, bavasser.*

Une *vrille :* une lesbienne.

Julie monte-au-chasse : c'est « Julie monte à crédit » (en fait, gratuite-

ment) avec les clients qui lui plaisent. Le chasse, c'est l'œil; d'où,
faire quelque chose (en l'espèce, monter un client) au chasse, à l'œil,
sans exiger de paiement comptant.

Alle est carton : elle n'a rien fait, elle ne rapporte rien. L'expression
s'est formée à partir d'une *marmite de carton,* une prostituée qui ne
rapporte rien. Un roi de carton (aujourd'hui plutôt : de carton-pâte)
est un roi sans autorité, un figurant, un mannequin.

Larant'quet ou *larantequé* : quarante sous en largonji ; deux francs, le
prix d'une passe rudimentaire à l'époque.

BAVARDE

Ma mistonne est eun' chouett' ménesse,
Alle est gironde et bath au pieu,
C'est c' qu'on appelle eun' riche gonzesse ;
Aussi j' l'aim' ben !... mais, nom de Dieu !
Ya pas moyen qu'a taise sa gueule :
A caus' mêm' quand all' est toute seule
Et v'là pourquoi qu'a m' fait tarter.

C'est pas qu' j'y défende qu'a jacasse.
Alle a eun' langue... all a besoin
D' s'en servir... J' veux ben qu'a potasse
Ed' temps en temps... ed' loin en loin,
Qu'a cause quand alle a rien à faire,
Ou dans l' jour, quand on est couché,
Mais l' soir, qu'a soye à son affaire
Et qu'a cause qu'avec el' miché.

Mais j' t'en fous, faut qu' Madam' babille !
C'est des cancans, c'est des potins,
C'est la femme à Jul's qu'est eun' vrille,
Les sœurs à Pierr' qu'est des putains,
C'est la grand' Julie monte au chasse
Qui fait des queu' à son mecton...
Et pendant c' temps-là, l' miché passe...
Et tous les soirs alle est carton.

Et pis c'est toujours moi qu' je m' tape,
Et c'est toujours el' mêm' refrain ;
A quoi qu' ça sert qu'a fass' la r'tape
Pour fout' peau d' balle et ballet de crin ?
Aussi, bon Dieu,! ce soir j' m'insurge !
J' veux pus passer pour un paquet...

Sûr que j' vas y coller eun' purge
Si a m' rapporte pas larant'quet.

Un politique au bagne

Au lendemain de la Commune de Paris, une répression haineuse s'abattit sur tous ceux qui, de près ou de loin, étaient suspects de sympathie pour la cause socialiste. C'est ainsi que le journaliste libertaire **Henri Brissac**, à qui l'on ne pouvait reprocher que ses opinions, fut condamné par un conseil de guerre à dix ans de travaux forcés à La Nouvelle (Calédonie).

De retour en France en 1880, il publie, à partir des notes prises durant sa détention, des *Souvenirs de prison et de bagne* remarquables par leur sérénité et leur précision. Journaliste, Brissac organise évidemment ses récits, mais n'invente rien et n'en « rajoute » pas. D'où l'intérêt des pages qui suivent, et que nous donnons ici dans leur présentation originale.

La scène qui suit (pp. 42-44) se passe avant le départ pour Toulon. Le « politique » qu'est Brissac, de culture et de vocabulaire « bourgeois », se trouve pour la première fois face à ses compagnons de bagne, les droits communs, des malfaiteurs professionnels et récidivistes.

J'eus la curiosité de savoir quels crimes avaient commis quelques-uns de mes « camarades de plat ». Après les transitions obligatoires, je pus recueillir les informations suivantes :

— *J' travaillais à la dure,* me dit le premier.

— Ce qui signifie ?

Mon interlocuteur fit un haussement d'épaules dédaigneux.

— J' m'amène devant un *pantriot,* quoi ! j' lui dis : Donne-moi ton *bobino* (montre), ton *poignon* (argent). S'il a les *foies blancs,* j' *dégringole* (vole) jusqu'à son *alpègue* (paletot). S'il fait *l' craneur,* j' le r'froidis avec mon *lingue* (couteau).

— Moi, j' les f'sais au *père François,* me dit le deuxième. C'est la nuit. Un homme passe dans un quartier désert.

Deux bandits au moins se glissent derrière lui. L'un lui jette au cou une courroie, se retourne et retient sur son dos la victime suffoquée ; l'autre, aussitôt, le fouille. Quelquefois, ils laissent un cadavre, quelquefois un corps qui revient à la vie. Cela dépend des circonstances, de l'humeur, de l'inspiration du moment.

— Moi, j' travaillais au *poivriot* (ivrogne), me dit le troisième. Que'q'fois, j' trouvais tout l' *gâteau* (argent) d'un *marquet* (mois) dans les *profondes* (poches) ; que'q'fois, i' n' restait pas un *linvé* (franc). Quel affront ! au moins je m' vengeais sur l' *pantre* en lui *enflant l' mou* (faisant enfler le visage par des coups).

— Moi, j' donnais dans les *cassements* (effractions), me dit le quatrième. Un jour, *j' fais une condition* (je vole quelque part). J' croyais qu'il n'y avait pas un *greffier* (chat) dans la *piaule* (maison). Quoi q' je *r'châsse* (vois) dans l' *pieu* (lit) ? Un vieux qui *roupillait*. J'ôte mes *carapatants* (souliers), j' retiens mon *soufflet*, je m' *trotte* vers le *pagne* (lit), et j' prends l' *tuyau* (gorge) du vieux dans mes *pinces* (doigts). Il ouvre ses *chasses* (yeux). Tu penses quelle *poire* (figure) i' fait en m' *reluquant !* J' croyais que l' tremblement allait lui *faire rendre sa cuiller* (allait le faire mourir).

C'est pas tout ça, que j' lui dis, *écarquille tes esgourdes* (ouvre les oreilles). Si tu veux *pousser une goualante* (crier), j' te *lingue* (tue). Pauv' vieux ! n'y avait pas *plan* (moyen) qu'il *ouvre sa boîte* (parlât) : il était à moitié *calanché* (mort). J' passe au bureau, et j'ouvre le *truc*. V'là q' *j'éclaire* (vois) trois *fafs* (billets de banque), trois *milets* (trois mille francs), sans compter une pile de *roues de derrière* (pièces de cinq francs), des *larantequem* (pièces de deux francs) et des *sigues* (dix sous). *J' m'enfile toute la braise dans mes baguenaudes* (je mets tout l'argent dans mes poches), *j' pince la toquante en jonc* (la montre en or) ; je m' souviens qu'é *décrochait six plombes et dix broquilles* (marquait six heures dix minutes).

Avant d' *m'esbigner*, j' fais l' vieux encore à l'*épatage,* et j' *joue des cliquettes* (je me sauve). J' pouvais l' *piquer* avec mon *charlemagne* (couteau), hein ? Eh bien, croirais-tu qu' la *vache s'est mise à table* (le délateur m'a dénoncé) ? Pendant la *sorgue* (nuit), la *rousse m'a l'vé dans un claque-dents* (la police m'a pris dans un lupanar). Soyez donc p'tit manteau bleu ! Aussi, un autre coup... Vois-tu, n'y a q' les morts qui n' *jaspinent pas* (ne bavardent pas).

— A combien avez-vous été condamné, lui demandai-je, malgré votre bienfaisance ?

— A vingt *berges* (ans) ; ça *s' tire* (se fait) tout d' même. Je souhaitai intérieurement que cet homme bienfaisant ne pût jamais pratiquer en liberté sa nouvelle théorie.

— Moi, j' *faisais l' dos vert* (souteneur de filles publiques), dit le cinquième. Sans m' vanter, j'étais un *rupin* (monsieur). *Ma cafetière allumait les Louis quinze* (mon visage charmait les femmes). On m' prenait pour un mylord, et j'*envoyais bien mes boniments*. Fallait m' voir quand on n' m'avait pas *rogné les douilles* (coupé les cheveux), et qu' j' faisais pousser *mes plumes sous mon piton* (ma barbe sous le nez). J'avais un jeu d' *dominos complet* (toutes mes dents) ; j' portais une *riquinquette* (redingote), un *alpègue,* une *limace* (chemise) et un *galurin* (chapeau) premier numéro. Une fois, j'avais *filé la comète* (passé la nuit) à *flancher* (jouer) ; *j' m'étais enfilé pas mal d' croque-mole et d' pive dans l' col* (j'avais bu beaucoup d'eau-de-vie et de vin). Mon *linge était à cran* (ma femme était en colère) et veut *crâner*. Ma foi, j' lui *déglingue un glassis dans un d' ses sabords* (je lui brise un verre dans l'œil). I' m'ont envoyé au *dur* (bagne) pour *c' coup d' promptitude.* Tas d' *casse-t-roles* (révélateurs), va !

Brissac est maintenant à Toulon (pp. 56-57).

C'était une longue prison destinée à cinquante condamnés : soixante-dix environ s'y entassaient au retour de « la fatigue ». Baies grillées percées dans la hauteur des murs : au-dessous, une planche couverte de sacs et d'un matériel de mangeaille ; plus bas, les hamacs enroulés pendant le jour ; une poutre parallèle à quelque distance pour les tendre pendant la nuit ; deux baquets au fond.

Un des forçats présents vint me proposer de me vendre une croix — en or, assurait-il. Je déclinai cette proposition.

— Mais ça ne coûte que cinq *fléchards* (sous) ? Je persistai dans mon refus.

— Tu n' veux pas non plus d'un *blavin* (mouchoir) ?

— Non.

— T'as donc pas d' *gâteau* (argent) ?

— Non.

— Vous n' connaissez donc pas l' *truc*? dit un autre forçat.

— Je répète que je n'ai pas d'argent.

— Pour un *fagzir* (forçat), vous n'avez pas l'air débrouillard.

— Je suis sans prétention sur ce point.

— Si vous n'avez pas d' *perlot* (tabac), vous n' pourrez même pas *en griller une* (fumer une pipe).

— Je me résignerai.

— A-t-il l'air d'un *meg à la flan* (être ingénu)! Laisse-le donc, c'est un communard; il n'est pas encore *à la coule* (initié aux ruses).

— *Flanchons* (jouons)! dit l'un des galériens à ses camarades.

Et il exhiba un paquet de cartes.

— Veux-tu *faire gaffe* (surveiller le surveillant)? me dit-il.

— Soit, mais je ne réponds de rien.

— Si vous voyez quéque chose, criez *boche* (attention)! me recommanda un autre.

Je n'eus pas à crier *boche,* car les forçats revinrent aussitôt. Chacun s'étendit par terre ou s'assit tant bien que mal sur son sac.

Un gonce qui rouspète

Un raté, comme Villon dont il se réclamait discrètement. Et comme lui, un poète; sinon aussi grand, au moins digne de lui être comparé, ce qui n'est pas peu de choses. Mais, si miséreux qu'il ait été, **Jehan Rictus** n'a jamais penché vers aucune aventure hasardeuse. C'est un révolté solitaire dont la révolte se dilue bientôt dans la résignation de celui qui se sait condamné à la misère dès le berceau.

Celui de Rictus, sans être doré, n'était cependant pas de ceux que l'on sait sans espoir. Il est né, en 1867, Gabriel Randon de Saint-Amand, fils naturel de deux ratés. Son père, gentilhomme authentique et fils d'un maréchal d'Empire, est... professeur de gymnastique (et fort pauvre) dans un pensionnat de Boulogne-sur-Mer. Sa mère est une théâtreuse, noble elle aussi, du moins à ce qu'elle dit.

Le père disparaît. Élevé misérablement et mal par sa mère, qui hait ce témoin de son « égarement », Gabriel tirera de cette enfance humiliée et affamée un récit autobiographique, *Fil-de-Fer* (1906), dont le ton et les grincements rappellent et égalent souvent ceux de *Poil-de-Carotte*. Il s'enfuit à seize ans, traîne la dèche la plus noire sur le pavé de Paris, trouve un emploi de deux sous dans un ministère et commence à écrire, en se partageant d'abord à peu près équitablement entre le (respectable) *Mercure de France* et... *Le Mirliton* d'Aristide Bruant.

Puis il ne signe plus que de son nom de plume, Jehan Rictus, des poèmes de la misère et de la révolte dont l'un, dit par lui-même en 1896 au cabaret des *Quat'z'Arts,* lui vaut un succès immédiat : c'est *L'Hiver.*

> Merd'! V'là l'Hiver et ses dur'tés,
> V'là l' moment de n' pus s' mettre à poils :
> V'là qu' ceuss' qui tienn'nt la queue d' la poêle
> Dans l' Midi vont s' carapater !
>
> V'là l' temps ousque jusqu'en Hanovre
> Et d' Gibraltar au cap Gris-Nez,
> Les Borgeois, l' soir, vont plaind' les Pauvres
> Au coin du feu... après dîner !
>
> Et v'là l' temps ousque dans la Presse,
> Entre un ou deux lanc'ments d' putains,
> On va r'découvrir la Détresse,
> La Purée et les Purotains !
>
> Les jornaux, mêm' ceuss' qu'a d' la guigne,
> A côté d'artiqu's festoyants,
> Vont êt' pleins d'appels larmoyants,
> Pleins d' sanglots... à trois sous la ligne !
>
> Ah ! c'est qu'on est pas muff en France,
> On n' s'occup' que des malheureux ;
> Et dzimm et boum ! la Bienfaisance
> Bat l' tambour su' les Ventres creux !

Même aux *Quat'z'Arts* et même en 1896, ce « merde ! » inaugural fit sursauter. Puis le public se calma : le nouveau venu ne tapait encore que sur les charognards de la presse ou les croque-morts de l'Assistance publique. Mais Rictus continuait :

> Ainsi, t'nez, en littérature
> Nous avons not' Victor Hugo
> Qui a tiré des mendigots
> D' quoi caser sa progéniture !
>
> Oh ! c'lui-là, vrai, à lui l' pompon !
> Quand j' pense que, malgré ses meillions,
> Y s' fit balader les rognons
> Du bois d' Boulogne au Panthéon
>
> Dans l' corbillard des « Misérables »
> Enguirlandé d' Béni-Bouffe-Tout
> Et d' vieux birbes à barbes vénérables...
> J'ai idée qu'y s' a foutu d' nous.

C'en était trop. Dans le brouhaha d'indignation, Catulle Mendès se leva pour protester : « Je n'admets pas... non, je n'admets pas... que sur Victor Hugo... »

— Qu'y a-t-il ? interrogea le patron du cabaret en entrouvrant la porte de la salle.

— Rien, répondit placidement Rictus. C'est un gonce qui rouspète.

Mendès se rassit, et Rictus acheva son monologue.

Une fois lancé, il prit peu à peu en haine ce public de riches au cœur dur, qui l'applaudissait mais ne se « convertissait » pas. On l'entendit de moins en moins, et plus du tout après 1914. « Je n'ai pas à insister, déclara-t-il alors. Mon succès, lorsque le public consent à venir m'entendre, est toujours aussi grand. Mais ce public m'en veut du bouleversement qu'il éprouve. Il répand d'abondantes larmes, m'applaudit, m'acclame et ne revient plus. Il lui faut des pitreries. Il ne vient pas au cabaret pour pleurer, mais pour rire*. »

Il n'était alors ni académicien (comme Richepin, qu'il exécrait), ni millionnaire comme Bruant. Alors que tant d'autres écrivains — et jusqu'à Léon Bloy, hélas — participaient fructueusement à « l'effort de guerre » en poussant les jeunes vers le charnier, il est à son honneur de s'être tu.

Il vécut vingt ans encore de travaux de métrage, oublié et méprisant, et mourut en 1926. Un raté...

Railleur féroce, anarchiste sans doctrine, et finalement chrétien

---

* Dans Michel Herbert, *La Chanson à Montmartre*, p. 241.

évangélique, Jehan Rictus fait souvent penser, la foi en moins et encore ! à Léon Bloy, son aîné de vingt ans. Il reste, comme lui, un des grands mal-aimés de notre littérature.

Le souci de la vérité oblige cependant à rapporter ici, sous la seule responsabilité de Paul Léautaud à qui l'on doit cette « révélation », que quand les amis de Jehan Rictus eurent à classer les papiers du mort, ils découvrirent que celui-ci avait été des années durant... un indicateur appointé de la police. Qui croire ? Que penser ?

Les poèmes et les monologues argotiques (ou plutôt : populaires), qui constituent l'essentiel de son œuvre en dehors de *Fil-de-Fer* et de quelques articles, sont réunis dans *Les Soliloques du pauvre* (1897, avec des dessins de Steinlen ; nombreuses rééditions jusqu'au retirage de 1976 dans la collection des *Introuvables*) ; et dans *Le Cœur populaire* (1914).

Nous avons retenu de lui d'abord la quatrième partie d'une très belle « suite » des *Soliloques, Le Printemps* (pp. 159-161 de l'édition Rey de 1913 et de la réimpression en format réduit des *Introuvables*).

> Ah ! nom de Dieu, v'là qu' tout r'commence.
> L'Amour, y « gonfle tous les cœurs »,
> D'après l' chi-chi des chroniqueurs,
> Quand c'est qu'y m' gonflera... la panse ?
>
> Quand c'est qu'y m' foutra eun' pelure,
> Eun' liquette, un tub', des sorlots.
> Si qu'a fait peau neuv' la Nature,
> Moi, j' suis cor' mis comme un salaud !
>
> Mes chaussett's ? C'est pus qu' des mitaines !
> Mes s'mell's ? Des gueul's d'alligators :
> Ma reguingote a fait d' la peine
> Et mon phalzar, y m' fait du tort !
>
> Quant à mon bloum, ah ! parlons-en,
> Rien qu' d'y penser ça m' fout la flemme,
> A côté d' lui Mathusalem
> N'est qu'un cynique adolescent.
>
> C'te vach'-là m' donne l'air ridicule,
> Y m' tombe su' les yeux, m' les rabat ;
> Si mes esgourd's le sout'naient pas

Y m'arriv'rait aux clavicules !

Avec ça l' Glorieux m' roussit l' crâne
Et éclaire comme par calcul
Mes nipp's couleur de pissat d'âne,
Les trous d' mes coud's et ceux d' mon cul !

Ah ! ben il est frais l' mois d'Avril !
Le v'là l' temps des métamorphoses !
Moi, j' change pas d' peau comme les reptiles,
J' suis tous les Printemps la même chose.

Puis une dizaine de strophes de *Déception* (pp. 79-81). Celle qui
accueille enfin le poète recru de misères et affamé de tendresse, celle
qui, la première, a pour lui des mots de véritable pitié et d'amour,
c'est bien sûr *La Dame en noir,* la mort.

Ah ! ben vrai... bonsoir ? Quiens ! Te v'là ?
Ça n'est pas trop tôt, mon bonhomme,
Allons, approche, pose ton cul là,
D'où c'est qu' tu viens ? Comment qu' tu t' nommes ?

T'as l'air tout chose... tu t' sais en retard ;
Mais j' te dis rien pass' que tu t' traînes
Et qu' t'as l'air d'avoir ben d' la peine,
D'êt' ben massif, d'êt' ben mastar !

Mon guieu qu't' es grand ! Mon guieu qu' t'es maigre !
Ben sûr... tu n'es pas... financier,
Ni député..., ni marle..., ni pègre,
Sûr que t'as z'un foutu méquier !

Tes clignotants sont fatigués !
Tes ployants grincent comme des essieux,
T'es moche..., t'es vidé..., t'es chassieux,
T'es à fond d' cale..., t'es déglingué ;

Sûr ! T'as pas eu ta suffisance
De brich'ton, d' sommeil et d'amour,
Et tes z'os qu'on doit voir à jour,
Ça n'est guère d' la « réjouissance ».

T'as pus d' grimpant... t'as pus d' liquette,
Tes lappe-la-boue bâillent de douleur,
Et pour c' qui est d' ta requinpette
Alle est taillée dans du malheur !

Quoi c'est ton parfum ? dis ? des fois ?
(On pourrait t'pister à la trace.)
— Mossieu a mis son sifflet d' crasse ?
Mossieu va dans l' monde, à c' que j' vois !

Ton bloum ! y date du grand Empire !
Ta plur' grelotte, eh ! grelotteux,
Et j' devine cor à ton sourire
Qu' ton cœur aussi est ben loqu'teux !

T'as dû n'avoir l'âme azurée,
D' l'instruction... d' l'astuce et d' l'acquis,
Car avec ça t'as l'air... marquis,
Oh ! mais... d'un marquis d' la Purée.

J' te connais comme si j' t'avais fais,
T'es un rêveur... t'es z'eune vadrouille ;
T'as chassé que c' que tu rêvais
Et t'es toujours rev'nu bredouille ;

T'as tell'ment r'filé la comète
Qu'on la croirait cor su' ton front ;
T'as du blanc d' billard su' la tête,
T'as comme eune Etoile su' l' citron.

Le texte qui suit (un monologue dit par Jehan Rictus sur la scène du *Mirliton* ou du *Chat-Noir*) est exceptionnellement long pour cette anthologie : trente-deux strophes, excusez du peu !

Cependant, nous aurions eu scrupule à le châtrer, même s'il s'étale parfois avec une complaisance un peu cabotine. Il est vivant, bien enlevé, et raconte une histoire banale dans « la cambriole » : celle d'un monte-en-l'air professionnel, un cambrioleur en étages, qui, pressé par la nécessité, s'est fait accompagner sur « un coup » par un jeunot, un apprenti à qui il faut tout dire, dont l'ardeur est à éclipses, et qui en fin de compte tourne de l'œil à l'approche des flics.

LES MONTE-EN-L'AIR
(L'Apprenti)

« Vas-y Julot, vas-y vieux frère,
faut m' mett' dedans c'te lourde-là :
la caroube a peut pas y faire,
on va n'être encor chocolat !

Magn'-toi magn'-toi, prends l' suc de pomme,
ya nib de pant's dans le log'teau,
y vienn'nt de call'ter en auto
avec les lardons et la bonne.

Quand qu'y rentiff'ront, mince de blair !
Beuh !... c'est kif-kif, el' même méquier ;
gn'en a les z'uns qu'il est banquiers
et les aut's qu'il est monte-en-l'air.

Seul'ment, nous aut's, on a pus d' risques,
tandis qu'euss aut's, y z'ont pus d' frais ;
avant qu'y soyent bons pour êt' faits,
faut qu'y z'ayent râflé l'Obélisque...

Stop !... Un p'tit moment si you plaît ?
Non : j' croyais d' n'avoir entendu
que l' môm' Nu-Patt's au bout d' la rue
nous balançait son coup d' sifflet.

Grouille, Julot, c'est l'Hiver, les pègres
à la faridon sont ben maigres ;
moi d'pis deux r'luits j'ai pus d' tabac,
mais tantôt ça s'ra la nouba.

L' monde est h'en deux compartiments :
les poir's sont à gauch' de la boîte.
Mon vieux..., faut toujours t'nir sa douâte
et tout l' rest' c'est des boniments.

A preuv' que moi qu' j'ai essploré
de Cayenne à... Philadelphie,
la Société d' Géographie,
a m'a seul'ment pas décoré !

Qui d'main s'ra à la ribouldingue ?
Qui jett'ra d' l'huile aux pus huileux ?
Qui n'aura l' flac et l' gros morlingue ?
C'est les gas qu'il est pas frileux.

Les gas d'altèqu'..., les rigolos,
les pénars, les marl's, les macaires,
qu'estim'nt qu'y sont pas su' la Terre
pour marner avec les boulots.

Et qui même, quand y pass'nt à planche,
z'yeut'nt les chats-fourrés dans la poire,
car c'est qu' par marlouse et fortanche
qu'y sont d' l'aut' côté du comptoir !

Seul'ment vieux, laiss' ça,... c'est rouillé,
tu t' mets pour peau d' zèbe en quarante ;
r'garde comment que j' vas travailler...
Rrrran !... Mince de pesée ! Mince de fente !

Hein ? C'est pas du boulot d' gingeole !
Enquille, Julot, pousse el' verrou...
sans charrier..., nous voilà chez nous...
Ben... quéqu' t'as Juju, tu flageoles ?

S'pèce de schnock, tu vas pas flancher !
T'es-t'y un pote ou eune feignasse ?
A preusent que j' t'ai embauché,
tu veux chier du poivre à mon gniasse ?

Tu sais,... méfie-toi,... l'est moins deux ;
pas d' giries ou... j' te capahute ;
et pis après j' me mets les flûtes,
tant pir' pour les canards boiteux.

Quiens, tette un coup,... v'là eun' bouteille
attends,... c'est d' la fine « Grand Marnier »
allons Julot, voyons ma vieille,
hardi ! du cœur et du poignet.

Na ! maint'nant trotte su' la carpette
en douce... enlève tes... escarpins ;
pas par là, c'est la salle de bains,
où qu' tu crois qu'y carr'nt leurs pépettes.

Avance, y va falloir gratter,
on n'en est encor qu'au prologue ;
pas par là non pus, c'est les gogues !
Ben mon pote, t'es rien effronté !

Non ! Allume-moi leur gueulard'rie
(ah ! on n'est pas chez des biffins !)
Les vaches ! ça croûte dans l'argent'rie
pendant qu'l' *Ovréier meurt de faim* !

A gauche, vieille, fouine dans les tiroirs,
sûr y a là d' quoi effaroucher ;
moi j' vas dans la chambre à coucher,
faut que j' dise deux mots à l'ormoire.

Ah ! j' te r'commande... fais pas d' paquets,
n' chauff' que c' qu'on peut tasser en fouilles,
voyez brocquans, talbins, monouilles,
en sortant on s' frait remarquer !

Cré tas d' sans-soins ! Y laissent traîner
leur toquante su' la cheminée,
étouffons, étouffons toujours...
Marie vous aurez vos huit jours !

Voyons leur linge. Il est coquet :
allons, aboule-toi su' l' parquet,
(ça m' rappell' quand j'étais en Chine
cabot fantabosse ed' marine).

Phalzars brodanchés ? Beau travail.
Zou ! j'en carre un pour ma congaï.
Quand a n'aura ça su' les fesses,
a mettra pus d' cœur au bizness.

Preusent vivement, cherrons l' mat'las !
Aign' donc, à nous deux Nicolas !...
Ohé Julot, pas tant d' bouzin,
tu vas faire tiquer les voisins !

Qué qu' tu jabotes ? On sonne ? On cogne ?
Bien bien, j' rapplique... fais dalle, tais-toi...
Merde ! on est visés ! C'est les cognes.
Allez !... faut s' barrer par les toits.

Hop ! su' l' balcon, plaque tout, au trot...
Qu'est-c' qu'y t' prend ? Encore eun' faiblesse !
Ah ! ben mon vieux, cett' fois j' te laisse ;
pour t'emm'ner j'ai pas d'aéro.

Salaud ! Y tourne des mirettes !
Ah ! on m'y r'prendra eune aute fois
à voyager comme eune galette
avec un garçon qu'a les foies !

Bon Dieu ! Y en a du trêpe en bas.
Cassez la lourde, allez, cassez !
Quiens, l' Môm' Nu-Patt's il est coincé,
mais Sézig y l'ont h'encor pas.

Voui, tas d' truffes, app'lez les pompiers ;
j' n'ai ni l'vertigo ni la trouille,
moi j' grimpe ou j' dévale eune gargouille,
six étages, blavin dans les pieds !

J' suis bon, j' m'envole,... arr'voir Julot
t' t'à l'heure au quart, d'main à la Tour,
tâche de n' pas m' donner au Gerbier
ou ben j' t'arr'trouv'rai un d' ces jours...
t'entends coquine, emmanché, fiotte,
hé, Apprenti ! Hé, gâte-métier !

Un riche bougre : le père Peinard

Après une longue traversée du désert, **Émile Pouget** (1860-1931) et *Le Père Peinard* (1889-1900) connaissent aujourd'hui un regain d'intérêt sensible, indirectement grâce au « tumulte » de 1968, et directement grâce à deux rééditions, l'une de « Morceaux choisis » de l'hebdomadaire (Éditions Galilée, Paris 1976, 345 pages), l'autre des *Almanachs* (Papyrus Editions, Paris 1984, 252 pages).

La vie de Pouget se résume simplement : lycéen à Rodez, il fonde au lendemain de la Commune, en 1873 et à treize ans, un journal de gauche : *Le Lycéen républicain.* En 1910, il abandonne toute activité militante. Entre ces deux dates, il mène inlassablement le combat de l'anarchiste de plume et de tribune contre tous les pouvoirs : l'État, l'Église, l'armée et le capital. Les journaux et les brochures qu'il lance sont saisis ; lui-même, condamné, exilé à Londres, en butte, outre ses ennemis naturels, à l'hostilité croissante de la gauche bureaucratique et parlementaire, persiste et signe inlassablement sous le masque de convention du *Père Peinard,* le cordonnier (le gniaff), sa perpétuelle révolte contre toutes les injustices.

Il a une rude plume, le père Pouget-Peinard ! Comment ne pas penser à Juvénal appelant, dix-huit cents ans plus tôt, l'indignation au secours de l'inspiration ? Cette indignation, qui part du peuple et va au peuple, c'est dans le français du peuple qu'elle s'exprime de plein droit et avec une pleine liberté.

Argot ? Français populaire ? Il y a entre eux la distance qu'on doit mettre entre les classes laborieuses et les classes dangereuses, pour reprendre la terminologie de l'époque. S'ils sont argotiques, les textes d'Émile Pouget que nous proposons ci-dessous ne le sont que secondairement et en quelque sorte par un artifice rhétorique ; l'argot qu'ils utilisent est pour une part propre à Pouget lui-même, et sensiblement différent de celui que mettent en œuvre à la même époque Bruant, Oscar Méténier, et à plus forte raison le fabricant laborieux du *Journal de Nénesse.*

Plus proches de lui par le vocabulaire et l'inspiration sont Jehan Rictus et Louis Forton. Entre *Le Cœur populaire, Les Pieds Nickelés* et les articles du *Père Peinard,* il y a certes les différences entre la pitié, la pirouette et la fureur ; mais, derrière elles, la même connaissance de ceux qui souffrent sous la botte des possédants, et la même fraternité vivante.

Voici donc, référencés dans les éditions citées, trois articles du *Père Peinard* hebdomadaire (1890, 1899 et 1892), et une page de l'*Almanach* de 1897.

Il s'agit ici du premier Premier Mai international de l'histoire ouvrière, celui de 1890. « Faudra sortir de nos piaules, ce jour-là, presse *Le Père Peinard* ; lâcher l'atelier et dévaler dans les rues... »

LA MANIFESTATION DU 1er MAI

Ce jour-là, faut que les déchards des carrières d'Amérique, les refileurs de comète, les trimardeurs, les purotins qui couchent sous les ponts et aux asiles de nuit viennent avec nous.

Les victimes des bureaux de placement, des grèves, les mistoufliers de tout genre, faut pas qu'ils ratent ! C'est rare qu'une occase si chouette se présente, faut en profiter.

Et s'il n'y a pas moyen de donner le coup d'épaule définitif, de foutre la bicoque bourgeoise en bas, du moins qu'on ne rate pas le coche pour se frusquer à l'œil et prendre un léger acompte chez tous les voleurs de la haute.

Les Louvre, les Printemps, les Belle Jardinière, les Potin nous tendent les bras et nous font les yeux doux : C'est si bon d'avoir un paletot neuf sur le dos, ou des ripatons aux pattes !

Surtout, faudra pas perdre de vue les Rothschild, nom de dieu, ainsi que tous les vautours de la finance et de la banque : on pourra d'un saut aller dire bonjour à leurs cambuses. Les flics ne seront pas à craindre, étant occupés à protéger Carnot, Constans et autres fripouilles contre les politicards.

C'est une révolution économique qu'il nous faut, nom d'un foutre ! C'est en reprenant chez les richards une partie de notre bien que nous mettons les choses en bonne voie.

Il y a assez longtemps que des floppées de gens minables crèvent comme des chiens ; que des vieux, foutus au rancard comme des mécaniques rouillées, claquent au coin des bornes ; que des gas solides ne trouvent pas d'ouvrage ; que des mômes, les joues creuses, vagabondent le jour et la nuit, esquintés par la faim.

6 avril 1890

ÉGLISES DE TOLÉRANCE

Au temps où Jésus faisait du bacchanal à Jérusalem il chassait les vendeurs du Temple.

Aujourd'hui, les ratichons opèrent autrement : c'est les pauvres qu'ils chassent des églises !

Cette simple comparaison suffirait à convaincre de l'infection de la religion crétine celui qui en douterait encore.

Comme les églises ouvrent leurs portes de bonne heure, les pauvres bougres qui ont eu la déveine de refiler la comète — ce qui n'a rien de rigouillard à la saison actuelle — s'enquillent vite dans la baraque et vont se réchauffer les arpions sur les bouches des calorifères.

La cléricaille de l'église Eustache, près des Halles, n'a plus voulu de ça : l'autre matin, les bedeaux ont appelé la police et la turne a été vidée des déchards qui s'y étaient réfugiés ; on a même profité de l'occasion pour envoyer au Dépôt quelques guenilleux suspects et qui n'avaient pas de papiers en règle.

Mince de charité crétine, nom de Dieu !

Oh mais, si les frocards ne veulent pas que leurs boîtes à oremus soient des maisons de refuge, ils trouvent très bien qu'elles soient des maisons de passe.

Pour les catins de la haute, l'église est l'endroit le plus favorable aux rendez-vous : les richards attendent leurs amoureux dans les recoins des chapelles et les confession-naux sont des nids où il s'en passe de rigouillardes...

Les ratichons laissent faire — ça rapporte! Dam, ces clientes casquent en conséquence : si ces braves damesses réfugiaient à l'hôtel il leur faudrait payer la chambre — or, si le confessionnal offre moins de commodités, il a le sacré avantage d'être plus sûr...

D'ailleurs, les loueuses de chaises ne sont pas là pour des prunes : elles savent faire le guet aux bons moments. Ces pieuses maquerelles savent aussi rassurer madame sur la santé de l'ami, remettre des billets doux et, au besoin, servir de trait d'union entre des inconnus à la recherche d'émotions.

Ceci exclut cela!

Vous comprenez, maintenant, les bons bougres, pourquoi les ratichons tiennent tant à ce que les purotins n'encom-brent pas leurs églises?

Ça éloignerait la clientèle amoureuse... et payante qui, ne trouvant plus, dans les boîtes à bondieu, l'ombre, le mys-tère et la sécurité qu'elle y cherche, porterait son argent ailleurs.

29 janvier 1899

Le troisième article de notre anthologie a pour titre : *Watrinades*. Le mot désigne l'assassinat d'un contremaître ou d'un patron parti-culièrement odieux par un ouvrier poussé à bout ; cela par référence à la mort de l'ingénieur Watrin, « exécuté » en 1889 par un ouvrier qu'il avait jeté à la rue.

C'est à Marseille que s'est passé le riche flanche que je vas dégoiser aux copains.

Pour commencer, que je vous dise que la fabrique Four-nier, dans le quartier Mauron, est un abominable bagne ousque les prolos sont bougrement plus mal qu'en Cen-trale.

La turne a d'ailleurs des faux airs de prison, nom de Dieu! Y a des grands murs tout autour, que c'en est rude-

ment pas gai. A l'intérieur, y a une chapelle, plus un fourneau économique tenu par des garces de bonnes sœurs.
C'est dire que la ratichonnerie fait là-dedans la pluie et le
beau temps.

Malheur aux bonnes bougresses qui, tous les jours, ne
vont pas poireauter à l'église : elles sont saquées vivement.

Celui ou celle qui veut être embauché doit aller trouver
tout d'abord le curé ; si c'est une donzelle, et que sa trombine revienne au cléricochon, elle est embauchée illico.
Sans lui, c'est réglé, y a pas mèche d'entrer au bagne !

Un bon bougre, nommé Peduzzi, qui turbinait au bagne
Fournier depuis un sacré bout de temps, fut saqué y a
quelques semaines. Il avait, comme tous les camaros,
enduré les mille misères qu'on endure dans cette sale
usine : les engueulades, les amendes... la sainte chierie
des contrecoups.

Aussi, nom de dieu, il ne les portait pas dans son cœur,
les maudits gardes-chiourme !

Foutu à la porte, il chercha du turbin de droite et de
gauche. N'en trouvant pas, il radina chez Fournier, sup-
pliant qu'on ne le forçât pas à crever la faim. Au lieu de
l'écouter, les jean-foutre du bagne se payèrent sa tête, se
le renvoyant de l'un à l'autre, kif-kif une balle. A la fin
des fins, on l'expédie chez le curé qui ne veut rien savoir,
et le fout dehors comme un chien galeux.

Dame, à ce jeu-là, la colère empogne le bon bougre. Et
comme c'est un zigue qui a du poil au ventre, il rumine
une riche vengeance.

Il dégote un fusil à piston, loue une carrée juste en face le
bagne Fournier, et à l'heure ousqu'il savait que les contrecoups sortaient ou entraient, se fout à l'affût derrière la
fenêtre : « Le premier des quatre qui passe sera le bon,
rumine Peduzzi. Ils sont tous aussi crapules l'un que
l'autre... »

Son poireautage ne fut pas long, nom de dieu ! Au bout
d'un moment : pif-paf !... le gas tirait ses deux coups, et
mouchait salement un des birbes : une balle lui cassait un
abattis, si bien qu'on a dû lui amputer le bras ; quant à
l'autre, elle écrabouillait sa montre dans la poche de son
gilet. Cette sacrée toquante lui a sauvé une belle mise,
tonnerre !

Vous voyez d'ici le fouan, nom de dieu ! Turellement, on reluqua vite d'où étaient partis les coups. Si bien que quelques andouillards, entre autres un bistrot et un contre-coup, histoire de faire du zèle, grimpent l'escalier et veulent enfoncer la porte : « Bougres et feignasses ! gueule Peduzzi, y a donc pas assez de sergots pour faire la police ? Faut encore que vous vous en mêliez. Foutez-moi le camp de suite, sinon, j'ai encore deux balles dans mon flingot : elles seront pour vous... »
Les types ne se le sont pas fait répéter : ils ont décanillé dare-dare.
Quoique ça, le gas a été empaumé et foutu au bloc.
Turellement, j'ai pas besoin de dire que les torche-culs bourgeois ont prouvé clair comme du jus de chique que le contre-coup mouché est un riche fieu — tandis qu'ils agonisent le justicier de sottises.
Ils font leur métier, nom de dieu ! Y a qu'à les laisser dire et se boucher le nez.

31 janvier 1892

Et voici une page bucolique et morale de l'*Almanach* de 1897, l'an 105 de la République pour Pouget.

LE PRINTEMPS

C'est le 20 mars que s'amène le printemps et voici que Germinal montre sa crête verte.
Quoique ça, les bidards qui avez des paletots et des nippes de rechange, ne vous pressez pas trop de quitter vos attiffeaux d'hiver. Ce gaillard-là a de sales renvenez-y. On aura encore de la froidure, nom de Dieu !
Pourtant, quoique le soleil soit encore pâlot, déjà on se sent plus gaillards : notre sang, kif-kif la sève dans les veines des végétaux, s'éveille et bouillonne.
Nous voici à la riche saison des bécottages : les oiselets font leurs nids, se fichent en ménage à la bonne franquette et, pour s'embrasser, ne sont pas assez cruchons d'aller demander la permission à un pantouflard ceinturé de tricolore, comme mossieu le maire, ni à un crasseux amas de graisse ensaché dans une soutane.
Ils s'aiment et ça suffit ! Aussi, ils récoltent ! Tandis que, chez les humains, grâce à toutes les salopises légales qui

font du mariage la forme la plus répugnante de la prostitution, les gosses ne germent pas vite.

Quand, au lieu de se marier par intérêt, pour l'infect pognon, les gas seront assez décrassés pour s'unir parce qu'ils en pincent l'un pour l'autre, et quand, par ricochet, on aura perdu l'idiote habitude de reluquer de travers une jeunesse qui a un polichinelle dans le tiroir, — sans que les autorités aient passé par là, — c'en sera fini avec la dépopulation.

Mais pour ça, il faut que les abrutisseurs se soient évanouis de notre présence !

En attendant, à la campluche, on est moins serins : y a des andouillards moralistes qui nous vantent ce qu'ils appellent les « vertus champêtres » —, qui ne sont qu'une épaisse couche de préjugés.

Ces escargots, plus moules que deux douzaines d'huîtres, n'ont jamais vu ni un village, ni un paysan —, sans quoi ils sauraient qu'aux champs on est bougrement plus sans façons.

Quand vient la fenaison, filles et garçons se roulent dans les foins et, sans magnes, ils vont derrière les buissons, sous l'œil des oiseaux, faire la bête à deux dos.

Du *Père Peinard,* on trouvera encore deux chants de révolte, p. 279 et 282 de cette anthologie.

GOUALANTES ET GUEULANTES

1870-1910

« De mon temps », notait avec mélancolie Charles Péguy en 1910*, « tout le monde chantait. » Que ne dirait-il pas du temps d'aujourd'hui, où nous sommes tous gavés, bon gré mal gré, de bredouillis tonitruants et inécoutables, mais où personne ne chante plus !

Au demeurant, Péguy est bien sévère pour ses contemporains. On chantait encore beaucoup à la Belle Époque ; énormément même, si on la compare à la nôtre. Surtout, il est vrai, au café-concert** que ne fréquentait pas le respectable auteur du *Mystère de la charité de Jeanne d'Arc*; mais dans les rues aussi, et dans les cours d'immeubles, où cette heureuse tradition s'est maintenue tant bien que mal jusqu'au lendemain de la dernière guerre. On chantait, entre bien d'autres :

> « Pardonne, ô ma chère inconnue,
> Pour qui j'ai si souvent chanté,
> Ton offrande est la bienvenue,
> Fais-nous la charité... »

Cela avait, reconnaissons-le, une autre allure que le : « T'as pas un franc ? » d'aujourd'hui.

Nous n'avions pu relever, pour les deux premiers tiers du XIXᵉ siècle, que fort peu de chansons argotiques (voir pp. 121-140). En revanche, les années 1880 marquent dans ce domaine le début d'un véritable âge d'or : c'est dans la chanson et dans son complément, le monologue, que l'argot prospère le mieux. Cet âge d'or déborde largement les années 1920 ; il s'étend en fait jusqu'à la mort d'Édith Piaf, en 1963. Après « la môme Piaf », la chanson populaire et argotique française paraît touchée à mort.

Ce n'est évidemment pas aux chansons que nous avons réunies dans les pages qui suivent que pensait le digne Péguy. Et encore ! Sait-on ? La frontière est mal fixée entre la chanson populaire et la chanson argotique, même si l'argot occupe dans cette masse de plusieurs milliers de textes une place de premier plan.

On nous objectera que des chansons sans musique, telles que

---

* *Notre jeunesse,* dans le onzième *Cahier de la quinzaine* de juillet 1910.
** Le meilleur ouvrage sur la question est celui de François Caradec et Alain Weill : *Le Café-Concert,* Ateliers Hachette-Massin, 190 pages, 1980.

nous les présentons ici, ne sont plus que des corps sans vie. Ce n'est pas une raison pour les passer sous silence.

Nous les avons réparties en trois groupes. Dans le premier, assez mince, nous retrouverons les « chansons de la gouape et du crime » avec lesquelles nous avons déjà fait connaissance (voir pp. 121-140). Dans le second, le plus important numériquement et poétiquement, nous présentons, sous le titre explicite de *Les Messieurs de ces dames,* une trentaine de chansons de la prostitution et du maquereautage ; c'est-à-dire, et en le disant, des deux plus vieux métiers du monde.

Dans le troisième, quelques chansons nées *Autour du Chat-Noir*; dans le quatrième et dernier, des chansons politiques et révolutionnaires.

Outre l'ouvrage de F. Caradec et A. Weill cité plus haut, deux livres encore trouvables avec un peu de chance aideront le lecteur à en savoir davantage. Ce sont, d'Émile Chautard, *Goualantes de la Villette et d'ailleurs* (éditions Marcel Seheur, Paris, 1929) ; et de Michel Herbert, *La Chanson à Montmartre,* Préface de François Caradec (La Table Ronde, 1967).

Le « billet aux copains » de 1897 que nous donnons plus loin est, littérairement parlant, d'excellente qualité. Au départ, un fait divers banal : une « tierce » de quatre petits malfrats, Biscuit, Nénesse, le même Toto et Blaise, est surprise en plein « travail » par la police. Pour protéger la retraite de ses copains, Blaise sort son rigolo et tire sur le flique qui les poursuivait. Il le blesse sans doute et est arrêté tandis que ses copains s'enfuient. A l'instruction, beau joueur, il se met tout sur le dos *(su' l' râpe)*. Devant les juges, il écope de dix ans de travaux forcés *(les durs)* et de vingt ans d'interdiction de séjour *(la trique).* Son avocat a fait appel, sans résultat évidemment, et le délai de cassation se termine. Avant de partir pour *La Nouvelle* (le bagne de Nouvelle-Calédonie), il fait parvenir, par deux *auxigos* (les détenus qui servent d'auxiliaires aux gardiens), une dernière lettre à ses copains.

Ceux-ci se sont conduits indignement. Durant tout le temps de sa détention en prévention (sa *prévence*), ils ont laissé le pauvre Blaise sans assistance. Nib de nib ! Rien ! *Pas un flèche* (un sou) ; pas même un paquet de tabac (un *paxon* de *perle,* c'est-à-dire de perlot), pas un colis de nourriture (de la *croustille*).

Blaise l'a sévèrement « à la caille ». C'est des choses qui s' fait pas, entre potes ! Ils l'ont pris pour un imbécile, *une belle truffe* ! Ils mangeaient à leur faim, pénards, tandis que leur copain était au régime jockey : des haricots (des *vestos*) et de la flotte.

Ulcéré, le pauvre gars menace : si les copains ne lui font pas parvenir d'argent (s'ils n'*éclairent que lâpe,* la peau, rien), il les dénoncera comme ses complices *(Je vous balance pour mes poteaux)* avant de quitter la France.

De l'argent, ils en trouveront en vendant (en *lavant*) pour quelques francs (quelques *flèches*) les vêtements qu'ils trouveront dans sa chambre (les *harnais,* la *crèche*), en allant y faire une petite promenade *(un p'tit disco).* Ils joindront le produit de cette vente (le *plâtre*) à leur « souscription » auprès des copains.

Quant aux deux auxigos chargés de leur remettre le dernier bifton du pauvre taulard, l'un est un voleur à la tire (une *fourche,* c'est-à-dire une *fourchette,* qui évoque les trois doigts avec lesquels le « tireur » sort habilement un porte-monnaie d'une poche) ; l'autre un souteneur (un *broche,* c'est-à-dire un brochet, poisson vorace s'il en est).

BIFTON AUX POTES

Mes potes, on vient de me saper
A dix longes et vingt piges de trique,
Aux durs, j' pouvais pas échapper,
Puisque j'ai tiré dans un flique.
En prévence souvent j'ai pensé
Que vous m' prenez pour une belle truffe,
Comme maintenant j' suis balancé,
J' peux dire que vous êtes tous des muffes.

D'puis huit marqués, j' suis dans l' tombeau
Où j'ai croûté ma seule pitance :
Des vestos ! D' la flotte ! C'est pas beau
D' m'avoir laissé sans assistance.
Pourtant, je n'étais pas envieux :
Un paxon d' perle et de la croustille
M'auraient rendu au point joyeux,
Qu' j'aurais gueulé : « Vive la Courtille ! »

Biscuit, Nénesse, et l' môme Toto,
Pour vous je m' suis tout mis su' l' râpe.
Je vous balance pour mes poteaux
Si jamais vous n'éclairez lape.
Ne m' la faites pas à la chanson,
N' m'envoyez pas à la débourre,
Car je préfère rester garçon
Plutôt que de faire une bourre...

Vous irez, je vous le permets,
Faire un p'tit disco dans ma crèche,
Où se trouvent encore mes harnais.
Vous les laverez pour quelques flèches.
Joignez l' plâtre à vot'e souscription,
Que vous m'enverrez tout de suite,
Car je termine ma cassation,
Et dans quèques jours, je m' fais la fuite...

Hélas ! c'est mon dernier bifton !
J'attends vot'e dernière babillarde.
En y songeant, comme un mich'ton,
Je chiâle dur, et le cœur me larde...
Ne m' charriez pas ! Faut fuir Pantin !
Et si du sort de mon pauv'e gniasse,
Un jour, vous subissez l' destin,
Comme moi vous f'rez une drôle de face.

Je r'mets c' faffe à deux auxigos
Qui c' matin décarrent d' la Santoche.
Faites la noube avec leurs zigos :
L'un est une fourche et l'autre un broche.
Ils vous portent aussi les adieux
De l'homme qui fut toujours Blaise,
Rue d' la Santé, quarante-deux,
Deuxième division, soixante-seize...

Encore une et c'est fini ! C'est une chanson de prison de 1906, recueillie par E. Chautard (*Goualantes de la Villette et d'ailleurs, op. cit.,* p. 155), et sans doute écrite par un jeune délinquant à La Petite-Roquette, la plus connue des prisons d'enfants du XIXᵉ siècle. On y incarcérait depuis 1836 les mineurs de moins de dix-huit ans, dans des conditions que la chanson détaille avec tristesse.

A LA P'TITE

I

Ceux qui dinguent, qu'ont pas dix-huit ans,
On les envoie pour quelque temps
Expier leur mauvaise conduite
        A la P'tite (bis).

II

Sitôt décarrés du panier,

Les gaffes les font déshabiller,
Et sous une douche les précipitent,
   A la P'tite (bis).

III

Puis, d' la thôle, i' r'vêtent le complet;
Bois, froc, béret et gilet
Leur sont donné d' façon gratuite,
   A la P'tite (bis).

IV

Harnachés, l' gaffe les conduit
De riffl' dans un sombre réduit.
C'est en cellotte que l'on habite,
   A la P'tite (bis).

V

Quand d'aucuns s' trouvent là seulos,
Y en a qu'éclatent en sanglots,
Mais la plupart s'y font bien vite,
   A la P'tite (bis).

VI

Toute la journaille sans regimber
Du cuivre il leur faut ébarber;
Gratter, c'est la règle prescrite,
   A la P'tite (bis).

VII

Du boulet, cette crèch' sans pitié,
D' son montant leur file la moitié.
Pour l'État, l'aut' part est souscrite,
   A la P'tite (bis).

VIII

Comme croûte, une soupe à la noix,
Vestos, riz, patates, lentilles, pois;
Et l' dimanche, de la viande pas cuite,
   A la P'tite (bis).

IX

Quand i' sont pris à bavarder,
Ou bien encore à bombarder,
On leur fourre pour huit jours de mite
   A la P'tite (bis).

X

Quand l' gaffe les appelle au parloir,
Que c'est leur dab qui vient les voir,
I' sont bien heureux d' sa visite,
A la P'tite (bis).

XI

Comme y a des gaffes à l'intérieur
Et des griftons à l'extérieur,
Faut être marle pour se faire la fuite,
De la P'tite (bis).

XII

Quand les sens viennent les agiter,
I' s' tapent des rassis sans compter...
A c' truc-là, i' attigent vite
A la P'tite (bis).

XIII

C'est pas en m'nant les gosses dur'ment
Qu'on obtiendra leur amendement.
C' régime, à la haine les incite,
A la P'tite (bis).

Peu de mots appellent une explication :
Ceux qui *dinguent* : qui ont fait dinguer une porte, cambriolé ; mais aussi ceux qui ont fugué.
Les bois (III) sont les sabots de la prison.
Des vestos (VIII) : des haricots secs.
Bombarder (IX) : fumer.
Se coller un rassis (XII) : se masturber. Ne se dit guère que des hommes. C'est l'une des nombreuses (une vingtaine) désignations de cet acte en argot, ce nombre s'expliquant en particulier par les conditions de vie carcérales. Bruant (1901) la mentionne déjà.

Contrairement à P. Guiraud (*Dictionnaire érotique,* 1978), suivi par Cellard-Rey (*Dictionnaire du français non conventionnel,* 1980), je ne pense pas que ce *rassis* soit le participe passé, employé substantivement, du verbe *rasseoir* (?), « calmer », qui n'appartient pas au français habituel, encore moins populaire.

L'image est plutôt celle du pain « rassis », sec et dur, par opposition au pain « frais », chaud et savoureux. La masturbation est à la possession de la femme ce que le pain « rassis » est au pain frais.

« Se taper du rassis », c'est se contenter, faute de mieux, d'un aliment de deuxième ordre.

S'attiger : se détruire la santé.

Les Messieurs de ces dames

Des prêtresses d'Astarté aux mécaniciennes des Eros-Centers, la prostitution manifeste au cours des âges une étonnante continuité dans le changement. A quelque époque et en quelque lieu qu'on la rencontre, c'est toujours sous la forme du triangle dont la prostituée, le client et le maquereau sont les sommets ; réplique ou plutôt modèle du triangle bourgeois qui associe l'épouse adultère, le cocu et l'amant dans un jeu de relations indifféremment tragique (c'est *Madame Bovary*) ou vaudevillesque (c'est *L'Hôtel du libre-échange*).

De 1850 à 1950, à quelques années près, la prostitution parisienne présente à l'observateur un visage extrêmement typé, au point d'en être devenu de bonne heure stéréotypé. Au torrent de changements politiques, économiques ou sociaux qui font durant ce siècle passer la France de l'ère traditionnelle à l'âge moderne, elle oppose la continuité de la femme au double visage : celui qu'elle offre au premier homme qui passe — le client, le miché — , et celui qu'elle réserve à *son* homme.

Le lien qui l'attache à celui-ci est intense et dramatique. Si tant de chansons le mettent en scène, ce n'est pas qu'elles se copient : c'est qu'elles disent une réalité très générale, à laquelle la sociologie historique s'intéresse depuis quelques années.

Dans une étude importante à laquelle nous renvoyons le lecteur (*Les Filles de noce, misère sexuelle et prostitution au XIXe et XXe siècles*, Aubier éditeur, 571 pages, 1978), Alain Corbin note, à propos des tatouages des prostituées (p. 234), qu'ils « constituent à coup sûr des documents parmi les plus émouvants qui se puissent trouver ; ils jettent une lumière insoutenable sur la profondeur des sentiments et de l'amour que les filles éprouvent à l'égard de leurs souteneurs ou de leurs amants de cœur ; que de tels procédés puissent être considérés comme le signe de rapports sado-masochistes importe peu. Les inscriptions obscènes sont rares ; la simplicité et l'intensité du sentiment amoureux chez ces femmes rivées à l'homme dont elles dépendent s'expriment en une symbolique naïve, " puérile ", fleur bleue, mais imprimée d'une manière indélébile. Ce témoignage de don et de fidélité affiché en un souci de rédemption sur le corps vendu, définit mieux que tout la condition prostitutionnelle à la fin du siècle dernier ».

Mieux que tout ? La chanson argotique pourrait, de son côté, réclamer ce privilège. Celles que voici disent, de façon plus générale et plus large que les tatouages, comment « ces dames » et leurs « macs » apparaissaient à leurs contemporains.

Voici, de 1892 et très populaire alors, une chanson typique du genre. C'est le récit, usé jusqu'à la corde, des bonheurs et malheurs du couple prostituée-souteneur. Il s'agit, comme dans toutes les chansons de cette veine, d'une prostituée des rues, truqueuse ou marcheuse à l'époque ; tapin plus tard. Leur sort est beaucoup plus pénible que celui des « gonzesses en maison », que la police (« les mœurs ») n'importune jamais et qui sont à l'abri des explications sanglantes entre « hommes » ; les protecteurs de ces femmes en maison ne se risquant d'ailleurs pas à *pégrer* (voler, dépouiller), et moins encore à tuer.

Seule petite originalité de cette chanson : une fin moralisante. Et un seul commentaire lexical : ce que la môme craint plus que Saint-Lazare (la prison pour prostituées malades ou voleuses), *« C'est que son p'tit homme ne déclare »,* c'est-à-dire, par abrègement, « ne déclare ballon » ; c'est-à-dire, encore, n'ait plus rien à manger. Le verbe joue d'abord comme une réponse à la question posée par l'employé de l'octroi : « Vous n'avez rien à déclarer ? »

Question alors usuelle, puisqu'il y avait des postes d'octroi à toutes les entrées de Paris. Elle appelle argotiquement la réponse : « Moi, je déclare ballon. »

Ce ballon, c'est bien l'aérostat gonflé au gaz, le « plus léger que l'air » ; spectacle familier aux Français du XIXᵉ siècle. Et *faire ballon,* c'est se sentir léger comme un ballon parce qu'on n'a rien mangé ; d'où, jeûner. Déclarer ballon (et *déclarer* tout court), c'est donc se passer de nourriture.

AU ROCHECHOUART

I

Le mac envoie matin et soir
Sa poule faire le truc su' l' trottoir
  Au Rochechouart.
Et pendant qu' sa môme se balade,

Lui va faire de la rigolade,
    Au Rochechouart.

II

A force de se trimballer,
La môme s' fait souvent emballer
    Au Rochechouart.
Ce qu'elle craint plus que Saint-Lazare,
C'est que son p'tit homme ne déclare,
    Au Rochechouart.

III

Le mac sait toujours s'arranger,
Car il va pégrer pour manger
    Au Rochechouart.
Il fait l'étal ou la roulotte,
La thôle ou les gars à coups d' botte
    Au Rochechouart.

IV

Lorsqu'il vient à mett' le doigt d'ssus,
I' s' paie complet et pardessus
    Au Rochechouart.
Puis court les claques et les guinches
Et va crâner d'vant ses aminches
    Au Rochechouart.

V

Quand sa môme s' trouve dans l' ballon,
I' n'y envoie pas souvent d' pognon
    Au Rochechouart.
Mais pendant qu'elle fait des liquettes,
Lui s'enfonce d'aut' gigolettes
    Au Rochechouart.

VI

Pour le mac, ça d'vient rien toquard :
On l' course dur sur le boul'vard
    Au Rochechouart.
S' i' s' fait sauter par une bourrique,
On lui flanque six mois et d' la trique
    Au Rochechouart.

VII

Tout ça se termine bien mal,

Car si l'une meurt à l'hôpital
            Au Rochechouart,
L'aut' trouve que c'est chose naturelle
D' finir ses jours à la Nouvelle
            Au Rochechouart.

VIII

Ah ! si tout l' monde pouvait gratter,
Gagner seul'ment d' quoi boulotter,
            Au Rochechouart,
I' y aurait moins d' macs dans les rues
Et peu d' filles sur les av'nues
            Au Rochechouart.

La même année que parut le *Dictionnaire français-argot* de Bruant (1901, voir p. 313), l'inspecteur de police à la retraite Rossignol signait de son côté un *Dictionnaire d'argot* de bonne qualité, auquel il avait joint, comme l'usage s'en était établi, des textes argotiques de provenance diverse ; ainsi cette chanson, trouvée, dit-il, dans les papiers d'un voleur arrêté par lui en 1894.

Nous n'avons aucune raison de mettre en doute la parole de l'honnête Rossignol. Voici donc, dans son authenticité garantie, cette *Chanson du marlou* :

Enfin te v'là , petite salope !
Tu m' fais poirotter d'puis minuit !
Rouspette pas, va, sinon t'écopes...
Tu viens d' vadrouiller, sale outil !

Défringue-toi, passe-moi la galette...
T'as dû faire des michets sérieux.
Tu voudrais pas t'offrir ma tête
Rien qu' pour l'amour de tes beaux yeux.

Eh ben, quèque t'as à faire la gueule ?
Tu m' connais : faut pas m'emmerder.
Si tu prends des airs de bégueule,
Gare à ta peau ! J' te vas bomber !

A la bonne heure... Tu t' déshabilles.
T'es bath, va. J' te gobe, mon trognon !
C'est cor toi qu'es la plus gentille !
Aboule un peu de c' beau pognon !

Quarante ronds ? Mais tu t' fous d' ma fiole !
Tu t'as fait poser un lapin ?
Réponds donc, eh ! boîte à vérole !
Tu t'auras offert un béguin.

Tu sais, Nini, faut pas m' la faire.
Moi j' suis pas comme mon p'tit frangin.
Tu t' paieras pas ma caf'tière.
J' veux pas d'une feignante qui fout rien.

Mais réponds-moi donc, sale punaise...
Ah, chiale pas, ou j' te crève la peau.
A qui qu' t'as r'passé c'te belle braise ?
Tiens !... Mais réponds-moi donc, chameau !

Réponds-moi, t'entends, ou j' t'assomme !...
— Alphonse, j' t'en prie, écoute-moi.
Tu m'as mouché, tu sais, p'tit homme !
J' vas t' dire le fin mot du pourquoi.

J'ai carré dans mon faux derrière
Deux cigues [1] que j' voulais envoyer
A ma pauv' vieille grenouille de mère
Qu'est pus capab' de turbiner.

Attends un peu, qu' je r'tire ma robe !
T'impatiente pas ! J' vas t' les r'filer...
Tu vois, mon chéri, si j' te gobe !
— Et ta mère ? — Oh ! A peut crever !

Sur le monde ironique, voici les *Plaintes d'un souteneur* (1899), dont le *bifteck* s'est fait, misère de nous ! *arquepincer* par « les mœurs », et qui se trouve ainsi, du jour au lendemain, privé des légitimes ressources du trottoir. Il aurait bien le moyen de remédier à cette douleur non pareille qu'est le défaut d'argent, en se prostituant à son tour à quelque riche vieillard amateur de rosette, c'est-à-dire de... mignons. Gageons qu'il s'y résoudra.

I

Mes amis plaignez mon malheur,
Car il m'arrive une sale affaire :
De mon métier je suis souteneur,
Et ma gonzesse vient de s' faire faire.

1. Deux pièces d'or de vingt francs, soit environ deux mille francs d'aujourd'hui.

C'était une môme de bon turbin,
Et qui n'était pas paresseuse.
J' l'appelais ma rapporteuse de pain,
C'était vraiment une bonne truqueuse.

REFRAIN

On vient de m' secouer ma gerce.
Ah ! Plaignez un pauvre marlou
Qui n'ayant plus sa gonzesse
N'a pus qu'à s' faire foutre *(bis)*
N'a pus qu'à s' faire foutre au clou.

II

Dans la haute soce des marlous,
Où qui s'envoient de bath gonzesses,
C' coup-là leur-z-y fait rien du tout,
Car ils vivent de bien d'aut'es lar-
gesses.
Mais pour nous aut'es, pauv'es puro-
tins,
Qu'en fait d' croûte on s' cale deux
ronds d'frites,
Va donc falloir qu'on crève de faim
Si l'on nous enlève nos marmites ?

AU REFRAIN

Je connaîtrais bien un moyen,
Mais ce moyen-là me dégoûte :
C'est de souteneur dev'nir dofin.
Ça m' semble dur et ça me coûte.
Pourtant à un vieux médaillé,
Un chouette amateur de rosette,
Je m' laiss'rais bien encore tomber,
S'il me filait beaucoup d' galette...

AU REFRAIN

***

De ce que fut **Rémy Broustaille**, je ne sais à peu près rien. A travers ce qu'il écrivit, on sent un homme à la fois naïf et roublard,
« monté » à Paris comme bien d'autres dans les années 1880 pour
tenter de se faire une place au festin des chansonniers et des poètes
marginaux. On le voit surtout aux « Soirées de la Plume », qui fu-

rent au quartier Latin ce que Bruant fut au village de Montmartre :
« L' sam'di soir à la Plume, chacun chante sa chanson.

Ça vaut bien mieux, jeunes gens, qu' d'aller à l'Odéon ! »

Il nous reste de lui un recueil de chansons, de monologues et de contes : *Bizarres* (185 pages, Bibliothèque de la Plume, Paris, 1894), effectivement bizarre, salade russe de prose et de vers, de platitudes prétentieuses et de jolies trouvailles.

Tirons-en, pour rester dans le ton de l'époque et de ce chapitre de notre anthologie, une chanson à la gloire des familles honnêtes : *Ma p'tite sœur a mal tourné !* Elle exploite (c'est le cas de le dire) le thème, banal à l'époque, de la fillette mise sur le trottoir par son frangin.

Un thème si banal hélas ! (on le retrouve dans *Les Bas-fonds de Paris*, de Bruant, et dans dix autres chansons), qu'il faut bien se rendre à l'évidence : à « la Belle Époque », des familles entières, et nombreuses, vivent de la prostitution de leurs filles. Parfois, heureusement, la petite « tourne mal ».

MA P'TITE SŒUR A MAL TOURNÉ !

Ah ! vrai pour de vrai ! Je m'étiole,
Et si dans mon malheur j' rigole,
C'est d'un jaune vert, et pas d' bon cœur.
Y a quinze jours, j'avais d' la braise,
J'avais l' cœur bath, j' dev'nais obèse,
Car j'étais l' souteneur d' ma p'tite sœur.
Mais ma p'tite sœur est mal tournée ;
A la vertu elle s'est donnée
Pour s' coller avec un pékin,
Elle m'a laissé dans l' pétrin...
     [Parlé]... *moi, son frère. C'était pas à faire !*

Malheur ! Qu'aurait dit ça d'une fille
Qui n' voyait dans toute notr' famille
Que l' bon exemp'e de chaque côté ?
Pour commencer, jadis, ma mère
Était la marmite de mon père.
C'tait très beau comme moralité.
Maman turbinait comme actrice ;
Papa s' tenait dans la coulisse,
Et si, à sa femme, un clampin
S' mêlait de poser un lapin,

Papa, y lui crevait la peau. Tableau.

Ma grande sœur Louise, dite la Saucisse,
A fait l' beurre de mon frère Narcisse.
Faut les voir tous deuss' — c'est touchant ! —
Prendre leur cuite tous les dimanches,
Et le soir, comme deux vieilles branches,
Rev'nir chez nous en trébuchant.
Si y avait pas d' fêtes dans la s'maine,
Ma sœur... è crèverait à la peine !
Pour qu'è puisse s' dégourdir les os,
Mon frère lui donne un jour d' campo :
    C'est pas un égoïsse, mon frère. Au contraire !

Enfin ma deuxième sœur Charlotte,
Connue sous l' nom d' la P'tite Mascotte,
Est la largue à mon onc' Bernard ;
Y font bien leurs petites affaires !
Comme Charlotte a d' jolies magnières,
Ça lui permet d' faire l' grand boul'vard.
Quand y viennent chez nous en balade,
Y z'embaument la chouette ed' pommade !
Y sont flambants, y sont rupins.
Ah ! aussi, c' qu'elle mouille dans l' turbin !
    Ma sœur Charlotte, qué chic cocotte !

Tandis que l'autr' est une feignante,
Une qui fait sa poire, une pédante
Qu' ça embêtait d' persiller l' soir
Et d' dire au passant : Mon p'tit homme,
Viens donc me voir... J' suis bath aux pommes...
Ça l'écœurait d' faire le trottoir !
Malheur ! È faisait sa princesse !
Entre nous, c'était d' la paresse.
Ça l'embêtait de turbiner
Afin d' faire vivre à s' balader,
    son pauvre frère. Ah ! misère...

Y paraîtrait qu'un salop d'homme,
Un feignant d'ouverrier, — en somme,
Un pas grand chose, bien entendu,
Un d' ces genss qui nourrissent leur femme
Sans craint' d' perdre, à c' métier infâme
Leur dignité d'individu —,

Y paraîtrait qu' cet homme vulgaire
L'a conduite ed'vant meussieu l' maire,
Sans l'idée d' la faire turbiner
Pour ne rien fiche et godailler...
        ... du soir au matin. Qué crétin !

Ma mère en fait une maladie.
Mon vieux père en a la pépie !
Cette fille les a déshonorés.
J' lui prophétise des jours atroces :
Plus tard, ses gosselines et ses gosses
Mèn'ront des vies d' gens patentés ;
Ses filles, elles feront même pis qu'elle,
Car è s' marieront demoiselles,
Et ses morveux mal éduqués
S'ront ben capab' de s' foutre curés !
    C'est une honnête femme, ma sœur. Qué malheur !

***

Après la tragi-comédie, le drame grand-guignolesque. Un drame à vrai dire classique, banal à l'époque et dans le « Milieu » : une prostituée change de souteneur sur un coup de béguin. L'ancien, que la nouvelle passion de sa *Louis XV* prive de l'essentiel de ses revenus, revient à la charge, et se débarrasse du nouveau en l'assassinat (1894).

FLEUR DE CRIME

C'est au guinche que je fis Clémence,
Une fille qu'a pas l' trac,
Un jour que j'eus beaucoup d' chance
En f'sant un fric-frac.
E' m' dit : « J' suis chipée pour ton gniasse,
Mon petit bichon.
Mais n' faudra pas avoir la chiasse
D'un coup d' torchon... »

REFRAIN
Elle m'app'lait son loup, sa p'tite crotte.
Chaque jour pour mes zigues, su' l' boul'vard,
Elle en f'sait ; la nuit dans l' plumard,
A m'aimer, paumait la bouillotte.

C'était une floume, une vraie marmotte.

Bien souvent le soir à la thôle *[sic]*,
Quand elle rognait,
J'y foutais des marrons. C'est drôle
Comme ça la r'bectait.
Elle râlait une demi-plombe ;
Puis à moi rev'nait en chialant
M' dire en douce : « Souffle la calbombe,
J' t'aime mieux maint'nant. »

AU REFRAIN

Hélas ! j' l'ai pas longtemps fait belle,
Car son ancien gas,
Qui v'nait toujours à la Chapelle
La courir su' l' tas,
En vache m'a scionné par-derrière.
J' me suis fait servir,
Et l' toubib de Lariboisière
Dit qu' j'en vais chrônir.

REFRAIN

Elle m'app'lait son loup, sa p'tite crotte.
Chaque jour pour mes zigues, su' l'
boul'vard,
Elle en f'sait ; la nuit dans l' plumard,
A m'aimer perdait la bouillotte.
Adieu, adieu, ma pauvr' marmotte...

Du faux réalisme ? Du mauvais mélodrame ? Moins qu'on le croirait. Les règlements de comptes de ce genre étaient monnaie assez courante, et presque une routine, dans la basse prostitution de cette fin de siècle. En témoigne le fait divers suivant, largement rapporté par les journaux dans les années 1890.

La belle Thérèse V., prostituée et lesbienne, se met en ménage avec Sylvain, le « protecteur » de son amie Berthe, avec laquelle elle est temporairement brouillée. Un beau jour, lassée de Sylvain, Thérèse change de quartier et de protecteur. Sylvain, qui l'a « dans la peau », la recherche et la retrouve chez un chand d' vins où elle soupe avec son nouveau favori.

Il demande à celui-ci de sortir pour s'expliquer entre hommes. Thérèse s'interpose et sort discuter avec Sylvain, qui s'efforce de la reconquérir. C'est Carmen entre Don José et le bel Escamillo.

Le non de Thérèse est aussi catégorique que celui de la Gitane infidèle. L'homme, alors, tire de sous sa veste un vingt-deux ouvert qu'il lui plonge dans le ventre. La malheureuse meurt le lendemain.

Sylvain est arrêté. C'était son second assassinat de femme, presque semblable au premier. On l'envoie se calmer pour quelques années à La Nouvelle, au bagne de Nouvelle-Calédonie.

C'est exactement ce que raconte la chanson de 1908 que voici, à un détail près : les rapports de police et les journaux de l'époque présentent Thérèse V. comme une plantureuse et magnifique créature, alors que la môme de la chanson est « petite et fluette ».

LE SÉBASTO

Elle grattait avec sa daronne,
Pour une fabrique de couronnes,
Qu'était rue de Rambuteau,
        Près l' Sébasto (bis).

Après de longs jours de chômage,
Comme la môme trouvait pas d' ouvrage,
E' s' laissa tomber un tantôt,
        Su' l' Sébasto (bis).

Sa vieille qu'elle barra dans la peine,
D' chagrin s' macchaba dans la Seine.
Puis è s' maria avec Toto
        Du Sébasto (bis).

La gosse qu'était p'tite et fluette
S'harnachait comme une fillette :
Tous les caves en devinrent marteaux
        Su' l' Sébasto (bis).

Jalouses de cette nouvelle étoile,
Ses copines, pour qu'elle mît les voiles,
La crossaient dans tous les coinstos
        Du Sébasto (bis).

Voyant qu'elle restait là quand même,
Celles-ci la firent mettre en brême.
D'puis, les bourres la marquèrent d'auto,
        Su' l' Sébasto (bis).

La môme pauma sa clientèle.
L' bonhomme, à r'ssaut d'pus la faire belle,
Flopait dur et cher sa cateau,
        Su' l' Sébasto (bis).

Marrée de toutes ses vacheries,
Ainsi que d' ses paillassonneries,
La p'tite scia son gas pour Pataud
    Du Sébasto (bis).

L' pierre lui pardonna pas ce vanne ;
Pour s' venger, un soir de tisane,
Dans l' râpe lui planta son couteau,
    Au Sébasto (bis).

La môme chronit de sa blessure.
Aux traves Toto se fit la l'vure.
Ainsi finissent leurs zigoteaux
    Au Sébasto (bis).

L'ombre de Bruant nous pardonnera de dérober au chapitre qui lui est consacré, pour leur faire place ici, deux de ses chansons les plus connues : *A Saint-Lazare* et *A Mazas.*

La première surtout (*Dans la rue,* I, VIII, p. 61) est admirable de perfection technique — paroles et musique — et d'émotion. Elle a largement contribué à la gloire de Bruant, et c'est justice.

La malheureuse Rose, détenue à la prison pour femmes de Saint-Lazare à la suite d'une inspection sanitaire qui l'a reconnue syphilitique, écrit à son homme, Polyte (Hippolyte, prénom alors curieusement usuel chez « les hommes »), pour lui dire ses soucis, l'exhorter à bien se tenir et l'assurer de son amour.

A SAINT-LAZARE

C'est d' la prison que j' técris,
Mon pauv' Polyte,
Hier je n' sais pas c' qui m'a pris
A la visite ;
C'est des maladies qui s' voient pas
Quand ça s' déclare,
N'empêche   qu'aujourd'hui   j' suis   dans
l' tas...
    A Saint-Lazare !

Mais pendant c' temps-là, toi, vieux chien,
Quéqu' tu vas faire ?
Je n' peux t'envoyer rien de rien,
C'est la misère.
Ici, tout l' monde est décavé,

La braise est rare ;
Faut trois mois pour faire un linvé[1],
    A Saint-Lazare.

Vrai, d' te savoir comme ça sans l' sou,
Je m' fais une bile !...
T'es capab' de faire un sale coup,
j' suis pas tranquille.
T'as trop d' fierté pour ramasser
Des bouts d' cigare,
Pendant tout l' temps que j' vas passer
    A Saint-Lazare

Va-t'en trouver la Grande Nana,
Dis-y qu' j' la prie
D' casquer pour moi, j'y rendrai ça
A ma sortie.
Surtout n'y fais pas d' boniments,
Pendant qu' je m' marre[2]
Et que j' bois des médicaments,
    A Saint-Lazare.

Et pis, mon p'tit loup, bois pas trop,
Tu sais qu' t'es teigne,
Et qu' quand t'as un p'tit coup d' sirop
Tu fous la beigne ;
Si tu t' faisais coffrer un soir,
Dans eun' bagarre,
Y a pus personn' qui viendrait m' voir
    A Saint-Lazare.

J' finis ma lette en t'embrassant,
Adieu, mon homme,
Malgré qu' tu soyes pas caressant,
Ah ! j' t'adore comme
J'adorais l' bon Dieu, comme papa,
Quand j'étais p'tite,

---

1. Vingt sous, c'est-à-dire un franc. *Linvé* est le largonji de vingt, comme *larante-qué* est celui de quarante (sous).

2. Pendant que je m'ennuie à mourir. C'est à tort qu' E. Chautard *(op. cit.)* voit ici une confusion de Bruant. Il a bien existé en même temps deux verbes *se marrer* de sens opposés. L'un (celui du texte) vient de l'espagnol *marearse*, « avoir des nausées de quelque chose ». L'autre, qui reste seul en usage après 1910, signifie en effet « s'amuser tout son soûl », « se divertir ». Il est d'origine incertaine ou inconnue.

Et qu' j'allais communier à
> Sainte-Marguerite.

La Grande Nana a-t-elle refusé de casquer ? Toujours est-il que
Polyte, sans le sou, s'est lancé dans le fric-frac. Comme ce n'est pas
un professionnel (ni sans doute un futé), il s'est retrouvé vite fait à
Mazas pour un coup manqué, et sur un flagrant délit.

Entre-temps, Rose, « blanchie » si l'on peut se permettre cette
mauvaise plaisanterie, est sortie de Saint-Lazare, et Polyte lui écrit
pour se faire *assister* d'un peu d'*oseille*.

A MAZAS

Pendant qu' t'étais à la campagne,
En train d' te faire cautériser,
Au lieu ed' rester dans mon pagne,
Moi, j' m'ai mis à dévaliser ;
Mais un jour dans la rue d' Provence,
J' me suis fait faire marron su' l' tas,
Et maint'nant j' tire de la prévence,
> *A Mazas, à Mazas.*

C'est en dégringolant la case
D'une gerce, une gironde à rupins,
Qu'on m'a fait avec Nib-de-naze,
Un monte en l'air de mes copains.
Faut y passer, quoi ! c'est not' rente,
Aussi, bon Dieu ! J' me plaindrais pas
Si j'avais d' quoi m' boucher la fente,
> *A Mazas, à Mazas.*

Mais, nom de Dieu ! mince d' purée,
C'est dégoûtant c' que nous cachons :
Des lentilles, des pois en purée,
Et d' l'eau grasse comme à des cochons.
Vrai, j' m'enfilerais ben un' bouteille ;
A présent qu' t'es sortie d' là-bas,
Envoy'-moi donc un peu d'oseille,
> *A Mazas, à Mazas.*

Tu dois ben ça à ton p'tit homme
Qu'a p'tête été méchant pour toi,
Mais qui t'aimait ben, car, en somme,
Si j' te flaupais, tu sais pourquoi.

Maint'nant qu' me voilà dans les planques
Et qu' je n' peux pas t' coller des tas,
Tu n' te figures pas c' que tu m' manques,
     A Mazas, à Mazas.

Faut que j' te d'mande encor' quèqu' chose,
Ça s'rait qu' t'ailles voir un peu mes vieux.
Vas-y, dis, j' t'en prie, ma p'tite Rose,
Malgré qu' t'es pas bien avec eux.
Je n' sais rien de c' qui leur arrive...
Vrai, c'est pas pour faire du pallas,
Mais j' voudrais bien qu' moman m'écrive,
     A Mazas, à Mazas.

Embrassons-nous, ma gigolette,
Adieu, sois sage, et travaille bien,
Tâche de gagner un peu d' galette
Pour l'envoyer à ton pauv' chien.
Nous r'tourn'rons su' l' bord de la Seine,
A Meudon, cueillir du lilas,
Après qu' j'aurai fini ma peine,
     A Mazas, à Mazas.

Les chansons de ce chapitre sont restées jusqu'ici dans les limites de la bienséance, sinon de la civilité puérile et honnête. Cependant, il ne le serait pas (honnête) de feindre d'ignorer que la littérature argotique ne s'en tient pas toujours au sentiment, et qu'il lui arrive, comme à toute littérature, de faire un tour du côté de l'érotisme ou, du moins, du sexe.

Voici donc deux chansons argotico-paillardes. La première est de l'époque de Bruant (entre 1880 et 1910). C'est en quelque sorte « la carte » d'une bonne ouvrière du trottoir. Rappelons (oh ! nostalgie) que le franc-or d'alors valait à peu près cinquante de nos francs 1985 ; quatorze sous font donc trente-cinq francs d'aujourd'hui ; un franc vingt-cinq, un peu plus de soixante francs ; le *larantqué,* c'est-à-dire deux francs, cent francs — le prix actuel d'une « passe » très sommaire — ; trois francs (vingt ronds de plus), cent cinquante francs ; une thune (cinq francs), deux cent cinquante francs actuels ; pour sept-huit francs (en 1985, dans les quatre cents francs), le client peut se faire *scalper le Mohican* et *remettre le couvert,* guère plus pour dix francs, un demi-louis ; le louis entier donne droit au bouquet de roses dont les convenances, si malmenées qu'elles soient de nos jours, nous interdisent de vous donner l'explication.

Le plus vieux métier du monde serait-il aussi le plus conservateur ? Le fait est que le tarif de ces prestations est resté inchangé (toutes choses égales d'ailleurs) depuis un siècle.

On n'en dira pas autant des impôts.

LA PUTAIN CONSCIENCIEUSE

A qui veut casquer, pour un prix modique,
Je promets de faire, et sans nul chiqué,
Un travail de choix, signé au classique,
Pour un prix modique, à qui veut casquer.

Pour quatorze sous, la main dans la poche,
Même sous l'œil du flic qui m' regarde en d'ssous,
J'astique le dard du type qui m' raccroche,
La main dans la poche, pour quatorze sous.

Pour un franc vingt-cinq, dans une pissotière,
Ou bien pour un franc plus un marc su' l' zinc,
Quand les temps sont durs, j' glisse une langue légère,
Dans une pissotière, pour un franc vingt-cinq.

Pour un larantqué, c'est la simple passe :
Un quart d'heure au plus, va-z-y, v'là l' baquet ;
Sur le bord du lit, j'étale ma conasse,
C'est la simple passe pour un larantqué.

Pour vingt ronds de plus, je me déshabille,
Y a du feu chez moi et j' me lave le cul ;
Je m'efforce d'être un peu plus gentille,
Je me déshabille, pour un franc de plus.

A qui, dans mon bas, glisse une thune entière,
C'est déjà l' grand jeu, j' complique mes ébats ;
J' laisse un peu plus d' temps pour se satisfaire,
A qui glisse une thune entière dans mon bas.

Pour sept ou huit francs, prix encore modeste,
On peut s' faire en plus scalper l' Mohican,
Et prendre un billet d' retour, s'il en reste :
Prix encore modeste, pour sept ou huit francs.

Pour un demi-louis, sans que j' m'ébouriffe,
On peut — y en a tant qu'ont gâché les prix —
S' faire, dans toutes les langues, tutoyer l' pontife,
Sans que j' m'ébouriffe, pour un demi-louis.

Pour un louis entier, si rare est la chose,
Je sucerai un homme de la tête aux pieds,
Et je lui ferais vingt fois feuille de rose,
Si rare est la chose, pour un louis entier.

La seconde de ces chansons (aussi évidemment anonyme que la précédente) est de la même époque — peut-être autour de 1900 — et reprend le même thème. Cette fois, c'est pour *un écu* de cinq francs-or (deux cent cinquante francs) que l'amateur pourra se faire *tailler une plume,* pour laquelle je vous renvoie au *scalper le Mohican* ou au *tutoyer le pontife* dont il nous a déjà été parlé.

Et l'on finit par la même feuille de rose, très appréciée à l'époque, semble-t-il. Quant au dernier vers, si frais, si bucolique : *Que c'est comme un bouquet de fleurs,* il ne prend, osons le dire, toute sa saveur que pour celles ou ceux qui savent (si nous osons encore...) de quoi il retourne.

LA PIERREUSE

Je fais l' trottoir rue de la Lune,
Je taille une plume pour un écu ;
Dans c' métier là, pour faire fortune,
Il faut savoir jouer du cul.
Avec des marlous d' bas étage,
Je fais des noces à tout casser,
Et c' qui m'épate, c'est qu'à mon âge
Je puisse encore les faire bander.

REFRAIN

Fous-la au lit, fous-la par terre,
Fous-la là ousque tu voudras,
Et par-devant, et par-derrière !
Jamais la garce ne s'en plaindra.

Au coin du faubourg Poissonnière,
Quand un miché me fait de l'œil,
Il faut me voir, pimpante et fière...
Jamais putain n'eut plus d'orgueil !
I' m' fout su' l' lit, pan ! v'là qu'i m' baise ;

Et pendant qu'i' s'esquinte à jouir,
Je fais la chasse à la punaise
Afin d' pouvoir la nuit dormir.

J'en suis encore toute éreintée.
L'avait-il gros, ce vieux paillard !
J'ai cru que j'allais éclater
Pendant qu'il m'enfonçait son dard.
S'il me l'avait foutu dans l' ventre,
J'aurais bien pu ne pas l' sentir ;
Mais quand c'est dans l' cul qu' ça vous entre,
Bordel de Dieu ! qu' ça fait souffrir.

Je vous le dis en confidence :
Les hommes, ça n'est pas c' qui nous faut.
Ça vous procure trop peu d' jouissance
Pour tout le mal que ça nous vaut.
Un frais vagin, c'est autre chose :
On l' suce, on lui fait mille horreurs,
Puis on finit par feuille de rose,
Que c'est comme un bouquet de fleurs.

Autour du Chat-Noir

Poète authentique, qu'il n'est pas excessif de comparer à Charles
Cros, et personnage singulier, **Maurice Mac-Nab** (1856-1888) fut,
dans une carrière malheureusement brève, l'un des meilleurs chansonniers des *Hydropathes,* puis du *Chat-Noir.* De Vierzon, sa ville
natale, il était arrivé à dix-huit ans pauvre comme Job, à Paris, pour
y chercher, comme bien d'autres, le succès et au moins du pain.

Il y mourut à trente-deux ans, aussi pauvre qu'à son arrivée, mais
du moins connu et fêté. Ni Rodolphe Salis ni Bruant, qui lui succéda, n'avaient jamais imaginé de payer le bon poète autrement
qu'en l'autorisant à vendre pour quelques sous, après son passage
sur scène, les « formats » de ses chansons.

Voici la plus célèbre. Cette chanson politique ne fait pas la part
belle à la gauche d'alors.

LE GRAND MÉTINGUE
DU MÉTROPOLITAIN

C'était hier samedi jour de paye,
Et le soleil se levait sur nos fronts.
J'avais déjà vidé plus d'un' bouteille,
Si bien qu' j' m'avais jamais trouvé si rond.
V'là la bourgeoise qui rappliqu' devant l' zingue :
« Feignant, qu'ell' dit, t'as donc lâché l' turbin ? »
Oui, que j' réponds, car je vais au métingue,
Au grand métingue du métropolitain !

Les citoyens, dans un élan sublime,
Étaient venus guidés par la raison.
A la porte, on donnait vingt-cinq centimes
Pour soutenir les grèves de Vierzon.
Bref, à part quat' municipaux qui chlingue
Et trois sergots déguisés en pékins,
J'ai jamais vu de plus chouette métingue,
Que le métingue du métropolitain !

Y avait Basly, le mineur indomptable,
Camélinat, *l'orgueille* du pays...
Ils sont grimpés tous deux sur une table,
Pour mettre la question sur le tapis.
Mais, tout à coup, on entend du bastringue ;
C'est un mouchard qui veut fair' le malin !
Il est venu pour troubler le métingue,
Le grand métingue du métropolitain !

Moi j' tomb' dessus, et pendant qu'il proteste,
D'un grand coup d' poing, j'y renfonc' son chapeau.
Il déguerpit sans demander son reste,
En faisant signe aux quat' municipaux.
A la faveur de c' que j'étais brind'zingue
On m'a conduit jusqu'au poste voisin...
Et c'est comm' ça qu'a fini le métingue,
Le grand métingue du métropolitain !

Morale
Peuple français, la Bastille est détruite,
Et y a z'encor des cachots pour tes fils !...
Souviens-toi des géants de quarante-*huite*

Qu'étaient plus grands qu' ceuss' d'au jour d'aujourd'hui.
Car c'est toujours l' pauvre ouverrier qui trinque,
Mêm' qu'on le fourre au violon pour un rien...
C'était tout d' même un bien chouette métingue,
Que le métingue du métropolitain !

***

Traité avec le talent d'un Richepin (voir p. 194), le thème de la *gosseline* que sa *dabuche* jette sur le trottoir est encore supportable. Il l'est beaucoup moins quand il est repris, par exemple, par un pâle imitateur de Bruant, **Gaston Galembois,** dit Gasta :

PREMIÈRE COMMUNION

— Ma fille, au travail je me crève !
Remplace ta mère, mon enfant.
Que vas-tu faire ? Tu es si jeune !
Ta sœur, ton frère, à leur façon,
S'occup'nt ! Un r'mède contre le jeûne
Est d' savoir gagner du pognon.
Allons ! Ne fais pas ta bégueule !
Sois franche, vite, réponds-moi !
T'es gironde ! T'as un' bell' gueule !
Que vas-tu fair' de tes dix doigts ?
La goss' prenant un air candide
Se lève et répond lentement :
— J'suis assez bath ! J'ai pas une ride !...
Eh ben ! j' masserai ; c'est amusant !
J' vous l' jure, au turbin, j' suis pas flemme !
J' perds mon innocence aujourd'hui :
La Préfectur' m' donnera une brême !
Voilà c' que j' veux gagner c'te nuit !

***

Le lecteur averti s'étonnera de rencontrer au détour de ces pages le nom du plus symboliste, du plus décadent, du plus sophistiqué de nos poètes, celui de **Jean Moréas** (1856-1910). C'est que si la Grèce fut la première patrie de Jean Papadiamantopoulos, dit Moréas et même, par moquerie, Matamoréas, Montmartre fut la seconde.

C'est là, tout frais débarqué d'Athènes, qu'il se retrouve à seize ans. L'inlassable dénicheur de talents qu'était Émile Goudeau le fait aussitôt entrer en 1882 au *Chat-Noir* (le journal), auquel il collabora durant deux ans.

C'était une raison suffisante pour le faire entrer à notre tour dans cette anthologie avec ce poème dont deux ou trois mots d'argot justifieraient, s'il en était besoin, la présence ici.

MONTMARTRE

Là, sur le trottoir où raccroche la gouine
Pour payer du pétrole au dos-vert avili,
Le modèle fringant montre sa tête fine
Où rêvent deux grands yeux en lapis-lazuli.

Là, de pâles rapins, petits Rubens en herbe,
Traînent la guêtre sur les pavés édentés,
En rêvant des Vénus blondes comme la gerbe
Ou quelque Néréide aux beaux seins effrontés.

Et le superbe gueux, le poète lyrique,
S'en va par les chemins qui grimpent de travers,
Cherchant la rime d'or au timbre métallique,
En dînant moins souvent de beefsteaks que de vers !

Le *pétrole* que paie la *gouine* (la prostituée protégée ; mais le mot est impropre) au *dos-vert* (à son souteneur), n'est pas, faut-il le préciser, celui qu'on mettait alors dans les lampes, mais la fatale absinthe, « la verte ».

***

Si le *Chat-Noir,* puis *Le Mirliton* furent les plus parisiens des cabarets chantants de la Belle Époque, la plupart de ceux qui s'y produisaient, à commencer par Bruant, étaient nés provinciaux. Ils débarquaient à Montmartre, à dix-huit ou vingt ans, leur valise encore à la gare, sans un sou vaillant, la tête bruissante d'espoirs qui n'étaient pas forcément chimériques, au moins les espoirs de succès.

Voici cependant un Parisien authentique, mieux, un Montmartrois, **Léon Fourneau** (1867-1953), beau garçon, santé de fer, étudiant en droit puis avocat presque sérieux, fils d'une famille fort bourgeoise qui eût été horrifiée d'apprendre que leur rejeton se produisait à ses moments perdus sur ces scènes mal famées.

Si bien que, Fourneau se disant Fornax en latin (et le jeune Léon en avait évidemment fait), et Fornax retourné se lisant **Xanrof**, naquit vers 1893 un chansonnier de talent au nom vaguement moldo-valaque.

Inspiré par un incident réel dont il avait failli être la victime, *Le Fiacre* fit la gloire de Xanrof (dont c'était la première chanson) le jour où Yvette Guilbert le chanta. Poète élégant, un peu mièvre et plutôt pudibond, Xanrof ne peut figurer ici que pour un pastiche — amusant, mais nullement argotique — de la chanson bien connue de Bruant, *A Saint-Lazare* (voir p. 266). Il est tiré des *Chansons sans gêne,* dont le titre est au demeurant bien exagéré (publiées en 1890 chez G. Ondet).

EN VACANCES
Air de : *A Saint-Lazare*

Mon chat, j' t'écris d' chez mon parrain
Où j' fais une balle !
Je m'amuse comme une croûte de pain
Derrière une malle ;
Me v'là pour deux mois dans un trou
D' la Basse-Bretagne,
Et c'est pas gai, pas gai du tout
    A la campagne.

Le soir, au lieu des cris joyeux
De la bamboche,
On n'entend monter sous les cieux
Que l' son d' la cloche.
Si j'entends plus les r'frains d' Paulus,
Crois pas qu' j'y gagne :
J'entends les Vêpres et l'Angélus
    A la campagne.

Comme distraction, j'ai cherché :
Je n' vois que l' prêche,
Car tu sais, quoiqu' j'aime le péché,
J'aime pas la pêche.
Au café, on parle de l'impôt,

Des blés d'Allemagne ;
On n'en parle même pas en argot,
    A la campagne.

C' que j'admire par exemple, c'est
L' corsage des filles
Qui soutient ferme et sans corset,
L'assaut des drilles ;
En contemplant les appas sains
De ces compagnes,
J' comprends qu'on croie encore aux saints
    Dans nos campagnes.

Mais n'envie pas ces filles : elles ont
Des yeux d' génisses.
Leurs mains larges et rouges sont
Pattes d'écrevisses ;
Leur parfum n'a rien d' la douceur
D' la peau d'Espagne ;
Ça sent l' purin, ça sent la sueur,
    A la campagne.

Dire que toi, pendant que j' gémis,
Tu m' trompes peut-être ?
Tâche que ce soit un d' mes amis,
J'aime mieux l' connaître.
Moi j' reste sage, — sort cruel
Et dont je bisque —
Et je m' porte comme la tour Eiffel
    Ou l'Obélisque.

***

Le petit monologue très « montmartrois » qui suit est de 1902 ; nous le devons à Mérall (**Maurice Millereau** dit Mérall, 1873-1935) et au tout jeune **Georges Thénon,** devenu par la suite le Rip que nos pères ont beaucoup apprécié, durant les années 1925-1950, aux *Deux-Anes.*

Disons-le tout de suite : ce n'est pas un chef-d'œuvre et nous l'aurions laissé dormir dans nos cartons s'il ne présentait un double intérêt : le premier, de raconter à sa façon le fait divers tragique dont la trop belle « Casque d'Or » fut l'enjeu, et qui mena à l'échafaud le brave Manda, assassin du voyou Leca, son rival.

Le second est que c'est précisément en 1902 que l'appellation d'*apache* fait son apparition dans le vocabulaire argotique pour désigner un mauvais garçon, un voyou. Ce serait, à partir bien sûr des véritables Apaches d'Amérique, des féroces ! une création de journalistes : à la même époque, Victor Morris, du *Matin,* et Arthur Dupin, du *Journal* (deux monstres concurrents de la presse d'alors), en revendiquaient l'un et l'autre la paternité avec la même vigueur.

L'apache nouveau-venu eut en tout cas un succès fulgurant, puisque Montmartre en fait (quelques semaines ou au plus quelques mois après) le sujet de ce petit divertissement.

Le diseur « arrive des Montagnes Rocheuses ». Il a eu là-bas (dit-il) « le bonheur de fréquenter quelques Apaches de marque, des vrais, des bons, des purs, les derniers de la race... ». Leur chef, Grand-Serpent-de-la-Prairie, s'intéresse fort « aux exploits des Apaches de Paris, ces frères de l'autre côté de l'eau... ». A tel point qu'il a tourné sur le sujet un sonnet (« Ce Grand-Serpent était un serpent à sonnets », glisse le diseur) : *Le Grand Combat de Leca contre Manda pour les beaux yeux de Casque d'Or...* Le voici :

Casque à Manda casqua ; plaqua Leca, l'Apache.
Manda ballada Casque à la barbe à Leca.
Leca, mâle à gras bras, qu'a pas la rate à plat,
Baba, bava, ragea : « Ah ! la carne ! ah ! la vache ! »

Manda crâna, blagua, nargua Leca, bravache.
Hagard, Leca clama : « Tabac ! tabac ! tabac ! »
A la dague, à la lame (à la hâte), attaqua.
Manda para ; cana, cavalcada... Macache !

Par sa cape alpaga, l'Apache happa Manda,
L'agrafa, l'accabla, malaxa sa ganache,
La tanna, saccagea, savata, salada.

La carda, la scalpa... Manda brama : « Ah ! lâche ! »
S'affala — patatras ! — cracha, râla, claqua...
L'Apache, à la papa, pas à pas cavala.

Oui, d'accord, je sais ce que vous allez me dire. Mais si on ne peut plus s'amuser...

Chants de misère et de révolte

L'Histoire ordonne, et l'époque obéit. Ce que dit la première, dans ce dernier quart du XIXᵉ siècle, en Europe et aux États-Unis, c'est la révolte du prolétariat des villes qui gémit sous « le talon de fer » du capitalisme sauvage. Les temps forts de cette révolte sont la Commune de Paris, le Premier Mai international de 1890 et les grèves réprimées dans le sang.

Cette misère désespérée inspire au même degré des hommes aussi différents d'origine et de tempérament que Bruant, Rictus ou Pouget. Ce que leur apporte l'époque, c'est une forme commune — le français faubourien ou argotique —, et un moyen d'expression plus familier à leurs temps qu'au nôtre, la chanson politique.

En voici deux caractéristiques, tirées de *L'Almanach du père Peinard* pour 1898.

LE PÈRE PEINARD
Chanson du populo

I

J'ai soupé d' la politique !
Les politiciens
Nous font une république
Bonne à foutre aux chiens !
Peuple, n' sois donc plus si flème.
Au lieu d'être votard
Fais donc tes affair's toi-même,
    Te dit l' père Peinard ! (bis)

II

Pendant que l' patron se gave,
Toi t'as le ventre creux ;
Tu n'es pour lui qu'un esclave,
Un ivrogne, un gueux ;
Quoiqu'à marner tu t'esquintes,
T'es toujours déchard ;
Faut plus qu'y s' fiche de tes plaintes,

Te dit l' père Peinard ! (bis)

III

Quand tu traînes ton agonie
Et qu' tu crèves de faim,
L' candidat, par ironie,
T'appelle « souverain ».
Ce mendigot d' ton suffrage
Te prend pour jobard.
Crache-lui donc au visage,
  Te dit l' père Peinard ! (bis)

IV

Le député que tu nommes
Pour pondre des lois,
Suppose-le la crème des hommes...
Au bout d' quelques mois,
A tes frais faisant ripaille,
Y d'viendra roublard...
Envoie dinguer c'te racaille !
  Te dit l' père Peinard ! (bis)

V

L' copain qui passe contremaître
Deviendra salop.
Le troubade parle en grand maître
Dès qu'il est cabot ;
A l'usine comme en caserne
On devient rossard,
Aussitôt que l'on gouverne,
  Te dit l' père Peinard ! (bis)

VI

Si tu cessais de produire
Et de payer l'impôt,
Il crèverait, ce vampire
De capitalo.
Sauve la terre et la machine
Des mains du richard ;
Fais produire pour toi l'usine
  Te dit l' père Peinard ! (bis)

VII

Si quelqu'un t' parle de patrie,

Fût-il convaincu,
Réponds à sa gourderie
Par ton pied dans l' cul !
Ne sois plus assez b...onasse
Pour qu'un étendard
Te fasse crever la paillasse !
      Te dit l' père Peinard ! (bis)

VIII

Ah ! nom de Dieu ! Faut qu' ça change !
Soyons plus nerveux !
Et pour nous tirer d' la fange
En attendant mieux,
Gouvernants, patrons, jésuites,
Jugeurs, galonnards,
Bombardons-les de pommes cuites !
      Nous dit l' père Peinard ! (bis)

S'il restait à prouver qu'il y a bien un anarchisme de gauche et un autre de droite, et que l'un et l'autre empruntent souvent les mêmes formes et les mêmes humeurs, nous l'aurions belle en faisant succéder à la chanson du père Peinard un monologue de Bruant sur le même thème, celui de l'indifférence pour la politique. Le voici (tome 1, pp. 280-284 de l'édition de référence, 1896) :

J' M'EN FOUS !

Dans l' temps j' faisais d' la politique
Et j'étalais mes opinions ;
Et j' criais : Vive la République !
Et j' gueulais dans les réunions.
Et même quèqu'fois (ej' peux ben l' dire)
M'arrivait d'aller m' foute des coups
Avec les blouses blanches d' l'Empire...
      Maint'nant, je m'en fous !

Ça vous semble drôle, j' m'en doute,
Qu'un homme aussi distingué qu' moi,
Un homme aussi comme i' faut, s' foute
Ed' la République et du roi.
Ben, voilà... c'est pus mon affaire...
Et qu'on gueule : A bas les filous !
Vive l' Sénat ou l' ministère !
      Maint'nant, j' m'en fous !

J' m'en lave les pieds comm' Ponce-Pilate !
Maint'nant je n' m'occupe plus de rien.
Quéqu' ça peut m' foute à moi qu' ça s' gâte
Ou qu' les affaires a marchent bien ?
Aussi qu'on r'fasse l' plébiscite,
Qu'on foute l' pays sens'ssus d'ssous,
Ou l' gouvernement en faillite,
        Maint'nant, j' m'en fous !

Ne jouons pas les naïfs. La différence est de taille : Pouget s'est
battu pour l'anarchie. Il lui a sacrifié sa vie et est mort pauvre et
honni. Bruant s'est battu pour faire fortune : son anarchisme est
celui du rat retiré du monde, fortune faite dans le populisme.

Et revenons à *L'Almanach du père Peinard* avec un monologue
signé E. G., Émile Goudeau (voir p. 274). Il s'adresse expressément
aux gardiens de l'ordre qui en prennent ici, c'est le cas de le dire
« pour leur grade ».

SERGOT !

Tout comme un autre t'aurais pu
Prendre une varlope, une scie, une lime :
T'es grand, t'es solide, t'es trapu !
Seul'ment faut qu'on masse et qu'on trime.
T'es bien plus chouette dans les sergots.
Tu n' fous rien, tu t' rougis la trogne,
Tu t' fais rincer par les bistrots.
        Va donc, eh ! cogne !

Les pauvr's gas qui t' gagnent ton argent,
Tu les embêt's, tu les houspilles.
T'aim' mieux t'entendr' dire : « M'sieu l'agent »
Par les rôdeurs et par les filles.
Tu fais l' beau quand è' t' nomment : « grous loup ».
Ah ! c'est du joli dans ta clique !
C'est feignant, poivrot et marlou.
        Va donc, eh ! flique !

L'autre jour, c'était l' premier mai.
Sur les anciens frangins en cotte
J' t'ai vu, le regard allumé,
Tomber à grands coups d' poings et d' botte.
Sur les goss', les femmes et les vieux,

Tu cognais dur, faisant l' bravache ;
Une ombrell' rouge t' rendait furieux.
Va donc, eh ! vache !

***

Il y a eu et il reste heureusement *L'Internationale* pour sauver
d'un oubli complet le nom d'**Eugène Pottier** (1816-1887). Un peu
aussi :

Tout ça n'empêche pas,
Nicolas,
Que la Commune n'est pas morte,

ressuscité pour un temps dans la fièvre de 1968.

Hors cela, rien. Le citoyen-poète mérite cependant mieux que ces
couronnes tombales. Tout n'est pas également bon dans ses chants
révolutionnaires commencés sous la Seconde République, poursuivis avec courage tout au long du Second Empire et de la Commune,
et qui ne furent édités, grâce à une souscription de ses amis, qu'en
1887, chez Dentu et Cie, libraires, avec une préface d'Henri Rochefort.

Mais comme le dit leur titre, ces chansons étaient faites pour
être... chantées, et non pas lues ; et chantées entre citoyens, révolu-
tionnairement. Beaucoup sont d'une grande qualité d'émotion et
d'écriture.

Cependant, si Pottier était profondément « peuple », il n'était pas
populiste ; encore moins argotier. Le prolétariat, chez lui, parle une
langue forte et noble. La règle de notre jeu ne nous permet donc de
retenir de son œuvre qu'une chanson de 1883. C'est trop peu pour
le faire reconnaître à sa valeur ; c'est assez pour lui rendre hom-
mage.

AH ! T'ES RIEN... BON !

De quoi ! dit Filoche à Guguste,
Ton père est un vieux ramolli.
De quoi ! nous déformer le buste
Des douze heures à l'établi ?
Vois donc les choses par toi-même :
Suer, ça donne des fraîcheurs,
Les rupins vivent dans la flême,
Et le pouic est pour les bûcheurs.

REFRAIN

Ohé ! Guguste, ah ! t'es rien... bon
De t'atteler à leur carrosse ;
Traité par eux comme une rosse,
T'iras crever à Montfaucon.
Ohé ! Guguste, ah ! t'es rien... bon !

Il n'a pas Rothschild dans sa poche,
Ton auteur, le papa Dubreuil.
Pourtant, c'est vissé dans la pioche,
Ça boit quand il lui tombe un œil.
N'empêche qu'étant à la veille
D'être pèrclus, son capital,
— S'ils ont un lit de trop, ma vieille —
C'est de claquer à l'hôpital
AU REFRAIN

Et le gros pacha de l'usine,
Millionnaire, celui-là,
Cocher poudré, chef de cuisine,
A-t-il travaillé pour cela ?
Sait-il ce que c'est qu'une enclume ?
Tâche ! il hérita tout gamin ;
Et l'on ferait un lit de plume
Des poils qu'il vous a dans la main.

AU REFRAIN

Dans la besogne, tu te vautres,
T'as le chicotin, moi le suc ;
Pour faire travailler les autres
Va falloir que je pince un truc.
Je m'abouche à la haute pègre,
A la Bourse, dans leurs bazars,
Va, feignant, masser comme un nègre,
Je suis du parti des lézards.
AU REFRAIN

***

Pour nous faire une idée de la vitalité de la chanson parisienne
entre 1880 et 1900, il suffit de retracer rapidement la carrière de
Jules Jouy (1855-1897).

Né à l'ombre des chais de la halle aux vins de Bercy, fils d'un boucher, ce petit bonhomme barbichu, louchon, le mégot d'un cinq-cen-
timados éternellement vissé au coin de la bouche, fut durant quinze
ans l'âme du *Club des Hydropathes,* puis du *Chat-Noir,* enfin du
Cabaret des Assassins, et dans les dernières années de vie, du *Concert
des Décadents.*

C'était, disent ses contemporains, « la chanson faite homme... Il
[en] produisait comme un pommier produit des pommes ». Combien
au total ? On ne sait trop, et c'est dommage. Trois mille au moins,
quatre peut-être. Trois mille chansons !!! Et dont aucune n'est vraiment faible ou inintéressante ! Avec tout cela, le brave Jules mourut
pauvre, comme il avait vécu...

Peu de ces chansons sont véritablement argotiques ; si bien que
nous devons, à notre vif regret, nous en tenir ici à trois ou quatre.

Bon nombre de ses œuvres furent à l'époque de grands succès ;
mais on sait par d'autres exemples que le succès, alors, ne nourris-
sait pas son homme. Ainsi, *Derrière l'omnibus,* lancé par Paulus ;
Mademoiselle, écoutez-moi donc, un triomphe qu'il partagea avec
Bruant, alors débutant, qui en avait écrit la musique ; *C'est ta poire !*
et *La Soularde,* chantés par Yvette Guilbert.

Jules Jouy fut avant tout un chansonnier politique. Il avait rencontré au *Chat-Noir* Jules Vallès (mais oui !), qui lui demanda de
donner à son journal, *Le Cri du peuple,* une chanson par jour...
C'était en 1885. Peu de temps après, *Le Cri du peuple* passa au bou-
langisme. Jouy, comme à peu près tous ses camarades gaucho-anar-
chistes de la Butte, était violemment anti-Boulanger et ne tarissait
pas de sarcasmes sur « le brav' général » et son cheval noir, qu'il
avait lui-même surnommé (le général, pas le cheval) « l'infâme à
barbe ».

Furieux, Jouy passa au plus ardent des journaux anti-boulan-
gistes, le *Paris,* auquel il donna tout au long de 1888 — l'année critique de l'affaire Boulanger — sa fameuse chanson quotidienne, ou
presque.

Prenons par exemple le mois de mai 1888. Le 15 avril, Boulanger
a été élu triomphalement dans le Nord. Rien ne paraît devoir l'arrêter dans sa marche au pouvoir. Cela n'empêche pas Jules Jouy de
faire chanter le 11 mai *L'Officiel Boulangiste* (« L'officiel de Boulanger, C'est L'Officiel du Mensonge ») ; le 12, *Aux fripouilles boulangistes ;* le 13, *Le Voyage de M. Boulanger* (sur l'air, bien sûr, de :
« Bon voyage, Monsieur Dumollet ! ») ; le 14, *Le Protecteur de la
morue* (Le général s'était déclaré publiquement en faveur des prostituées malmenées par la police) ; le 15, *Les Deux Flétris* (ce sont Bou-

langer et Rochefort, qui militait pour lui); le 16, *Le Cirque Boulange;* et le 17, celle que nous donnons ici :

LES CARTES TRANSPARENTES
Chanson de camelot

Si je dessine des poissons
Su' c' trottoir où j' barre la route,
C' n'est pas pour donner des l'çons
D' dessin au monde qui m'écoute.
Non, c'est afin d'amasser
Les foules indifférentes,
Et de pouvoir leur glisser
Mon paquet d' cartes transparentes.

Il y a de quoi rigoler,
Le soir, autour de la lampe !...
I' faut pas vous en aller !...
(Tout d' suite, i' faut qu' ça décampe !)
Au public naïf qui croit
Que j' vends des choses indécentes,
Je vais dire ce que l'on voit
Dans mes cartes transparentes.

On y voit l' brave Boulanger
A Belley prier la Vierge.
D' sa main on voit émerger
Un interminable cierge.
Ce vaillant guerrier d' la foi
Se mêle aux communiantes.
V'là c' qu'à la lumière on voit
Dans mes cartes transparentes.

Plus loin, on voit l' prince Victor
Dans la caisse bonapartiste
Puiser et répandre l'or,
Pour la campagne Boulangiste.
L' général, tendant l' bras droit,
Empoche les espèces sonnantes.
V'là c' qu'à la lumière on voit
Dans mes cartes transparentes.

Dans une autre carte, on peut voir
Boulange faire son Deux-Décembre.
Monté sur son cheval noir,

Par la fenêt' i' fiche la Chambre.
Mais l' peuple voulant rester roi,
Sauve ses libertés mourantes.
V'là c' qu'à la lumière on voit
Dans mes cartes transparentes.

Dans l'avant-dernier carton,
Pour fuir, Boulanger fait sa malle.
Dans l' dernier, un feu d' p'loton
Foudroie l' protégé d' d'Aumale.
Sur le nez i' tombe tout droit,
Pleuré des p'tites figurantes.
V'là ce qu'à la lumière on voit
Dans mes cartes transparentes.

17 mai 1888.

En juin, les affaires du général piétinent. Il s'endort sur ses lauriers électoraux, alors que ses alliés (et ses commanditaires) le poussent au coup d'État. Sentiments que traduit Jules Jouy dans la chanson que voici :

GAVROCHE À BOULANGE

— Eh ben, dis donc, mon vieux Boulange,
M' semble que l' triomphe est suspendu !
I' faut prendre une étoile de r'change
Ou t' payer d' la corde de pendu.
Dam ! la gloire est un p'tit jeu traît'e
Où l'on est pas toujours gagnant.
Qui sait ? La veine reviendra p't-être...
Monte donc su' ton ch'val, eh ! feignant !

Tu t'endors comme une vieille baderne
Sur tes lauriers de papier peint.
Ben, vrai ! pour un César moderne,
Mon pauv' vieux, t'es rien pas rupin !
Toi qu'avais un si beau panache,
C'est drôle c' que tu deviens gnan-gnan !
C'est donc vrai qu' tu n' serais qu'une ganache ?...
Monte donc su' ton ch'val, eh ! feignant !

Montre-leur que t'a pas qu' la gueule,
Et qu' t'as du biceps aussi.
D'puis qu' t'es élu, t'es mou, t'es veule ;
On ajoute même que t'as grossi.

Toi qu'avais l'air, su' ta monture,
D' François premier à Marignan,
Au lieu d' poser pour la sculpture,
Monte donc su' ton ch'val, eh! feignant!

Dans les titis on t' gobe encore;
Mais ça n' peut pas durer longtemps.
La foule est une drôle de pécore
Dont les amours sont inconstants.
Si on n' lui réserve pas d' surprises,
A' n' nous suit plus qu'en rechignant.
Au lieu de r'garder si tu frises,
Monte donc su' ton ch'val, eh! feignant!

T'avais promis d' foute par la f'nêtre
La Chambre et tout le ba-ta-clan.
Le bonheur, par toi, devait r'naître
Partout, grâce à ton fameux plan.
Une fois nommé, phuitt! pus personne!...
Le peup' va toujours se plaignant,
Attendant qu' l'heure, au cadran, sonne.
Monte donc su' ton ch'val, eh! feignant!

Si quèqu's-uns ont voulu t'élire,
Faut pas croire qu' c'est pour tes beaux yeux.
Sais-tu ce qu'on commence à dire?
Qu' tu n'es qu'un vulgaire ambitieux;
Que toi, de même que tes apôtres,
Pour l'assiette au beurre se cognant,
Vous êtes des canailles, comme les autres!...
Monte donc su' ton ch'val, eh! feignant!

3 juillet 1888.

Le lendemain, 4 juillet, Jules Jouy s'en prend aux « renégats de la République », ses ex-amis socialistes passés dans le camp du général factieux. Il cloue au pilori cinq des plus compromis dans l'aventure boulangiste, dont le camarade Laguerre.

Le 5, c'est *Boulanger littérateur.* Le 6, *La Débâcle* :

Toute la Boulange s'injurie :
Y a p'us d' foin dans l' râtelier.
Afin d' nourrir l'écurie,
Les gogos n' veulent plus payer.
C'est l' commencement d' la débâcle
Pour notre brav' général...

Il « remet ça » le 7, puis le 8 et encore le 10, toujours sur le thème de la débâcle (financière pour commencer) des boulangistes. Le 11 (toujours juillet), voici *Le Toupet de Boulanger*; le 12, *La Question des chiens* que le préfet de police veut contraindre à une conduite plus décente. Mais,

Les chiens, errant à l'aventure,
N'aspirent pas à la dictature.
Quèque temps qu'i fasse, chaud ou frais,
Ils ne voyagent pas à nos frais.
Ils ont une conduite polissonne ;
Mais quoi ! Ça n' fait d' mal à personne.
Y a quèqu'un qu'on d'vrait attacher,
C'est l' brave général Boulanger.

Pour le surlendemain 14, trève ; non pas de chansons, mais d'attaques contre le général. C'est la fête de la République. Le 17, le 18, le 19, la guérilla reprend, toujours aussi vive, et encore le 20. Le dimanche 22, il y a élection partielle en Ardèche ; ce sera une sévère défaite pour le parti boulangiste. Au cours d'une réunion, le renégat Laguerre a traité de « voyous » ses adversaires républicains. D'où la réponse furibarde de Jules Jouy, par laquelle nous clorons cette équipée.

RÉPONSE D'UN « VOYOU »

Espèc' d'échappé d' Saint-Sulpice,
Aboule un peu ton sal' caillou !
Mauvais Saint-Just en pain d'épice,
Je vais t' dire ton fait, moi « voyou » :
Reluquez-moi c' pou d' séminaire,
C' méchant aztèque au cou tordu !
Si ça n' fait pas suer, cré tonnerre !
Sors donc que j' te crève, eh ! vendu !

Montre-nous ton museau, qu'on l' gifle !
Voyez-vous c' fœtus sans bocal
Nous traiter d' « voyous » parc' qu'on siffle
Ses méchants propos d' clérical !
« Voyou » toi-même, avorton d' prêtre ;
Le peuple en a trop d'êtr' tondu ;
I' crach' sur ta bobine de traître !

Sors donc que j' te crève, eh ! vendu !

Le seul « voyou » s' trouv' dans ta ch'mise,
Dégoûtante paillasse à soldats ;
Te livrant comme une fill' soumise,
T'as lâché l' peuple, en vrai Judas.
A Boulang', pour dev'nir ministre,
Not' drapeau roug', tu l'as rendu !
Tu n'es qu'un p'tit gredin sinistre !
Sors donc que j' te crève, eh ! vendu !

Espèc' de chéri d' cabotines,
Tu commences à nous fair' rager.
Content'-toi d' cirer les bottines
Du brav' général Boulanger.
« Enfant de chœur » de la Boulange
Accroupi, le derrièr' tendu,
Approche un peu ton nez, qu'on l' mange !
Sors donc que j' te crève, eh ! vendu !

Sois tranquille, va, t'es su' la liste !
Vienn' la Rouge, tu n'y coup'ras point !
Effronté parjur' socialiste
L'avenir te montre le poing !
Sans pitié, l' peuple, pour que l' traître
A la lanterne soit pendu,
Viendra crier devant ta f'nêtre :
« Sors donc que j' te crève, eh ! vendu ! »

                    21 juillet 1888.

LA BELLE ÉPOQUE

1895-1914

Georges-Victor-Marcel Moinaux (1858-1929) est trop connu sous son nom de plume de **Courteline** pour que nous nous étendions sur sa vie, tout entière consacrée à une œuvre abondante, qui va des *Gaîtés de l'escadron* (1886) aux *Lieds de Montmartre* (1923).

Cependant, si grande que soit notre admiration pour lui, force est bien de constater que Courteline, qui fréquenta sa vie durant ses contemporains argotiers, n'a lui-même laissé que très peu de choses dans ce domaine. Des phrases, des mots, oui, il n'en manque pas çà et là dans son œuvre. Mais de textes, nous n'avons pu en retenir que deux. L'un est de l'époque qui nous occupe présentement : 1895. C'est une pochade réaliste, dont la musique est de Paul Delmet. L'autre, de sa verte vieillesse, est l'un des *Lieds de Montmartre* dont nous avons parlé. Compte tenu de sa date (1923), nous l'avons séparé du premier, coupant ainsi irrévérencieusement mais sagement le malheureux Courteline en deux.

La Cinquantaine, ce sont deux pauvres cloches, un vieux et sa vieille, qui chantent en duo leurs malheurs pour attendrir les âmes sensibles et leur mettre la main au porte-monnaie.

Mais ils se haïssent cordialement, et ne peuvent s'empêcher d'échanger à mi-voix, entre deux couplets, les vérités les moins bonnes à dire. Nous prenons le texte en marche, au deuxième...

REFRAIN À L'UNISSON

> Viens, ma sirène,
> Comme autrefois,
> Courir, ma reine,
> Au fond des bois.
> Viens, de ma vie
> Astre pâmé !
> Tout nous convie
> A nous aimer.

Ritournelle sur la guitare et reprise du jeu de scène déjà vu.

L'HOMME. — Et le plus chouette, c'est que c'est toi qu'es saoule, justement.

LA FEMME. — Moi ? Eh bien, t'en as une santé !

L'HOMME. — Tu parles, si faut que j'en aye une, pour rester de là, collé depuis pus de vingt berges avec une vieille peau pareille.

LA FEMME. — Ma peau vaut bien la tienne, casserole !

L'HOMME. — Comment qu' t'as dit ?

LA FEMME. — Casserole.

L'HOMME. — Répète-le un petit peu. Je te refile un marron par le blair, que tu verras si c'est de l'eau de savon.

LA FEMME. — Casserole ! Casserole !

L'HOMME. — Tu crânes à cause qu'on est dans la bonne société. Espère un peu ; on n'y sera pas toujours. C'est malheureux, ça, aussi, de se faire moucher par une paillasse pouffiasse qui vous achète devant le monde et qui dit comme ça qu'on est saoul.

LA FEMME. — Ferme ta malle ! On voit Gouffé.

L'HOMME. — Zut !

LA FEMME. — Va donc, eh, paquet !

L'HOMME. — Poison !

LA FEMME. — Plein de puces !

L'HOMME. — Tête à poux ! Et puis *(en pantomime)* m...

ENSEMBLE. — Troisième couplet !

LA FEMME

Toc, toc ! Qui frappe à cette heure à la porte ?
Ciel ! c'est la mort !

L'HOMME

Jeanne, ne tremble pas.
La mort n'est rien, si notre amour plus forte
Survit encore au plus prochain trépas.

LA FEMME

Dans le cercueil, où nos cendres glacées
Sommeilleront en l'horreur des néants,

L'HOMME

Pour nous chérir, au bout de mille années,
Nos cœurs, ma Jeanne, auront encor vingt ans !

La môme Sucre-d'Orge

En 1895, à quarante-cinq ans, **Aristide Bruant** est le poète et le chansonnier argotique le plus connu de France. En fait, il est à lui seul une institution : l'autorité en matière d'argot. D'où son désir d'user de cette célébrité littéraire pour toucher un public nouveau et plus large, celui du roman populaire. A cette considération s'est certainement ajouté le plaisir de raconter très longuement une histoire à dormir debout.

Ainsi naissent *Les Bas-fonds de Paris,* gigantesque roman-feuilleton (ou plutôt, dit le titre, « roman dramatique ») de deux mille quatre cent quatre pages grand format, paru en deux gros volumes illustrés chez l'éditeur Julien Rouff, en 1897.

On ne résume pas en quelques lignes deux mille pages ; et surtout pas celles de Bruant et de son équipe, car il fut considérablement aidé dans cette entreprise pharaonesque, par Léon de Bercy entre autres. Elles mélangent allégrement et habilement tous les genres à la mode à l'époque : le mélodrame à la Eugène Sue (*Les Bas-fonds* sont une réponse parodique aux *Mystères*), le sentimentalisme moralisant de Charles Mérouvel (*Chaste et flétrie,* 1890 ; *La Fille sans nom,* 1893), la gauloiserie facile à la Paul de Kock (*La Pucelle de Belleville,* 1834 ; *La Jolie Fille du faubourg,* 1840), dont le succès n'était pas épuisé après un demi-siècle ; et bien sûr, le théâtre et les récits argotiques d'Oscar Méténier (voir pp. 211 à 218), qu'il connaissait et appréciait.

Si repérables que soient les modèles du roman de Bruant, celui-ci n'en reste pas moins profondément original ; sans doute, précisément, parce que le mariage des trop connus a produit ici une œuvre nouvelle, dans le ton et dans la manière de conduire le récit.

Entre ses devanciers ou ses contemporains et lui, la différence est dans l'énorme humour de Bruant, et dans l'évidente jubilation avec laquelle il fait pirouetter ses marionnettes, dans le sang comme dans le rire, dans le stupre comme dans l'horreur. Ce plaisir de raconter fait des *Bas-fonds de Paris* une œuvre qu'on lit ou relit avec plaisir ; ce qui n'est certes le cas d'aucune de celles que nous avons citées, à l'exception peut-être du théâtre de Méténier.

Qu'on lit ; ou plutôt qu'on lirait, si le roman de Bruant, difficilement trouvable en bouquinerie, était réédité, ce que n'envisage de faire aucun éditeur raisonnable — ou même déraisonnable —, et pour cause : trop, c'est trop.

En voici du moins deux extraits à peu près suivis, qui baignent allégrement, on va le voir, dans l'immoralité juvénile considérée comme l'un des beaux-arts.

> Il y a, à Paris, de ces petits ménages de gosses maqués ensemble qui n'ont pas plus de vingt-cinq ans à eux deux. Le Roquet et sa marmite se bâchaient la nuit dans une espèce de guérite en planches qui servait aux cantonniers de la ville... Les autres gosses de la bande, dans de gros tuyaux amenés là pour le service des eaux... On foutait le camp longtemps avant le jour, pour aller en maraude.
>
> La bande du Roquet était la terreur des poulaillers et des cabanes à lapins... Elle s'abattait aussi, comme une nuée de sauterelles, sur les enclos des maraîchers. Dans la journée, on allait boulotter en commun son butin dans les bois de Clamart... A la tombée de la nuit, on rappliquait vers les fortifs où « Sucre-d'Orge » truquait, soit dans les fossés, soit sur les bancs des Boul'Exters qui sont assez mal éclairés. La gosse trouvait souvent des amateurs, mais c'était la purée... des lapins quand elle ne faisait pas casquer d'avance. Ça embêtait le Roquet, qui ne rêvait que de baths affures et qui parlait toujours de marner dans le grand.
>
> Alors, en revenant se bâcher dans la guérite, après avoir fraternellement partagé sa ménesse avec les copains, il engueulait « Sucre-d'Orge ».
>
> Une nuit qu'elle n'avait pas étrenné et qu'il revenait avec elle, le long du boulevard Brune, désert à cette heure-là, il lui récita à peu près cette antienne que nous avons mise en vers :
>
> > T'es pas dessalée, que j' te dis !
> > T'as trimardé toute la soirée
> > Et te v'là' cor' sans un radis.
> > C'est toujours el' dix ed' purée.
> > Vrai, j'en ai les tripes à l'envers !
> > Ça m' fait flasquer d' voir eune pétasse
> > Qui passe tous les soirs à travers !
> > Bon Dieu ! faut-i' qu' tu soyes conasse !

Tiens, j' te vas dire comment qu'on fait.
C'est pas malin... Tu vas au gonce,
Tu y dis : « T'as eune gueule qui m' plaît,
Viens-tu chez moi, mon p'tit Alphonse ? »
— I' dit : « Non. » — Mais c'est du chiquet.
Tu y r'dis : « Viens, mon p'tit Narcisse,
Viens, pour toi ça s'ra qu' larant'quet. »
Et tu l'emmèn' à la condisse.

Et pis là, tu tapes au pognon.
Ceux qui s' laissent empiler sans s'cousse,
On les appelle mon p'tit mignon,
On les dégringole à la douce.
Mais les lapins, mais les bécants,
Ceux avec qui qu'y a pas d'affure,
Les emmerdeurs et les croquants,
On les dégringole à la dure.

On leur fait l' coup du culbutant,
On leur fait l'artiche et les poches
Et quand i's rouspètent en partant,
Quand i's font du pet... gare aux broches !
Nous somm's là !... Et si les bochons
Suffisent pas... on a des eustaches
Pour les saigner comme des cochons !
A bas les pantes et mort aux vaches !

« Sucre-d'Orge » écoutait le Roquet avec admiration.
Oui ! c'était comme ça qu'il fallait truquer... ou bien
c'était pas la peine.
Justement, il y avait un vieux dégoûtant qui leur avait
donné rendez-vous pour le lendemain dans un terrain
vague à côté du cimetière de Bagneux... On voyait dans la
poche de son gilet une grosse toquante retenue par une
chaîne en or... Une fois il lui avait donné vingt ronds,
mais c'était un type qui devait avoir de la douille...
Un dégringolage sérieux était tout indiqué... on n'était
que des gosses, mais en se mettant tous après lui...
Le Roquet hocha la tête... c'était une autre idée qu'il
avait !... D'abord, il faudrait partager le produit du
dégringolage avec les copains... Il voulait bien partager
avec eux sa ménesse, mais la belle toquante en or du
michet, jamais de la vie !...

Non ! il ferait mieux que ça... Quand « Sucre-d'Orge »
serait en conversation criminelle avec le vieux salaud, il
se montrerait : — Vous déshonorez ma sœur... ma pauvre petite sœur... une enfant innocente et pure... c'est un
viol... vous serez condamné aux travaux forcés...
Alors le vieux, pour ne pas faire d'esclandre, se laisserait
dégringoler à la douce.

Ce « vieux dégoûtant » est le Frère Orantibus : un demi-prêtre
défroqué des écoles chrétiennes, au demeurant plutôt amateur. de
petits garçons.

Le scénario imaginé par le maquereau en culottes courtes se
déroule comme il était prévu, sinon que le Frère Orantibus n'a que...
cinquante centimes en poche ; et surtout, qu'intervient un policier
véreux, une « vache », Anatole. Le Roquet s'enfuit. Anatole emmène
au poste l'ignoble Frère et sa victime présumée.

La moucheronne qu'Anatole tenait simplement par la
main eut l'idée bien féminine de charger son client. Elle
dit à Anatole :
— Monsieur, c'est un salaud. Il a abusé de mon innocence et n'a pas craint de porter le déshonneur au sein de
ma pauvre et honnête famille. On lui coupera le cou, pas
vrai, monsieur ?...
Ça sonnait faux... le chiquet manigancé par son mecton,
la leçon apprise... et puis, Anatole savait à quoi s'en
tenir... oh ! là là !...
Il allongea à l'innocente victime de la lubricité d'Orantibus une gifle sonore, tandis que de l'autre main, il serrait
encore le cabriolet qui entrait dans les chairs du frère
paillard.
— Aïe !... fit celui-ci.
La seule réplique du policier à ce cri de détresse fut :
— As-tu du pèze, mon vieux cochon ?
— Je vous demande pardon... vous dites... combien je
pèse ?
— Non ! mon trognon. Je m'enquiers à l'effet de savoir si
Ta Révérence est pourvue suffisamment d'os, autrement
dit de braise... enfin, quoi ! de la galtouze, de la douille,
des pépettes, du quibus, du pognon, du carme, si tu
veux...
Le frocard finit par « entraver »...
— Ah ! de l'argent, vous voulez dire...

— Tu y as mis le temps.

— Je n'ai pas le sou...

— Oh ! le vilain menteur. Les calotins, quand ça se fout en civil pour aller cochonner dehors, ça garnit un morlingue. Les gonzesses, on ne les a pas pour la peau, surtout avec ta gueule...

L'innocente victime de la lubricité du très cher frère intervint encore, avec sa petite voix aigrelette :

— Le fait est qu'il a une sale gueule, le gonce !...

Ne perdons pas de vue, à travers les méandres du roman-fleuve de Bruant, la barque de ces intéressants bambins. Leur « truc », heureusement pour la morale, ne marche pas toujours aussi bien qu'ils le souhaiteraient. Cependant, ils grandissent quelque peu en âge, sinon en sagesse, car rien ne vient altérer leur perversité originelle et sans doute atavique ; au moins pour Roculot, fils de l'illustre Raquedalle (celui qui ne paie jamais rien, qui ne *raque* que *dalle*), devenu à la suite d'extravagantes péripéties le Roy d'Affure — la terre bénie de l'escroquerie. Quant à Sucre-d'Orge, nous ne savons pas grand-chose de ses géniteurs, et c'est sans doute mieux ainsi.

De forfait en scélératesse, Roculot dit « le Roquet », toujours assisté de sa « truqueuse » de quinze ans (à peine !), se retrouve riche et lancé dans la meilleure des mauvaises sociétés parisiennes.

Las ! remarquait déjà Villon, jamais bien mal acquis ne profite. Nous avions laissé Roculot et sa ménesse pauvres à la page 678 du premier tome. Ils ont été millionnaires (en francs-or, of course) ; et nous les retrouvons pauvres à la page 1904 *[sic]* du second et dernier tome.

> Le jeune et *smart* dauphin d'Affure et sa juvénile ménesse boulottèrent avec une rapidité vertigineuse les capitaux provenant de la transaction faite avec Cyprien d'Escomptarelle...
>
> Menacé de se voir, sous bref délai, à bout de pognon, notre précoce truqueur se sentit, tout d'un coup, envahi par des sentiments familiaux.
>
> Dans un de ses moments d'abandon, il dit à « Sucre-d'Orge » :
>
> — Ah ! tout de même... on a beau faire, rien ne vaut la famille ! J'envie le sort des gosses qui connaissent leurs parents... Ceux-là n'ont pas besoin de se donner du mal pour turbiner, ni de se casser la tête à inventer un tas de fourbis qui risquent de produire la peau ou de vous

envoyer à la petite, voire à la grande Roque... Un dab,
vois-tu, la môme, c'est un pante donné par la nature... et,
avec ça, on peut le dégringoler jusqu'à la gauche sans
qu'il puisse rouspéter. Le code, que j'ai tout spécialement
étudié, déclare que le vol commis par un fils au détriment
de ses parents n'est pas punissable...

— C'est rien chouette quand on a des parents qu'a de la
galtouze !...

— Oui, tu l'as dit !... C'est rien bath !... seulement, voilà
le chiendent, faut qu'ils aient de la braise, et, dame ! ça
n'est pas donné à tout le monde...

— Tu m'as dit que ta daronne était crampsée...

— Dans la plus sombre purée... Le diable ait sa garce
d'âme !...

— Mais... comme de certains, tu as peut-être eu un
dab ?...

— J'ai fait mieux que tout le monde ! J'en ai eu deux !
L'un, le père putatif, comme dit le Code... Ah çà ! v'là
donc que tu n'entraves plus que dalle dans ma famille...

— Quoi c'est, un père puta... ?

— ... tif !... C'est comme qui dirait cornard !

— P'tit cochon !... T'es donc le gosse à Moulassis ?

— En voilà une de scie !... D'abord elle est finie, — pro-
visoirement, du moins, — l'affaire Lafleur ; donc, jusqu'à
nouvel ordre, Moulassis n'est plus cocu !... Mais je parle
sérieusement !...

— Je t'écoute, Roquet de mon cœur !

— Tout à l'heure, je t'ai dit que j'avais deux pères. L'un,
le père légal, était le mari de ma mère qui le fit cocu
jusqu'à plus soif, c'est le cas de le dire, vu que tous les
deux buvaient comme des trous.

« Ce père putatif, ou légal comme tu voudras, car l'un et
l'autre se dit, ou se disent, devait boire plus que sa digne
moitié, car il la précéda de beaucoup dans la tombe.

« Avant de fermer les yeux il avait eu le bonheur de voir
sa petite famille s'augmenter d'un rejeton... C'était Mezi-
gue !... Ma mère, qui travaillait dans la confection
d'enfants, s'était fait aider, cette fois-là, par un sale type
du nom de Raquedalle...

« C'était mon second père, le père illégitime, illégal et
adultérin, autrement dit mon père naturel, le bon, le

vrai... celui que je veux retrouver, dans les bras duquel je veux me précipiter, s'il a du pèze !

— T'as pas que ça, de famille !... T'as aussi des frères et des sœurs ?...

— Oui, mais dans ma position, j'aime autant ne pas les voir. Ils me feraient du tort ! Ils n'ont pas d'éducation, pas de tenue. Et puis j'ai eu un frangin, le grand Charles, qui s'est fait raccourcir, comme une tourte, au sujet d'une vioque qu'il avait scionnée à Courtenay... pour la modique somme de trois francs dix sous.

— Lompriquèz ! Il n'y a que ton dab que tu tiens à retrouver !

— Parfaitement !... sous bénéfice d'inventaire, bien entendu ! Car s'il est dans la mistoufle, je le lâche d'un cran, quitte à revenir à la rescousse si je le voyais un peu remonter, car c'est un sale fricoteur qui a eu des hauts et des bas auxquels on n'entrave que lâpe (la peau, rien). Et puis, il faut dire aussi qu'il en pince pour le lotillocul[1], surtout quand il y a de la jeunesse et de la fraîcheur à la clef !...

— Veux-tu que je l'embobine, ton dab ?...

... Arrêtons-nous sur cette pensée, presque incestueuse, de la môme « Sucre-d'Orge »... Passons... et contentons-nous de gémir sur la corruption que l'on rencontre, en cette fin de siècle, dans les bas-fonds de Lantinpoire ! Vraiment !... il n'y a plus d'enfants !...

Il y a des maisons pour ça

On connaît le mot de Claudel. Un ami lui reprochait un jour ses jugements à l'emporte-pièce et lui vantait les vertus de la tolérance. Et Claudel, superbe : « La tolérance ? Il y a des maisons pour ça ! »

C'était dans les années 1930. Des maisons de tolérance (celle de la

---

1. Non, ce n'est pas le largonji de ce que vous supposez, lecteur badin, mais seulement celui, pas très orthodoxe, de *cotillon*.

police, réglementée et semi-légale), il y en avait en effet beaucoup en France depuis le milieu du XIXᵉ siècle, qu'on les appelât bordels, maisons closes, « gros numéros », « tolérances », ou le plus souvent maisons tout court. Pour leur histoire, nous renvoyons à l'ouvrage classique et remarquable de Romi : *Maisons closes* (Éditions Michèle Trinckvel, 2 volumes, très nombreuses illustrations, Paris, 1979).

On y parlait argot, bien sûr ; plus ou moins selon le genre des maisons. Très peu dans les bobinards de luxe, *Chabanais*, rue des Moulins ou *One-Two-Two* ; peu, faute de temps, dans les taules d'abattage du genre de celles, illustres, de la rue de Fourcy ou du 106, boulevard de la Chapelle ; et passablement dans les bons petits « gros numéros » (si l'on peut dire) de Paris ou des sous-préfectures, avec leurs cinq ou six pensionnaires pénardes, braves gosses en général, « drivées » sans sévérité inutile par une respectable mère Maca et « remontées » en bétail par le patron, qui n'était pas forcément une brute ni un goujat. *La Maison Tellier,* en somme, rendue célèbre en 1881 par Guy de Maupassant, et que l'on retrouve ensuite, parisienne ou provinciale, dans trente romans.

Après Maupassant, **Jean Lorrain** (1855-1906) ; et vingt-cinq ans après la maison Tellier, *La Maison Philibert* (1904). Mais la seconde n'est pas un plat démarquage de la première. Au thème à succès, banal à l'époque, de la vie des « gonzesses de maison », Jean Lorrain a donné une ampleur exceptionnelle, au point que, rétrospectivement, c'est *La Maison Tellier* qui, avec ses trente pages, paraît n'être qu'un épisode de *La Maison Philibert,* qui en compte un peu plus de trois cents, que l'on peut et doit lire dans la réédition de 1979, heureusement procurée par les éditions Jean-Claude Lattès avec une préface de Jean Chalon.

Paul Duval, de son nom de plume Jean Lorrain, est né
        « Rencontre bizarre, hasard surprenant... »
à Fécamp, comme Guy auquel, au moins par sa carrure de Viking raffiné, il ressemblait passablement. Pour tout le reste, passionnant, de ce que fut le personnage et l'écrivain, veuille le lecteur se reporter au *Jean Lorrain* de Pierre Kyria, biographie intelligente et sensible (éditions Seghers, Paris, 1973) ou au *Jean Lorrain ou le Satiricon 1900,* de Philippe Jullian (éditions Fayard, 1974).

Le narrateur de *La Maison Philibert* est Jean Lorrain lui-même, sous le masque facile du journaliste Jacques Ménard. Philibert est un solide et bel homme, serrurier d'art de son état, qui a travaillé naguère pour le journaliste. Il a fait la conquête d'une excellente femme, encore que « boscote » et dévote, dont la dot est constituée pour l'essentiel par une... maison sise « à Aubry-les-Épinettes, près d'Orléans ».

Tout irait pour le mieux s'il n'y avait les querelles des filles, et surtout l'obligation dans laquelle se trouve Monsieur Philibert d'aller de temps à autre à Paris pour y faire « la remonte » ; car il s'est fait là-haut, pour des raisons obscures, un ennemi redoutable dans la personne du Môme l'Affreux, la terreur de Paname.

Le brave Philibert ne fait pas le poids. Il laissera dans l'affaire sa santé, et finalement sa vie. Et Madame, touchée au cœur, se remariera cependant — mais en frère et sœur et pour pouvoir conserver la maison, son seul revenu — avec un tenancier au prénom prédestiné, Prosper Beaudarmon, retour des Amériques.

De ce roman de journaliste, grouillant de personnages vivement dessinés et d'aventures annexes, voici d'abord la nostalgie d'un temps où le métier des Messieurs Philibert était plus facile (p. 15 de l'édition de référence) :

> « Il y a dix ans, que dis-je ? il y a cinq ans encore, n'est-ce pas, Ernest ? on avait besoin d'un colis, on descendait sur le boulevard, on fouillait un peu les abords des gares, une reconnaissance au Sébasto et un tour dans un bal, on avait de la grenouille de choix, et de la jeune, et de l'aguichante, et dix pour une dans sa soirée... Mais maintenant vous pouvez écrémer tous les bals des Halles et des deux Moulins, rien. Finis aussi, Grenelle et Montparnasse. Il n'y a plus de perdrix nulle part... Et madrées, à l'heure d'aujourd'hui, ces dames... »

Puis le récit de la fin tragique d'une fille, Mélie (pp. 98-100) :

> « Mais vous n'avez vu que ça dans les journaux. Cette fille qu'on a noyée au pont de l'Alma, un joli brin de fille, ma foi !... l'affaire de Saint-Ouen. Un ouvrier électricien la fait à la rencontre, le jeudi soir, su' l' boulevard de la Chapelle. Ils s' plaisent ; y dînent chez l' chand d' vin ensemble ; le soir, un tour au cirque Fernando, et, comme de juste, il emmène la gosse pagnoter chez lui, dans son hôtel. La nuit, y jaspinent sur l'oreiller ; la gosse la fait à la travailleuse, à l'honnête ouvrière, si bien que le gars se monte le cou ; la p'tite était ragoûtante, bref, il lui propose de s' mettre en ménage.
> « Ah ! ça n' traîne pas dans l' populo : " Tu m' plais, j' te

gobe, marions-nous. " Et ça colle jusqu'à ce que ça se décolle, à la première pluie ou au premier soleil.

« La p'tite accepte ; le temps de donner congé dans son hôtel, elle s'amène avec ses frusques chez son p'tit homme. C'était un samedi soir, y s' donnent rancard pour le lundi, l' temps d' faire chacun leurs petites affaires ; on croûtera ensemble chez un bistro d' la porte Maillot, et d' là on ira faire un tour à la fête de Neuneuille (vous saisissez, la fête de Neuilly) ; et puis vous avez lu ça tout au long dans l' journal.

« Dans la fête, les deux amoureux tombent sur une bande d'amis... c'est-à-dire que l' gars retrouve une vieille connaissance, un ancien bataillon d'Afrique comme lui. Il présente sa poule, on fraternise, on monte sur les ch'vaux d' bois, on s'offre des tournées. Quand tout à coup, y r'marque qu'un des aminches de son poteau zieutait la gonzesse, qu' la p'tite avait l'air tout chose. Y avait du louche entre eusse deux ; l' mécanicien ouvre l'œil et v'lan, v'là qu'une dispute éclate entre la gosse et le type.

« C'était un de ses anciens, à la môme, et pas des plus anciens puisqu'y avait un mois qu'elle l'avait plaqué. L' type veut chercher des raisons à son ancienne femme, l' mécanicien s'interpose, son poteau des Bat' d'Af' aussi : "Tout ça, c'est des bêtises ! Des hommes s' massacrent pas pour une femme. Une de perdue, deux d' retrouvées. " Bref, on fait la paix ; l' mécanicien r'offre une tournée, on monte sur les cochons, sur les vaches, on fait tous les manèges, quoi, et l'on redevient amis. A minuit, l'ancien d' Mélie propose une rigolade aux Halles... Ça va ; on r'gagne l'Arc-de-Triomphe et on redescend vers la Seine, par l'avenue de l'Alma.

« Vous savez l' reste, monsieur Jacques. Arrivés près du pont, l' mécanicien croit remarquer que sa poule amarre son ancien, il lui fait des reproches, comme de juste, et v'là la fille qui tire un couteau d' sa poche, un vrai surin d'assassineuse, et veut le lui coller dans l' dos.

« Les autres gars s'emparent de la gonzesse, l'emballent, la descendent sur la berge et la jettent à l'eau. V'là madame dans l' jus : c'est l'expression même du mécanicien chez l' commissaire où il est allé s' constituer prisonnier. Vous l'avez lu, bien sûr, dans l' journal, comme moi. Il en était baba, l' pauv' gars ! Une fille qui paraissait

douce comme un agneau, pas plus d' vingt ans, des yeux
longs comme le doigt et fendus en amande ; car j' l'ai vue,
la charogne, une ménesse avec qui il voulait s' coller et
qui pour un non, lui sort un sorlingue et veut l'assassiner.
« Du coup, il en a donné les trois autres, c' qui n' se fait
pas entre copains d' la même soce, mais la rousse n'a pas
encore mis la main d'ssus, et elle ne la mettra pas ; car ce
sont des gars d'arnac, et c'est lui qu'on a gardé, la
gourde ! »

Et voici Monsieur Philibert à Paris, en affaires avec un fournis-
seur qui lui a promis un « colis » (pp. 103-105).

« Eh bien, l' Marseillais ! disait Philibert, interpellant le
nouveau venu. Est-ce que la p'tite est là ?
— Oui, qu'elle est là, mais elle n'a pas voulu venir. Elle
trouve que vous pouvez bien vous déranger.
— Alors j'y vais, faisait le gros homme en se levant.
Qu'est-ce que tu prends, l' Marseillais ?
— Monsieur Philibert, disait l'homme, je n' vous engage
pas à y aller. Le Môme est là avec sa soce.
— Ah ! Le Môme est là, faisait Philibert devenu soudain
tout pâle.
— Oui, l' Môme est là et y n'y aurait rien d' bon
pour vous. Y s'est amené vers les onze heures, à croire
qu'y s' doute de quèque chose. La gonzesse a dû jaspiner.
— Alors on peut p'us faire un pas sans tomber sur lui ?
— Oh ! il est avisé, à croire que toutes les femmes le ran-
cardent.
— Il est pourtant assez vilain.
— Ah ! pour ça, y n'est pas beau. Ça n'empêche pas qu'y
plaît tout d' même, et puis il est si teigne ! En v'là un qui
n' rate pas ceux qui lui ont manqué. Comme *ostination*, j'
connais pas son pareil, y n' s'rait pas pire s'il était Corse...
et les Corsicos, nous les connaissons à Marseille. L'eustache leur saute de la poche, comme une rainette d'un
pré. Ah ! ils ont le couteau léger du côté de l'île Rousse,
j' les connais, j' peux vous en parler. Moi, j'ai navigué. »
Et brusquant tout à coup ses souvenirs :
« Ah ! monsieur Philibert, vous qui êtes si brave, quel

dommage que vous ayez eu des rognes avec le Môme ! Ça va rudement vous gêner dans vot' métier.

— Ah ! tu sais, tu commences à m'échauffer les oreilles, toi, avec tes histoires, faisait Philibert, j'ai envie d'en finir une bonne fois pour toutes. Assez causé, j' vais aux Gravilliers. »

La voix du tenancier s'était altérée, sa face s'était obscurcie, mauvaise.

« Faites pas ça, monsieur Philibert, et le Marseillais lui posait la main sur l'épaule. Vous, vous êtes établi, vous êtes un homme marié, vous n' pouvez pas vous commettre avec un morveux qu'a pas encore tiré au sort[1]. Songez, un marchand de biffetons, un vendeur de riboules[2] ! Il arriverait quèque chose, qu'on vous donnerait tort ; puis d'abord, maintenant la p'tite est décanillée et l' Môme avec et toute sa soce. Ils parlaient d'aller souper à l'Ange Gabriel, vous n'allez pas aller dans c' rendez-vous d'Apaches. C'est qu'il en pleut, des coups d' couteau, dans c't' endroit-là, et qu' les revolvers y partent tout seuls ! J'y ai vu saigner d'vant moi le Bicot de Montparnasse, et pour moins que rien, à propos d'un verre... Vous n'avez qu' faire là, vous, monsieur Philibert, vous n'êtes point l' chéri d'une Casque d'Or. Le gros sac, vous l'avez chez vous, pas vrai, gros père ? »

Le tenancier écoutait, la figure rembrunie :

« Et la Gosse ? avec tout ça, quand la verrai-je, la p'tite ? J' veux pas rentrer bredouille à Aubry.

— Vous tourmentez pas. La p'tite, j'en fais mon affaire, j' vous la mènerai d'main à cinq heures, au bar de la Lune, à côté des brioches.

— Est-ce sûr, au moins, Marseillais ? J' rentre demain chez moi par l' train de neuf heures.

— Par la bonne Mère, je vous l'amène, monsieur Philibert ! et dessalée, cuisinée dans les grands prix. Elle ne d'mande qu'à quitter Paris, all' a la frousse ici. All' était avec le grand Julot d' Charonne, all' l'a plaqué et Julot a juré qu'il aurait sa peau. All' ne marche avec le Môme et sa soce que parce qu'elle claque de peur. All' s'ra à l'abri

---

1. A l'époque, le service militaire se décidait par le tirage au sort entre les conscrits d'une classe d'âge.
2. Le Môme revend des billets de théâtre (des biffetons), et des cocardes, guirlandes ou insignes (des riboules) aux jeunes conscrits.

chez vous. Vot' maison, c'est comme qui dirait un asile, et qu' vous l'aurez, et pour pas cher. Ça vous coûtera dans les deux cents balles[3].

— A d'main donc, Marseillais ! Tiens, v'là pour ton dérangement. »

Et le tenancier glissait une pièce dans la main de l'homme.

Curieux d'en savoir et d'en voir davantage, le narrateur demande à un autre tenancier de maison de lui faire rencontrer ce Môme l'Affreux devant lequel tremble tout le Paris des malfrats. L'affaire s'arrange (p. 129).

— Y a Faubourg-du-Temple, dans un passage, un marchand d' vin où tout Charonne et Ménilmontant rappliquent le mercredi. C'est un rancart de grinches, de fric-fracs et de barbes, le Môme aussi s'y amène. Mais v'là, la société n'y est guère choisie et il y pleut des coups. Oh ! rien à craindre pour vous, personnellement, qu'une bouteille lancée à un autre ou une balle perdue ! C'est un endroit à bagarres. Voulez-vous y venir ? Moi, j' suis connu, pas d' danger qu'on vous regarde même de travers, j' réponds de vous. Mais ne cherchez pas à battre comtois et à donner l' change ; i's ont l'œil fin, les marles. V'nez habillé comme vous êtes, mais sans bijoux, rien qu' la montre et la chaîne pour pas avoir l'air d'être en défiance ; et pas la peine de jouer au tenancier comme moi et d'argoter pour qu'on vous croie d' la partie, i's éventeraient la mèche. Songez, c'est tous des criminels, des parigots dans l'âme ; y ont vu cent fois vot' binette dans les illustrés, sans compter qu'y a dans l' nombre d'anciens typos qui vous auraient vite brûlé. Monsieur Jacques j' vous présenterai tel que vous êtes et sous vot' vrai blaze ; croyez qu'y l' connaissent, y lisent tous le journal et tous cabots, assoiffés d' réclame. Pour s' voir

3. A peu près dix mille francs d'aujourd'hui. C'était, dans les années 1900, le salaire mensuel d'un fonctionnaire de rang moyen, ou la paye de trois mois d'un bon ouvrier. C'était aussi un prix très raisonnable pour un « colis » convenable. Si la fille était libre, le montant du « transfert » lui revenait à elle seule. Sinon, son protecteur en empochait la moitié ou plus.

imprimé vif dans une feuille, y s'assassineraient d'vant vous. Alors, ça va pour mercredi ?

Les doigts dans le nez

Les courses de chevaux s'organisent en France à partir des années 1830. Elles se démocratisent peu à peu après 1860. Mais ce n'est qu'à la suite de la création du Pari Mutuel Urbain (le P.M.U.) en 1872, qu'elles sont fréquentées par tout un petit peuple d'artisans, de petits commerçants, puis par le Milieu. A l'époque, on ne parie que sur place, et course par course. Il n'y a pas encore de presse spécialisée dans le pronostic. Les *tuyaux* (1882) s'échangent donc de bouche à oreille entre habitués, en même temps qu'apparaît un argot des courses encore très vivant, qui est passé pour une bonne part, soit dans le vocabulaire général (*tuyau, être partant, dans un fauteuil, les doigts dans le nez,* appartiennent à l'origine à cet argot), soit dans l'argot du Milieu et de la prostitution : le *turf,* entre autres, est indifféremment la piste sur laquelle courent les chevaux et le trottoir que parcourent les prostituées ; un *Prix de Diane* est tantôt une jeune et belle pouliche, tantôt une jeune et belle fille.

Nous disons bien argot des courses, et non vocabulaire technique : celui-ci reste l'apanage des entraîneurs et des jockeys.

Le premier texte dans lequel apparaît cet argot est un recueil d'amusantes saynètes, *La Valse parisienne,* d'**Hubert Germain** (Simonis Empis, éditeur, illustrations d'Hermann Paul, 279 pages, 1896). Deux de ces saynètes, *Pelousards* et *Le Tuyau,* sont consacrées au public populaire des hippodromes de Longchamp ou de Saint-Ouen.

Dans la première (pp. 19-21 de l'édition de référence), les *pelousards* (ici en fait, des « pelousardes ») sont les spectateurs-parieurs de la « pelouse », où l'entrée est bon marché. Le public « bien » suit la course dans les tribunes ; le très bien se retrouve au pesage.

Nos deux « marchandes » vendent des boissons (dont le *roméo,* c'est-à-dire de l'eau teintée de rhum) et des tartines aux spectateurs.

PELOUSARDS

PREMIÈRE MARCHANDE. — Vous fendez-vous de vingt-cinq ronds, comme moi ?

DEUXIÈME MARCHANDE. — Sur un tuyau ?... Non, ma petite, je ne marche pas.

PREMIÈRE MARCHANDE. — Oh ! là ! là ! madame a les pieds nickelés... Madame canne... Madame veut sans doute placer sa galette à la caisse d'épargne... ? ou bien la refiler à son Jules... ? Eh bien, si vous gagnez, vous en donnerez plus à Jules... Vous aurez davantage d'amour.

DEUXIÈME MARCHANDE. — Avec Jules, un paquet de tabac et un demi-setier, ça fait la rue Michel... C'est pas moi qui flanquerai jamais de la galette à un homme...

PREMIÈRE MARCHANDE. — Puisque vous la gagnez, après tout, vous êtes libre... Voyons, marchez donc avec moi !

DEUXIÈME MARCHANDE. — Non, ma fille, j'ai trop de guigne.

LE MARCHAND DE PROGRAMMES. — C'est couru d'avance. Ventre-à-Terre est favori, mais ça ne fichera rien.

DEUXIÈME MARCHANDE. — Et vous, votre veau, comment qui s' nomme ?

LE MARCHAND DE PROGRAMMES. — La Belle Otero.

DEUXIÈME MARCHANDE. — Vous savez que je l'ai vue, la belle Otero... C'est une jolie fille... Mais non ! j'ai trop la guigne...

PREMIÈRE MARCHANDE. — Voyons, mère Machin, du sang, du nerf !... Qu'est-ce que ça peut vous fiche, vingt-cinq sous ?

DEUXIÈME MARCHANDE. — Oh ! c'est pas pour la somme... Mais depuis quinze jours, j'ai joué trois fois... J'ai été toujours dans le lac...

PREMIÈRE MARCHANDE. — Ça rebiffera ce coup-ci.

DEUXIÈME MARCHANDE. — Et si ça ne rebiffe pas ?... Quoi-t-est-ce qu'il faudra que je mange ?... Des pavés à la sauce cailloux ?

Le second sketch, *Le Tuyau* (pp. 31-36), est de la même veine. Deux habituées, Mme Cazin, trente-cinq ans, petite commerçante au verbe haut, et Mme Leblond, une rentière âgée, se retrouvent à la pelouse de Saint-Ouen, un mardi.

LE TUYAU

MME LEBLOND. — Comment qu' ça s' fait que vous arrivez seulement à c't' heure-ici ? Je suis passée pour vous prendre... Votre mari, qu' était justement en train de refaire la jaquette d'un client qui n'allait pas, m'a dit que vous étiez partie depuis une heure.

MME CAZIN. — Ne m'en parlez pas, ma chère !... Je viens de Montrouge...

MME LEBLOND. — Quoi faire ?

MME CAZIN. — Je suis allée chercher un tuyau chez un de mes cousins qui est marchand de vins et dont le fils est très bien avec un jockey.

MME LEBLOND. — Et vous l'avez, le tuyau ?

MME CAZIN. — Oui.

MME LEBLOND. — Quoi-t-est-ce que c'est ?... Dites !

MME CAZIN. — Dans la quatrième, Le Pétomane.

MME LEBLOND. — Le Pétomane !... Mais ça n'a jamais rien fichu !... Voyons donc, que je *serche* dans mes souvenirs... Ç'a a bien débuté en plat à Vincennes... C'est arrivé à la queue du peloton...

MME CAZIN. — C'est ça même.

MME LEBLOND. — Et il débute aujourd'hui en ostacles ?

MME CAZIN. — Oui... Et ça va faire un coup, un coup énorme... On l'entraîne en secret depuis trois mois... Il saute, à ce qu'il paraît ! Il sauterait par-dessus des maisons !

MME LEBLOND. — Ah ! vous voilà bien !... Tout de suite partie dans les exagérations... On voit bien que vous êtes du Midi.

MME CAZIN. — Ma petite, chaque fois que mon cousin m'a donné un tuyau, j'ai gagné... Je mets quarante francs dessus... Une facture que mon mari a touchée ce matin.

MME LEBLOND. — Quarante francs ! Vous jouez gagnant et placé ?

MME CAZIN. — Gagnant.

MME LEBLOND. — Mais alors, vous êtes bien sûre ?

MME CAZIN. — C'est comme si c'était couru... Ça gagne au pas.

MME LEBLOND. — Dans n'un fauteuil ?

MME CAZIN. — Sur une bicyclette.

MME LEBLOND. — Alors, ma chère, je vais le jouer.

C'est vous le nègre ?

Après les chansons, les romans (voir p. 296). Après les romans, le dictionnaire que tout argotier, ou peu s'en faut, se croit obligé d'écrire ou au moins de signer un jour. Ce que fit **Aristide Bruant,** qui ne négligeait rien de ce qui pouvait lui procurer rapidement une belle et bonne aisance bourgeoise.

Le dictionnaire voulu par Bruant supposait un travail gigantesque, que celui-ci n'avait ni le temps, ni le goût, ni même la capacité de mener à bien ; car une chose est d'être un poète et un chansonnier, une autre de s'atteler des années durant à la rédaction de ce genre d'ouvrages.

C'est donc à Léon **Drouin de Bercy** que le rusé Aristide confia le soin de travailler à la grande œuvre. Une œuvre de très longue haleine, car de Bercy, tiraillé par ailleurs entre de multiples obligations de chansonnier, de revuiste et de directeur épisodique de petits beuglants, était extrêmement consciencieux.

Déjà en 1889, il écrit à Émile Chautard : « Je consacre tous mes instants au Dictionnaire d'argot dont je t'ai parlé et qui paraîtra sous la signature de Bruant ; mais dont la préface dira au lecteur quelle aura été ma part de collaboration (in *La Vie étrange de l'argot,* p. 188). »

Mais les scrupules n'étouffaient pas le gentilhomme du *Chat-Noir.* Il laissa travailler de Bercy, l'entretint dans ses illusions, lui jeta sans doute de temps à autre quelques miettes du futur festin. Et l'oublia froidement quand le dictionnaire fut achevé. De préface, point. Du véritable auteur de son dictionnaire, pas une ligne. Du nom même de Léon de Bercy, pas une lettre.

Pour corser encore ce qu'il est bien difficile de ne pas nommer une escroquerie, Bruant annonçait en première page du dictionnaire : Publié par l'auteur. Et en dernière page : 10 fr. [Environ 500 F d'aujourd'hui.] Franco, contre mandat-poste adressé à M. Aristide Bruant, etc.

Les projets du négrier grand seigneur comportaient en fait deux dictionnaires : le français-argot, et son frère, l'argot-français. En somme, le thème et la version, comme dans *La Méthode à Mimile.*

Le premier fut achevé dans les conditions que nous avons dites et parut en 1901 à la librairie Ernest Flammarion, avec le surtitre : *L'Argot au XXᵉ siècle,* un peu abusif en 1901, et l'indication : *Le Dictionnaire argot-français paraîtra ultérieurement.*

Il n'y eut pas d'ultérieurement, on s'en doute.

S'il n'était pas le premier du genre, ce *Dictionnaire français-argot* reste encore aujourd'hui, de loin, le plus important. C'est un fort volume in-8°, agréablement illustré par Borgex, qui compte près de cinq mille *entrées* en français-français, et un nombre beaucoup plus grand de traductions argotiques. A peu près et en moyenne dix à douze mots d'argot par mot de français, ce qui nous mène au total impressionnant d'une cinquantaine de milliers d'argotismes.

C'est l'occasion de rappeler que l'argot, qui n'est qu'un vocabulaire socialement et professionnellement spécialisé, est fait essentiellement de synonymes : le plus souvent, synonymes d'un terme banal du français-français (pantalon = bénard, falzar, grimpant, futal, bénouze, etc.) ; parfois, d'un autre mot argotique ou plutôt « tabou » (coïter = baiser, troncher, sauter, grimper, époussetter, éponger, ramoner, soulager, etc.).

C'est la démonstration qu'apporte avec un grand luxe de moyens le dictionnaire de Bruant de Bercy, et c'est pour cela que nous avons choisi d'en donner d'assez larges extraits. Le pittoresque y perd : si bien qu'il soit fait, la lecture d'un dictionnaire n'est jamais passionnante. Mais celui-ci aide à comprendre, précisément par cet excès fastidieux, ce qui sépare la bonne littérature argotique (elle choisit) de la mauvaise (elle entasse).

Nous avons accentué cette démonstration en ne retenant que trois articles du dictionnaire de Bruant : Fuir, Refus et Prostitution.

Le premier aligne environ cent cinquante synonymes ou équivalents argotiques de s'enfuir ou de décamper, se sauver ; lesquels appartiennent déjà à la langue familière. Le second, une soixantaine d'expressions du refus. Quant au troisième, on devine qu'il doit être l'un des plus copieux (et des plus insultants) du dictionnaire : nous ne devons pas être loin, en effet, de 400 (quatre cents !) appellations, recensées par Bruant de Bercy, des braves filles chantées plus tard par Georges Brassens.

> *C'est pas tous les jours qu'elles rigolent,*
> *Parole, parole !*

Dans quelle proportion ces monceaux de mots, Pélion sur Ossa, correspondent-ils à la réalité de l'argot ? Bruant a l'honnêteté de faire suivre d'un * ceux qu'il dit « anciens » ou « hors d'usage », recopiés de vieux dictionnaires. Par ailleurs, il a recueilli pieusement des trouvailles d'écrivains, à commencer par les siennes, qui n'ont guère existé socialement, au moins dans l'authentique « royaume d'argot ». Mais cela va tout au plus au cinquième de l'ensemble. Pour les quatre cinquièmes subsistants, son dictionnaire reste une œuvre majeure dans sa catégorie.

Imitant Lorédan Larchey (voir p. 152), nos auteurs ont illustré leurs articles de quelques citations, le plus souvent... de Bruant lui-même. Sans valeur scientifique, elles ont l'avantage d'égayer une matière un peu austère. Cependant, nous avons allégé l'article Prostituée d'un bon nombre de citations sans intérêt.

La présentation des articles reproduit de son mieux celle de l'œuvre originale, dont il n'existe pas de réimpression et que l'on ne trouve que difficilement chez les bouquinistes.

Il s'agit bien, dans l'article Refus, de formules de refus, et non d'une simple négation ; ou plutôt, d'un refus qui est une négation opposée à une demande : « Non, tu n'auras pas ce que tu sollicites ! »

La plupart de ces formules étaient très vivantes à l'époque. Bien peu le sont restées. En particulier, de la série des « petits riens » utilisée alors (de l'anis, des allumettes, des mouchettes, des navets, des nèfles, des radis, des plis, des tomates, du flan, etc.), nous ne connaissons plus guère que... des clous, que Bruant ne cite pas, mais qui existait déjà.

Refus : Les formules de refus sont nombreuses en argot ; voici les plus employées : A Chaillot ! A Dache ! A l'ours ! Ah ! mince ! Barca ! Basta ! C'est comme des dattes, comme des nèfles, comme des pommes ! C'est que j' chie ! C'est que j' crache ! C'est que j' me mouche ! C'est que j' pète ! C'est que j' tousse ! Chez Bobèche ! Chez Dache ! Chez Plumeau ! Chez qui ! De la merde, de l'anis, des allumettes, des mouchettes, des navets, des nèfles, des panais ! Des panais, Rosalie ! Des petites nèfles ! Des petits radis ! Des plis ! Des plis, Fanny ! Des radis, des tomates, du flan ! Gniente ! Il est midi, midi sonné ! Il pleut ! Macache ! Mes blosses ! Mes burnes ! Mes c...lles ! Mes deux ! Midi ! Mince ! Mon nœud ! Mon œil ! Mon paf ! Mon zeub ! Nada ! Nib ! Nibé ! Nibergue ! Niberte ! Niente ! Peau ! Peau de balle ! Peau de balle et balai de crin ! Peau de nœud ! Peau de zébi ! Plus souvent ! Quel temps ! Tu t'en ferais crever ! Tu t'en ferais éclater le cylindre, péter la sous-ventrière ! Tu peux te bomber, te cloquer, te fouiller, te gauler, te gratter ! Zut !

Bon article Fuir, bien que Bruant mélange parfois les idées de fuir, de s'en aller simplement, de courir *(tricoter)*, et de déménager *(démurger)*. Il est vrai que l'idée de la fuite était (et est encore) familière aux pauvres et aux marginaux, innocents comme délinquants.

Fuir : Ambier*, Baudrouiller, Calter, Camper, Carapater, Cavaler, Chabier, Cramper, Cromper, Décaniller, Décarrer, Défiler, Défiler la parade, Défourailler, Démurger, Dériper, Désarrer*, En jouer un air, Épouser la fourcandière*, Escaner, Faire chichi, chibis, cric, criquette, gilles, Faire ou se faire l'adja, la débinette, la fuite, la levure, la paire, Faire patatrot, Fendre son équerre, son compas, Filer comme un dard, comme un pet, comme un zèbre, Filer son câble par le bout, Foutre ou ficher le ou son camp, Happer le taillis*, Jouer à barres, Jouer du compas, des flûtes, des fuseaux, des gambettes, des guibolles, des pattes, des pinces, des pincettes, Lever le paturon, Mettre la clé sous la porte ou la débouclante sous le paillasson, Mettre les voiles, Prendre la tangente, S'attacher un bidon, une gamelle, Se barrer, Se carapater, Se cavaler, Se courir, Se cramper, Se criquer, Se débiner, Se défiler, Se déguiser en cerf, Se dévisser, S'épouffer, S'esbigner, S'évaporer, Se fendre l'ergot, Se la briser, Se lâcher du ballon, Se la casser, Se la fracturer, Se la tirer, Se macaronner*, Se pousser de l'air, Se sylphider, Se tirer, Se tirer des pattes, des pieds, des flûtes, des fuseaux, etc. Tirer sa crampe, sa coupe, Tricoter, Tricoter des gambettes, des guibolles, etc. Voir Jambe, S'évader.

> Ah ! ôt' toi d' là, tiens, prends ta course,
> *Débin', cavale* ou tu vas voir.
>
> (Jehan Rictus)

> Plus tard, la chance s'ensuivant,
> S'il ne se fait chauffer avant,
> Ou ne *s'esbigne,*
> Notre homme, par un coup savant,
> Nous supprime le plus souvent...
> Comble de guigne !
>
> (Blédort)

« Lapierre, voyant que ça devenait vilain, juge qu'il est temps de *jouer des fuseaux.* »

(Mario et Launay)

« Ils vont chercher à *se faire la débinette* pour aller crever de faim en Belgique ou chez les Angliches. »

L'impératif se traduit fréquemment par une des exclamations suivantes : Acrée ! Acrès ! A l'escane ! Crès ! Cresto ! Cric ! Far ! L'adja ! La débinette ! La levure ! La paire ! Pet ! Vesse ! ou par La voiture est à la porte ! La voiture nous attend !

Mais is m'ont jamais ceinturé...
Ej' glisse toujours entre les mailles,
Et quand is' passent... ej' crie : *Acré !*
V'là les pestailles !

(A. B.)

« J' crie : *à l'escane*! et j' veux *baudrouiller,* mais j'avais un caillou et j' m'affale. »

(Félix Rémo)

« *Cresto,* qu'i' m' fait, v'là ton daron !
Moi qu'avais pas esgourdé, j' bougeais pas. Alors i' m' fout une poussée.
— *Pet !* qu'i m' refait, *cric !*
Alorsse, j' vas pour *dériper,* mais l'était trop tard et l' dab m'allonge une sichnouffe... de première. »

« Ho ! *La paire !* ça sent la r'niffle !
— *La levure !* vivement, *barre-toi !* V'là ta femme qui t' cherche ! »

Fuite : Adja, Cavale, Campagne, Campe, Crampe, Crompe, Décarrade, Décarre, Décarrement, Escane, Fourcandière*, Levure, Paire, Patatrot.

« Le barbaudier du castu est-il francillon ? Se dit-il *de la fourcandière*? »

(Le Jargon de l'argot)

Face à l'armée d'appellations argotiques de la prostituée qu'il voyait défiler devant lui, de Bercy a eu le bon sens d'organiser l'article. Il distingue donc successivement ces dénominations d'après leur utilisateur : le souteneur d'abord, selon qu'il parle de « sa » protégée ou de celle des autres. Puis d'après les caractéristiques de la prostituée : son âge, ses méthodes ou son lieu d'exercice et les aléas de sa carrière professionnelle. Et pour en finir, la matière n'étant pas épuisée, vient un fourre-tout d'une bonne soixantaine de mots. Ouf !

Prostituée : Les expressions dont se sert l'argotier pour désigner les marchandes d'amour sont très nombreuses ; nous avons cherché à les classer par groupes, mais ce classement n'a rien d'absolument définitif.

En parlant de la fille qu'il exploite, le maquereau dit : Ma bergère, Ma fesse, Ma gerce, Ma gironde, Ma gonzesse, Ma laisée, Ma lampe, Mon lard, Ma largue (on disait autrefois Larguepé, Larguepré, Larque), Ma lesbombe, Ma lésée, Mon linge, Ma Louis, Ma Louis XV, Ma marmite, Ma marmotte, Ma marque, Ma marquise, Ma ménesse, Ma môme, Ma ponante, Ma pone, Ma ponette, Ma poniffe, Ma ponisse, Ma poule, Ma pouliche ; ou tout autre expression équivalant à Amante, Épouse ou Femme.

Avec une idée de mépris, il appelle les autres prostituées : Asticot, Boîte à vérole, Boudin, Bourdon, Brancard, Cagne, Cathau, Cato, Chameau, Chamelle, Chausson, Choléra, Coco, Colibri, Colis, Cricri, Cricri ravageur, Gadoue, Gibe, Giberne, Gibier, Goton, Gouge, Gouine, Grenouille, Guenippe, Guenon, Guenuche, Lièvre, Margot, Morceau, Morceau de cochon ou de salé, Morue, Paillasse à homme soûls, Paillasson, Peau de chien, peau de cochon, Pétasse, Poivrière, Pompe funèbre, Pou, Portion, Poufiasse, Poupée, Punaise, Ragoût, Raquin, Rat d'égout, Rat mort, Roubion, Rouchie, Roulure, Sangsue, Sansonnet, Saucisse, Taupe, Tétard, Torchon, Tortue, Toupie, Tréteau, Vache, Veau, Veau mort-né, Vessie, Vezon, Voirie, Volaille, Voleuse de santé.

La jeune fille qui commence à se prostituer est la Gigolette, la Mectine, la Puce (apoc. ironique de Pucelle), la Rivette ; et les filles soumises l'appellent méprisamment Conasse, jusqu'au jour où elle a son inscription à la police. En possession de sa carte, elle devient Assermentée, Brêmée, Encartée, En brême, Numérotée.

La racoleuse est baptisée Ambulante, Araignée de pissotière, de trottoir, Asphalteuse, Batteuse d'antif, Bitumeuse, Boulevardière, Demoiselle de bitume, de trottoir, Fleur de macadam, de rade, Gonzesse qui bat l'antif, son quart, qui fait le boulevard, la place, le rade, la retape, le tas, le trimard, le trottoir, le truc, le vague, qui fait son persil, qui va au persil, qui va en chercher, qui descend, qui sort, Marcheuse, Marneuse, Persilleuse, Pierreuse, Radeuse, Rameneuse, Retapeuse, Tasseuse, Trimardeuse, Trotteuse.

Quand elle ne quitte pas le seuil de sa maison pour guetter le client, elle Fait la lourde ou la porte ; si elle l'appelle de sa fenêtre, elle est Fenetrière ou Fait la fenêtre, la quitourne ; au bal, c'est la Leveuse, l'Allumeuse.

La fille qui prend sa clientèle parmi les troupiers se nomme Brique, Femme à soldats, Femme sauvage, Giberne, Marie-mange-mon-prêt, Paillasse à soldats, Paillasse de corps de garde, Rempardeuse.

La prostituée qui racole le long des berges est une Pontonnière ; celle qui « fait » le bois de Boulogne s'appelle Boulonnaise ; celle qui cherche pratique en chemin de fer ou en omnibus Fait le pigeon voyageur.

Celle qui dévalise ses clients est Barboteuse, Dégringoleuse, Fourchette, Terrinière.

Les gens qui font la traite des prostituées les nomment Colis, Gibier.

La fille de maison de tolérance est Femme de maison, en maison, Gonzesse en tôle ou de tôle, de ou en claque, en clac. Dans le « travail » par couple l'une est la Doubleuse de l'autre.

Il est des prostituées qui se livrent dans leurs pratiques à certaines spécialités, selon lesquelles elles se dénomment Agenouillée, Blanchisseuse de tuyaux de pipe, Daussière, Dauphière, Dofière, Dosse, Dossière, Magneuse, Maîtresse de piano, Puce travailleuse, etc.

Arrêtons-nous ici, à peu près à mi-chemin entre les cent cinquante et les deux cents, pour reprendre haleine. Il y a certes des redites et des doublons dans l'énumération de Bruant ; et quelques-uns de ces noms de baptême, sans être inventés, n'ont eu qu'une existence très épisodique. Cependant, le plus grand nombre de ceux que nous avons vu défiler jusqu'ici se retrouvent peu ou prou dans la littérature argotique (ou même simplement boulevardière) de l'époque ; leur abondance montre la place que tenaient la prostitution organisée et son corollaire, le proxénétisme, dans la vie sociale des villes, entre 1850 et 1914.

Quant aux « femmes à spécialités » évoquées prudemment par Bruant, les deux premières sont des fellatrices ; les cinq suivantes travaillent... du bas du dos *(dossière)* ; ou, plus précisément, acceptent de se laisser « endoffer » *(doffière),* c'est-à-dire sodomiser. Les *puces travailleuses* sont des lesbiennes (vraies ou fausses) qui se donnent en spectacle au client. La *magneuse* est sans doute une caresseuse ou une masturbatrice. Mais nous ignorons ce que la *maîtresse de piano* pouvait bien offrir de spécial.

En attendant de l'apprendre, laissons la parole au dictionnaire de Bruant.

> En prenant de l'élégance, la fille devient Apéritive, Belle minette, Belle de nuit, Belle petite, Biche, Bredastreet, Cascadeuse, Chiffonnée, Cocodette, Cocotte, Crevette, Dégrafée, Fille de marbre, Frôleuse, Horizontale, Impure, Instantanée, Lionne, Loto, Lorette, Madeleine, Manon, Momentanée, Nymphe, Odalisque, Petite dame, Prêtresse de Vénus, Soupeuse, Tendresse. Au summum, c'est la Caoutchoutée, la Demi-mondaine.
> La prostituée occasionnelle, bourgeoise ou femme du monde, se nomme Demi-castor.
> Lorsque apparaissent les rides et les cheveux blancs, la prostituée s'entend appeler Vieille garde, Vieille lanterne, Vieille paillasse, Vieux passe-lacet, Vieille pieuvre ; c'est alors qu'elle enseigne son art aux débutantes et devient Lanceuse et Professeur. Voir Entremetteuse.
> Le monde bourgeois dit d'une fille que c'est une Créature, une Farceuse, une Garçonnière, une Gueuse, une Mouquette, une Rouleuse, une Roulure, une Traînée.
>
> Enfin, on dit encore ou on a dit d'une manière générale pour désigner les marchandes d'amour : Abbaye de s'offre à tous*, Almanach des 25 000 adresses*, André*, Arthurine*, Attoucheuse, Autel de besoin, Bagasse*, Baleine*, Biche d'Alger, Boucanière, Bourre de soie, Cabrioleuse, Calège, Cambrouse*, Camelotte, Camperoux*, Carpe, Casserole*, Chaudière à boudins blancs, Cité d'amour, Couillère*, Curé de campagne*, Descente de lit*, Dessalée, Digue, Dromadaire, Fille à partie, Fille à passe, Flibocheuse*, Foutinette, Galupe, Galvaudeuse, Gaupe, Génisse, Goualeuse*, Goule, Grue, Herbière*, Jacque-

line*, Limace*, Lipète*, Lipette*, Loudière, Louve, Madame ou Mademoiselle de Montretout, Marie-Calèche (arg. algérien), Marguineton*, Mectonne, Méquesse, Morue dessalée, Omnibus, Outil de besoin, Panthère*, Panturne*, Panuche*, Passade, Poutronne*, Qui fait la petite chapelle, Qui soulage l'humanité souffrante, Rouscailleuse, Rutière*, Tapeuse de tal, Trouille*, Truqueuse, Turbineuse, Vadrouille, Veilleuse.

***

Ouf! Merci, Bercy! C'était tout de même un peu longuet sur la fin, n'était-ce pas? Pour récompenser le lecteur de sa patience, offrons-lui un extrait d'un autre dictionnaire de la même époque (fin 1896 ou début 1897), celui de **Jules Lermina** et **Henri Lévêque.**

De ce Lévêque, je ne sais rien; pas même la part qu'il prit à l'œuvre commune. De Jules Lermina, en revanche, il y aurait beaucoup à raconter. Nous n'en dirons que quelques mots, en souhaitant (une fois de plus) que sa vie et son œuvre trouvent un jour pas trop lointain leur narrateur et leur rééditeur.

Il était anarcho-libertaire bon teint ; fondateur, je crois, dans les années qui suivirent la Commune, de la colonie communiste d'Aiglemont, dans les Ardennes ; et auteur d'une biographie de Baudin, le député républicain tombé sur les barricades de 1852. Auteur aussi, ce qui nous paraît surprenant aujourd'hui, d'un « train » de romans cucus aux titres éloquents : *Calvaire d'amour, Les Chasseurs de femmes, Martyres d'amour, La Criminelle...* j'en passe, et des meilleurs. De romans satiriques aussi, ce qui s'explique mieux : *La Haute Canaille, Les Hystériques de Paris.* Auteur enfin, outre le dictionnaire, d'un recueil : *A brûler. Histoires incroyables.*

Lui ou Lévêque avaient eu, avant Bruant-Bercy (ou en même temps, mais leur dictionnaire parut le premier), l'idée de regrouper le vocabulaire argotique par thèmes : la faim, la soif, se loger, s'enfuir, etc. Et par ailleurs, mais c'était là une tradition déjà ancienne, d'étoffer et d'égayer leur *Dictionnaire thématique de l'argot* de quelques textes de leur fabrication, dont une parodie fort drôle, du classique récit de Théramène, dans la *Phèdre* de Jean Racine.

Théramène est devenu Théramort. Il y a certainement quelque chose à comprendre dans ce changement d'état civil, mais — sur le moment — je ne vois pas quoi. Et le récit de Théramort est malheureusement trop long pour l'espace dont nous disposons. En voici du moins le début :

THÉSÉE

Théramort, c'est-y toi ? Què qu' t'as fait du fiston ?
Je te l'ai colloqué quand il était tout gosse...
Mais tu chiales ! Dis-moi le pourquoi de c' t'émosse ?
Qu'est-ce que d' vient mon produit ?

THÉRAMORT

Patron, votre salé...
Quelle dèche, mon emp'reur... Eh ben, il est dég'lé.

Du sang à la lune

Le succès de *La Maison Philibert* fut assez durable pour donner naissance, trente ans après le roman, à une adaptation théâtrale (1934). On doit par ailleurs à Jean Lorrain et Gustave Coquiot deux courtes pièces dans le style « apaches », *Une nuit de Grenelle* (1904) et *Deux heures du matin... quartier Marbœuf* (1904 également). De la même année encore, une comédie dramatique en deux tableaux, *Clair de lune* ; cette fois en collaboration avec Delphi Fabrice, auteur fécond de romans du cœur dont les titres, *Dans les bras d'une autre, Deux cœurs dans la tempête, Courtisane contre Midinette,* disent éloquemment le genre et le public.

L'intrigue du *Clair de lune* est à peu près la même que celle de *La Casserole* d'Oscar Méténier (voir p. 211), d'ailleurs ami de Jean Lorrain et qui le tira souvent (rappelons qu'il était fonctionnaire de police) des mauvais pas dans lesquels les fréquentations... douteuses de l'écrivain le faisaient tomber.

Mérine, dont l'homme, Julot les Pattes, tire cinq berges de cabane à Poissy pour un fric-frac minable et manqué, s'est bientôt remise en ménage avec un autre souteneur, Le Bicot de Belleville, qui n'est d'ailleurs qu'un Parisien « à biceps », ou peut-être simplement aux cheveux un peu frisés. Mais Julot les Pattes, Mérine et leurs potes sont de la Bastille, et se maquer avec un homme de Belleville quand on est de la Bastoche, ça la fiche mal.

CLAIR DE LUNE
Premier tableau
Le cabaret du père Viron « A la Taupe »

Porte au fond. — Comptoir à droite. — A gauche, deux
tables et des tabourets — Allumoir près la porte d'entrée.
Le Frisé, Le Bicot de Belleville, Mérine,
le père Viron *dans son compoir*

LE BICOT. — Atout et atout !.. comme ça, c'est encore
gagné... Hein, vous êtes rincés, mes potes ?

LE FRISÉ, *jetant ses cartes.* — Six parties de suite ! T'as une
veine de cocu !

MÉRINE. — De cocu ? Savoir ! Je ne fais jamais de paillons
à mon homme.

LE BICOT. — Oh, je sais bien que tu m'es fidèle ! *(Au
Frisé.)* Allez, encore un verre ; mais, c'te fois, j'te l'joue
pas... J's'rais capable de gagner encore.

LE FRISÉ. — Ça, c'est sûr... T'es dans la bonne passe. *(Au
père Viron.)* Hé, père Viron... une tournée pour le Bicot.
(Le père Viron vient servir.)

LE BICOT, *jetant cent sous sur la table.* — Et payez-vous
tout de suite !

LE FRISÉ. — Des thunes à la pelle !.. Ah ! on voit que t'es
au pognon !

LE BICOT, *montrant Mérine.* — Dame, avec une aussi
chouette marmite !

LE FRISÉ. — Le fait est que la Mérine est chouette... Ah !
bon Dieu, c'est autre chose que ma femme. Quelle sale
carton... T'en as de la veine, toi, le Bicot !

MÉRINE. — Que voulez-vous, le Frisé ! Ça prouve que le
Bicot a su choisir.

LE BICOT. — Encore une tournée, la dernière... Tu peux
pas refuser ça, le Frisé... Allons, hop, sur le pouce ; faut
que j'aille au patelin ce soir.

LE FRISÉ. — Ce soir ?

LE BICOT. — Ben oui ; j'ai promis à la vieille d'y monter
souhaiter le bonsoir. Faut même que je me trotte, v'là
qu'il est plus de huit plombes, et la dabuche se plume de
bonne heure... Et puis, grimper à Belleville, c'est tout
Paris à s'envoyer.

MÉRINE, *sèchement*. — J'espère bien que c'est pour la dernière fois.

LE BICOT. — De quoi ?

MÉRINE, *même ton*. — Je dis que j'espère que c'est pour la dernière fois que tu me plaques pour remonter à Belleville, sous le prétexte d'embrasser la vieille. Je commence à en avoir marré !

LE BICOT, *gouailleur*. — Ta bouche d'enfant ! Tu sais bien que j'y monte aussi pour prendre mes fringues... J'y ai encore laissé deux phalzars et des liquettes.

MÉRINE, *même ton*. — Connu ! Voilà un mois, depuis qu'on est ensemble, que tu les déménages tes fringues. Ça commence à être la jambe !

LE BICOT, *impatienté*. — Assez !

MÉRINE. — Enfin ce que je dis...

LE BICOT, *furieux*. — Ferme ! Ferme !

LE FRISÉ, *intervenant*. — Vous n'allez pas vous engueuler, quoi !... Un jeune ménage... Si c'est pas malheureux !

Quant à Mérine, on ne lui en veut pas trop ; une femme ne peut pas rester seule, n'est-ce pas ? Elle est à la fois admirée (par les hommes) et jalousée (par les femmes) : c'est une gagneuse que les premiers donnent en exemple aux secondes.

LE FRISÉ. — T'entends, la môme, que je ne te pipe jamais à y causer à la Irma, parce que sans ça !... Prends plutôt exemple sur la Mérine ; voilà au moins un modèle !

LA CHARPENTE. — Oh ! oui, elle s'occupe ! En v'là une qui se grouille ! Et dire qu'on l'a laissée chiper par un étranger... Car, enfin, c'te poule-là, c'est un gars de Belleville, un gars pas de chez nous qui la fait pondre ; y a pas à dire !

LE FRISÉ. — Oh ! le Bicot de Belleville est un bon fieu, pas regardant, toujours la main à la poche pour les aminches.

LA CHARPENTE. — Ça ne fait rien ; il ne vaut pas Julot Mes Pattes ! Ah, celui-là, il était des nôtres ; c'était un frère !

LE FRISÉ. — A qui le dis-tu ? Julot, c'était mon poteau. On s'est élevé ensemble et on s'est jamais quitté. Ah ! pour celui-là je plaquerais tout ! Même les gonzesses !

LA MOME PÉTASSE. — T'es gentil !

LE FRISÉ. — J' dis c' que je pense. Julot et moi, c'était les deux doigts de la main.

LA CHARPENTE. — Et dire qu'il est à Poissy, pour cinq ans.

Une partie de monte en l'air de rien du tout... y a pas eu deux sigues de fringue... Ah ! la Mérine l'a remplacé bien vite, ton Julot !

LE FRISÉ. — C'est vrai ; mais tu sais bien qu'il ne faut jamais qu'une femme reste sans homme.

LA CHARPENTE. — C'est tout de même dommage qu'elle ait filé dans les mains d'un type pas du quartier. C'est à toi, le Frisé, qu'elle revenait de droit, c'te gonzesse-là ! D'abord, t'es le pote de Julot !

LA MOME PÉTASSE. — Eh bien ! dites donc, la Charpente, vous n'avez pas fini de débaucher mon homme... et moi, alors, il fallait qu'il me plaque !

LA CHARPENTE, *gouailleur.* — Voyez-vous ça ! La môme Pétasse qui fait sa jalouse !

LA MOME PÉTASSE. — Parfaitement : le Frisé, il est à moi... Et en cas de paillons, il sait ce qui l'attend, c'est le vitriol.

Là-dessus arrive, sortant lui aussi de Poissy, un pâle voyou, Dodor. « Mérine ? révèle-t-il : C'est une donneuse. C'est elle qui a balancé son homme à la police pour se débarrasser de lui. »

Coupable ou pas (et sans doute pas), le sort de la pauvre fille est aussitôt décidé : on va la « corriger ». Les hommes se serviront pour cela du Frisé, pour lequel Mérine a toujours eu un penchant. Il n'a pas grand mal, en effet, à entraîner la jeune femme, le soir même, dans une escapade amoureuse qui s'achèvera tragiquement.

LE FRISÉ, *tenant Mérine par la taille.* — Alors, c'est vrai qu' t'avais songé à te mettre avec moi ?

MÉRINE. — Oui, mais... à cause des autres... un gars du quartier... ça aurait pas plu aux aminches... C'est égal... ça me tenaillait... mais comme t'étais le poteau de l'autre... Un homme pas d'ici, c'est plus la même chose... Ah ! j' t'aurais mieux aimé que le Bicot, va !

LE FRISÉ. — C'est un bon fieu, pourtant...

MÉRINE. — Pas comme toi, le Frisé !

LE FRISÉ. — Ah ! la môme ! *(Il l'enlace.)*

MÉRINE. — Oh ! moi... j'aime la campagne... avec la lune !... On se croirait à l'Ambigu, tu sais quand les amoureux se disent des choses gentilles... Ce soir, c'est comme un décor... Tu dois en savoir dire des douceurs, toi, le Frisé... Julot aussi savait bien...

LE FRISÉ, *changeant de ton.* — Y a t'y longtemps que t'en

as eu des nouvelles, de Julot ? *(Il la frappe.)* Tiens, pour toi, sale bourrique !

MÉRINE, *effarée.* — Ah ! Au secours !

LE FRISÉ, *la menaçant.* — Chiale pas ! *(Appelant.)* Hé ! les aminches !

(Tous entrent et entourent Mérine qui hurle.)

LE ZOUAVE. — Ah ! tu jaspines chez le curieux !

LA CHARPENTE. — Ah ! tu fais des paillons !

MÉRINGOT. — Ne la tuez pas. C'est une femme ! Laissez-la !

LE FRISÉ, *le menaçant.* — Tais-toi, toi, ou on te crève !

MÉRINE. — A l'assassin !

DODOR. — Donner un homme ! Tapez ! Tapez ! *(Tous sortent, entraînant Mérine, à l'exception de Méringot. Jeux de scène, coup de revolver en coulisse ; on entend un cri de douleur.)*

MÉRINGOT. — Ah ! ils la saignent !

DODOR, *reparaissant.* — Paix ! Paix ! La rousse ! *(Galopade de Dodor, du Zouave, de la Charpente, du Frisé.)*

MÉRINGOT, *lorgnant toujours vers la coulisse.* — Ils l'ont salée, ils l'ont occis ! *(Apparition des agents, derrière Méringot.)*

Aux premières loges

On ne peut pas dire que **Frédéric de Chirac** (je dis bien DE) ait laissé un nom dans la littérature. Pas même dans la petite. On lui doit quelques vaudevilles et même, semble-t-il, quelques plaquettes politiques d'inspiration socialiste. Il nous intéresse ici par un acte dramatique donné en 1905 ou 1906 au Grand-Guignol et édité en 1906 chez Ondet, 83, faubourg Saint-Denis, *L'Aube de la guillotine.* Une de plus...

L'intérêt de celle-ci est de faire d'une exécution capitale (ici celle d'un « anarcho », Pierre Laubier) le prétexte à une « chose vue » qui est bien dans le ton de l'époque. La Belle Époque, si l'on veut...

L'action se passe dans le bistro de la mère Casse-Trogne, une brave femme au demeurant, tout près de la place de la Roquette, où avaient lieu alors, pour Paris, les mises à mort légales.

Le bistro donne sur la place où l'équipe habituelle s'affaire à monter « les bois de justice ». Il est cinq heures du matin. La mère Casse-Trogne vient d'ouvrir ses portes. Entrent La Pantinoise, vingt-neuf ans, et Chou-Gras, vingt-cinq (pp. 6-11).

CHOU-GRAS. — Brr'ou ! C'te pluie m'a glacé les boyaux !

LA PANTINOISE, *fumant tranquillement une cigarette.* — Crois-tu qu'il en a un temps, le frère, pour sa dernière sortie !

CHOU-GRAS. — Bah ! il a du public, c'est une compensation.

LA MÈRE CASSE-TROGNE, *les servant.* — Vous en venez ?

LA PANTINOISE. — Dame oui ! mais dans la boue, on ne sent plus ses ripatons. J' préfère être au chaud que d' me craquer les veines du cou en essayant d' z'yeuter c' mannequin-là !

LA MÈRE CASSE-TROGNE. — Est-ce que la besogne avance ?

CHOU-GRAS. — A la douce ! à la douce ! On ne brusque rien. Què qu' ça fiche ? puisque c'est pas encore l'heure !

LA MÈRE CASSE-TROGNE. — Pas encore l'heure... Pas encore l'heure... Il me semble qu'une fois les préparatifs terminés...

CHOU-GRAS. — Taratata, la mère ! Faut que l' condamné assiste au p'tit jour, c'est la règle ! Or, à c' t'époque-ci, le jour se lève à cinq plombes et 29 broquilles. J'ai lu ça sus l' calende !

LA MÈRE CASSE-TROGNE. — Pauvre diable ! J'aimerais mieux pour lui que ça soit fini tout de suite. *(Elle remonte.)*

LA PANTINOISE, *toujours calme.* — Laissez-lui au moins l' temps d' souffler !

CHOU-GRAS, *après un silence.* — Dis donc, La Pantinoise, sais-tu à quoi j' pense ?

LA PANTINOISE. — Jacte !

CHOU-GRAS, *baissant la voix.* — Eh bien, tout à l'heure, quand nous s'rons réchauffés, faudra pas s'attarder ici. On r'tournera là-bas. Et pendant l' mic-mac, quand l' monde s'ra bien attentionné... *(Il fait un geste expressif.)* On cherchera des commanditaires.

LA PANTINOISE. — Compris ; mais si Bibi-la-Mèche était

avec nous, la recette serait meilleure. C'est un môme... Il fait tout c' qu'il veut d' ses pattes ! Tu l'as pas vu sur la place ?

CHOU-GRAS. — Non. Pardine, il doit rôder avec la Michette et r'nifler les poches. C'est des « gensses » sérieux. Ça s'occupe.

SCÈNE II

Les mêmes, Bibi-la-Mèche et Michette.

Bibi arrive en fredonnant :

    « La dernière fois que je l'ai vu,
    Il avait l' torse à moitié nu,
    Et le cou pris dans la lunette,
    A la Roquette ! »

CHOU-GRAS, *à La Pantinoise.* — Tiens, v'la Bibi !

BIBI-LA-MÈCHE, *sur le seuil.* — Bon, quoi ? Michette ? Dégrouille un peu !

MICHETTE, *entrant.* — Voilà, voilà !

BIBI-LA-MÈCHE. — Tiens, Chou-Gras ! Ça va ? *(Il lui tend la main.)* Bonjour, La Pantinoise. *(Les deux femmes s'embrassent.)*

LA MÈRE CASSE-TROGNE. — Qu'est-ce que vous voulez boire ?

MICHETTE. — Un sirop d'orgeat.

BIBI-LA-MÈCHE. — C'est plus une femme, c'est un p'tit pain d' sucre ! Moi, la mère Casse-Trogne, vous m' donnerez une chopine ! *(La mère Casse-Trogne s'éloigne.)*

LA PANTINOISE. — On parlait de toi, à l'instant.

BIBI-LA-MÈCHE. — Ah ! Vous v'nez d'arriver ? Vous avez vu c' que ça r'mue sur la place, hein ? Comme nous étions là de bonne heure, Michette et moi, nous avons vendu trois fois nos positions.

CHOU-GRAS. — Chérot ?

BIBI-LA-MÈCHE. — Une larangue[1].

LA PANTINOISE. — Quarante ronds chacun ! Douze balles pour les trois tours ! Bath !

MICHETTE. — Oh ! c' Bibi, il sait y faire !

BIBI-LA-MÈCHE, *à Chou-Gras.* — Tu comprends, mon vieux, j'avais prévenu la gosse. J'y avais dit comme ça : on exécute un anarcho. Le public sera mélangé. Y aura des

---

1. Un larantequé, quarante sous, 2 francs ; environ 100 F actuels.

esthètes, des intellectuels... des névrosés... un peu d'
salade, quoi. Eh bien, nous autres qu'avons déjà vu
l'espectacle, faut passer la nuit et céder son tour aux
poires pour du pognon sonnant ! *(Il fait sauter l'argent
dans sa main.)* Ça a rendu, tu vois ! A m'sure qu'on
r'culait d'un rang, la p'tite et moi, on palpait l'indemnité !

MICHETTE. — C't'égal ! Fallait du courage tout d' même !
J' suis trempée ! *(Elle secoue ses jupes.)* C' qu'il y en a, d' la
flotte !

LA PANTINOISE. — Pauv' gosse, va ! C'est jeune, c'est pas
encore habitué. Tiens ! Prends mon fichu ! *(Elle le lui met
sur les épaules.)*

BIBI-LA-MÈCHE, *riant.* — En v'là une, de tendresse !

CHOU-GRAS. — C'est pas tout ça ! Veux-tu manigancer
avec nous tout à l'heure, dans la foule ? S'agit d' se faufiler
et d' soul'ver les porte-braise. Après la débandade, rendez-vous ici pour l' magot.

BIBI-LA-MÈCHE. — J' veux bien. Ça colle. T'entends,
Michette ?

MICHETTE, *qui causait avec La Pantinoise.* — Quoi donc,
mon loup ?

BIBI-LA-MÈCHE. — Va falloir s' grouiller pour la tire !

MICHETTE. — Oh ! Zut ! J'aime pas ça. On peut s' faire
griller.

LA PANTINOISE. — T'es bête ! c'est l' moment, au contraire.
On passe inaperçu, les flics sont occupés ailleurs. Ni vu ni
connu, j' t'embrouille !

MICHETTE. — Oh ! moi ! J' suis si peu dégourdie pour ces
machines-là !

BIBI-LA-MÈCHE. — Ça suffit ! Tu feras c' que j' te dirai. J'
me suis chargé de ton apprentissage. J' veux rien avoir à
m' reprocher. La conscience avant tout.

Là-dessus entre et s'assied un homme d'une cinquantaine
d'années, Maubert. C'est un ami de Laubier, venu voir mourir son
camarade en anarchie. Il fait de lui et de leur idéal commun un
éloge vibrant. Quand on vous le disait, que ce DE Chirac était un
socialiste bon teint !

Derrière Maubert, entrent deux reporters. Mais oui, des « reporters ». Le mot était déjà usuel en 1900, et bien avant. Comme quoi...

Du coup, la fine équipe du début quitte les lieux.

CHOU-GRAS, *à ses camarades, comme terminant une conversation à voix basse.* — Alors... convenu, hein ? On peut filer !

BIBI-LA-MÈCHE. — Entendu. Décanillons. Qu'est-ce qui raque la tournée ?

LA PANTINOISE. — Moi ! j'ai une roue de derrière *(Elle sort une pièce de 5 francs de son bas et frappe sur la table.)*

BIBI-LA-MÈCHE. — Hop !

(Toute la bande se lève et sort, les hommes les premiers ; les deux femmes venant ensuite, après avoir vainement provoqué les nouveaux venus.)

Restés seuls avec Maubert silencieux, les deux reporters s'arrangent. L'un d'eux « couvrira » le spectacle, l'autre attendra chez lui les notes de son camarade pour faire son article.

Alors qu'ils partent, arrive un couple de fêtards : Jane Lamourette, une « cocotte » sympathique, et son amant officiel, La Jardille, un industriel d'une quarantaine d'années, à son aise. Ils sortent de la Foire aux pains d'épice où ils ont passé la nuit, et Jane a décidé de couronner cette nouba en allant voir l'exécution de Laubier.

Entre alors une assez jeune femme, épuisée et en pleurs, Francine. Maubert l'attendait : c'est la compagne de Pierre Laubier, et elle a surmonté sa douleur pour voir mourir son compagnon. Elle a amené leur fils, Julien, sept ans. Explications : Jane Lamourette est bouleversée.

L'aube de la guillotine s'est levée : la tête de Laubier tombe. Francine s'évanouit. Jane s'empresse et s'offre avec vivacité pour adopter l'enfant. La mère refuse, bien sûr. Mais La Jardille, lui-même très touché, fera à la veuve de l'anarchiste la petite rente qui lui permettra de vivre et d'élever Julien. Rideau.

Le journal du beau Nénesse

Ce « pavé » fastidieux de deux cent soixante-six pages bien tassées au terme desquelles « le beau Nénesse de la Courtille, cellule 19, 8e division, à la Roquette », condamné à mort pour l'assassinat de sa maîtresse, sera gracié et expédié à La Nouvelle, est cependant l'une des œuvres les plus étonnantes de notre littérature argotique.

Non pas par le thème : c'est celui, usé jusqu'à la corde si nous osons dire, des « derniers jours d'un condamné à mort ». Ni par sa valeur littéraire : il n'en a aucune, hélas ! C'est un enfer lugubre, pavé de bons sentiments. Ni même par sa valeur documentaire : c'est une « fabrique » d'argot bâclée par un tâcheron de la plume à grands coups de dictionnaires et de fiches.

Paradoxalement, c'est là que réside son seul intérêt. Il pousse jusqu'à la caricature le « truc » employé par Hugo dans *Les Misérables* : TOUT traduire, et traduire n'importe comment. Le résultat ? Une enfilade de contresens, de barbarismes et de solécismes, qui ne méritent même pas d'être relevés.

Certes, à la même époque, Oscar Méténier dans son théâtre (voir p. 208), et Aristide Bruant dans son roman (voir p. 297) utilisent le même procédé de l'accumulation qui doit, dans l'esprit de l'auteur, produire un double effet : d'authenticité d'abord, de pittoresque ensuite.

Mais c'est l'occasion de rappeler la remarque que faisait Richepin à propos des dictionnaires d'argot, dont l'auteur devrait être à la fois un homme de bibliothèque et un homme des rues chaudes. De la même façon, un romancier argotique devrait être à la fois un écrivain et un argotier. Méténier, à défaut d'être un véritable écrivain, connaissait du moins l'argot en quelque sorte physiquement. On peut lui reprocher d'en avoir trop fait ; mais pas de l'avoir fait en dépit du bon sens.

L'auteur du « Journal » est — ou signe — **Nonce Casanova** (il s'agit vraisemblablement d'un pseudonyme). Il a beaucoup écrit, et à défaut d'une biographie, la liste de ses œuvres est instructive. Sous le titre ambitieux de « L'Histoire des hommes », elle fait se succéder, de 1890 à 1910 environ, *Le Choc, Les Adultères vierges, Le Poète et la Violée, Le Baiser, L'Angélus, L'Amour, Messaline, La Libertine, César, La Mort des sexes,* quelques autres de même farine, puis *Les Dernières Vierges* et *Le Journal de Nénesse.* On voit le genre...

Dans le premier extrait de ce *Journal de Nénesse*, celui-ci (qui se nomme en fait tout platement Ernest Touchon) vient d'apprendre par les inévitables « bonnes sœurs » de la prison qu'elles se proposent, après qu'il aura été *décollé*, de prendre en pension, gratuitement, la pauvre vieille maman Touchon.

Dans le second, c'est l'avocat de Touchon-Nénesse qui vient lui annoncer qu'il a obtenu un permis de visite pour celle-ci et que Nénesse pourra l'embrasser une dernière fois.

Nous avons utilisé l'édition — seule disponible — de la librairie Ollendorff (pp. 97-98 pour le premier texte, 169-170 pour le suivant).

J'ai tourné en bourrique avec des mires pleines de jus, j'ai fait le bond pour lui sucer la poire au frangin, mais mes guibolles en tremblotte ont rien voulu savoir et j'ai ramassé une pelle sur le carreau... C'est le coup du bonheur'muche qui me faisait toucher les épaules, oui !... Quand je me suis relevé, il n'y avait plus personne... J'étais tout seul dans mon castu, le palpitant à la rigolade...

Elle ne crèvera pas dans la mouise, mon ancienne !... C'est même un beurre pour elle, qu'on me fasse sauter la cafetière... Ah ! si je pouvais leur lécher les arpions aux gonzesses du Sacré-Jésus !... Ce n'est pas des wagons à bestiaux, des Marie-couche-toi-là, des gaupes à la mie, ces numéros-là !... Ça va faire bouffer ma bonne doche qui se la coulera douce !... J'en ai la gargarousse bridée !... Pourvu que je ne sois pas en train de roupiller et de faire un beau rêve !... Voyez-vous ça, la souche à Nénesse qui se les calera dans sa villégiature, au verdet, comme une rupine, une fleur des pois !... Tu vas t'en faire claquer la sous-ventrière, maman Touchon !... On ne se prive plus de rien, on fait partie du gratin embaumé, quoi !... Mon colon !... Y a pas ! A présent, j'aime le bon Dieu, nom de Dieu !...

[...]

— C'est bien vrai ?... Elle sera là à côté de moi comme vous êtes ?... Il n'y aura pas de gaules de schtard entre nous ?...

— De gaules de schtard !... Parlez-moi donc français, Touchon...

— Faites excuse, monsieur l'avocat... Ce sacré arguche qui ne veut pas me lâcher... Je ne m'en rends même pas compte, tellement j'en suis farci... Quand j'étais libre, j'en avais la platine moins chargée... Et depuis qu'on m'a cueilli, ça me hantoche à flots... Ce qui revient à dire, monsieur l'avocat, que le voyou poissé, c'est kif-kif de l'eau qui dort... La langue verte monte à la surface de l'un, et la pourriture verte monte à la surface de l'autre... Goujon et marécage, d'abord, c'est fait pour aller ensemble...

— Tiens, ce n'est pas mal du tout, ce que vous me dites là !... Très pittoresque...

— Après mézigue, on n'en fera plus, monsieur l'avocat... Le moule est cassé... La bigorne, c'est comme toutes les belles choses de ce bas monde, ça se débine... La vraie graine de Pantinois, on n'en trouve plus des tas... Il y a trop de province dans la capitale, au jour d'aujourd'hui, et si ça continue, on finira par javotter bougnat à Ménilmuche... Fouchtra de la machtagouine !... Eh bien ! c'est malheureux parce qu'entre nous il n'y a encore que le jaspin écaillé qui prouve qu'on n'est pas un Français de choucroute... Seulement, tout le monde n'en pince pas bézef, voilà... Ainsi ma pauvre daronne, ça lui faisait gober son bœuf chaque fois qu'elle m'entendait y aller de mon jars de vadrouille... On aurait dit que je lui graillonnais des mollards... Et puis, elle n'y comprenait que du flan... Aussi, devant elle, je tournais plusieurs fois ma lavette dans la gueule pour ne lui bonnir que du langage propre, à la mie de pain... Vous, ce n'est pas le même genre, monsieur l'avocat, vous devez vous y être fait : depuis le temps que vous turbinez dans la crapule !...

— Assurément... Cependant, vos gaules de schtard...

— Ah ! ouiche... J'avais perdu le fil... Vous m'avez rendu à moitié louf en me chantant que je pourrai faire de la caresse à mon auteur... Les gaules de schtard, ça veut dire leurs sales grilles, ou si vous aimez mieux, les harpes sur lesquelles la Pégrenne et la Camarde, ces deux tripasses mouchiques, jouent leurs marches funèbres aux enflacqués... Les grilles, monsieur l'avocat...

Un troisième extrait présente au moins, lui, un léger intérêt historique. C'est la revue que passe le beau Nénesse, dans ses souvenirs, des femmes qui fréquentaient l'estaminet de « la mère Phos' » (pp. 230-232).

Et du côté des marquises, il y avait d'abord la môme Toupie qui chouignait toujours comme pour lâcher ses écluses, Rosa la Rose et Musa la Muse (deux éplucheuses de lentilles !), La Volige, Rosita, la môme Chien, Irma

Coucou, Olga la Pomme qui venait de sortir d'un claque
de la rue Joubert, Colle-de-pâte, Marie-aux-yeux-vaches,
La Méloche, Panfouine (Une alboche toute couverte de
dorures mais en toc : des bouchons de carafes, de la bride
au kil !) Fernande, la même Rondine, la viocque Pincette
(Une qui avait gigotté dans le temps avec Valentin le dés-
ossé, au Moulin), la même Saucisse, la mère Mort-aux-
gosses (qui était macca à présent, mais qui en avait fait
une collection de gluants, et adressé des chérubins à
Notre-Seigneur !), Poêle-à-marrons, Lili Bath-au-pieu,
Clara Tatouille, Alberte l'Italienne, Honorine Belle-
enfant, la Môme Pipi, Train-de-plaisir, Mélie-Planche-à-
Pain qui faisait le truc avec un cabot dans les bras, un
petit Azor dégueulasse orti de rubans, la grande Angèle,
Clotilde l'Infirmière, Justine Dig Dig, Laurence Banban
(Mince ! Qu'elle était gironde, cette ponette-là ! Sûrement
que je lui aurais fait du plat, si je n'en avais pas tant pincé
pour la mienne. Seulement la pauvre gosse était banban :
elle tortillait des gigues et y allait de son cinq et trois font
huit, en charriant sa viande), la Poubelle, Bouche d'égout,
Nini-la-Gigue (La bergère à l'Espagnol de Saint-Mandé,
une gambilleuse de Bullier qui avait du brûlant dans les
pattes, pour sûr. Elle nous servait quelquefois un guinche
chez la mère Phos' pour nous épater. Il fallait la voir en
suer une ! Oh ! schbeb ! Son fort, c'était de la frétillante
loufoque : les pas du hareng saur en délire, de la sangsue
en mal d'enfant, du crapaud en goguette, de la sardine en
vacances, et d'autres cascades de la même famille. On se
boyautait à la voir se décarcasser les guibes), Amandine
(Une porte-maillot des Bouffes du Nord !), Eugénie de la
Bastoche, Marie Canne-à-pêche, Fleur-de-Pochetée,
Zuzu, Lili Demi-Setier, Caroline le Bocal du Nib du Chy
(A cause qu'elle s'était fait casser le sabot, à douze berges,
par un pharmacot de l'avenue de Clichy !) Et cœtera pan-
toufle... Un vrai plat de veaux mort-nés !... Presque tout
le magasin de fesses de la mère Phos'. Entre nouzailles,
l'Os à moelle, c'était plutôt un bouis qu'une tôle à chand
de vin... Il y avait une carrée à l'entre-sol, pour les pantes
qui voulaient souhaiter la fête à un morceau de cochon...
Allume !... Allume !...

Et voici les Pieds Nickelés

Il y a trois bons quarts de siècle que Croquignol, Filochard et Ribouldingue « appartiennent à l'univers familier de tous les garnements, chenapans, cancres et autres vauriens en culotte courtes que comptent les écoles communales de la doulce France », constate l'auteur de la meilleure étude qui leur ait été consacrée à ce jour, celle de Félix Lechat (??!!) dans le seizième numéro du magazine *Fascination* que connaissent bien, nous l'espérons pour eux, tous les amoureux de la B.D., du « second rayon » et des marginaux de la plume ou du crayon *.

Baptiser Filochard, Ribouldingue et Croquignol ces trois zèbres « de haulte graisse », eût dit Rabelais, c'était une trouvaille dans la ligne de l'époque, la Belle. Avant eux, **Louis Forton** (1879-1934) avait déjà à son actif (nous suivons toujours ici Félix Lechat) le clochard Séraphin Laricot, un Isidore Mac-Aron (qui annonce, sémantiquement parlant, notre Croquignol), et un Fricotard, qui n'eut pas grand-peine à se retrouver en Filochard.

Mais pourquoi Pieds Nickelés, sans trait d'union surtout ? Forton (nous citons F. Lechat) avait d'abord appelé ses héros les Pieds Sales. Il les proposa ainsi aux frères Offenstadt qui venaient de lancer un hebdomadaire pour la jeunesse, *L'Épatant.* L'un des frères suggéra de remplacer « sales » par « nickelés », et c'est sous ce nom — promis à l'immortalité — que Croquignol, Filochard et Ribouldingue, par ordre d'entrée en scène, apparurent dans le n° 9 de *L'Épatant,* le 4 juin 1908.

On ne peut pas dire ce qu'aurait été le succès des aventures d'un trio de « Pieds Sales ». On peut en tout cas affirmer que celui des Pieds Nickelés doit beaucoup au malentendu qui flotte autour de ce « nickel ». Pour les familiers de l'argot des années 1900, les Pieds Nickelés ne pouvaient être que d'irréductibles cossards, rebelles à tout travail de bon aloi. « Avoir les pieds nickelés », c'est en effet, du

---

* « Les Pieds Nickelés font des bougreries », F. Lechat, *Fascination,* n° 16, pp. 15-18. Trimestriel. Ce n° 16 est encore disponible à *Fascination,* 33, passage Jouffroy, 75009 Paris.

moins à l'origine, les avoir « niclés », c'est-à-dire « noués », « paralysés ».

C'est ainsi que le comprennent sans ambiguïté, dix ans avant l'apparition du trio, Jehan Rictus ou *Le Père Peinard*. Pour le premier, citons *Les Soliloques du pauvre* (p. 109) :

« Les uns, *y z'ont les pieds nick'lés*,

Les autr's, y les ont en dentelles ! »

Et pour le second, cette constatation : « Et pourtant, malgré qu'on ait chauffé le populo à blanc, *il a les pieds nickelés*, il ne marche pas !... ou du moins il marche très peu. »

Cependant, l'expression a été associée de bonne heure à d'autres « nickelés ». A la fin du siècle, ce sont les gens chic, ceux qui étalent leur richesse. C'est la grande vogue du nickel ; le must des années 1895-1910, c'est de faire « nickeler » les casseroles, les plats, les couteaux, etc. D'où l'idée que le paresseux ou plutôt l'oisif, le rentier, a les pieds « nickelés », à la fois inertes et brillants.

A l'origine, Croquignol, Filochard et Ribouldingue sont plutôt du côté des pieds « niclés », de la paresse constitutive, congénitale et convaincue. Toujours raides comme des passe-lacets, ils vivotent d'expédients misérables. Peu à peu, cependant, ils réussissent de gros coups, grâce auxquels ils nagent quelque temps dans l'opulence. Toujours aussi flemmards, ils ont alors les pieds doublement « nickelés ». Et comme ils sont souvent servis par la chance des canailles, le lecteur de leurs aventures se persuade peu à peu qu'avoir « les pieds nickelés », c'est être veinard.

En fait, les deux expressions originelles sont oubliées de bonne heure, et certainement après 1920. Si l'on parle de « pieds nickelés », ce n'est plus que par référence à nos trois clampins.

Ils parlent argot, comme de juste et de bien entendu. Ou, plutôt, Forton leur fait parler un français à la fois populaire et argotique de grande classe, qui a été certainement pour beaucoup, de son côté, dans le succès de la bande, la dessinée et celle des trois zigotos.

Ni trop ni trop peu : l'argot que parlent entre eux les trois hommes est une merveille de justesse. En voici un échantillon de 1912 :

« A qui donc (demande Filochard à ses deux associés, p. 245), à qui donc viendrait l'idée de supposer que les célèbres Pieds Nickelés sont devenus trois honorables députés que la Chambre considère comme ses membres les plus estimés et dans lesquels elle voit de futurs ministres ?... »

Eh bien, c'est arrivé ! Et voici nos honorables parlementaires à l'action. La parole est à Ribouldingue :

« Histoire de rigoler, poursuivait-il, savez-vous ce que je vais faire ? Eh bien, demain, à la séance de la Chambre, j'interpellerai le ministre de la Justice sur ce vol audacieux accompli en plein jour. — C'est une idée épatante, approuvèrent Croquignol et Filochard. On va se payer une chopine de bon sang en r'luquant la sale trombine qu'il fera... » Comme il l'avait prévu, Ribouldingue, le lendemain...

...monta à la tribune et vociféra après avoir avalé le grog bien fadé préparé à son intention : « J'appelle l'attention de la Chambre sur ce qui vient de se passer il y a quelques jours. Entre nous, chers poteaux, vous avouerez que c'est dégueulasse de constater...

« que des grinches ont eu le culot de turbiner en plein jour, au blair et à la barbe de la police. Quoi qu' vous dites de ça, eh ! ah ! M'sieur l' minisse de la Justice ? Est-ce que la Préfectance a dégoté les coupables ? Ça m'épaterait bougrement. C'est pas la peine de casquer tant de galette à ceux qui sont chargés d' protéger nos morlingues si la police se fait si salement rouler par la pègre.

« Avant d' plaquer la tribune, j' demande la révocation du préfet d' police et un blâme pour le garde des siaux ! M'sieur l' minisse, à vous l' crachoir. » Le ministre de la Justice lui succéda à la tribune et prit la parole pour affirmer que la police était bien faite et couvrir son préfet de sa protection, car ce dernier, très frileux, aurait pu s'enrhumer.

Tandis que l'Excellence pérorait, Filochard, pour s'occuper, s'amusait à faire les poches de son voisin qui roupillait comme un loir. D'ailleurs, ses collègues, qui se fichaient autant des débats que de leur première couche-culotte, pionçaient de leur côté comme un bataillon de sonneurs. Ce qui fit que nul regard indiscret ne gêna l'opération de Filochard.

Le ministre, dépensant sa salive sans compter, parla plus d'une heure, affirmant que cambrioleurs et apaches étaient passés à l'état de légende, tant la police veillait avec zèle sur les contribuables. Bref, il fit tant de boniment que Ribouldingue...

... en fut pour son interpellation. Elle avait fait long feu. « Ah ! mon salaud, ricanait-il, tu as le culot de soutenir que ta police est bien organisée, eh bien, ma vieille, tu n'moisiras pas longtemps avant d'avoir la preuve du contraire. » Sans plus attendre il se concerta avec ses deux copains sur le meilleur moyen à employer pour dégommer le ministre.

Le lendemain Ribouldingue, ayant revêtu des frusques de circonstance, mit le cap sur l'aristocratique quartier de la Goutte-d'Or et pénétra en habitué dans la salle du Lapin-Vert, un bar mal fréquenté où avaient coutume de se réunir les apaches et autres « saigneurs » du quartier. Ribouldingue eut justement la chance de trouver Totor, dit le « Costaud du Barbès », assis à une table à l'écart. Il s'installa sans façon en face de lui, et après avoir offert un glass qui fut accepté sans chichis, il annonça : « Mon pote, je suis venu pour jaspiner avec ton gniasse, rapport à un boulot rupin...

« ... où c' qu'y a bezef de pèze à gratter. — Gy ! glisse-moi ça en douce dans l'esgourde », fit Totor. Ribouldingue lui ayant parlé bas à l'oreille, Totor acquiesça d'un signe de tête, et son interlocuteur lui ayant donné un billet de cent francs le quitta en disant : « Alors, c'est entendu, je compte sur toi ? »

« Ça colle, répondit le Costaud, j' vas d' ce pas prévenir les aminches pour demain. » Ribouldingue, enchanté de sa négociation, revint trouver Croquignol et Filochard. Il leur fit part du succès de sa démarche en déclarant : « A présent, ça y est, les potes, tout est arrangé. Y a plus qu'à attendre le résultat de la combine. »

CEUX D'HIER

1914-1945

C'est la guerre de quatorze-dix-huit...

C'est une banalité d'écrire que toutes les guerres sont de puissants outils de brassage linguistique. A cette vérité générale s'ajoute, pour la Première Guerre mondiale, le caractère particulier de sa durée, et surtout (dans le cas de la France, bien entendu) de la cohabitation constante, dans les tranchées, d'hommes venus de classes, ou plutôt de groupes, sociaux et régionaux divers : provinciaux, Parisiens, prolétaires, bourgeois, etc.

Il ne faut cependant pas s'exagérer l'importance de ce brassage. Considérée comme un métier, la guerre, et en particulier la guerre de positions, dans les tranchées, a suscité effectivement la création d'un argot technique important en nombre ; mais très peu des mots ainsi apparus ont subsisté en passant dans l'argot général. La paix revenue, celui-ci s'est retrouvé en 1919 à peu près au point où nous l'avons laissé en 1914.

Parmi les disparus, citons en échantillon, sous la seule lettre B : le *blindé,* le casque de tranchées ; le *bluet,* le jeune soldat de la classe 1917 ; le *bois de la Gruerie,* un hôpital de campagne dont les infirmières sont notoirement très affectueuses, puis le corps des infirmières en général ; la *boîte à malices,* l'étui de fer du masque à gaz ; également, la *boîte à rougeole* ou la *boîte à outils* ; la *boîte à mouches,* le revolver ; la *boîte à singe,* le képi tout en hauteur du colonel.

Quant à la littérature de guerre, elle est bien décevante à notre égard. Il faudra attendre Céline et le *Voyage au bout de la nuit* (1932) pour lire, non pas de l'argot de la guerre (il n'y en a jamais eu, à l'exception sans grand intérêt de ce que nous venons d'en dire), mais au moins de l'authentique « français des tranchées ».

N'accusons pas les romanciers de mensonge ou de censure. Celle-ci a joué, en effet ; ou plutôt une autocensure qui voulait qu'un écrivain ne présentât les combattants que sous un éclairage noble. Des grands mots, oui. Des gros mots, non. « L'arrière » s'était rêvé et forgé un « avant » chevaleresque et grandiloquent et entendait bien s'y tenir.

De cette mystification patriotique, donnons en passant un exemple caricatural que nous devons à la plume du peu reluisant personnage que fut en cette occasion et en d'autres **René Benjamin** (1885-1948), dont le prix Goncourt couronna en 1915 le premier roman d'une guerre très romancée, *Gaspard* (p. 168).

> C'était le peuple de Paris qui entrait à l' « hosteau ». Car on dit l' « hosteau » ; on ne dit pas l'hôpital. L'hôpital c'est pour les dictionnaires académiques, vocable lugubre, qui commence en soupir et finit par une plainte, tandis que l' « hosteau », ça rime avec château, et il y a là toute la blague d'un peuple souffrant mais pudique, spirituel jusque dans ses misères, et qui meurt avec un bon mot, pour que les gens ne sachent plus s'ils doivent pleurer ou rire.

En fait, si les combattants étaient pour leur plus grand nombre des paysans et des hommes du peuple, les « argotiers » étaient minoritaires parmi eux comme ils l'étaient alors en France, et, linguistiquement parlant, ne faisaient pas la loi.

Les trois récits que nous avons retenus concordent dans leur description du langage quotidien des hommes du front : c'est généralement un bon français populaire, que les intellectuels et les embusqués confondaient avec l'argot.

***

Voici le premier, d'**Henri Barbusse** (1873-1935), engagé volontaire et combattant de première ligne à quarante-cinq ans, dont l'Académie Goncourt, se ressaisissant, couronna en 1916 *Le Feu, Journal d'une escouade,* au grand scandale des bien-pensants (chap. II, p. 20, dans l'édition Flammarion de 1917) :

> La faim et la soif sont des instincts intenses qui agissent puissamment sur l'esprit de mes compagnons. Comme la soupe tarde, ils commencent à se plaindre et à s'irriter. Le besoin de la nourriture et de boisson leur sort de la bouche en grognements :
> — V'là huit plombes. Tout d' même, cette croûte, qu'est-ce qu'elle fout, qu'elle radine pas ?
> — Justement, moi qui ai la dent depuis hier midi, rechigne Lamuse, dont l'œil est humide de désir et dont les joues présentent de gros coups de badigeon de la couleur du vin.
> Le mécontentement s'aigrit de minute en minute :
> — Plumet a dû s'envoyer dans l'entonnoir mon bidon d'

réglisse qu'i d' vait m'apporter, et d'autres avec, et il est tombé saoul quèqu'part par là.

— C'est sûr et certain, appuie Marthereau.

— Ah! les malfaisants, les vermines, que ces hommes de corvée! beugle Tirloir. Quelle race dégoûtante! Tous, becs-salés et cossards! Ils se les roulent toute la journée à l'arrière, et ils ne sont pas fichus de monter à l'heure. Ah! si j'étais le maître, ce que je les ferai venir aux tranchées à la place de nous, et il faudrait qu'ils bossent! D'abord, je dirais : chacun dans la section sera graisseux et soupier à tour de rôle. Ceux qui veulent, bien entendu... et alors...

— Moi, j' suis sûr, crie Cocon, que c'est c' cochon de Pépère qui met les autres en retard. Il le fait exprès, d'abord, et aussi il ne peut pas s' déplumer l' matin, l' pauv' petit. Il lui faut ses dix heures de pucier, tout comme à un mignard. Sans ça, monsieur a la cosse toute la journée.

— J' t'en foutrai, moi! gronde Lamuse. Attends voir comme j' le frais décaniller du pajot, si seulement j'étais là. J' te l' réveillerais à coups d' tartine sur la tétère, et j' te l' poisserais par un abatis...

— L'autre jour, poursuit Cocon, j'ai compté : il a mis sept heures quarante-sept minutes pour venir du 31-Abri. Il faut cinq heures bien tassées, mais pas plus.

***

Des classiques *Croix de bois* (1919), de **Roland Dorgelès**, nous avons retenu ces quelques répliques de Vieuxblé, le titi parisien du roman (pp. 116 et 118 de l'édition Albin Michel de 1964).

Il s'approche de notre table avec un sourire satisfait de patron dont les affaires prospèrent.

— Eh bien, les gars, vous avez aussi coupé à la marche?... Moi, je m' suis fait porter pâle, l' toubib me r' connaît toujours. Y m' fout une purge et c'est marre... Y a bien Morache qu'a essayé de m' poirer au tournant, mais comment que j'en ai joué!...

— Oui, je l'ai vu qui faisait le pet derrière les saules. Il trouve que c'est pas assez des bourres.

— Et on a nommé ça sous-lieutenant! s'indigne Vieuxblé, son torchon sous le bras. C'est toujours pas pour ce qu'il a fait le jour de l'attaque.

[...]

Les coudes sur la table ou à cheval sur des tabourets, les buveurs discutent, dans un tumulte de voix, de godillots traînés, de cris, de verres qu'on choque.

— Paraît que le ...ème qui nous a relevés à Berry s'est fait poirer une tranchée.

— Ça ne m'étonne pas de ces enfoirés-là.

— Des bons à lappe qu'ont même pas été foutus de creuser de bons gourbis... C'est pas de la blague, y a que nous qui grattent.

Une dispute éclate soudain entre Vieuxblé et des mitrailleurs qui veulent lui carotter un litre. Un petit rougeaud aux yeux sans cils défend ses sous et sa réputation d'une voix pâteuse :

— Faut pas crâner, tu sais. C'est pas parce qu'on n'est pas Parisiens qu'on est des voleurs. On l'est peut-être pas plus que toi. Et j'y ai été avant toi, à Paname, moi qui te cause.

— Tais-toi, réplique Vieuxblé sans se fâcher. T'as jamais eu l'honneur d'y traîner tes grolles, à Paname, bouseux. Je la connais, ta capitale : y a que des cochons sur le boulevard.

— Quoi qu'il dit, ce feignant-là !

— Il dit que t'as jamais débarqué à Paris, plein vase, même avec ton biau costume des dimanches et le canard dans le panier. D'abord, t'aurais pas pu, avec la machine à refouler les croquants. Tu la connais seulement pas, c'te machine, bellure. C'est juste en face de la gare : quand un péquand débarque, v'lan ! Y a un grand coup de piston, et le mec est refoutu dans son train. Ça t'en bouche un coin, Saturnin...

**

Un bref récit, cette fois, non pas du front, mais de l'arrière. Nous l'empruntons à *Boîte de singe,* de **Georges Girard** (éditions de la N.R.F., 1927, pp. 36-38). Un combattant en permission, Philippe Gerbaud, est racolé par une prostituée qui remarque qu'il est du même régiment, le 78e d'infanterie, que son homme, Dudule.

Cependant, ils tombent sur un barrage d'agents qui veulent arrê-

ter la fille. Gerbaud s'interpose, et un lieutenant qui passait fait
repartir les « cognes ».

Chiens couchants, les cognes s'égaillèrent en silence.
L'officier riait.
— Merci, mon lieutenant, dit Gerbaud enfin.
— Pas de quoi, vieux... Tu parles de salauds...
Et clignant de l'œil vers la femme :
— C'est ta grenouille ?
— La nôtre, mon lieutenant...
La réponse avait été instantanée. L'officier ne sut s'il
devait rire ou se fâcher. Il grogna :
— T'as une façon de dire merci, toi...
Et il s'éloigna à grandes enjambées.
— T'es vache, j'aime ça, murmura la femme oubliant ses
terreurs. Et elle pesa plus fort au bras de Gerbaud. Alors,
dis, tu connais pas Dudule ?
— Non...
— Oh ! tout de même, si t'es du 2ᵉ bâton, y a des chances
pour que tu l'aies vu à poil, à la visite ou aux douches.
Gerbaud interloqué s'arrêta :
— Tu dis ?
— Je dis que t'as bien dû l' voir à poil et quand on l'a vu,
c'est une chose qu'on n'oublie pas, t' sais.
— Ah ! Bon Dieu !
C'était un trait de lumière et du coup le soldat se tordit...
Dudule, mais oui, « l' musée Grévin »... C'était son nom
au bataillon, la femme l'ignorait, bien sûr... Un type
tatoué de la tête aux pieds, une curiosité célèbre dans
toute la division : dans le dos, le banquet des maires à
l'Exposition de 1900 et un Loubet, hurlant de ressemblance, la coupe de champagne à la main, le grand cordon barrant son plastron d'habit ; sur la cuisse droite, la
tour Eiffel, sur la cuisse gauche, un agent, le bâton blanc
en main ; sur l'avant-bras gauche, une ancre de marine
avec l'inscription : « Mort aux vaches », sur le bras droit
la Semeuse de Roty ; sur la poitrine enfin, une guillotine,
couperet haut, avec ces mots en exergue : « Ma tête à Deibler, mon cœur à Titine. »
Il énuméra très vite ces particularités, et la femme fière
précisa :
— C'est moi, Titine...

— Enchanté, madame, de faire votre connaissance...
Vous êtes célèbre au régiment...

— Sans blague ? dit Titine.

— Sans blague, répondit Gerbaud. La preuve c'est que
quand le commandant a des invités à dîner, il paye la
gnole à Dudule pour qu'il se mette à poil... On l'appelle
« le musée Grévin ».

— Ah ! fit Titine sans comprendre.

Puis, prise d'une tendresse :

— C'est un homme, tu sais... Des poisses comme ça, on
n'en fait plus... Qu'est-ce qu'il m'a passé, comme tournées !

Et, sans transition, elle ajouta :

— J' l'aime bien...

— Il le mérite, déclara gentiment Gerbaud...

— Tu parles !...

Ils se turent un instant... Cependant il songeait : « La
môme au musée Grévin !!! On va s' marrer à la liaison,
quand j' leur raconterai ça... C'est crevant... »

Les petits maîtres des années folles

Jusqu'en 1914, la littérature argotique est restée cantonnée dans
la description du groupe social dont l'argot (avec les réserves déjà
faites sur l'emploi de ce mot) est la langue quotidienne ; c'est-à-dire
dans les bas-fonds de la société, les classes dangereuses, le Milieu ;
bref, ce que les plus anciens auteurs délimitaient déjà comme « le
royaume d'argot », hommes et mots mélangés.

Non pas que les écrivains argotiers appartiennent eux-mêmes à
ce Milieu : c'est tout à fait exceptionnel. Mais ils ne peuvent « faire
parler » argot, ou l'argot — et par conséquent nous intéresser ici —
qu'à des hommes ou à des femmes du royaume d'argot.

Avec la Grande Guerre, ou plutôt avec l'explosion de vie sociale
qui secoue l'immédiate après-guerre, une évolution se dessine. La
guerre, qui n'est pas (nous l'avons dit) une grande pourvoyeuse
d'argot, n'en est pas directement responsable. Mais, avec elle, c'est
la société urbaine française tout entière qui s'est disloquée, déstruc-

turée. Le Milieu ou les Milieux (ceux de la prostitution, des jeux, de la drogue, etc., restant assez distincts) sont encore à peu près ceux que Jean Lorrain ou Francis Carco peignaient avant l'ouragan. Mais des satellites demi-mondains et souvent associés à l'essor artistique de cette après-guerre gravitent maintenant autour de lui, le frôlant ou se fondant en lui. Ainsi naît un argot boulevardier, plutôt « rive gauche » que « rive droite », de Montparnasse plutôt que de Montmartre.

Quelques pages de Jean Lorrain et même de Marcel Proust témoignent déjà de ce glissement, et, plus encore, entre 1919 et 1931, les œuvres de ceux que nous nommons « les petits maîtres ». Comme ceux de la peinture du XIXe siècle finissant, ils sont tombés aujourd'hui dans un oubli à peu près définitif, à quelques exceptions près. Beaucoup méritent mieux que ce cimetière sans visiteurs. Ils racontent toujours bien, avec humour et justesse. Nous en avons retenu six.

Le nom de **Francis Carco** (1886-1958) et les titres de la plupart de ses romans (*Jésus la Caille, La Rue, L'Équipe, Rue Pigalle,* et bien sûr, *Traduit de l'argot*) font surgir immédiatement l'image de l'argot et d'un romancier qui aurait été, dans les années 1920-1935, son meilleur interprète.

C'est un malentendu. Fils d'un haut fonctionnaire colonial, François Carcopino-Tusoli n'a jamais connu, comme dans leur jeunesse Jehan Rictus, Bruant ou Céline, ni la misère, ni les mauvaises fréquentations, ni même la rue, la vraie. C'est un bourgeois cultivé, sensible, un peu aventureux, à la fois bohème et dandy, qui a la curiosité pénétrante des mondains pour la canaille ; en somme, décadentisme en moins, un successeur du Jean Lorrain de *La Maison Philibert* (voir pp. 303-309).

Ce n'est pas une tare. Mais le fait est que, même dans ses meilleures pages, il manque toujours à Carco argotier ce petit je-ne-sais-quoi qu'ont les grands du métier. En fait, c'est aux hommes, et surtout aux femmes, de Pigalle ou de Rochechouart qu'il s'intéresse, et assez peu à leur langage, dont il ne voit guère que la maladresse, et non l'invention et la poésie.

De lui, nous avons retenu d'abord quelques passages de *Jésus la Caille* (1914), qui fut son premier succès et demeure un classique du genre. Rappelons que ce Jésus est un tout jeune et joli garçon qui « tapine » à Montmartre en compagnie d'une « tapette » confirmée, Bambou, et à l'occasion, au choix du client, d'une prostituée, Mina.

Jésus n'est pas le prénom de l'intéressé, mais un surnom de

métier : le jésus (le mot est signalé pour la première fois par Raspail dans son enquête sur les prisons, en 1835) est un jeune prostitué ; avant quinze ans, c'est un petit jésus.

Quant à « la Caille », c'est aussi un surnom. Mais contrairement à une interprétation facile, ce n'est pas à son allure physique que Jésus le doit, mais à son quartier d'origine, la Butte-aux-Cailles, dans le XIIIe arrondissement, que les « indigènes » n'ont jamais appelé autrement que la Caille.

Il était deux heures du matin.
— T'aurais pas vu Mina ? demanda la Caille.
— Non, j'ai pas vu Mina.
— Mina en était. Figure-toi : c'est elle qui lève le pante, mais il voulait un gigolo. Bambou arrive. On s'entend. A la caisse, *la* Jeanne, qui observait le client, leur fait signe de la tête : « Non ! non ! méfiez-vous. Il n'est pas franc. » Tu parles ! Vingt minutes après, Mina rappliquait en vitesse : « L' môme est poissé ! » Là-dessus, elle en a joué un air à fond de train.
La Caille parlait vite. Sa jolie gueule de fille, à peine far-dée, s'animait étrangement. Il se leva. La martingale du pardessus brida ses reins souples.
Pépé-la-Vache serra la main que l'ami de Bambou lui ten-dait et, le regardant s'éloigner :
— Un coup du Corse, murmura-t-il, ou j' suis manchot. C'est aller fort. Atout ! et atout !... sauf Mina... Mais Mina va la boucler.
[...]
— On l'a donné, pour sûr ! Dans la chambre, le pante nous lâche un sigue. Mais il crânait, les poches pleines de pèze. Tu penses si je zieutais ! Bambou, lui, paraissait ne rien voir. Bon. Le pante se déshabille, puis nous. Mais il n'était pas au truc. Je sentais qu'il regardait du côté de la glace ; alors, moi aussi, nature ! et qu'est-ce que je vois ? Bambou, parole, qui fauchait le fric. Ça n'a fait qu'un cri : Un agent !
— Nom de Dieu !
— L' coup des bourriques. Ménard et le gros Dupied empoignaient le môme. Je ne les ai pas vus entrer, et v'là bien la preuve que c'était une combine : ils devaient être planqués dans le placard.
— Une combine ?

— Mais va savoir d'où c'est qu' ça vient quand on est pris. Pourtant, ils n'ont poissé qu' Bambou, tu vois, rapport qu'il entôlait l' frère. Moi, je me suis barrée dans l' couloir, continua la fille, et Ménard a boni : « La Mina, mets-les vivement et retiens ta menteuse ! »

— Ah ! les vaches !

[...]

— Ben quoi, la Caille... Tu flanches ?

Pépé, qu'il avait quitté tout à l'heure, lui posait ses deux poings sur les épaules. Comment l'avait-il rejoint ? Ses yeux brillants le dénoncèrent. Il dit pourtant de sa voix traînante et dure :

— Méfie-toi, la Caille ; les mecs font le jeu des bourres.

— Mais les bourres font le jeu des mecs, riposta Mina. Elle ajouta, faisant allusion à certaines histoires qu'elle paraissait ne pas ignorer :

— Je sais ce que tu sais. Les plus marles sont souvent de la Grande Taule.

— La ferme, Mina !

— Non, mais ? Si j' veux. Combien que vous êtes à vous passer l'ouvrage ? Ces messieurs travaillent dans la police et les patrons de province... Et tu trouves encore des gonzesses au béguin, des p'tites gueules ?

Froidement, Pépé répondit :

— Je discute pas. On me connaît.

Du même roman, ce récit du cambriolage d'une bijouterie par son auteur lui-même, Loupé, un petit malfrat débutant (pp. 196-197) :

Et Loupé, longeant les murs, parla, car il éprouvait ce besoin mystérieux que connaissent les enfants perdus.

— C'est Mes Pognes, monologuait-il, à côté de Fernande, qui se défendait de l'entendre, qu 'est entré le premier. Nous, on espionnait dehors... puis on l'a suivi et on avait chacun son rayon à visiter. Un moment, à la caisse, j'ai bien cru qu'ils s'esquintaient, rapport au pèze. Pet ! là d'dans ! que j' fais en m'aboulant, et j'ai sorti mon feu, pour qu'ils comprennent... J' suis l' seul à en avoir un... Et je le tiens d'un homme, un grand, qu' les flics ont fait tomber, v'là deux piges... un homme ! Alors j' leur ai dit : Mes Pognes et Criquet, continuez... Vingt-Deux, fais les tiroirs... C'est parlé ?... Pis toi, la Flemme, occupe-toi des vitrines qu'est dans l' fond... J' m'arrange sur la d'vanture... Après, on partagera. Y aura chacun sa part, les gars, et pas d' rouspétance, ou l' premier qui la ramènerait, je l' brûle, aussi vrai que j' m'appelle...

De Carco enfin, ces réflexions de 1930 (donc seize ans après *Jésus la Caille*) sur l'évolution de l'argot. M. Paul est un « poulet », un inspecteur de police. M. Francis est évidemment Carco lui-même (*Traduit de l'argot,* Éditions de France, 1931, pp. 261-262).

— J' vous trouve marrant, dit alors tristement le jeune voyou. Enfin, c'est pas pour ça qu'on va pas marcher la main dans la main. Chacun son temps. Sans vous vexer, monsieur Paul, vous appartenez à l'époque des bobards à Bruant, et moi j' suis d' celle d'aujourd'hui. Y a un monde entre nous.

— En effet, approuvai-je. Il y en a même plusieurs. Et les jargons diffèrent d'après ces mondes.

M. Paul se redressa.

— Possible, fit-il. Mais qu'un mec se soit appelé un dos, un poisse et, plus tard, un hareng, ça ne change rien à son état civil.

Bob sourit.

— De quoi rigoles-tu, fiston ? s'informa le policier.

— J' rigole de c' qu'on est à discuter argot, m'sieur Paul, et qu'un jour vous trouverez dans un livre à m'sieur Francis tout c' qu'on raconte ce soir.

— Eh ! bé, riposta l'autre, ça sera pour mes vieux jours. J'aurai de quoi bouquiner. C'est égal, ne me faites pas trop passer pour un ignare.

— Ni moi pour un savant, recommanda Bob. Promettez-le.

— Pourquoi ?

— Parce si j'cause de cette façon, c'est naturel. J'ai jamais eu d' professeur. J'ai appris en courant les rues. Y avait, suivant les quartiers, des manières de s'exprimer qui n'étaient pas toujours les mêmes. Pourtant on s' comprenait, pas ? Ou alors y s' rencontrait des vieux mots qui n' servaient plus depuis longtemps et qu'un type, sans l' vouloir, remettait en circulation. Moi, je ne sais pas autre chose.

— Mais ça, mon petit Bob, déclarai-je, c'est l'argot. On ne l'écrit pas. On le parle. Dès qu'on l'écrit, c'est qu'il est mort.

— Ah ! oui, question d'écrire, fit Bob, je pige très bien.

— Quoi ? Quoi ? s'informa Trique.

J'eus peine à réprimer un sourire, mais M. Paul ne s'en aperçut pas. Je le voyais, comme dans le langage de Bob, légèrement « à la traîne ». Alors, pour ne pas l'affliger, je lui dis :

— De votre temps, on avait des principes. Ils ne variaient pas. Les termes non plus. C'était de tout repos.

— Bien sûr !

— Allez donc, maintenant, exiger de Bob et de ses contemporains qu'ils reconnaissent une loi, une règle quelconques. Il n'y en a plus. Tout se transforme. C'est au point que, depuis que je fréquente ce qui se nommait autrefois « le milieu », et qui s'appelle aujourd'hui couramment « le bled », il est un mot que personne n'a jamais prononcé devant moi.

— Lequel ? demanda Trique.

Je le regardai puis je regardai Bob et répondis :

— Un mot essentiel, un grand mot : la conscience.

— Sans blague ! dit Bob, mais il existe. On l'emploie. Et voulez-vous l' savoir ? Ben, m'sieur Francis, c'est la « muette »... comme de bien entendu.

***

Le second de ces auteurs a signé son récit, *Au lion tranquille* (1922, Librairie de France, Paris, 195 pages), d'un pseudonyme : **Marmouset,** nom ou surnom du personnage principal de l'ouvrage. Cela dit, je n' sais rien d' lui, comme dans la chanson de Piaf, et son roman ne casse pas les vitres. C'est gentillet, sans plus.

Son intérêt vient de ce que les copains qu'il met en scène — René, Jacquot, Marmouset, Marinette, Bébert — ont fait leur apprentissage de la rue dans les années 1905-1914, entre la Bastoche et Ménilmuche, et se retrouvent à l'épilogue, en 1921 ou 1922, revenus sains et saufs de la boucherie et « rangés des voitures ». Ils sont donc assez représentatifs de la génération argotique qui a « enjambé » la guerre ; encore que leur argot ne soit guère que du bon parisien populaire.

Voici ces retrouvailles (pp. 193-194 de l'édition de référence).

— Et des anciens poteaux ? en as-tu revu ? demanda René à Jacquot.

Celui-ci eut un geste vague.

— J'en ai revu quelques-uns, dit-il ; pas beaucoup. Avez-vous su que Petit-Louis a été bigorné ?

René et Marmouset sursautèrent :

— Petit-Louis ! tué ?

— Oui ! le pauvre vieux ! j'ai su ça par un gars qui était dans sa compagnie. Il a pris une balle en plein dans le carafon, une quinzaine avant l'armistice. C'est quand même pas de chance !

René et Marmouset étaient douloureusement surpris par cette nouvelle.

— Et puis sa femme aussi est morte, continua Jacquot.

— Sa femme ? demanda Marmouset qui cherchait à se rappeler, c'était pas l'Araignée ?

— Oui, dit Jacquot. Elle est morte à l'hosto. J'ai été la voir plusieurs fois, elle faisait pitié. Je ne sais pas au juste ce qu'elle avait, mais je crois qu'elle était nazie [1].

— Tout de même, constata René, on ne pèse pas lourd.

— Et le gros Charlot ? demanda Marmouset.

— Ah ! lui, je l'ai revu. Il lui est arrivé une drôle de combine. Il s'était marié et avait eu un môme. Un beau jour sa femme les a laissés choir tous les deux. C'est pas ça qui l'embarrassait ; il ne s'est pas frappé ! il a foutu le moujingue à l'assistance puis il est parti en province. Je crois qu'il est à Marseille avec une Italienne ou une Espagnole... J' sais pas, quoi... Et toi, mon petit Marmouset, as-tu seulement revu ta Marinette... tu te rappelles ?

— Mais oui, dit Marmouset, je l'ai rencontrée une fois.

---

1. A moins d'être un argotier confirmé — et plus tout jeune —, le lecteur aura sursauté en lisant dans le récit de la mort de « l'Araignée », la femme de Petit-Louis : morte parce qu'elle était nazie. En 1923 ? En France ? Ça n'a pas le sens commun.

Ce nazi-là n'a évidemment rien à voir avec l'autre. Il s'agit d'une appellation de la syphilis, parfois de la blennorragie. Celle-ci est en tout cas au point de départ du mot argotique, dans les années 1870.

Je renvoie, pour l'historique du mot, au *Dictionnaire du français non conventionnel*, de Cellard-Rey (1980), d'où il ressort que le nazi serait le « nase », la maladie de la morve des chevaux ; d'où, par une certaine ressemblance entre les symptômes de la morve et ceux de la blennorragie, celle-ci ; d'où la syphilis.

Dans les années 1930, la forme d'origine, *nazi* (être nazi, avoir le nazi), est beaucoup plus fréquente que la francisation *naze*. Puis celle-ci l'emporte ; mais son sens s'affaiblit à partir de 1950, au point de ne plus signifier que « pourri », « malade », « en mauvais état ». Le tuberculeux a des poumons nazes, ou nazebroques ; les pneus d'une voiture sont nazes ; même un simple ivrogne est naze. Entre-temps, l'idée de la syphilis ou de la blennorragie a disparu.

On s'est causé, naturellement... depuis le temps ! Elle m'a dit qu'elle était sérieuse et mariée avec un flic.

— C'était forcé qu'elle tourne mal, murmura Jacquot avec un sourire.

Les linottes de Moinaux

Georges Courteline (voir p. 295) avait tout juste soixante-cinq ans quand il écrivit cette pochade très « années folles » et petites femmes aux cervelles d'oiseaux. *Les Linottes*, tirée des *Lieds de Montmartre* (Nouvelle Librairie de France, 324 pages, Illustrations de Jean Oberlé, 1948), le dit d'ailleurs clairement.

Ici, deux de ces linottes se plaignent du marasme des affaires. Même pour le plus vieux métier du monde, c'est la morte-saison (pp. 218-222).

MORTE-SAISON

La terrasse du Café Américain. Une heure et quart de la nuit.

FANNY, *installée devant un guéridon ; un lit roux de sucre fondu garnit le fond de son verre vide.* — Palmyre !

PALMYRE, *qui s'approche.* — Tiens, Fanny !

FANNY. — Dis donc, tu n'aurais pas dix sous à me prêter ? Je suis embêtée à cause de ma consommation...

PALMYRE. — Si j'avais dix sous, je serais à Dieppe. Quant à ta consommation, faut pas te faire de bile pour ça. *(Elle prend une chaise.)* Firmin, deux bocks ! *(Le garçon apporte les bocks.)* Les soucoupes sont à moi, Firmin ; vous me les garderez jusqu'à demain soir ; je n'ai qu'un billet de mille sur moi, ça m'ennuie de faire de la monnaie. *(Le garçon s'éloigne.)* Ah ! Firmin ! pendant que vous y êtes, enlevez donc aussi la soucoupe de Madame, je vous la réglerai avec les autres. Merci, Firmin. Vous savez, je demeure toujours rue de La Rochefoucauld. *(A Fanny.)* Tu vois comme c'est simple. Ah ! ça, mais, Fanny, qu'est-ce que tu as ? T'es chose comme tout et t'as le dessous de l'œil violet.

FANNY. — C'est Honoré qui m'a mis une baffe, l'autre jour.

PALMYRE. — T'as reçu les palmes académiques ?

FANNY. — Et salement ; j'en ai eu l'œil comme une bette-rave pendant au moins une semaine. — Oh ! ce n'est pas qu'il soit rosse avec moi ; au contraire, il est très gentil. Seulement, tu connais le proverbe : « Quand y a plus de foin à l'écurie... » et les affaires sont vraiment à la molle, cré nom ! Avec ça j'ai fait la bêtise d'arrêter une thune au passage pour envoyer de la flanelle et des bas à mon petit salé, qui est en nourrice au Raincy ; ça fait qu'Honoré s'est fâché. Comme y dit, ce garçon : « Je suis bon fieu, mais je n'aime pas qu'on joue avec le pognon. » Chacun son caractère, n'est-ce pas ?

PALMYRE. — Sans doute. Ça ne fait rien, y a des fois qu' c'est dur de briffer deux à la même gamelle. Moi, j'ai plus de veine que toi. Anatole a une place.

FANNY. — Ah ! bah ! Secoué ?

PALMYRE. — Treize marqués, devant la IIe chambre.

FANNY. — Mazette ! Un coup de batterie, hein ?

PALMYRE. — Oh ! mieux que ça !

FANNY. — Du lingue ?

PALMYRE. — On n'est pas toujours maître de soi ! Enfin, voilà ; il est à Poissy depuis huit jours avec une subven-tion du gouvernement. Ça m'embête d'un côté, mais tout de même je suis joliment tranquille. Alors, dis donc, ça ne va pas, toi ?

FANNY. — Ah ! ma pauv' fille !... C'est-à-dire que je fous une purée épatante.

PALMYRE. — Comme moi ! Et c'est obligé. A part qué'ques rastas de passage, il n'y a plus un chat à Paris.

FANNY, *exaspérée.* — Tiens, voilà ce qui me met en rogne. Il faut être enragé des quat' pattes de derrière pour cava-ler d'un temps pareil ! Un mois de juillet dégoûtant ! que c'est à le prendre par la peau du cou et à lui envoyer des coups de pied dans le derrière jusqu'à ce qu'il revienne à de meilleurs sentiments !

PALMYRE. — Tu n'es pas philosophe, Fanny.

FANNY. — Philosophe ? Tu me fais rigoler avec ta philoso-phie ; je voudrais bien te voir à ma place, enfilée de tous les côtés, chez le bistro et chez le probloque, avec la pers-pective des michets à quarante ronds, et comme ça jusqu'à l'automne. Oh! là là, c' que j'en ai assez! Tu as de l'argent, toi?

PALMYRE. — Oui, j'ai trente centimes.

FANNY. — T'es plus riche que moi; j'ai un sou, une sibiche et un timbre-poste. Zut! ça ne peut pas durer comme ça, faut que nous inventions quelque chose.

PALMYRE. — Veux-tu faire un michet à deux?

FANNY. — Ça ne vaut rien, c'est usé. Non, mais, si ça te va, je te propose une chose : cent sous la passe, tarif d'été, et nous donnons la correspondance.

PALMYRE. — La correspondance?

FANNY. — Eh oui! le truc des tramways, quoi! deux voyages pour un.

PALMYRE. — Et pour le même prix?

FANNY. — Que veux-tu! on ne sait plus quoi s'ingénier.

PALMYRE, *rêveuse*. — La correspondance!... Au fait, ce n'est peut-être pas une mauvaise idée. Seulement je te préviens : du 25 au 30, je ne reçois pas les voyageurs.

FANNY. — Moi, ce n'est qu'à partir du 27.

Peu de lecteurs de cette anthologie savent à peu près ce que signifient les *soucoupes* évoquées par Palmyre : « Les soucoupes sont à moi... Enlevez donc aussi la soucoupe de Madame... »

Jusque dans les années 1920, le prix des consommations, payées en centimes-or (un café valait de dix centimes au bistrot à quarante dans un bon café-concert, une absinthe vingt à cinquante centimes!), restait très longtemps inchangé. On les servait sur des soucoupes de faïence sur lesquelles ce prix était peint ou imprimé à demeure. Par la suite, de 1918 à 1935 environ, les prix varièrent, mais le système des soucoupes subsista.

Au moment de l'addition, le garçon-serveur empilait les soucoupes des consommateurs et en faisait le compte. On payait donc « les soucoupes », par une métonymie très courante, et non les consommations. « Garder les soucoupes », c'était faire crédit des consommations.

Le gigolo et la baronne

La scène se passe à Babylone cinq cents ans avant notre ère, sous le règne du Balthazar de la Bible. Un jeune et beau Gaulois, Viétrix, en visite là-bas, est invité à une petite orgie babylonienne chez le prince Méretçar qui reçoit à cette occasion, et pour la faire connaître à Viétrix, l'élite de la société babylonienne : « le célèbre poète Dhi-Sor, l'historien Poladamastor, le philosophe Mat-Shan ».

Nous retrouverons « le célèbre poète Dhi-Sor », Jahq pour ses amis, de loin en loin dans cette *Fin de Babylone,* un roman historique (1914) de... Guillaume Apollinaire lui-même. Ce n'est pas une œuvre majeure du poète ; mais c'est tout de même de l'Apollinaire.

Ce Dhi-Sor (!), c'est le poète-nouvelliste-échotier et romancier **Jacques Dyssord** (1880-?), né Édouard-Jacques Moreau de Bellaing. Le noir oubli dans lequel il est tombé est à la fois inévitable et injuste. Inévitable parce qu'il fut, à travers une vingtaine de romans et de recueils de poèmes, un auteur difficilement classable ; et en tout cas très marqué par son époque, l'après-guerre de 1922-1932. Injuste parce qu'une bonne partie de cette œuvre sans prétentions manifeste un vrai talent, et se lit (ou se lirait) aujourd'hui encore avec beaucoup de plaisir.

Ainsi en est-il de *L'Amour tel qu'on le parle* (1929), donné par l'auteur comme un roman, et qui est en fait un théâtre dans un fauteuil bien amusant, mené avec habileté et drôlerie à travers une quinzaine de sketches dialogués.

En voici partiellement deux. Le premier met en scène un danseur mondain, un gigolo comme on commençait à les appeler, pour lequel en pince la Dédé, une « femme de maison » jeune et jolie, que poursuit de son côté « la grosse Raymonde », une fort riche « baronne », lesbienne notoire (pp. 22-23 dans la collection « Les Maîtres du roman », aux éditions de la Nouvelle Revue Critique, Paris, 1929).

« TRUDAINE'S BAR »

MANUEL. — T'as vu la Dédé ?
LE BARMAN. — Elle a téléphoné, il y a une heure environ, elle attendait après toi... Elle avait plutôt l'air de ressauter... Tu vas fort avec elle...

MANUEL. — Un cachet.

LE BARMAN. — Ton Américaine ?... Aux as ?... Elle les lâche ?...

MANUEL. — Avec un élastique.

LE BARMAN. — Ah ! Les affaires sont d'un calme en ce moment... Si ça continue, on va aller faire un petit tour à Biarritz...

MANUEL. — C'est tout aussi moche... Les étrangers se débinent depuis que la livre et le dollar... Pour moi ce sera un anis avec très peu de gentiane...

LE BARMAN. — T'as tort avec la Dédé, elle s'en ressent pour toi, cette môme...

MANUEL. — Les clientes d'abord...

LE BARMAN. — Il y a clientes et clientes... quand elles se montrent radin t'as qu'à laisser tomber...

MANUEL. — Et mon diam, c'est-il la Dédé qui me le paiera ?

LE BARMAN. — Elle est tout ce qu'il y a de régulière...

MANUEL. — Je n'ai jamais dit le contraire. Mais dans les établissements, si tu n'as pas ton diam au petit doigt, une face de rat et toi c'est du kif...

LE BARMAN. — Je ne dis pas. A ta place, je me méfierais. La Dédé est jeune et la grosse Raymonde tourne autour. Elle a des sous la Raymonde — la baronne qu'on l'appelle — et une villa au Vésinet, et une Talbot tout ce qu'il y a de maous, ma chère. Total, tu risques gros.

MANUEL. — Que tu dis... Alors tu crois que la Raymonde ?...

LE BARMAN. — Tu ne vas pas aller faire d'histoires surtout... Elle becte ici tous les soirs. J'ai pas envie de me faire virer par le patron...

MANUEL. — Ne t'en fais pas. J'ai pas ma valise à la gare. C'est à la Varenne qu'elle a sa villa ?

LE BARMAN. — Oui. Garage. Salle de bains. T.S.F. Chauffage central. Téléphone, tout le confort...

MANUEL. — Ne t'en fais pas. T'auras ton pied...

Un commentaire sur ces derniers mots. *Avoir son pied* signifie ici avoir sa part d'une affaire. S'agit-il dans l'esprit de Manuel de laisser la baronne séduire la Dédé et de lui extorquer ainsi de l'argent, manœuvre banale pour un danseur mondain qui est à l'occasion souteneur ? Ou du cambriolage de la villa du Vésinet ? Il est difficile d'en décider.

En tout cas, ce *pied,* part de butin, est ancien (début du XIXᵉ siècle). De la part de butin, on passe, dans les premières années du XXᵉ
à l'idée de la part de plaisir prise par l'un des partenaires dans un
couple. D'où *prendre son pied,* son plaisir (dans un rapport sexuel),
qui fait une apparition discrète vers 1920 (voir p. 367) pour connaître autour de 1970 un immense succès qui en fait une expression
passe-partout et de moins en moins argotique.

A côté des lesbiennes, les tantes. Lucien Porte-Maillot, trente à
trente-cinq ans, un blond aux cheveux dorés, des yeux verts, empâ-
tement précoce, marche en fait à la voile et à la vapeur, à condition
que ce soit vers l'argent. Pour l'heure, il subit les reproches de
Ralph, son tout jeune « mignon », qui le soupçonne à juste titre de
lui être infidèle (pp. 88-91 de l'édition de référence).

> LUCIEN PORTE-MAILLOT. — Quelle tétère tu fais, Dieu de
> Dieu ! Si tu te regardais dans une glace, tu te ferais peur.
> RALPH. — Alors vrai, tu me trouves tellement changée ?
> LUCIEN PORTE-MAILLOT. — Un peu décollé simplement.
> Trop de coco dans le blair, sans doute. T'as pas honte de
> continuer à t'empoisonner ainsi ! Ah ! on peut dire que
> c'est intelligent... Quand tu seras devenu tout à fait louf,
> tu seras plus avancé.
> RALPH. — Si tu savais comme tout m'est indifférent,
> maintenant !
> LUCIEN PORTE-MAILLOT. — Tout ça, c'est des bobards à la
> manque.
> RALPH. — C'est facile à dire.
> LUCIEN PORTE-MAILLOT. — Où veux-tu en arriver avec tes
> conneries ? A devenir complètement dingo. Si c'est cela
> que tu cherches, tu n'as qu'à le dire.
> RALPH. — Lucien, je te croyais plus de cœur.
> LUCIEN PORTE-MAILLOT. — Oh ! tu sais, moi, le senti-
> ment...
> RALPH. — Je ne le sais que trop, hélas !
> LUCIEN PORTE-MAILLOT. — Quand on est dans les affaires,
> si tu crois qu'il y a plan de s'occuper de ces foutaises...
> RALPH. — Des foutaises ?
> LUCIEN PORTE-MAILLOT. — Mais oui, des foutaises. Eux
> autres, les riflots[1], je ne dis pas. Ça les occupe. Mais

---

1. Ces « riflots » sont les bons bourgeois qui n'ont pas, comme Lucien Porte-
Maillot, à se faire de soucis pour leur vieillesse. Le mot est une déformation banale
de *riflard,* « bourgeois à son aise » (1820-1830), qui venait lui-même d'un ancien
verbe « se rifler », se goinfrer, se bâfrer.

nous, on n'a pas déjà trop de temps pour s'expliquer, histoire de gagner son bifteck.

RALPH. — Lucien! Si tu savais la peine que tu me fais en
parlant ainsi.

LUCIEN PORTE-MAILLOT. — Gosse de riche, va! Oh! tu
sais, moi, c'est pas dans les feuilletons du *Parisien* que j'ai
appris à jacter. Je suis nature.

RALPH. — Un peu trop, peut-être...

LUCIEN PORTE-MAILLOT. — Voyez-moi cette gâcheuse!
Non, mon vieux, je ne m'en ressens pas pour becter sur
mes vieux jours au restaurant des briques soufflées à la
sauce caillou. Libre à toi, si ça te dit.

RALPH. — Quand je pense, Lucien, qu'il y a un an
encore!...

LUCIEN PORTE-MAILLOT. — Eh bien quoi, il y a un an?...

RALPH. — On était si heureux tous deux...

LUCIEN PORTE-MAILLOT. — Tu trouves? Moi, pas... Chacun son idée. Ce qu'il me fallait à moi, c'est une combine
un peu pépère comme celle-ci pour s'expliquer en
douce... Il y a un an, je ne l'avais pas...

RALPH. — Ce que tu as pu devenir matériel, Lucien!

LUCIEN PORTE-MAILLOT. — Oui, ma chérie. Que veux-tu,
c'est comme ça et ce n'est pas autrement...

Ceux du trimard

L'argot est essentiellement et à peu près uniquement parisien; au
moins à partir des années 1800. Le « prolétaire des champs » a son
langage et son vocabulaire, certes; mais ce n'est pas de l'argot tel
que nous l'entendons ici. On ne s'étonnera donc pas que Gaston
Coûté, par exemple, n'ait pas trouvé place dans cette anthologie: il
en faudrait une autre, celle de la littérature rustique et poissarde.

Nous avons fait cependant une exception pour **Marc Stéphane**,
auteur — entre 1910 et 1928 — de *L'Épopée camisarde*, des *Propos
subversifs*, des *Contes affronteurs* et des *Contes ingénus*, entre autres.
Et de *Ceux du trimard* (1928), dont nous donnons quelques pages.

« Ceux du trimard », ce sont les hommes qui, depuis le Moyen

Age, parcourent la France de village en village, louant leurs bras et leur sueur à la journée pour les travaux agricoles les plus durs : les journaliers, « les gars de batterie » — du battage des blés.

Le héros et le narrateur du livre de Marc Stéphane est le père Baptiste, « vieux camberlot (prononcez Batiss'), un vétéran du trimard, et vraisemblablement le doyen des gars de batterie de l'Ile-de-France..., tout confit en souvenirs les plus amusants du monde sur la pittoresque vie des clochards ».

Dans les pages qui suivent (pp. 88-91 de l'édition Grasset de 1928), Baptiste a échoué dans le Bordelais, en quête de travail. Un soir, il est rejoint, dans la grande meule qui lui servira de chambre, par « un étrange garçon » ; en fait, un gosse de quinze ou seize ans, évadé pour la troisième fois d'une colonie pénitentiaire, et qui cherche à gagner un port où il pourra, croit-il, s'engager comme mousse.

Le matin venu, le garçon demande à Baptiste sa boîte d'allumettes, en craque une, et met le feu à la meule qui les a abrités. Baptiste le lui reproche. Réponse du jeune révolté :

« Oui, c'est comme ça qu'on se venge, quand on en a. Tant pire pour les aut'. Aussi, porquoi qu'y a des bagnes d'enfants, et porquoi que j'y suis depuis des piges ? Pasque l' daronne n'a pas su venir à bout de mi ? Et qui prouve qu'elle a su s'y prend' ? Porquoi que j'ai pas de père, comme les aut' gosses ? Qui dit qu'il aurait pas mieux su m'élever, li ? Est-ce qu'on sait pas ben qu'y a pas pus con qu'une mère, pour élever s' lardon ? Avec elles, c'est tout l'un ou tout l'aut' : ou elles vous passent ren, ou elles vous passent tout ; pas de milieu. Elles vous révoltent, ou elles vous gâtent. Mi, ça été l' révolte, sous les injustices, le tisonnier et le manche à balai. Elle disait que j'avais de mauvais instincts. Possib'. Mais à qui l' faute ? N'avait qu'à pas me chier. Ai-je demandé à venir, mi ? Sis-je pour quéque chose, dans m' naissance ? — Naturlich, que j'y rétorque. Et ce que t' dis ilà des mères qui savent pas dominer leurs sacrés nerfs, et sont injustes à tort et à travers, sous prétesse que le pauv' gosse n'a que le droit d'encaisser, sans jamais ren dire, j'en sais ben quéque chose, pour m' part. Et pour un peu, m'aurait fallu lécher l' main qui m'assommait, comme un quien. Bon. N'empêche qu'êt' vengeatif comme ti, c'est vouloir se faire buter ben à crédit .— M'en fous, qu'il me gueule avec violence. Enfant du malheur jusqu'au bout, donc? Soit. Mais alors, qu'il dit en grinçant des dents et en tendant le poing vers l' meule qui semblait maintenant vouloir dévorer le ciel de ses flammes terrib', malheur aux aut', aussi. On m'a fait souffrir, tant pire, ça sera œil pour œil, avec mi. On m'a rendu enragé : gare à mes crocs !... »

On se reprit à trotter, et pis : « C'est pas tout ça, que dit le copain tout par un coup ; mais je sais un chopin maousse, l'ancien. Oui, un pante à fabriquer en douce, sur l' route. J'en ai marre, mi, de claquer du bec. Et y aura sûrement del gnaule à l' clef, et pis du chocolat, des conserves, du suc', et un tas d'aut' bonnes choses, sans compter le pèze. As-tu l' moelle, l'ancien ? C'est franc, t' sais. — Ça dépend du dépendoir, que j'y rétorque, logiquement. Espique d'abord : on voira. En tout cas, je te préviens d'avance : mi, je marche pas dans le raisiné ; c'est pas m' genre. — Ah ! t' marches pas dans le raisiné, qu'y dit en me regardant creux, du fond de ses yeux en trou de pine, comme s'il voulait me humer le blanc de l'œil... Hé ben, t'en fais pas, qu'y fait : y en aura pas. Et pis, t'as raison : buter le bestiau sus les grands chemins, ça la fout mal, en plein jour. Ça sera simp'ment le coup du père François, histoire d'empêcher le mec de gueuler et de se débatt', tandis qu'on z'y fauchera s' sacoche, et qu'on fouillera dans s' bagnole. Seulement, dame, après, faudra en jouer. — Bon, t'en fais pas pour les bouts de bois : bibi sait les mett', quand il faut. — Écoute donc le flauber », qu'y dit.

D'un trottoir à l'autre

L'argot doit beaucoup à **Jean Galtier-Boissière** (1891-1966). Parisien de toujours, d'une famille qui s'honora de médecins, de juristes, de grands commis de l'État et d'un républicanisme inébranlable, ce gaillard de 87 kilos pour 1,87 m était de cette classe 1911 qui fit, à quelques semaines près, quatre ans de service et quatre ans de guerre sans poser la musette.

En août 1915, dans les tranchées de l'Artois, il fonde une

« feuille », *Le Crapouillot,* dont les lecteurs d'aujourd'hui sont excusables d'ignorer qu'il s'agit d'un petit mortier de tranchées, trapu et rageur.

La paix revenue, *Le Crapouillot* devient une revue littéraire et artistique d'avant-garde où signent les meilleurs de sa génération. Deux de ses « numéros spéciaux » nous intéressent particulièrement : une *Anthologie de la poésie argotique de Villon à nos jours* (1952), établie par J. Galtier-Boissière lui-même ; et un *Dictionnaire de l'argot d'aujourd'hui* (1939), en collaboration avec Pierre Devaux.

Aussi tranquillement « immoral » que franchement souriant, *La Bonne Vie* (Bernard Grasset éditeur, 1925, 277 pages), est sans doute le meilleur roman de mœurs « du milieu » de l'entre-deux-guerres. De la fête du Trône au « 38 », un « gros numéro » très bourgeois du quartier des Halles, et des Bat-d'Af aux guinguettes des bords de la Marne, il fait s'entrecroiser les destins de quelques-unes de ces femmes promises et soumises à la débauche, comme disaient les moralistes du XIXe siècle, et de leurs hommes ; un destin fait de plaisirs simples et bon enfant ; d'un « travail » qui n'a pas que des mauvais côtés, pour les femmes, et pour les hommes, d'une oisiveté qui n'en a pas que des bons ; de béguins et de brouilles ; de coups durs pour ceux-ci et de « coups » tout courts pour celles-là. Au total, la bonne vie...

Mouron Joseph, dit « Jo », libéré de la veille après cinq ans de vie militaire, a une touche sérieuse avec Nénette, sœur (et protégée) de Petit-Louis, un « dos » d'expérience. Un troisième homme, Eugène, dit Gras-du-Genou, maître et seigneur d'une autre belle-de-maison, Sarah, s'est joint à eux pour une conversation sérieuse, qu'engage Petit-Louis (p. 46) :

> — Et qu'est-ce que tu comptes faire maintenant, dans la vie ?
> — Je reprends mon ancien métier : mécanicien-électricien !
> — Tiens ! s'étonna Petit-Louis, après cinq ans d'esclavage, tu t'en ressens encore pour les mains calleuses du travailleur conscient ?
> Jo se taisait.
> — Je te croyais plus affranchi, appuya Petit-Louis ; il me semble que tu aurais autre chose à faire que de t'esquinter le tempérament pour engraisser un patron.
> — C'est tellement plus simple de se laisser vivre ! dit Gras-du-Genou.

— Sans doute, monsieur Eugène, mais faut pouvoir, objecta Jo, timidement.

— Non, faut *vouloir,* répliqua Petit-Louis, catégorique. Retiens bien ceci pour ta gouverne : Il y a deux sortes d'hommes : ceux qui payent les femmes et ceux auxquels les femmes en lâchent. C'est pas une question d'être beau même, ou élégant, ou d'avoir la langue bien pendue, non ! Il y a des michetons qui ont tout ça et ça ne les empêche pas de sortir leurs sous. Tandis qu'il y a des mecs véritablement affreux, mal frusqués et sans conversation. Le tout, c'est de déclarer : moi, je suis ci, ou moi, je suis ça. Voilà ! A toi de choisir ! Quand j'ai regardé une femme bien dans les yeux, je me présente : Petit-Louis, Louis l'Africain, homme du milieu... et la môme les lâche automatiquement... A preuve : j'ai quarante ans... et je vis.

— Le petit a le perdreau qui lui tombe tout rôti dans le bec et il fait la petite bouche, déclara Gras-du-Genou. Voyons, petit, tu sais bien que la frangine à Louis, la Nénette, est chipée pour ta pomme. C'est une femme un peu dingo, soit, mais travailleuse, un bon bifteck. Elle est au « 38 », comme ma femme, je suis bien placé pour en causer. La Nénette, c'est un placement de père de famille, je te dis !

— Si tu sais manœuvrer, à dater d'aujourd'hui, conclut Petit-Louis, tu possèdes un jockey bien harnaché : avec elle, t'as la croûte et la dorme !

Facilement persuadé, Jo devient donc l'homme attitré de Nénette ; ce qui ne l'empêche pas de céder aux charmes d'une autre belle en panne de protecteur, Zaza, dont l'argot s'orne de deux perles :

Deux expressions revenaient sans cesse dans sa bouche : « arrogant » et « des clous ». D'une femme qui passait le front haut, d'une chienne qui jappait ou d'une maison à sept étages, Zaza disait immanquablement : « Tu parles qu'elle est arrogante ! » et l'expression « des clous » lui servait à exprimer les nuances multiples de la gaieté, de l'ironic, de la pudeur, de la colère.

— Tu veux aller au théâtre après dîner, ma bellotte ?

— Des clous ! J'aime mieux le ciné.

— Gy ! Je prendrai des places de loge.

— Une loge ! Ah ! des clous ! C' que t'es arrogant !

Voici maintenant ces dames du « 38 » : Carmen, le « bifteck » de Petit-Louis, Nénette, que nous connaissons déjà, la belle Hélène, et la doyenne de la maison, Zizi, qui avoue la cinquantaine et des poussières et ne travaille plus que par habitude et pour gâter son « homme » à elle — son fils, sergent-major dans la coloniale, qui va sur ses trente-cinq ans. Zizi et la belle Hélène, femmes sans hommes, se trouvent mieux loties que les deux « biftecks », Carmen et Nénette (pp. 171-172) :

— Tout ça dépend des caractères, conclut Carmen ; moi, je ne pourrais pas vivre sans un homme à moi ! Les clients, et toujours les clients, ça défile ici comme un vrai cinéma pour ainsi dire. Eh bien, moi, j'ai besoin de voir la même petite gueule une fois la semaine, sans quoi j'aurais le vertige !

— Et puis, il y a des personnes, appuya Nénette, qui aiment aussi être caressées par un homme de son monde ; après avoir passé entre tant de sales pattes, ça vous lave.

— Ah ! vous êtes bien aussi billes l'une comme l'autre ! explosa la belle Hélène. Moi, je prétends être plus affranchie que vous sur ce sujet ! Des hommes, si j'en veux, je ne m'en prive pas, je n'ai qu'à aller dans le premier guinche venu mon jour de sortie, et je m'envoie pour une nuit le plus beau gars du bal. S'il me *pilonne,* soit, je lui lâche un petit quelque chose au matin seulement, après, au revoir et merci ! En plus de mon fils en nourrice, j'ai ma mère, à soutenir, moi !

— T'as raison, il n'y a pas un homme qui vaille la peine qu'on bosse pour lui, dit Zizi. Tu amasses des sous, tout ça pour que monsieur joue au zanzi, s'achète des cravates et s'envoie tes copines avec le fruit de ton travail.

— Tout ce que tu voudras, mais c'est pas vilain, un petit gosse à qui on pense...

— Oh là là ! les hommes n'en veulent qu'à notre frick, répliqua Zizi. Et puis d'abord, moi, à vos âges, quand j'étais disposée, je pouvais prendre mon plaisir avec le pied avec un autre [1]. Je le voudrais que je ne le pourrais pas !

— Moi non plus ! s'écria Nénette.

— T'es une sainte, je te dis, fit Hélène.

— Mais, non. Carmen et Nénette n'ont pas de tempérament, fit Zizi.

— Ah ! dis donc, tu peux parler, eh ! attrapeuse de mouches ! riposta Nénette vexée.

— Grande poire, j'aime mieux attraper les mouches que de les lâcher à un maquereau qui me fait des paillons et se fout de ma gueule par-derrière !

— C'est pour moi que tu dis ça, Zizi ?

— C'est pas pour la reine d'Angleterre, lâcha Zizi, outrée. Combien qu'il en a de doublards, ton chéri ? Toutes les femmes le savent ici, mais personne n'a la solidarité de t'avertir.

Dédiée à Jean Cocteau, *La Vie de garçon* (Les Éditions de France, 1930, 245 pages) est une suite de septs récits que relie, tantôt allégrement, tantôt nonchalamment, un fil autobiographique discret. De l'argot de-ci, de-là ; peu, mais que cela ne vous empêche pas, si vous avez la chance de voir passer le livre sous vos yeux, de vous en rendre acquéreur. Vous ne le regretterez pas.

Le narrateur fait ici la connaissance (biblique) d'une des trente pensionnaires du 347, une « maison » peu reluisante qui, « avec ses banquettes ajourées et ses guéridons poisseux, est le rendez-vous de tous les mauvais garçons de Belleville-Villette, souteneurs du fort Monjol aux deffes rosâtres, débardeurs hirsutes du quai de la Loire, sidis puants et pouilleux du chantier des Buttes ».

L'élue d'une nuit, Manon, est par exception plaisante et pas sotte. Sur l'oreiller, elle se confie à son amant de passage dans lequel elle a reconnu, à des signes qui ne trompent pas, un affranchi sympathique (pp. 100-103).

— Moi, t' sais, c'est ma nature, j'ai toujours porté malheur au monde. Tiens, c'est comme pour Tatave... Si t'es

---

1. Le voici donc, ce pied, que n'importe qui prend aujourd'hui à propos de n'importe quoi. Nous l'avons vu passer dans sa première (et innocente) signification, page 360. Ici, il s'agit bien du plaisir sexuel pris par la femme, exceptionnellement par l'homme, dans une relation amoureuse.

D'où un malentendu : on voit dans « prendre son pied », geste qui, dans ces heureux moments, n'est possible qu'à une femme, l'expression magnifiée d'un réflexe physique, alors qu'il n'est question que de la « part » qui lui revient (et trop souvent lui est dérobée) du plaisir commun.

du milieu, tu connais Tatave de Saint-Denis, qu'avait plus un cheveu, rapport au nazi[2], qu'on l'appelait « crâne-de-limace » ?

— Ah oui ! Tatave. Tatave de Saint-Denis ?

— Juste ! ça m'étonnerait que tu ne le connais pas. Mais peut-être tu ne sais pas comment qu'il a fini ?

— Non...

— Pas d'une façon bien intelligente, comme tu vas voir ! J'étais sa femme ; pas son doublard, pas « sa femme de dessous », sa véritable régulière. Un soir chez Ladira, j'avais le cafard ; je fais un tout-stipe[3] avec un homme du voyage : « — Dakar, ça t'intéresse ? qu'il m'entreprend. — Pourquoi Dakar ? — Parce que Buenosse et Montervider-d' l'eau, c'est grillé, pour l'heure. — Alors, Dakar ! Mais il n'y a pas trop de navigation, parce que personnellement, excuse-moi si je te demande pardon, j' vais tout de suite au renard[4]. — Quelques heures qu'il me dit, comme qui dirait une balade en bateau-mouche. »

— Il cherrait un peu, le frère.

— Paraît !... Toujours est-il que j'affranchis ma copine Adèle ; Adèle, elle, c'est la vraie jacassière : le lendemain, mon Tatave était rancardé. Il va trouver Milot...

— Le placier ?

— ... Qui prenait son amourette en père peinard à la terrasse du « Tout va bien ». Tu crois peut-être que mon homme l'interprète à cause que l'autre voulait faire voyager sa gonzesse. Tu n'y es pas. « C'est toi, qu'il y dit, qui raconte à mon beefsteack que Dakar c'est à une journée de bateau parisien, Dakar en Afrique ? Tu ne sais pas ta géographie ? »

— Il avait raison, d'un sens...

— Parce que, Tatave, lui, faut te dire qu'il avait une très forte inducation, son brevet et tout. Son vieux était gendarme ; tu penses ! — Ah ! je ne sais pas ma géographie,

2. Nous avons déjà rencontré ce *nazi,* p. 354.

3. Écrit de la sorte, le mot est incompréhensible. Il faut rétablir : je fais un *two-step* (effectivement prononcé *toustipe*), un « pas de deux », danse américaine dérivée de la polka et très à la mode dans les années folles.

4. *Aller au renard :* vomir. L'expression est ancienne et encore mal expliquée. Rabelais parle déjà d'*écorcher le renard* ; puis plus tard, *piquer un renard* ; au XIXe siècle, *renarder,* vomir.

Sans doute parce que la puanteur du renard qu'on écorche donne la nausée ; mais ce n'est pas certain.

dit Milot, un homme d'évasion qui avait fait plusieurs fois la traversée océanique ! — Non, et à preuve que je vais te l'apprendre, que dit Tatave, ta géographie ! Avec Tatave, c'était toujours le coup de tête à l'estomac. Ma botte de Nevers, comme il disait, c'est le « plectusse solaire ». Mon Tatave se lance à fond. Le voyageur esquive, et Tatave va donner en plein de la citrouille dans un mur.

— Ah ! dis donc, tu me la copieras !

— A preuve que je ne dis pas un mensonge, qu'il a éteint sa bougie quarante-huit heures plus tard, une méningite spirale qui y avait travaillé les sangs. Il se croyait ratichon, c'est marrant : il disait la messe dans son lit...

— Peut-être des souvenirs de môme qui lui remontaient ?

— Oh ! t' sais, enfant de chœur, il l'avait jamais été qu'à la Roquette.

— Et le Milot ?

— Il était paré, puisqu'il n'avait pas touché Tatave.

— C'est juste.

***

On pourrait croire que la chanson du marlou et de la gigolette, sur le thème « les Messieurs de ces dames », n'a été qu'une affaire de mode ; une mode envahissante, nous l'avons vu, entre 1880 et 1900. En fait, il s'agissait bien d'un phénomène de société : le succès de ce genre de chanson ne s'est pas démenti jusque dans les années 1935. Elles correspondaient à une réalité, essentiellement parisienne, que tous les auditeurs connaissaient ; et même à un rapport de vive sympathie entre le petit peuple parisien et « ses » péripatéticiennes.

A mesure que l'institution (on ne peut guère désigner autrement le couple souteneur-prostituée de ce demi-siècle 1880-1935) s'affermit et en quelque sorte se régularise, son côté tragique s'estompe. Le personnage vedette de la chanson n'est plus le souteneur, mais sa protégée.

La plus célèbre de ces chansons reste *Mon homme,* chantée par Mistinguett de 1920 à 1925 avec un succès constant :

Je l'ai tellement dans la peau
Qu' j'en d'viens marteau.
Dès qu'il s'approche, c'est fini,
Je suis à lui...

Mais l'idée, et presque les paroles, en avaient pour modèle un

Mon homme (chanson de Paul Rosario, musique de Marietti) du début du siècle.

MON HOMME

I

Connaissez-vous mon p'tit barbeau ?
Y a pas d'erreur, c'est le plus beau
      De la Villette ;
Il porte un veston épatant
Et sa jambe, dans son culbutant,
      Est rondelette.

II

Le front bas, le nez retroussé,
On lit dans son œil noir, percé
      En trou de vrille,
Quèqu' chose de malin, de sournois,
Et quand il prend un air narquois,
      Son regard brille.

III

Nous vivons « marmitalement » ;
Il m'adore, bien qu'au sentiment
      Il dise : Flûte !
S'il m'aimait pas, s'rait-il jaloux,
Et me flanquerait-il tant de coups
      Quand y m' dispute ?

IV

Avec les pantes, chez les troquets,
Quand i' joue au rams, moi j'y fais
      D' l'œil dans la glace ;
Mais faut pas que j'aie mal aux ch'veux,
Sinon il rouspète si je veux
      Faire ma feignasse.

V

Bref, c'est mon homme, c'est mon soutien ;
Moi, je veille à son entretien,
      Et c' n'est pas bête ;
Car il me suit sur le boul'vard
Et me défend quand, par hasard,
      Quelqu'un m'embête.

VI

S'il est beau, lui peut rien s' flatter,
L' veinard, d'avoir su dégoter
        Une femme gironde.
Pour être heureux dans l'avenir,
Faut trimer et se soutenir
        Dans notre monde.

***

La signature d'**Edmond-Amédée Heuzé** (1883-1967) figure deux fois dans notre anthologie : une première sous le tableau-croquis de la couverture ; une seconde sous les pages qui suivent.

Connu avant tout comme un excellent peintre de genre, portraitiste et illustrateur de livres, Heuzé savait à l'occasion lâcher le pinceau pour la plume. Un violon d'Ingres comme celui-ci n'était pas pour effrayer un homme qui fut (disait-il lui-même) tailleur, agent de publicité, danseur de cabaret et de music-hall, homme de peine, porteur aux halles centrales, dessinateur en papiers peints puis journaliste, avant de finir sa carrière à l'Institut, avec la cravate de Commandeur de la Légion d'honneur.

Un dernier détail, qui a son importance pour nous : Edmond Heuzé avait fait ses études (les premières au moins) à la communale de la rue Clignancourt. Ce sont de ces apprentissages qui marquent un homme !

Monsieur Victor (roman dialogué, Les Éditions de France, 1931) est un roman parisien des dernières « années folles », avant la Grande Crise. Il est vrai que les pratiques et les mentalités qu'il met en scène — celles de la prostitution parisienne — n'ont guère été affectées par celle-ci. La brutalité en moins et un certain désir de respectabilité en plus, c'étaient déjà celles du dernier quart du XIXe siècle. Le roman s'ouvre par trois lettres (pp. 6-8).

> « Petit home,
> « Je t'écrit pour te dire que je pourrez pas venir samedi.
> « Maman l'a ouvers au père qui a fai une musique térible
> et qui a voulu que je lui dise avec qui j'avez baré le boulot
> mardi après midi. Tu pense bien mon petit home que je
> l'ais pas ouver, il aurai pu me buté, que j'aurez rien dit, il
> peu toujours courir. Mon petit home, j' pense encore au
> boneur que t'a donné ta petite fame. Comme tu di, les
> vieux c'est pas à la page, y compraine que dahl, ils pense

qu'au boulot. T'a raison quant tu dis qu'on devrait se mettre en ménage, tu ferai ton boulo et moi je sortirai l'après midi. Commen on cerait heureux, ça cerait la bonne vie. Si c'était pas la mère, y a longtemp que je lais aurai mis. Comme je peu pas décarré, rancart à 9 heure au coin de la rue Lourmel, j' m'arrangerai pour voir mon p'tit home en daicendant les ordure. J' donne la babillarde à la Jeane pour qu'a te la r'mette.

« Ta petite femme pour la vie.

« Suzanne »

« Petite gosse,

« La Jeanne m'a balancé ta babille.

« Tes vieux nous courent. Je comprends pas que tu paumes ton temps avec eux quand t'a un petit homme qui t'attend et ne pense qu'à te rendre heureuse. J'ai fait lire ta lettre à Messieu Dédé qui se demande ce qu' t'attends pour les mettre.

« Je suis débauché depuis hier soir. Le singe a dit que ça pouvait durer la quinzaine.

« Si tu aimais ton homme, tu balancerais et on se mettrait en ménage. Comment qu'on serait heureux, petite môme !

« Messieu Dédé m'a emmené au Myrha, la grande Fernande m'a fait des appels. C'est elle qu'a payé la tournée.

« Entendu, je viendrai ce soir au rancard.

« Ton homme.

« P'tit Louis »

« Petit Louis

« Pourquoi que t'ai pas venu au rancart ? J' suis jalouse, t'étai encore avec la Fernande, ce sale bourain qui fait du rente dedans aux hommes des autres. Faut que je te vois, je suis décidé à les mette, viens m'aidé à décaré mes harnais et mon linje, faut pas qu' mes vieux s'en goure. Rancart à 9 heure comme hier soir, tu mettra mes paqueson chez la vieille, j' vas embarqué mon livret de caisse d'épargne, ça nous fera un peu d' pèze pour loué une carrée et ête heureuse avec mon petit home.

« J' demande pas mieu d' m'expliqué, mais je veu un home à moi toute seule. A ce soir, ta femme pour la vie.

« Suzanne »

Il arrive ce qui devait arriver, puisque Suzanne est décidée à *s'expliquer* (pour les innocents : se prostituer). Voici donc P'tit Louis promu à la chétive dignité de barbillon. Il lui faut un « parrain » respecté dans le Milieu : ce sera Monsieur Dédé, un souteneur sérieux et qui a, si j'ose dire, pignon sur le trottoir (pp. 10-12).

DÉDÉ. — Ta femme, ça va ? T'es content ?

P'TIT LOUIS. — J' me plains pas. Suzanne a fait hier quatre-vingts balles, c'est la bonne vie.

DÉDÉ. — Où qu'a travaille ?

P'TIT LOUIS. — Elle fait la gare Saint-Lazare, l' Printemps. Elle sort tous les jours vers trois heures, elle rentre vers sept ou sept heures et demie. J' l'attends ici. Quand elle arrive, on va becqu'ter, puis on va au ciné ou au guinche. Comment qu' j'ai bien fait, d' la faire barrer d' chez ses vieux !

DÉDÉ. — Tout ça, c'est pas du travail, t'es pas sérieux.

P'TIT LOUIS. — Pourquoi, m'sieu Dédé ?

DÉDÉ. — Tu m' demandes pourquoi ! Y m' demande pourquoi ! C'est un monde ! Qu'est-ce qu'y faut entendre ! Vous autres, les jeunots, vous voulez des gonzesses et vous savez pas turbiner. Est-ce que ça existe, le guinche et le ciné ? Tu crois qu' ta femme en a pas marre, en rentrant ? T'y donnes des mauvaises habitudes.

P'TIT LOUIS. — Mais, m'sieu Dédé, c'est Suzanne qui veut sortir !

DÉDÉ. — Qu'est-ce qu'y faut entendre ! Qu'est-ce que c'est ? C'est-y toi ou elle qui commande ? Madame veut guincher ! Et l' biseness, et les harnais ? Vous y pensez-t'y, aux harnais [5] ? C'est un malheur d'entendre ça. Vous pensez qu'à décher. Si tu crois qu' c'est comme ça qu'on dresse une femme ! Tu s'ras longtemps raide...

Survient Suzanne.

---

5. Il est inutile d'expliquer le *bisness,* le travail ; celui de la femme, bien entendu, et celui que nous savons. Quant aux *harnais,* ce sont ses vêtements (ou ses déguisements) de travail. Ils vont de la tenue d'écolière, col marin et nœud rose dans les cheveux, à la tenue de dompteuse : jupe de cuir, ceinture cloutée, fouet à chiens et toute cette sorte de choses.

Le mot, dans cette utilisation, est passé naturellement de son sens premier (les harnais du cheval) à celui de « vêtements ou tenue de gala, de sortie », pour un homme (entre 1830 et 1890) ; puis un peu plus tard (vers 1910 sans doute) au sens de « tenue de... combat d'une prostituée ».

P'TIT LOUIS. — Tiens, v'là ma femme. Suzanne, j' bois l' coup avec m'sieu Dédé. Qu'est-ce que tu prends ?

SUZANNE. — Un raphaël-citron. Bonjour, m'sieu Dédé.

P'TIT LOUIS. — Dis, Suzanne, m'sieu Dédé dit qu'on est pas sérieux, qu'on f'rait mieux d' t'acheter des harnais, plutôt qu' d'aller au guinche.

DÉDÉ. — J' dis qu' vous êtes des mômes, qu' vous pensez qu'à la rigolade, qu' ça n'existe pas. D' mon temps, un homme fringuait d'abord sa femme. L' premier pèze était pour les harnais. Plus la femme est fringuée, plus elle fait d'argent. Dans l' temps, les femmes respectaient leur homme, tandis qu' maintenant vous pensez qu'à la ramener, vous paumez votre temps, vous êtes tous des demi-sels. L'amour, ça n'existe pas, t'entends ?

SUZANNE. — M'sieu Dédé, faut bien qu'on s'amuse avec P'tit Louis !

DÉDÉ. — Et l' boulot, ma fille, qu'est qu' vous en faites ?

SUZANNE. — On s'aime, avec P'tit Louis.

DÉDÉ. — Tout ça, c'est bien gentil, mais ça fait pas les affaires. Vous êtes pas plus sérieux l'un qu' l'autre. Vous êtes des mômes.

Faut-il expliquer ce que sont des *demi-sels*? Oui, pourquoi pas.

Le « salé » est un môme, un enfant, une jeune fille. L'affranchi, l'homme du Milieu, le « vrai de vrai », lui, est complètement « dessalé ». Entre les deux, l'individu qui a conservé un petit travail avouable, mais en complète le maigre revenu par ceux des charmes de son épouse ou de sa maîtresse, est un *demi-sel,* comme le beurre, le fromage ou le lard du même nom. Il va presque sans dire que l'appellation est injurieuse.

Fric-Frac fait un tabac

Avant de céder la place au théâtre ennuyeux, celui du boulevard, qui ne prétendait pas « faire penser » mais seulement distraire, s'est résumé pour une bonne part, de 1926 *(La Prisonnière)* à 1936 *(Fric-Frac)*, dans l'œuvre d'**Édouard Bourdet** (1887-1945).

Maître du genre et homme à la mode, Bourdet fut un « faiseur » consciencieux de machines bien agencées et bien écrites. Le génie réservé, que peut-on demander de plus à un homme de théâtre ?

Créé le 15 octobre 1936, *Fric-Frac* fut un succès. D'auteur certes, mais surtout d'acteurs. Pour tous les spectateurs d'alors, *Fric-Frac* c'était d'abord un couple d'une présence saisissante : Arletty dans le rôle de Loulou et Michel Simon dans celui de Jo. A côté d'eux, même l'excellent Victor Boucher, dans le rôle de Marcel, faisait pâle figure.

La pièce devint un film, toujours avec Arletty et Michel Simon, mais avec Fernandel jeune dans celui de Marcel. Si bien qu'on peut encore, cinquante ans après, revoir *Fric-Frac* à peu près dans les conditions d'origine, et constater *de risu* que la pièce a bien veilli.

Loulou, une jolie jeune femme plus sérieuse que ne le donneraient à croire ses manières libres, son vocabulaire et son inimitable accent faubourien, a « dragué » aux Six Jours du Vel' d'Hiv' (le Vélodrome d'Hiver, à Paris) son voisin de tribune, Marcel, un fana du vélo comme l'est aussi Jo, un copain de Loulou et de son homme, Tintin ; lequel bénéficie présentement de l'hospitalité du gouvernement de la République à la prison de la Santé.

Marcel est un brave garçon. Un *boulot,* un *cave,* mais aussi l'employé de confiance d'un bijoutier en étage dont la fille, Renée, a décidé de faire de ce célibataire très sage son époux et le successeur de son père.

En attendant, les deux couples, Renée et Marcel, Loulou et Jo, vont se promener ensemble tous les dimanches de cet été-là. A bicyclette, comme il se doit. Il y a quelque chose entre Loulou et Marcel ; au moins l'ébauche d'un gros béguin. Renée suit pour surveiller « son » Marcel, et Jo pour veiller très paresseusement sur la vertu de Loulou.

D'où, entre Loulou et Jo, la scène qui suit (I, 1). Pour ces dialogues argotiques, Édouard Bourdet avait sollicité les conseils de Trignol (voir p. 403).

JO. — Un jour que t'auras le temps, tu m'expliqueras ce que tu lui trouves.
LOULOU. — A qui ?
JO. — A Marcel.
LOULOU. — T'occupe pas de ça.

JO. — Parce que moi, j' te l' cache pas, il me r'vient pas, c'nière là.

LOULOU. — A cause ?

JO. — A cause qu'il me r'vient pas, c'est tout. Du premier jour, je l'ai eu dans le nez, du soir qu'on était à côté de lui à Buffalo et qu'on a pris un glass ensemble à la sortie. Une idée d' toi, comme de juste.

LOULOU. — Et après ?... *(Souriant.)* T'es jaloux ?

JO. — Moi ?... Penses-tu !... De quoi que j' serais jaloux d'abord ?

LOULOU. — C'est ce que je me demande !

(Elle s'assied au pied de l'autre arbre.)

JO. — Mais... dis... il le sait Tintin ?

LOULOU. — S'il sait quoi ?

JO. — Qu'on sort tous les dimanches avec c' mec-là ? Tu y as dit ?

LOULOU. — Laisse Tintin où qu'il est et mêle-toi de tes oignons !

JO. — Pardon, Tintin, c'est mon pote !

LOULOU. — Et alors ?

JO. — Alors, si un mec fait du gringue à sa femme, moi, son pote, j' dois l'affranchir.

LOULOU. — Ah oui ?

JO. — Parfaitement.

LOULOU. — Et si je lui disais à ton pote, la façon que tu t'es conduit la semaine dernière en sortant d' chez Cavanna ?... Hein ? Qu'est-ce que t'en penses ?

JO, *haussant les épaules.* — J'étais schlass !

LOULOU. — Pas possible ?... Et la fois que t'es rentré dans ma tôle à l'hôtel, soi-disant que tu t'étais gouré d' porte ?

JO. — Quoi, ça peut arriver à tout le monde de s' gourer de porte !

LOULOU. — Oui, ça va !... Laisse Tintin tranquille, tu veux ? C'est ce que t'as d' mieux à faire. Il a autre chose à s'occuper ! Et puis, si j'ai jamais besoin d'un conseil pour la façon d' me conduire j' te l' ferai savoir. En attendant, passe-moi une pipe, tiens.

(Jo, qui vient d'allumer une cigarette, lui jette le paquet et les allumettes.)

JO. — Ça n' fait rien, j'aurais pas cru ça de toi.

LOULOU. — Ça, quoi ?

JO. — Que tu pouvais être mordue pour un gonce comm'
çui là !
*(Loulou, souriant sans répondre, allume une cigarette, puis
s'étend au pied de l'arbre et se met à fumer.)*
J' peux pas en dire du mal mais vrai, entre nous, il est pas
fortiche !
(Même jeu de Loulou.)
Comme moule à gaufre, il se pose un peu là !... Ah ! quelle
fleur de nave, mes amis !
LOULOU. — T'as fini ?
JO. — Si encore il était beau mec, j' comprendrais. Mais
pour c' qui est d' la frime, il est plutôt tarte !
LOULOU. — T'as fini, j' te demande ?
JO. — Et puis c'est pas un homme ! T'as entendu ce qu'il a
bonni au flic, l'aut' dimanche à la Porte Maillot ? « Excu-
sez-moi, monsieur l'Agent, je n'avais pas vu le signal. »
Va donc, eh dégarni !...
(Silence de Loulou qui continue à fumer, impassible.)
Maintenant, t'as p't-être envie d' changer d' milieu ?...
T'en pinces peut-être pour la vie bourgeoise sur tes vieux
jours ?
(Même jeu de Loulou.)
Seulement tu feras bien de t' méfier d' sa frangine à ton
pigeon parc' qu'elle a pas l'air de vouloir s' laisser faire.
LOULOU. — C'est pas sa frangine.
JO. — Qu'est-ce que c'est alors ?
LOULOU. — C'est la fille du patron où qu'il travaille.
JO. — Et alors ? Ils s' mélangent pas ?
LOULOU. — Penses-tu !
JO. — Elle a pourtant l'air de l'avoir à la bonne !
LOULOU. — Ben oui, mais lui il peut pas la blairer.
JO. — Alors pourquoi qu'il l'a amenée ici ?
LOULOU. — Il a pas pu faire autrement ! Elle s'est fait
payer un vélo par son dab rien que pour pouvoir le suivre
le dimanche.
JO. — Tu parles d'une seccotine alors !... Qu'est-ce qu'il
attend pour la laisser choir !...
LOULOU. — Il a pas envie d' perdre sa place, tiens !

Cependant, les affaires vont très mal pour Loulou, qui n'a même
plus de quoi « assister » son homme et se plaint amèrement de la
paresse de Jo, le pote à Tintin (III, 1).

P'TIT LOUIS. — Qu'est-ce que tu prends ?

LOULOU. — Oh ! j' sais pas. *(A Fernand.)* Balance-moi quelque chose de costaud, parce que j'ai l' cafard.

FERNAND. — Un Pernod ?

LOULOU. — Si tu veux.

P'TIT LOUIS. — Alors, i s' plaît, Tintin, dans son palace ?

LOULOU. — Y a l' chef des gaffes qui y a collé deux jours de mitard pour avoir jacqueté au merlan pendant qu'il y coupait les tifs. Ça l'a foutu à cran. C'est tout juste s'il m'a pas enguirlandée parce que j'y apportais qu'une demi-jetée pour sa semaine.

P'TIT LOUIS. — Une demi-jetée, c'est pas gras.

LOULOU. — T'es marrant ! J'ai pas gagné l' gros lot à la Loterie Nationale !... Il est pas là Jo ?

P'TIT LOUIS, *indiquant la table des joueurs.* — Si.

LOULOU. — Qu'est-ce qui s' passe là ?

P'TIT LOUIS. — Un cave qu'ils sont en train d' tondre.

LOULOU. — Ah ! bon. *(Appelant.)* Eh ! Jo ?...

JO. — Hein ?

LOULOU. — Viens un peu. *(Elle prend son verre et vient s'asseoir à la table de droite premier plan.)*

JO. — Pour ?

LOULOU. — Viens, j' te dis... J'ai à t' causer.

JO, *se lève en soupirant.* — Tu vois pas que j' suis occupé ?

LOULOU. — Allez assieds-toi. Ils ont pas besoin de toi, ils sont assez comme ça.

(Jo s'assied en maugréant.)

JO. — T'as vu Tintin ?

LOULOU. — Oui. C'est rapport à ça qu'il faut que j' te cause.

JO. — Alors ?

LOULOU. — Y a l' secrétaire à Maurice Garçon [1] qui y a envoyé une bafouille pour réclamer d' l'oseille. Et d'une.

JO. — Il a pas encore fini de l' payer ?

LOULOU. — Avec quoi qu'il l'aurait payé ? Toujours pas avec c'que tu lui as envoyé, à ton pote !... C'est pas tout : il doit trois jetées à la cantine et l' patron y a dit qu'il pouvait plus lui faire crédit ! Pas d' carbure, pas d' frichti !

---

1. Le plus célèbre avocat de l'époque.

On sait la suite. Pour se renflouer, Loulou a décidé de monter avec Jo un fric-frac sur la bijouterie où travaille Marcel, qu'elle prend en otage. Mais Renée veille au grain : le fric-frac échoue piteusement. Marcel épousera la fille du patron, et nos deux sympathiques truands retourneront à leurs occupations habituelles.

**

On ne s'étonnera pas que **Paul Valéry** (1871-1945) se soit intéressé à l'argot. Poète et essayiste, comment n'aurait-il pas éprouvé à son égard la curiosité qu'avaient eue avant lui Balzac et Hugo, pour ne citer qu'eux ?

Il ne l'a fait à vrai dire que très fugitivement, et révérence gardée envers le bon maître, très platement, à l'occasion d'une conférence sur *Villon et Verlaine* prononcée le 12 janvier 1937 à l'Université des Annales (p. 431 du vol. I des *Œuvres,* dans l'édition de la Pléiade).

Si désagréable qu'il soit de le dire, on ne peut créditer ici notre auteur d'aucune vue tant soit peu originale. Il reprend sans contrôle (en 1937 !) les clichés qui se colportaient depuis plus d'un siècle sur l'argot : la *langue fuyante et confidentielle* (c'est un académicien qui parle)... le *vocabulaire mystérieux* (pour l'homme du monde) *qui se transmet par initiation* (nous allions le dire) *et s'élabore* dans *un monde effrayant et craintif, violent et misérable...*

On attendait mieux.

> Il en résulte que ce poète traqué [Villon], ce gibier de potence (dont nous ignorons encore comment il a fini, et pouvons craindre de l'apprendre), introduit dans ses vers mainte expression et quantité de termes qui appartenaient à la langue fuyante et confidentielle du pays mal famé. Il en compose parfois des pièces entières qui nous sont à peu près impénétrables. Le peuple du pays où se parle cette langue est un peuple qui préfère la nuit au jour, et jusque dans son langage, qu'il organise à sa façon, *entre chien et loup,* je veux dire entre le langage usuel, dont il conserve la syntaxe, et un vocabulaire mystérieux qui se transmet par initiation et se renouvelle très rapidement. Ce vocabulaire, parfois hideux, et qui sonne ignoblement, est parfois terriblement expressif. Même quand sa signification nous échappe, nous devinons sous la physionomie brutale ou caricaturale des termes, des trou-

vailles, des images fortement suggérées par la forme même des mots.

C'est là une véritable création poétique du type primitif, car la première et la plus remarquable des créations poétiques est le langage. Quoique greffé sur le parler des honnêtes gens, l'argot, le jargon ou le jobelin est une formation originale incessamment élaborée et remaniée dans les bouges, dans les geôles, dans les ombres les plus épaisses de la grand' ville, par tout un monde ennemi du monde, effrayant et craintif, violent et misérable, duquel les soucis se partagent entre la préparation de forfaits, le besoin de débauche, ou la soif de vengeance, et la vision de la torture et des supplices inévitables (si souvent atroces à cette époque), qui ne cesse d'être présente ou prochaine dans une pensée toujours inquiète, qui se meut comme un fauve en cage, entre crime et châtiment.

Enfin, Céline vint...

Après une longue période d'exécration que justifiait le délire anti-sémite du docteur Destouches, alias **Louis-Ferdinand Céline** (1894-1961), le partage s'est fait entre les prises ou méprises de position idéologiques de ce citoyen déroutant, et la surprise toujours renouvelée d'une prose à la fois torrentielle et savamment maîtrisée, l'une des plus belles que l'on ait jamais écrites dans notre langue.

De l'argot dans Céline ? Évidemment, et beaucoup. Dépouillée de bout en bout, son œuvre suffirait à fournir la matière d'un dictionnaire de l'argot de la première moitié de notre siècle (1900-1950) à peu de choses près exhaustif, et d'une qualité exceptionnelle. On en jugera par la dizaine de pages que nous en citons, dont la richesse argotique, d'ailleurs, se sent à peine, effacée qu'elle est par l'admirable mouvement de la phrase.

De l'argot, l'œuvre de Céline ? Certainement pas. Pas une page de cette œuvre n'est écrite ni « argotiquement » ni même avec des intentions argotiques. Céline lui-même n'a cessé de le dire : l'argot, il ne sait pas ce que c'est, et il n'aime pas. Pas du tout. Du français populaire, alors ? Oui, si l'on veut. Mais de la musique, oui, de la musique encore et toujours, quel que soit l'instrument que le chef d'orchestre choisit de faire jouer à ses personnages.

Cette inimitable musique, alliée au mouvement allègre du récit et à l'énorme drôlerie de Céline (lequel, comme Marcel Proust, est avant tout un « joyeux », ou mieux, un jubilant), nous avons choisi pour la faire entendre ici un long extrait de *Guignol's Band*.

Pour présenter le livre, laissons la parole à René-Louis Doyon, auteur entre autres d'un *Éloge du maquereau* (1949, éd. La Connaissance, Paris) de bout en bout aussi plaisant que savant (p. 99).

> Avant d'analyser la physiologie maquereautique, il faut rappeler le livre le plus amusant, le plus typique, le plus romanesque où le maquereau professionnel, le barbe, le vendeur, le prostitueur, le costaud et le chéri de ces dames apparaît dans une sorte d'épopée visqueuse qui se déroule dans un Londres extraordinaire de métros, de rues obscures, de bars interlopes, de quartiers perdus : c'est le *Guignol's Band* de Louis-Ferdinand Céline. La première partie de cette aventure picaresque seulement a été publiée [en 1949, N.d.A.] ; c'est un chef-d'œuvre de composition, de peintures, de traits d'un monde de souteneurs menacés à Londres par la mobilisation et laissant à un seul confrère l'exploitation de leurs tapins. Aucun livre n'a atteint ce degré de comique et de drame, de vie et d'aventure.

Essayons de justifier ce choix et la longueur inhabituelle, excessive peut-être, du texte qui suit.

Dans ce qui a été conservé de l'œuvre de Céline, l'ensemble dit « de Londres » occupe une place particulière. D'abord parce qu'il s'agit d'un manuscrit sauvé quasi par miracle des destructions de 1944. Ensuite parce que les deux volumes en cause (*Guignol's Band I et II*, le second étant plus souvent titré *Le Pont de Londres*), même s'ils n'ont été écrits qu'entre 1937 et 1944, et à Paris, sont d'ailleurs et d'un autre temps.

L'ailleurs, c'est le Londres des marginaux et des mauvais garçons, des *pimps,* pour se mettre à la couleur locale ; le Milieu français, belles et moins belles de jour et de nuit, et leurs « hommes ». L'autre temps, c'est une période de quelques mois : hiver 1915-printemps 1916. Le maréchal des logis Destouches est là-bas alors, réformé pour une blessure reçue dans les premiers jours de la guerre, et affecté au service des passeports de l'ambassade de France.

C'est le point de départ, authentique, de son récit. Ce Milieu français de Londres, Destouches-Céline l'a sans doute bien observé en ces quelques mois. Dans la ville en guerre, mais à l'abri des combats, la prostitution connaît un âge d'or : « C'est la vraie Cocagne en ce moment ! Tu prends au biss tout ce que tu veux ! » L'invasion de troufions et d'officiers venus des quatre coins de l'Empire que vit Londres en 1915-1917, c'est « la grive à la chiée !... Jamais eu tant de travail à Londres ! Tu te plâtres en un jour ! de la permission en pagaye ! Elles t'en ramènent gros comme elles !... ».

Parfois réformés ou non mobilisables, le plus souvent en délicatesse avec la justice française, les *hommes* de Londres, les messieurs de ces dames, pourraient et devraient couler des jours pépères et prospères. C'est ce que leur répète le plus sérieux, le plus respecté d'entre eux, Cascade : encore bel homme du genre, en dépit d'une cinquantaine proche ; une légitime ou tout comme, Angèle, « sa vraie, qui menait son bazar, elle avait du mal » ; et quatre doublardes sur les trottoirs dorés de Piccadilly, « ça va ! c'est ma dose ! Je suis t-y Chabanais * ? ».

Et voici qu'à quelques jours d'intervalle les « collègues » de Cascade sont saisis d'une fièvre patriotique étrange et délirante, à ses yeux du moins. Ils viennent l'un après l'autre le supplier, lui, le dernier grand mac français de Londres face aux Ritals, aux Corses et aux *pimps,* de prendre en charge leur... bétail, et toujours avec le même refrain : « Prends la mienne, Cascade ! T'es un pote ! J'ai confiance qu'en toi ! Je m'en vaiszà la guerre ! Je parszau combat ! »

C'est d'abord « l'Allumeur, repris bon aux Sapeurs ! au 42e Génie ». Puis « le Jojo... Il venait de s'engager !... Cascade, qu'il me fait, prends ma Pauline... ! ». Nous sommes entre gentlemen, c'est le cas ou jamais de l'écrire, et entre collègues honnêtes. On partagera donc les bénéfices des charmes de la délaissée : « Tu m'enverras le compte ! Tu garderas tes fifty, belle pine ! »

En fin d'histoire et de fièvre combattante, le malheureux (?) Cascade se retrouve chargé d'un harem marchand d'une cinquantaine de têtes, si l'on peut dire. La fortune ? Oui, bien sûr. Mais au prix de quels soucis ! La Pauline « s'endort un peu sur les blonds », son péché mignon. « Les petites de Poigne, du Piccadilly » ont des mœurs blâmables et des distractions qui nuisent à leur rendement : « Le vice, c'est la mort du travail !... Un peu gouine, ça va !... trop, c'est trop. »

Ne déflorons pas davantage ce texte étourdissant d'humour rose

* Le Chabanais (de la rue Chabanais) fut de 1890 à 1940 la « maison » la plus célèbre du monde. Une quarantaine d'odalisques s'y... affairaient en permanence.

et noir et d'extravagante jovialité. L'ayant lu ou relu, on nous pardonnera, on nous remerciera sans doute, de ne pas l'avoir émasculé. Le voici donc (pp. 55-67, édition Folio de *Guignol's Band I*).

Cascade on l'a trouvé chez lui dans un état d'énervement que personne osait plus l'ouvrir. Il en tenait après tout son monde et les mômes en particulier. Elles étaient neuf autour de lui, des gentilles, des grosses, des fluettes et deux alors qu'étaient bien blèches, des hideurs de filles, Martine et la Loupe, je les ai bien connues sur le tard, ses meilleures gagneuses, ses championnes de charme, pas regardables. Les goûts des hommes c'est le bric à brac, ils vous foutent leur nez n'importe où, ils ramènent des bigles, des tordues, ils trouvent que c'est des puits d'amour, c'est leur affaire, c'est pas la vôtre, c'est pas demain qu'ils sauront ce qu'ils baisent.

Ça faisait une volière en ergots, jacassante, piaillante, quelque chose à bien vous étourdir, la bataille tout près, on s'entendait plus. Cascade voulait que ça finisse, il avait un discours de mûr, des choses importantes. Il s'agitait en bras de chemise, il hurlait pour que ça cesse, qu'on la boucle un peu. Du gilet gris perle fort moulé, le pantalon à la houssarde, l'accroche-cœur plat lisse au front, en beau volute, jusqu'aux sourcils, il faisait encore son bel effet, il se défendait au prestige, il cherchait plus à faire le cœur, juste un peu par la moustache, ses charmeuses, qu'il était aimable autrefois ! Mais il grisonnait récemment, il avait changé, surtout depuis les grands soucis, le commencement de la guerre, il pouvait plus entendre crier, surtout les jacassements des filles, ça le foutait tout de suite dans les rognes.

Y avait des décisions à prendre...

— Je peux tout de même pas vous maquer toutes ! Merde !...

Elles rigolaient de son embarras.

— J'en ai quatre rien qu'à moi tout seul ! Ça va ! C'est ma dose ! Je suis-t'y Chabanais ? J'en veux plus Angèle ! Tu m'entends ? J'en veux plus une seule !

Il refusait les femmes.

Angèle elle avait du sourire, elle le trouvait comique son homme avec ses clameurs. Une femme sérieuse son Angèle, sa vraie, qui menait son bazar, elle avait du mal.

— Je suis pas fou Angèle ! Je suis pas Pélican ! Où que ça va finir ? Où que je vais toutes les cacher si ça continue ? A quoi que je ressemble ? Faut ce qu'il faut ! c'est entendu ! mais alors dis ! ça va tel quel ! l'Allumeur lui il se complique pas... Y a deux jours il se taille... la tante il me cherche... il m'endort... Il vient me raisonner : « Prends la mienne Cascade ! t'es un pote ! J'ai confiance qu'en toi ! Je m'en vaiszà la guerre qu'il m'annonce. Je parszau combat !... » Allez-y !

« T'es pote ! Je te connais ! C'est ma chance ! » Fut dit fut fait !... La valoche ! Monsieur brise se retourne pas ! Une môme en vrac ! à mes poignes ! Pauvre Cascade ! Une de mieux ! Pas le temps de faire ouf ! Je suis enflé ! « Je parszà-la-guerre ! » tout est dit ! Sans gêne et consorts ! « Je suis repris bon ! qu'il me fait, aux Sapeurs ! au 42ᵉ Génie ! » Tout est pardonné ! Monsieur trisse ! Monsieur fait jeune homme ! Monsieur se débarrasse des soucis ! A moi les ménesses, je pense !... Je me dis l'Allumeur il m'a vu ! Il profite de la circonstance ! Il me nomme gérant au bon cœur ! J'étais pas content de la malice ! Je te dis je l'avais sec ! Je sors de là, je marche vers le Régent... Je me fais... « Tiens je vais réveiller le Book, une idée qui me passe... Quatre heures ! C'est l'heure à la " Royale " ! la comptée des courses !... Je vais passer lui chercher mes ronds ! La pincée ! Phil-le-Bègue il m'en doit plutôt ! Il se presse pas beaucoup. Je vais lui flanquer les cho-cottes !... » Contre qui que je bute dans le tambour ! Contre le Jojo !... Tout de suite, il m'attaque celui-là... dans un état l'homme !... Une chaleur !... Je me dis qu'il est saoul !... Pas du tout !... Il venait de s'engager ! Encore un ! Il déconnait à plein tube... « Cascade ! qu'il me fait, prends ma Pauline !... » Comme ça il me supplie !... Il me saisit tel quel !... Tu me rendras service !... Et puis Josette et ma Clémence !... » Ah ! du coup l'abus, j'étrangle !... « Co ? Co ? Comment ? que j'y fais... » Il me laisse pas finir... « J'embarque cette nuit ! Je rejoins le 22ᵉ à Saint-Lô !... » Voilà ! pof !... Pas le temps de souffler ouf !... Il me poisse... il m'étrangle !... A l'estomac ! Je peux pas lui refu-ser !...

« Tu m'enverras le compte ! Tu garderas tes fifty belle pine ! » Voilà comme il me cause !... « Mais fais gaffe à la Pauline ! qu'il revient sur ses pas pour me dire, elle s'endort un peu sur les blonds !... Casse-z'y les côtes tu me feras plaisir !... C'est pas le courage qui lui manque, mais il faut que tu la raisonnes un peu !... Gi ! Je trace pote !... Salut aux hommes... Le train est pour ce minuit ! » « Te fais pas tuer !... » que je lui réplique... Et voilà de deux !... Je faisais déjà salement la gueule !... La situation empirait... Je m'attable... je commande mon vermouth... Garces ! Ils me laissent pas souffler ! voici la Poigne qui s'installe le guéridon à côté... Je fais le sourd d'abord un petit peu, elle me secoue, elle m'interpelle... Poigne dis du Piccadilly ! celle qui fait le bar avec sa fille, elle m'apostrophe, elle me tarabuste... « Cascade, je compte sur toi !... » Encore une !... Elle n'attend pas mon avis... « Prends soin de la petite et de sa cousine !... Elles ont pas de passeports l'une ni l'autre... Je vais retrouver mon homme à Fécamp, il est aux grives depuis trois semaines, il monte une maison en Bretagne, je sais pas encore où, mais c'est beau ! » Voilà son début. « C'est pour les Américains ! Tu pars pas toi ! Rends-moi le service !... » « Bien sûr, bien sûr ! » que je lui réponds ! Encore cézigues le têtard... Je pouvais pas lui refuser non plus... C'est une femme extraordinaire, Poigne, comme y en a pas beaucoup, comme y en a peu dans l'existence ! Un vrai modèle pour les harengs !.... régulière et simple et sociale, jamais un paillon ! Droite comme un I, serviable et tout !... Vingt et deux ans que je la fréquente... Je lui dis : — Ça va ma chère Goulue, amène tes esclaves !... mais attention pour les mélanges !... Je veux pas qu'elles pourrissent mes souris ! J'ai déjà du mal à les tenir !... Le vice c'est la mort du travail !... Un peu gouine ça va !... trop c'est trop !... Voilà comme je cause.

— Je t'approuve, qu'elle me répond, cher Cascade ! Passe-les au bâton ! Te gêne pas ! Tout d'accord ! Je connais tes principes !... Bon ! je me dis... bénéfices de guerre !... Maintenant est-ce qu'ils vont me foutre la paix ?... Ils doivent tout de même tous être barrés !... rejoints leurs unités farouches ! Tambours, trompettes et nom de Dieu ! Doit plus y avoir de femmes à la traîne !... Combattants la gomme ! Penses-tu Nénette !... La Taupe s'amène !... De qui qu'elle me cause ? Devinez ? Du Pierrot !... Pierrot-les-Petits-Bras ! Il vient de tomber ! Trois ans de cage ! Voyez-moi trique ! Et le chat en plus !... La bonne nouvelle ! Pierrot-les-Petits-Bras ! Un ange ! En boîte à Dartmoor ! Ce peu ! Depuis vendredi ! Oh ! là ! là ! C'est encore à moi qu'on pleurniche, qu'il a pas un zig de côté ! qu'il faut que j'y fasse l'avocat !... C'est sur moi qu'on compte !... son sauveteur !... son ami !... son frère !... Et patati ! et patata !... Encore vingt-cinq Livres pour ma tronche ! et puis j'hérite encore un coup !... deux girls et mignonnes ! La Taupe et Raymonde !... deux bêcheuses !... C'est mon étoile !... Chose promise, chose due ! Amenez les souris ! Le Pierrot, c'est sa première sape !... Poisse que je dis ! Ça va pas mieux ! Son premier coup sec !... Je le connais moi, le vent du malheur ! Les femmes à Pierrot qu'on se trompe pas, avec tous leurs vices et machins, si elles affurent trois Livres par jour ! c'est le bout du monde !... En douce il me les refile à bon compte ! C'est moi qui lui avais vendues. Je les connais donc un petit peu !... Elles étaient pas fini de douiller !... J'allais rien dire ! l'homme dans le besoin... C'est entendu !... Elles me coûtaient tout de même trois cents fafs toutes crues et je parle pas du linge ! D'ici qu'elles me les regagnent, les salopes, Petit-Bras il porterait perruque ! Il en aura fait des chaussons là-bas à Dartmoor sur la lande !... Je vous demande pardon !... Ses femmes en auront pas plus de miches !... Je pourrais les gaver 25 ans ! Je les connais dis, rien leur profite !... Tu dirais qu'elles bouffent du brouil- lard !... Des pauvres ficelles !... Enfin ! Il en faut des comme ça !... Ce qu'est emmerdant, c'est de les ravoir ! Au fond tout ça c'est de la boniche !... Et Quenotte ? Encore un beau derge celui qui me les avait fourguées !... Si je m'en rappelle aussi du gnière !... De Bordeaux natif ! Avec l'assent et le goût du pive !... Le Quenotte, en voilà un voleur !... Ses femmes elles valaient pas mieux que lui !... En voilà un genre que j'aime pas !... les femmes pick- pockets !... Business is business !... Faut pas mélanger les torchons !... Mais attention, je m'embrouille !... Je me perds, c'est forcé !... Voilà l'autre Max qui se ramène... Il me saute au cou... J'étais juste en train de réfléchir...

— A moi les soucoupes ! qu'il annonce. Écoute-moi, Cas- cade ! Écoute-moi ! Je pars ce soir !... Un autre ! je pense. « Où ? » que je lui demande... Ça me surprenait plus... « Je rejoins à Pau ! »... « A Pau ? » je rigole... Tout le

monde se bide au guéridon... « A poil ! A poil ! » Sa
gueule en boîte.
Il ressaute affreux ! Il fait scandale... « Tordus ! Tordus !
qu'il nous appelle... Bande de lopes ! Vous avez rien dans
la culotte ! Réformés !... N'est-ce pas ?... Réformés ?... »
A moi qu'on dirait qu'il s'adresse... Ah ! ça c'est un comble !... mais moi je l'empêche pas de partir !... Pourquoi
qu'il m'insulte !... Encore un pour l'Alsace-Lorraine ! Il me
fait mal au ventre ! Salut ! Le coup de flingue sur la tête !...
Je voulais pas entendre la suite !... Je décampe... je saute
de ma banquette ! Je fonce dehors !... droit devant moi dis
donc !... Je cours guibolles à mon cou !... Je me croyais
sauvé !... Tais-toi !... J'entre chez Berlemont... Y avait Bob
au bar avec Bise... Je veux pas qu'ils me causent, je fonce
par la ruelle aux tailleurs, je sors de l'autre côté, tout de
suite au Soho... Dans qui que je me fous ? Là, dis-moi ? la
chance entre mille ?... Dans Picpus et Berthe sa femme !...
celle de Douai !... Je la connais celle-là tu penses ! c'est un
lard ! Cadeau ! J'en veux pas ! Je me dis... il va me la four-
guer !... C'est ma journée, c'est la mode !... Toc ! ça rate
pas !... Il m'entreprend... « Ah ! lascar, tu me feras pas
ça !... Il veut m'enjôler !... Il me supplie !... T'es le seul
qui reste et les Ritals... ils vont nous arracher notre
pain !... T'es plus que notre dernier espoir ! Cascade ! ils
vont nous secouer toutes nos ménesses !... Si tu laisses
choir les amis y aura plus qu'eux et les Corses ! C'est la
curée !... C'est affreux !... c'est la mort !... Ça te remue
rien ?... Où que t'as ton cœur ? » Ça c'était soufflé comme
vanne !... Il me suffoquait !... « Et vous mes vaches ? que
j'y retourne... Pourquoi que vous taillez ?... la panique ? »
« Toi, t'as des varices, qu'il me répond, et puis l'albu-
mine !... Tu peux causer tranquillement !... »
Je l'avais renseigné.
— Vous vous êtes saouls tous ! que je lui colle, et
malades et perdus noirs dingues ! Vous avez mangé du
clairon !
J'étais pas content à la fin.
Il veut me raisonner quand même.
— Tu comprends pas alors le buis ?... Qu'on a le
cafard ?... Tu comprends rien ?... Tu vois pas ça, toi, dans
ta tête ?... Le cafard ? Faut te faire un dessin ? On
s'emmerde, quoi ! Tu t'emmerdes pas ?... Regarde les

autres un peu autour !... Il me cite le Bubu, la Croquette, Grenade, Tartouille, Jean Maison, enfin l'Allumeur... Ils y sont partis pour y aller !... En voilà une preuve !...

— Et mon frangin en permission il a la médaille militaire... Il est du régiment de Cahors !...

— Et puis alors ? Qu'est-ce que ça prouve ? Que c'est à qui qu'est le plus frappé ?... Vous crèverez tous et par les pompes ! C'est par là que vous avez la tête !... Pas du haut !... du bas ! que je vous dis !... Et merde pour vos gueules !...

— Bien, qu'il me dit, va, râle, cher Cascade ! ça te fait du bien ! je me fâcherai pas !... Mais prends ma Berthe ! Foi de Picpus tout ce que je te demande !... Mais alors dis, ferme, résolu, tu la connais ! je te la confie !... C'est la bannière pour qu'elle se soigne et pourtant elle en a besoin... C'est vrai qu'elle traînait une vérole comme on en voit peu... Ça alors j'étais au courant... qu'elle en avait jamais fini !... Les médecins dis ! ils se la repassaient !... Boutons par ci !... boutons par là !... Elle y avait coûté le pesant d'or Berthe rien qu'en piqûres, bubons... Enfin, n'est-ce pas, c'était ses oignes !... Des fois des trois mois d'hôpital pour un bobo facilement, et pourrie des moments de partout, des chancres jusque dans les oreilles... Berthe et Picpus c'est un monde !... Faut voir comment qu'il la corrige ! quand c'est vraiment la discussion... Il y a cassé un jour trois côtes !... Toujours pour son entêtement qu'elle veut pas aller au docteur... C'est infect les femmes qui se soignent pas ! « Je veux pas y aller à mon novar !... » La jérémiade !... Ouah !... ouah !... du mou !... Des saloperies !... Moi j'y vais bien au Veto !... Et pas depuis hier !... Depuis quinze ans ! régulier ! Je saute pas une seule fois !... Santé d'abord !... Pourquoi qu'elles y couperaient les tantes ? Au caprice ?... T'écoutes ça ? « Ah !... Je me lave pas le cul !... Je suis belle, on m'aime ! » Ce que c'est de lever des boniches ! Pour la vie c'est sale ! Ça traîne ! ça crasse !... jamais pressées !... jamais le cul dans l'eau !... Je garde tout et voilà ! Vérole et le reste !... Ça verrait jamais un bidet si leurs hommes étaient pas en quart, constants, malpolis, furieux. Ça serait pourri du haut en bas !... Ah ! les clients ils se rendent pas compte le mouron que ça représente une femme !... La façon que c'est enragé pour être malade et dégueulasse ! A la voilette, au chichi, toujours impeccable ! Mais pour la moule ! pardon ! excuse !... On s'en fout comment !... Berthe elle est pas pire que les autres !... Faut être sérieusement de la classe et encore !... c'est pas chaque hareng ! pour la connaître sec sa crapule !... Je dis !... Du coup donc Picpus il insiste... « Prends-moi ma Berthe ! » Il me baratine !... Il y tient absolument... « Prends-la en consigne !... Elle gagne ce qu'elle veut à *l'Empire*... T'auras pas de mal ! Fifty-Fifty ! » Ah ! tout de même ça me fait chier affreux de voir partir comme ça un pote que personne lui demandait rien...

Je le raisonne quand même.

— Pourquoi que tu te sauves pauvre cave ? Tu veux laisser ta place aux autres ? C'est la vraie Cocagne en ce moment ! Tu prends au biss tout ce que tu veux !... La grive à la chiée !... Jamais eu tant de travail à Londres ! Demande au Rouquin !... Il y a trente ans qu'il est des nôtres ! L'a jamais vu ça ! Tu te plâtres en un jour ! de la permission en pagaye ! Elles t'en ramènent gros comme elles !... T'auras ta maison à Nogent ! Dans six mois tu pourras partir... Juste un brin de patience !... T'as gagné ta chance !... Maintenant tu déhottes ! Que c'est du Pactole ! T'attrapes la connerie ! Le pitre ! Tu me fais mal Picpus ! Vas-y, tiens, te faire équiper ! Tu m'écœures ! Voilà ! Tu me soulèves !...

Je pouvais pas dire mieux ! Voilà comment j'y cause !... Il m'écoute même pas !... Il me rentreprend pour sa fille !... Ils étaient là tous les deux Berthe et Picpus sur le trottoir... De quels cons qu'ils avaient l'air !... « Allez ! que j'y fais ! Barre ! Ça va ! T'es fou ! C'est fini !... Passe-moi ta merlue !... Je veux pas abuser de ta faiblesse !... Seulement attention ! Pas de vape ni de gourance ! Si elle me double pendant que t'es en l'air je la repasse à Luigi !... Il m'en demande !... »

Je sais qu'elle peut pas le respirer.

Luigi le Florentin ! lui alors c'est un dresseur !... Il les corrige un peu ses femmes !... Picpus à côté c'est du velours... T'as qu'à voir ses lots à Luigi ? les deux mains, tous les doigts cassés !... Pflac !... ça y est ! Sur le bord du trottoir au premier char !... la fille publique ! Pflac ! elle y passe !... la pénitence !... pas de murmure ! T'as qu'à les voir ses gagneuses... je t'assure qu'elles font gaffe ! qu'elles se tiennent !... Elles quittent plus leurs gants !... Elles font Tottenham. Je t'assure qu'elles ont plus envie de rire !... La Berthe ! ce hoquet ! dès que tu lui parles de Luigi !... Elle y a failli y être maquée ! Alors dis tu penses !... « Non ! Non ! Non ! Cascade ! Je serai tranquille !... Je vous jure ! Je vous emmerderai jamais !... »

— Très bien ! Très bien Berthe ! On verra !... Voilà comme je cause !... Je suis pas rassurant...

— Toi alors barre, c'est entendu !... Seulement t'es qu'un gland ! Retiens bien ! mon dernier mot !...

— Je m'en fous pourvu que tu me la rendes ! Je l'aime à la folie !

Je vous dis une morphine !

— Au retour ça sera du nougat ! qu'il me rebave, il redivague, il me cause comme l'Armée du Salut !... Ce qu'il nous faut c'est de la vraie Victoire ! L'Alsace-Lorraine, mon petit père ! Je veux voir Berlin moi, mon ours !...

Voilà ses paroles !...

— Tu verras mon rond et la soupe !... Tu les cracheras tes petits boyaux... La France elle se démerde bien sans toi ! Y en a déjà sept, huit millions qui sont là-bas à faire les œufs ! Il en crève dix mille tous les jours des aussi cons que toi ! C'est pas un petit hareng dans ton genre qui va changer la face des choses ! Retiens ce que je te dis !... Tu seras étron dans la luzerne... On te verra même plus !... Ou c'est perdu ou c'est gagné ta guerre de mes couilles... Dans le coup t'es zéro !... La pompe !... T'as besoin de mourir pour ça ? Est-ce qu'on te demande ton avis ?

— Tu déconnes Cascade, tu sais rien !... Veux-tu me la garder ? Oui ou merde ? Ma Berthe ? Mon amour ?...

On allait encore discuter.

— Vas-y ! que j'y fais, t'en trimbales trop ! T'auras rien volé ! Qu'ils te butent les Fritz bominables !...

Encore une autre raie sur les bras !... A moi tout le bonheur ! Garagiste je suis ! A moi la volaille ! A moi la tronche etcétéra !... Où que je vas les mettre ?... Ça me fait mal !...

CEUX D'AUJOURD'HUI

après 1946

La guerre de 39-45 n'a pas davantage modifié l'argot que ne l'avait fait en son temps celle de 14-18. Elle a seulement à son tour baissé d'un bon cran la barrière entre l'argot et la langue de Monsieur Tout-le-monde. Les quatre ans passés en Stalag ou en Oflag ont accéléré, comme les tranchées en 14-18, le nivellement linguistique de la société (masculine) française.

Les années 1945-1960 sont la réplique à cet égard des années 1920-1935. Le regain d'intérêt du public pour l'argot se manifeste par une production abondante, en particulier dans le cadre « made in U.S.A. » de la *Série Noire* de Marcel Duhamel chez Gallimard, mais cette production est, par voie de conséquence, de moins en moins authentique. Aux romans des mauvais garçons s'ajoutent de purs exercices de style — tels qu'en avait connu la fin de la Belle Époque — qui ne s'abritent même plus derrière la fiction du vécu des argotiers, comme le faisait le *Journal de Nénesse*. On ne raconte plus en argot langue vivante ; on traduit en argot langue morte les œuvres qui paraissent le moins s'y prêter : la Bible (*Le Livre des darons sacrés,* Pierre Devaux), la mythologie de l'Antiquité (*Les Dieux verts,* du même), les fables de La Fontaine, et même des textes que leur époque considérait déjà comme raisonnablement argotiques, comme le *Jésus la Caille* de Carco (voir p. 349) traduit en argot ! par Devaux encore.

Cette inflation et ces travestissements sont les symptômes de la sclérose qui, en profondeur, gagne peu à peu tout le « corps social » de l'argot. C'est parce que le vécu argotique meurt d'usure que la littérature argotique se répète, parfois fastidieusement. La gouape, le crime, la guillotine et le trottoir survivent tant bien que mal jusqu'en 1960. Après cette date, le Paris qui produisait et fécondait l'argot se disloque et se vide de sa substance. La modernisation n'épargne rien ni personne : les bons vieux rades, où il faisait bon jaspiner entre connaisseurs, s'habillent bêtement tout formica et s'éclairent tout néon ; les « marmites » de Bruant reçoivent en studio et tapinent au téléphone ; les mecs de jadis cèdent *bécif* (par la force) le haut du pavé à des mecs fraîchement débarqués, sans traditions ni racines, pour lesquels l'argot est une vieillerie inutile. Les maisons closes le sont pour de bon et pour toujours. La destruction des vénérables Halles marque la fin d'une époque, comme celle de la Bastille avait rendu sensible la fin d'une autre. Plus de troquets, plus de rues

chaudes, plus de fortifs, plus de marlous et plus de filles... C'est la
fin des haricots, la mort du petit cheval !

Les textes de cette dernière partie sont pour la plus grande part
l'œuvre de survivants, nés dans les années 1910 (Breffort, Devaux,
Genet, Lageat, Bastiani) ; ou au mieux dans les années 1920 (Boudard, Vidalie, Frédéric Dard-San-Antonio, René Fallet). Un argot
nouveau s'élabore et fermente certainement dans la génération née
au lendemain de la guerre ; et hors Paris, dans les villes nouvelles de
la périphérie.

Mais ceci est une autre histoire. Une histoire à venir.

Les mémoires d'un rongeur * à la coule

Comme Edmond Heuzé (voir p. 371), **Alexandre Breffort**
(1901-1971) a tâté de dix métiers avant de trouver sa voie : raconter.

Chroniqueur et figure illustre du *Canard Enchaîné* de 1933 à
1971, il se met tard au roman et au théâtre : *Paradis, fin de section*
(1947), *Les Contes du Grand-Père Zig* (1946), *Les Harengs terribles*, et
surtout *Irma la douce* (1956), qui lui apporte enfin le grand succès
mérité.

De ses souvenirs de jeunesse est né *Mon taxi et moi*** qui, outre
la vivacité du récit, présente pour nous l'intérêt d'un témoignage sur
l'argot des chauffeurs de taxi dans les années 1920-1925, puisque
c'est exactement en juin 1923 qu'Alexandre se retrouve candidat à
un siège (de chauffeur) à la G.7, la plus importante des compagnies
de « taximètres parisiens » de l'époque.

En dépit de la date sous laquelle nous faisons figurer ces extraits,
le lecteur voudra bien les replacer par l'esprit à l'époque de ces souvenirs, entre 1923 et 1927.

---

* A proprement parler, le rongeur, ou ver rongeur, est le compteur mécanique
d'un taxi, le « taximètre », après avoir été celui des fiacres. Le chauffeur de taxi lui-
même est plutôt un *collignon* dans les années 1920, appellation qu'il partage encore
avec les cochers de fiacre ; et un *loche* après 1946 ou 1947. Ou tout simplement, un
« taxi ».

** Alexandre Breffort, *Mon taxi et moi*, 287 pages, Éditions de la Corne d'Or,
Nice, 1953.

Je commence à connaître la faune des garages. Un jeune, mais qui est déjà un ancien : Petit Paul, m'affranchit. Il n'y a pas un mois, il conduisait encore une deux pattes (deux cylindres) à la Générale, rue Greffulhes. Ce n'est pas un marrant, mais un dessalé, avec son visage de loup maigre à la Montéhus [1].

— Remarque que le meilleur turbin, c'est encore la petite journée. Décarrer le matin, faire les gares et les Halles. A midi t'as presque fait ta taille [2]. Mais ça, c'est un boulot de pépère, d'homme marié. Toi, je vois ça d'ici, tu seras un noirot, un traînard. Un de ces gonzes qui rentrent au garage à trois du mate. T'es pas un artilleur, ça se voit tout de suite. Mais fais gaffe aux nuiteux.

— Les nuiteux ?

— Oui, les gars de la bricole. Un noirot, c'est pas un nuiteux. Un noirot, c'est un demi-sel de la noire, de la nuit si tu aimes mieux. C'est un gars de la Compagnie qui, en principe, a toute la journée pour faire son bifteck. S'il est encore sur le pavé à deux heures du mate, c'est qu'il est trop traînard... ou trop gourmand. Les nuiteux qui commencent leur première course à huit heures n'aiment pas cela et quand ils te rencontreront à Montmartre ou ailleurs, ils te piqueront.

— Ils me piqueront ?

— Je veux. Ils te piqueront tes pneus. Histoire de te faire comprendre la règle du jeu.

— Je trouve ça dégueulasse.

— Ce n'est peut-être pas élégant, mais ils n'ont pas tous

---

1. Gaston Brunschwig, dit Montéhus (1872-1952), créateur entre bien d'autres des *Braves soldats du dix-septième* (1907) et de *La Butte rouge* (1919), fut l'un des chansonniers les plus illustres de Montmartre. Il l'était encore dans les années 1928, à l'époque du récit de Breffort, et avait en effet un visage creusé et des yeux ardents.

2. Faire sa taille, c'est gagner de quoi assurer sa subsistance de la journée, sans plus sans moins. Le mot est commun aux ouvriers aux pièces, aux prostituées et aux chauffeurs de taxi ; il l'était encore chez ceux-ci avant l'internationalisation de la profession.

Anciennement, et naguère encore, les fournitures de pain et de viande, chez le boulanger ou le boucher attitré, se faisaient « à la taille », une encoche taillée dans une longue baguette de bois conservée chez le commerçant. On payait une fois la baguette « taillée » ; chaque « taille » correspondait aux achats d'un jour.

les torts. C'est dégueulasse aussi d'aller leur tirer les clients sous le pif. T'as douze heures pour te défendre. Mets-les à profit.

Et voici en effet le premier démêlé de Breffort avec les nuiteux, à propos d'un client, un Noir américain, qui l'a gardé toute la nuit et généreusement payé en dollars.

Comme j'ai mis beaucoup du mien pour faire sortir les dollars, j'entre doucement dans la confiance des nuiteux. J'ai même pris à part le grand à casquette de joli-cœur. Et l'on est allé boire le coup en face, à *La Roseraie*.
— Tu comprends, que je dis, ça me fait mal aux seins de faire du tort aux nuiteux. Mais ça s'est goupillé drôlement. Il m'a pris à neuf heures, le nègre, pour aller à Champerret, et puis après...
Enfin, je lui dis tout. Je lui dis même que j'en ai marre et que, par un fait exprès, j'ai un rendez-vous ce matin à neuf heures, que je voudrais bien aller me bâcher, que ma taille est faite depuis longtemps et que je ne suis pas fait pour conduire une G. 7, que le paletot à boutons me fait prodigieusement tartir, ainsi que la pièce montée que j'ai sur le crâne.
Il est de mon avis.
— Je sais bien, mais t'as qu'à faire la noire.
— La noire, t'es bon, toi. J'ai trois mois de bahut. On ne voudra pas de moi dans la bricole. Faut que j'attende.
Il en convient. D'ailleurs, ce n'est pas son intérêt que je travaille la nuit. Ils sont déjà trop à la faire, la noire.
Le chasseur l'appelle.
— Excuse-moi, mon pote, j'ai une « voie » à faire.
— Et tes dollars ?
— Je vais rabattre. Je reviens tout de suite.
Avant de monter sur le siège, il affranchit les amis.
— Ne le piquez pas. D'abord on aurait pas les dollars et puis j'y ai donné ma parole.
Et à moi :
— Si je te revois pas et qu' t'as besoin d'un tube pour le turbin, j' suis là tous les soirs. T'as qu'à demander le Grand Roger de Belleville.

Alexandre (Sanssandre pour les copains), en délicatesse avec sa logeuse, « change de piaule ». Dans la nouvelle, l'*Hôtel du Quartier-*

Neuf, il a « une touche sérieuse » avec la femme de chambre, Léa — une fille sympathique. Malheureusement pour elle, Alexandre « ne suit pas » (p. 72).

> — T'as tort, me dit Louis, un putassier de la G. 7 qui habite l'hôtel, t'as tort, elle doit drôlement t'arracher le pavé[3] avec des yeux pareils.
> Je gagne ma vie. Plus de 60 F de moyenne, en m'amusant, je veux dire. Faut pas oublier qu'à l'usine un bon ouvrier est payé 28 F par jour. On est des caïds. Avec le fric du négro je me suis fait faire un costume sport crépitant (350 F), en petit chevron clair avec la casquette en même métal, chez Bocquet, boulevard Saint-Michel. Je suis beau comme un gland. Et tous les copains sont jalminces.
> Le Louis, ça doit être un sadique. Je l'ai emmené dans un petit bar de lopes où j'étais entré au flan[4], un jour, au 17, de la rue de Maubeuge. Il y revient souvent sans moi. Et il a les ailes de son grand blair qui battent à coups précipités. Ça ne m'étonnerait pas qu'il soit client pour le borgne[5].

Il n'y a pas que des jours fastes, dans la vie. Ce serait trop bête. Ainsi, Alexandre a donné rendez-vous au bistro à un copain de régiment, Philippe, qui travaille dans la serrurerie. Celui-ci vient avec une jolie petite « qui ne parle pas beaucoup, mais qui le dévore des yeux ».

> On prend l'apéritif et, en douce, Philippe m'apprend qu'il est raclé comme un rat d'église. Ils n'ont pas un liard à eux deux. Et ils n'ont pas même clappé depuis la veille au matin.
> Ça tombe mal. J'ai retourné le potier, et mes doublures se touchent. Retourner le pot, c'est musarder au lieu de travailler. Cela dit pour la commodité du récit, comme disent les vrais écrivains.
> Je les ferais bien déjeuner chez Larrivaud, mais dans ce

---

3. Te donner un plaisir intense. Dans l'orgasme, l'homme « arrache son pavé » ou « son copeau », par rapprochement avec l'effort physique suivi du soulagement de l'ouvrier qui arrache un pavé rebelle. Ici, c'est la femme qui « arrache le pavé », amène à une vive jouissance.

4. Au hasard, plutôt qu'à l'audace, au culot.

5. Le borgne, c'est le postérieur : il n'a qu'un « œil ». Être client pour le borgne, c'est être pédéraste actif.

coin-là je suis plutôt scié et je ne veux pas faire des platitudes, demander du crédit après avoir joué les indépen-
dants.

Mais avec le bahut, tout va s'arranger.

— Attends-moi là. Je vais chercher mon fiacre.

[...]

Et je tourne dans les rues et je fais ma putain sans ver-
gogne, me coulant au ras des trottoirs vers le passant :
« Taxi ! » Rien ! Au bout d'une heure, je n'ai fait qu'un
mégot de trois francs cinquante, après une douzaine de
kilomètres en maraude [6]. C'est la poisse.

Je calcule que pour aller dépanner Philippe et sa gis-
quette, il me faut au moins vingt balles. Il doit se faire un
drôle de mouron, le Philippe. Ça fait près de deux
plombes que je suis parti.

Enfin, je charge pour la porte de Saint-Cloud avec des
bagages. Quatorze francs avec un peu d'arnaque. Mais
mon moteur tousse. Il n'a pas d'essence. Je n'avais pas
pensé à cela. Je me mouille donc d'un bidon. Il me reste
sept francs et des poussières au fond des poches.

— Austerlitz, en vitesse !

Et comment ! Vingt minutes plus tard, j'ai dix-neuf francs
soixante-dix, pas un sou de plus. Ça suffit. Et je rabats à
fond aux « Cochers-Chauffeurs ».

Il n'y a plus que le Philippe et sa petite araignée blonde,
dans le tapis. Ils jouent à la belote devant des verres vides
et sous l'œil en vrille du patron. Quand il me voit, Philippe, il respire un grand coup. Moi, je joue la désinvolture.

— Alors, vous avez bien déjeuné ?

— Oui, oui.

Mais tout bas, mon pote vide son cœur :

— J'avais le trac que tu reviennes pas. Qu'est-ce qui t'est
arrivé ?

Je lui explique ma poisse. Maintenant, il rigole. La petite
aussi. C'est égal, ils ont eu chaud...

Ils n'ont pas fini d'avoir chaud. L'addition est un peu lourde, et
Alexandre doit repartir pour se refaire le complément nécessaire. En
fin de compte, tout s'arrangera : son copain Philippe, en l'attendant,

6. En « ramassant » les clients au passage, au lieu de les attendre « en station ».

a tapé le carton avec le patron du restaurant... et il lui a piqué soixante francs à la belote !

C'est dans la poche...

Malfrat authentique et argotier de bonne race, **Fernand Trignol** est en particulier l'auteur de deux classiques de notre littérature voyoute : *Pantruche ou les Mémoires d'un truand* (1946), malheureusement introuvable et que l'on aimerait voir réédité ; et un policier du genre « Série Noire », *Vaisselle de fouille* (1955, 191 pages, Éditions de la Seine, Paris). C'est à ce dernier* que nous empruntons les récits qui suivent.

Le narrateur, Paulo, vit gentiment des charmes de sa « femme », Jacqueline, bonne tête et bon cœur, qui fait irrésistiblement penser, à travers le récit de Trignol, à la pute sympathique chantée par Georges Brassens :

« Elle avait les hanches faites au tour, la taille pleine,

Et chassait le mâle alentour de la Madeleine. »

La voici d'ailleurs, cette Jacqueline qui, hélas, laissera son sourire dans l'aventure (pp. 20-21). Mais n'enticipons pas.

Arrivés chez le Frisé, elle était là, Jacqueline, montée sur des talons aiguilles, drôlement provocante avec ses bas brodés sur ses fumerons sa jupe serrée et enflée au bon endroit, sa taille de fleur et ses nichons en pointe.

Ma femme elle est de Saint-Malo. C'est effroyable ce que le bled de Surcouf a pu fournir comme vendeuses d'amour.

Quand je l'ai griffée au bal de la Marine à Javel, elle était boniche en face chez des rupins de Passy. Elle n'avait que le pont à traverser et à passer devant la statue de la Liberté pour chanstiquer son flingue d'épaule.

Je lui ai expliqué entre deux valses pendant que le môme Murena avait laissé glisser sa commode[1] pour aller s'en

---

* Faut-il rappeler que la vaisselle de fouille est une traduction argotique de « vaisselle de poche », argent monnayé, en espèces, par opposition (ancienne) à la vaisselle d'or ou d'argent (et de table) des rois et des princes ?

1. Accordéon, dit aussi « piano à bretelles ». Murena (Gaston, si mes souvenirs sont exacts) fut un accordéoniste très populaire des années 1950.

jeter un, qu'il valait mieux défaire les ménages que de les faire.

Évidemment, elle n'était pas une gagneuse, un prix de Diane. Elle hésitait à sauter les haies. C'était de ma faute. C'était moi qui l'avais gâchée.

On peut pas être casseur et être mac. Ce sont deux turbins qui peuvent s'accoupler. Comment voulez-vous qu'un gonze qui vient de griffer deux ou trois briques dans la matinée, comme ça nous arrivait souvent au temps de l'occupation, ait le cœur d'envoyer sa frangine sur le ruban risquer une bronchite ou la Petite Roquette pour affurer juste dix sacs ?

Plutôt que d'embaucher une ou deux « doublardes » comme le ferait à sa place n'importe quel mac sérieux, Paulo mitonne un turbin fructueux et apparemment pas trop duraille, le racket d'une boîte prospère, le *Fri-Fri* du boulevard Raspail, « où tout Paris allait s'encanailler et voir des nières fringués en gonzesses, avec des décolletés, des faux roberts et des perruques ». Pour ce coup un peu lourd, il se met en tierce avec deux autres malfrats, des vraies terreurs, Jo le Maigre et Le môme Faiblesse.

Le *Fri-Fri* est tenu (et en partie possédé) par un autre homme du milieu, Frédo, auquel nos trois lascars rendent une première visite (pp. 26-27).

Il est resté assis derrière son burlingue et tend à la ronde sa main potelée. Je vois tout de suite qu'il a le trac. Il fait le marle mais il n'en mène pas large, et il donnerait bien quarante-cinq balles pour être en première dans le métro.

— Bonjour les purs, qu'il dit avec la voix d'un chanteur de charme qui viendrait pour auditionner dans une salle où le public se serait muni de klaxons.

Faiblesse le regarde d'un regard fuyant. Il s'assoit et disparaît dans le rembourrage du fauteuil. J'en fais autant à l'autre bout de la pièce.

Jo reste debout, les mains dans les poches.

— Écoute, Frédo. Il y a longtemps que je t'ai pas vu et tu me rendras cette justice. Tout le monde dit que t'es rupin et je ne suis jamais venu te pilonner [2] ni te faire de riffle. Seulement, maintenant, te voilà directeur et co-probloc

2. Importuner pour se faire donner de l'argent, « taper ». Assez ancien (vers 1880), le mot est un renforcement de « taper », frapper avec insistance à une porte.

de cette taule de pédés. On s'est dit, Paulo, le môme Faiblesse et mézigue, que ça tombait bien. Tu comprends, Frédo, on a besoin de toi. Tu sais comme les temps sont devenus difficiles pour les marlous. Y a plus que les caves qu'ont du carbure à présent. C'est le monde à l'envers. Alors on ira pas par quatre chemins...

— Qu'est-ce que vous voulez ? demande Frédo la bouche pincée.

— Ce qu'on veut ? Une brique, une toute petite brique. Un million pour parler français. Tu vois qu'on n'est ni goinfres ni prétentieux, une brique, c'est rien pour toi. Tu pourras même la cloquer dans tes frais généraux pour tes dégrèvements d'impôts. T'avais bien compris déjà qu'on s'était pas dérangés tous les trois pour te dire bonjour, que notre visite était intéressée. Et puis, je parle pas des services que je t'ai rendus à Poissy, quand tu t'es farci tes trois piges, quand j'ai pris tes crosses [3] le jour où Paulo la Soudure voulait te faucher ton colis. Sois pas têtu, Frédo, l'entêtement c'est malsain, ça peut aller plus loin qu'on le pense avec des nières comme nous trois et quand le fatal est arrivé c'est plus possible de rambiner [4] un coup.

Hélas, trois fois hélas, nos durs sont tombés sur un os. Derrière Frédo, il y a une équipe d'encore plus durs, pas du tout prêts à lâcher une brique... par mois, comme l'exigent Paulo et ses copains.

Du coup, c'est la guerre. Pour remplacer Jo le Frisé, tombé au champ d'honneur, Paulo a pensé à Mimile, un battant, garé des voitures (il est devenu restaurateur), mais qui ne demande qu'à reprendre du service actif (pp. 62-63).

Faiblesse arrive à six heures juste. Mimile monte pour la conférence.

— Faites gaffe. Mathieu le Corse est armé comme un parachutiste. C'est un de mes potes, un croupier que j'ai fait jacter. Il a déjà été riflé par une autre équipe. Depuis il a toujours une sulfateuse, un flingue dans sa tire et un autre dans sa table de nuit. C'est pas le cas de son associé le Grec. Avec lui vous êtes tranquilles pour l'artillerie. Dites-moi s'il vous manque quelque chose. Ici, il y a du matériel en rabe.

3. Ta défense.
4. Réparer une erreur, revenir sur une mauvaise querelle, se remettre d'accord.

Je lui dis que j'ai dans ma bagnole de quoi soutenir un siège. Mais ce Mimile est vraiment de première, et je me félicite d'avoir balancé sa gonzesse pour la saillie [5].

— Je voudrais encore vous demander quelque chose à toi et à Faiblesse, nous dit-il. Je ne pourrais pas vous accompagner? C'est pas l'histoire de griffer plus de fric puisqu'on a pris un arrangement. Mais la vie ici avec Pauline, c'est tous les jours la même chose. Les clients, la croûte, le flambe, les fournisseurs. J'en ai marre d'être dans la réserve de la territoriale. Ça me rouille, ça me fait vieillir avant l'âge. Me mouiller, ça me rappellera ma jeunesse.

Il me rappelle ces grognards de Napoléon qui faisaient du pétard quand leur taulier parlait de signer la paix. Il y a des gens qui ont des drôles de goûts. Mais j'ai déjà vu ce cas-là. Un tripier à Pantin. Il n'avait qu'à se laisser vivre avec son commerce, en roue libre avec sa femme et ses gosses. Mais il éprouvait le besoin d'aller se taper à coups de flingue dans les quatre coins de Paris. Ses potes allaient le chercher. Pour un oui ou un non, il fermait la boutique et en route. Il partait avec délices envoyer la sauce sur des gens qu'il ne connaissait même pas. Après, il se tapait trois piges, régulièrement, le minimum, à cause des bons renseignements commerciaux. Il était atteint de patriotisme folklorique, et il avait la mentalité d'un supporter d'une équipe de football. Il voulait défendre le drapeau de son quartier d'origine, les Quatre Chemins.

Puisque Mimile y tenait, on pouvait bien lui faire cet avantage. A noter que des gonzes dans ce genre-là, c'est plutôt une race qui tend à disparaître, comme les panthères blanches du Gobi ou les Indiens Cheyennes. Vous en trouverez un peu plus souvent des truands qui veulent griffer un carbure sans se mouiller que des désintéressés qui y vont pour la gloire.

---

5. Peu de temps auparavant, Paulo a repoussé les avances amicales de Pauline, la femme de Mimile.

Quand les dieux dévident le jar

Le nom de **Pierre Devaux** est inséparable de la littérature argotique des années 1930-1960. C'est, par excellence, un traducteur, ou plus précisément, un transcripteur de textes. S'il n'a pas créé le genre (le XIXᵉ siècle « fabriquait » déjà du La Fontaine ou du Racine en argot), il l'a porté sur tout ce qui pouvait donner matière à sa verve.

Outre sa collaboration à *L'Argot du milieu* du Dr Lacassagne (1935), au *Dictionnaire* et à l'*Anthologie* de Galtier-Boissière, on lui doit une *Langue verte* (1930), suivie en 1936 des *Propos d'un affranchi,* et un *Jésus-la-Caille traduit en langue verte* (1939).

Il a de la sorte, et avec une minutie parfois lassante, transcrit en argot la Bible (*Le Livre des darons sacrés,* 1960), et la mythologie grecque et romaine. C'est de celle-ci (*Les Dieux verts, illustrés par l'auteur,* 1951), que nous tirons l'épisode de l'enlèvement de la belle Europe par Jupiter harnaché en taureau. Un... « euro-polar » avant la lettre !

Europe était pas la première venue. C'était même la plus déliciousse des princesses et la môme à Agénor et Téléphassa, roi et reine de Phénicie. Ses vioques l'avaient pas fabriquée à la sauvette, non, des clous, au contraire, ils l'avaient si bien fignolée qu'ils en avaient fait la plus ravissante des petites gisquettes de l'époque. Ses chasses étaient bleus comme la mer Égée, ses doulos dorés comme la pluie de jonc qui avait fait tomber Danaé dans les pommes, et elle avait un si bath teint de rose sur le minois que des gens bien rencardés prétendaient qu'elle avait dû barbotter la boîte à maquillage à la mère Junon, une vieille rombière qui conoblait bien les 32 manières d'aller aux fraises.
Ses darons étaient très fiers d'elle, ils lui avaient fait apprendre la lyre et le soir au bord de la lancequine elle pinçottait ses cordes pour charmer les pescales. On la

destinait à un roi ou à un prince, et sûrement pas à un taureau ; c'est pourtant ce qui arriva, misère à poil !

Vous allez entraver comment. Vous vous gourrez bien que quand y avait une aussi bath petite ménesse sur terre, Jupiter la gaffait à travers un trohu pratiqué dans les nuages et qu'il avait aussitôt envie de lui proposer une partie de bordelaise en cent trente, avec la revanche, le cas échéant. Dès qu'il repéra la môme Europe en train de jouer à pêcher des berniques sur la plage de Tyr, il se dit en flattant sa barbouze : « Ça, mon Jupin, un aussi bath petit poulet de grain, c'est du mouron pour ton serin. » Et joignant le geste à la parole, il descendit sur terre, la balayette infernale en bataille, histoire de charmer la gosse.

Comme il était pas tombé de la dernière averse, il savait bien, ce vieux chinetoque, qu'avec sa gueule faisandée et sa grande barbouze, y aurait rien à chiquer pour tomber la petite, mais que si il se frimait en bestiole, la fille se gourrerait de nib. Pour lui, il avait le jeu facile, tout porté qu'il était sur l'incognito, et en moins de deux il se chanstiqua en taureau, et c'est comaco qu'il se présenta à Europe.

Faut dire qu'à l'époque y avait pas encore de toréadors, leurs costumes auraient été trop coûteux, et le taureau inspirait pas les flubards comme aujourd'hui.

Au contraire, Europe laissa choir les berniques pour aller bécotter le taureau. Vous parlez si il se laissait faire, c'te vache de Jupin ; il profitait même de la candeur de la mistoune qui éblouie d'être tout de suite pote avec c'te vieille vache, se mit à y faire mille chatouilles des plus agréables, des pattes de mouches sur les cornes et autres fantaisies, spécialités des vraies jeunes filles. Elle harpigna des fleurettes sur le gazon et en fit un bada autour du citron de Jupin-taureau, puis même, candide, et avec un souci du décor, elle enleva le ruban qu'elle portait dans ses plumes et en fit une faveur qu'elle noua autour des joyeuses du taureau qu'elle avait pris pour un de ces ballons dans lesquels Milon de Cretone filait des grands coups de nougats, au stade. Elle avait vu ça, quand elle y allait le jeudi avec Agénor son daron.

Pendant ce temps-là, le taureau trouvait que ça boumait mieux encore qu'il aurait cru : « Toto, qu'il se disait à lui-

même, si ça continue, dans quelques broquilles, tu vas pouvoir emmener Prosper au cirque. »
Voyez comme c'est vache de se planquer en taureau pour abuser d'une ménesse qui a encore son berlingot.

**

Depuis l'époque où Francisque Michel notait une transcription en argot de « La Mère Michel », ce genre d'exercice n'a jamais cessé. Racine, la Bible, la mythologie, les fables de La Fontaine, etc. : tout ce que la littérature compte de respectable y est passé peu ou prou.

Les résultats sont le plus souvent décevants. On ne peut raconter en argot avec succès que ce qui a été entendu ou imaginé en argot. Voici cependant, pour exemple, « Le corbeau et le renard », de La Fontaine, devenus dans une traduction argotique de **Bernard Gelval** (*Fables et récits en argot,* Éditions Stars, Paris, 1945), « Le corbac et le goupil ».

Un pignouf de corbac sur un arbi planqué
S'envoyait par la fiole un roulant barraqué.
Un goupil n'ayant eu qu'un cent d' clous pour bectance,
S'en vint lui dégoiser un tantinet jactance :
« Salut, dab croasseur ! lui bonnit-il d'autor.
En disant qu' t'es l' plus beau, j'ai pas peur d'avoir tort !
Si tu pousses la gueulante aussi bien qu' t'es nippé,
T'es l' mecton à la r'dresse des mectons du boicqué. »
A ces ragots guincheurs qui n'étaient pas mariolles,
Le corbac lui balance le roulant par la fiolle.
« Enlevé, c'est pesé, j' t'ai baisé, dit l' goupil.
Fais bien gaffe aux p'tits gonzes qui t' la font à l'estoc,
Et t' gazouillent par la couâne des bobards à l'esbroff. »

Bonnet rouge et habit vert

Mauvais garçon si l'on veut, **Jean Genet** (né en 1910) n'en est pas moins, sans contestation possible, le plus grand prosateur français vivant. Mais en dépit de sa longue expérience de « loubard », Genet n'est pas un argotier. Ses personnages et lui-même narrateur parlent plus souvent la langue du Grand Siècle que celle des fortifs.

Restent quelques réflexions sur l'argot, dont celle-ci, extraite de *Querelle de Brest* (p. 209, vol. III des *Œuvres complètes*, 1947, Éd. Gallimard).

> A quinze ans Querelle souriait déjà de ce sourire qui le signalera toute sa vie. Il a choisi de vivre avec les voleurs dont il parle l'argot. Nous essaierons de tenir compte de ce détail pour bien comprendre Querelle dont la représentation mentale, et les sentiments eux-mêmes, dépendent et prennent la forme d'une certaine syntaxe, d'une orthographe particulière. Dans son langage nous trouverons ces expressions : « laisse flotter les rubans... », « j' suis sur les boulets... », « magne-toi le mou... », « faut pas qui ramène sa crêpe... », « ... il a piqué un soleil », « ... comment qui grimpe à l'échelle, le gars... », « dis donc, poupée, je marque midi... », « laisse couler... », etc., expressions qui n'étaient jamais prononcées d'une façon claire, mais plutôt murmurées d'une voix sourde un peu, et comme en dedans, sans les voir. Ces expressions n'étant pas projetées, son langage n'éclairait pas Querelle, si nous l'osons dire, ne le dessinait pas. Elles semblaient au contraire entrer par sa bouche, s'amasser en lui, s'y déposer, et former une boue épaisse d'où parfois remontait une bulle transparente explosant délicatement à ses lèvres. C'était un mot d'argot qui remontait.

***

Saluons en passant, d'un coup de chapeau respectueux et néanmoins jovial, **Raymond Queneau** (1903-1976) pour cet exercice de style en loucherbème, suivi de sa « traduction » par Queneau lui-même ; encore que cette traduction soit en fait le texte d'origine dont le loucherbèm est, en re-fait, la traduction.

C'est l'occasion — mieux vaut tard que jamais — de rappeler ce qu'est le *largonji* : un langage artificiel obtenu par un procédé mécanique, comme le javanais ou le verlan.

Dans le javanais, on intercale systématiquement un *va* ou au moins un *v*, entre deux syllabes d'un mot qui s'y prête : beau devient *baveau*; belle, *bavelle*; pute, *pavute*; grosse, *gravosse,* etc. Le verlan met le mot « à l'envers » : envers devient *verlan*; tomber, *béton*;

femme, *meuf*; perdreau (policier), *draupère*; Lontou, *Toulon,* etc. Dans le largonji, on remplace systématiquement la première lettre du mot, quand c'est une consonne, par un *l*; et l'on rejette à la fin du mot sa première lettre, prononcée comme dans l'alphabet : jargon devient *largon-ji* (largonji); quarante (sous), *larantequé*; paquet et « paqueson », *laquepé et laqueçonpé,* etc.

Le largonji se présente rarement à l'état pur. La finale se modifie au gré et à la fantaisie de l'utilisateur. Ainsi, fou devient *louf-oque*; « cave » (imbécile, individu non affranchi) devient *lave-du-ca,* puis simplement *lavedu*; marteau devient *larteaumic,* etc.

La plus fréquente et la plus systématique de ces déformations consiste à ajouter un -ème (ou em) derrière la consonne rejetée à la fin : boucher devient *loucherbé,* puis *loucherbème.* C'est aussi la désignation générique de ce largonji spécial, créé peut-être par les bouchers de Vaugirard vers 1850.

Dans cet *Exercice de style* (Éditions Gallimard, 1947, p. 122), Raymond Queneau use avec virtuosité de tous les procédés possibles de déformation du largonji. Un bon nombre sont de sa création et n'ont jamais « existé » dans la pratique. Le jeu n'en est pas moins savoureux.

LOUCHERBÈM

Un lourjingue vers lidimège sur la lateformeplic arrière d'un lobustotem, je gaffe un lypétinge avec un long loukem et un lapeauchard entouré d'un lalongif au lieu de lubanrogue. Soudain il se met à lenléguer son loisinvé parce qu'il lui larchemait sur les miépouilles. Mais pas lavèbre il se trissa vers une lacepème lidévée.
Plus tard je le gaffe devant la laregame Laintsoin Lazarelouille avec un lypetogue dans son lenregome qui lui donnait des lonseilscons à propos d'un loutonbé.

Un jour vers midi sur la plate-forme arrière d'un autobus, je remarque un type avec un long cou et un chapeau entouré d'un galon au lieu de ruban. Soudain il se met à engueuler son voisin parce qu'il lui marchait sur les pieds. Mais pas brave il s'en alla vers une place vide.
Plus tard je le remarque devant la gare Saint-Lazare avec un type dans son genre qui lui donnait des conseils à propos d'un bouton.

Adieu les Halles !

Le Ventre de Paris, bien sûr. Mais les Halles étaient beaucoup plus : ses épaules, ses reins, son cœur et... ses fesses. Sales, braillardes, débraillées, suantes, marrantes, ribaudes et rupines, voyoutes et voyeuses, les Halles étaient tout cela et encore plus.

Elles furent aussi le foyer — ou mieux, le *melting-pot* — de l'argot. De la Butte Montmartre et de la Butte-aux-Cailles, des abattoirs de la Villette et de ceux de Vaugirard, de la Bastoche et du Montparno, tout ce qui vivait peu ou prou en marge de la société respectable se retrouvait la nuit aux Halles pour se mélanger du soir au matin la sueur, le sang, la salive et le — vous m'avez compris —. Le français chic, le français populaire et le français du milieu s'y fondaient allégrement dans le plaisir de raconter et d'écouter.

Sur ces Halles assassinées et sur leur langue, voici le témoignage de **Robert Lageat**, dit *Robert des Halles* (récit suivi d'un petit lexique d'argot, 209 p., Jean-Claude Lattès éditeur, 1980). Un document, et aussi un beau livre.

A quatorze ans Robert aide ses vieux, petits marchands de fruits et légumes aux Halles (pp. 40-41).

> Mettez-vous dans ma peau. J'ai quatorze piges, je sors d'un collège de curetons. Pour du changement, c'est du changement. Faire son trou, impératif. A côté on n'hésite pas à vous marcher sur les arpions. T'es costaud tu résistes, tu l'es pas tu dégages. Je me suis fait enguirlander plus d'une fois. Halles ou passage Pecquay, du kif, tartes et coups de pompe dans le fion, on regarde pas à la dépense. Tout mouflet j'ai appris à me battre. Sur le tas. En plus j'avais le genre mignon, juvénile, vous me suivez... Les lopes, hop ! la main aux noix... J'ai dérouillé mais jamais je n'ai calté. Pas dans mon caractère, plutôt crever la bouche ouverte. Chaque trempe me durcissait, ma façon à moi d'encaisser. Je serrais les dents, je serrais les poings, et je me foutais dans le cabochon qu'un jour, Robert, tu aurais la gagne.

On ne s'engueule pas seulement aux Halles, souvent on se la donne. Les poulets ne se pressent pas pour séparer les combattants, ça fait partie des habitudes. Pas de flingue, pas de rapière, ça se châble à la loyale à coups de poing dans le portrait. Georges Carpentier c'est tout près, la boxe anglaise se porte à merveille... A coups de boule, ça devient plus viceloc, un coup de tartine, des fois, dans les joyeuses... Après on va boire un gorgeon avec le rombier en question. Sans rancune. Enfin, ça dépend...
Un jour, à toute blinde avec mon petit diable je rentre dans le cul d'un triporteur.
— T'es miro, bordel de merde ?
« Miro », c'est pas méchant mais le zèbre il s'arrête pas là, il m'insulte. Je suis pas d'humeur.
— Terrine de gelée de con !
Je lui balancetique, assez fier de moi. C'est le déclic. L'autre me saute sur le paletot. On roule dans le caniveau, dans la merde, dans la flotte. A un moment je suis sur le gars, et des pralines je lui en colle. Quelqu'un, je sens, me tire par le bénouse. Dans la mêlée je lâche une ruade, manque de pot... un flic. Immédiat je me calme, mais lui, le flic, il m'emmène sans ménagement au quart de la rue des Prouvaires. Dégueulasse ce commissariat on disait, des gaspards longs comme le bras montraient le museau... J'ai pas le temps de gaffer le panorama. Mon flic, il raconte aux autres flicards, résultat une sacrée avoine ! La première de la journée, because j'en reçois une deuxième en rentrant à la maison.

Et voici sa première virée d'homme (pp. 45-46).

On part à l'aventure, le restaurant, un chouette, où on se tape une cloche somptueuse. Avec cinq francs, une « thune », on mange convenablement. 2 « balles » le plat principal, l'entrée, le dessert, 1 balle chacun, une bouteille de vin 20 « croques », 20 « ronds », 20 sous... toujours 1 franc. La bonne vie. On écluse pots sur pots, on n'est pas là pour mégoter. Et classicos pour les jeunes gens en goguette, la tournée des bordels. Paris regorge de boxons. Sans trop s'éloigner du quartier on a la rue Blondel, au 32, « la rue de la Joie » que chante Damia — « C'est dans la rue de la Joie, c'est dans la rue Blondel. » La rue des Rosiers ; le fameux Fourçaga, rue de Fourcy ;

rue Lesguidières... En vrai de belles gisquettes à poil ou
très peu s'en faut, c'est autre chose que les rêves qu'on
attrape à bouquiner *l'Almanach de la vie de garnison*, un
franc cinquante en vente dans tous les kiosques, qu'on se
refile en cachette... On est à quarante ans du porno laïque
et obligatoire ! Après un premier claque on rebecta,
l'appétit revient vite, on y retourne... Souvenir impérissa-
ble !

D'autant qu'au final, passage Pecquay, quatre heures, le
jour se lève, la reine mère est aux remparts. Je prends
toute la rue, elle descend.

— Menteur ! hypocrite ! voyou ! je t'en foutrais des com-
munions de ta sœur...

Il comprend sa douleur le Maurice ! Pensant — elle
pense trop ma mère — pensant que je rentrerais tard,
maman est allée chez les parents de Maurice porter la clé.
Pas plus de nouba que de beurre en branche, la mère de
Maurice en reste comme deux ronds de flan quand la
mienne parle de la communion de la gamine... Sur un
rythme de baffes ponctué de coups de pied au cul à chaque palier, elle m'a une nouvelle fois fait descendre les
escaliers... Lumineuse, l'idée de Maurice !

Les années passent. Robert s'est fait des muscles à coltiner les sacs
de patates et les cageots de choux. Il gagne maintenant sa croûte
comme danseur acrobatique, en tandem avec une gentille voyouse
de Belleville, Reine. Leur numéro va, dans les années 37-39, de
casino en casino (pp. 115-116).

Ça marchait, mais c'était pas encore ça. Je me creusais le
tronc : un numéro inédit il me fallait. Un tour à moi et
seulement à moi. J'aurais plus à cavaler les impresarios,
on ferait appel à Reine et Robert, voilà !

Le hasard m'a filé un coup de pouce sous la forme et la
carrure d'un grand mec blond, touche nordique... des
épaules terribles, une frime de rufian. Un dur répondant
au doux nom, curieux pour un dur, de... Ledoux ! Maurice Ledoux. Il s'entraînait chez Saulnier, aux poids et à
l'acrobatie. Flip-flap, saut pér', roue sans main... pas le
premier venu. On jacte, ce qu'il maquille... Il travaille
dans un quartet. Trois garçons et une fille qui s'entendent
comme chien et chat... tiens ! Pourquoi qu'on monterait
pas un numéro ensemble avec Reine, je lui propose ?

Banco ! On était attelés, notre trio était né : « Les Rid-
ders. »

Notre numéro, il tenait debout. Gripp en personne nous
avait réglé la partie dansée, je m'étais chargé du reste.
Les décors étaient de Mehu. Je vous détaille le menu... Le
rideau s'ouvre, des réverbères s'allument, des enseignes
— « Bal » — la rue de Lappe, minuit, les douze coups...
fond d'accordéon chialeur. D'abord, court vêtue et tortil-
lant du fiacre comme c'est pas permis, la môme Reine en
tapineuse, aguichante, plus vraie qu'une vraie gagneuse.
Coups de sifflet, les lardus... Maillot rayé de mataf, melon
sur le coin de la tronche, l'Alphonse classique, Maurice
qui déboule... Il les a dans les reins, facile à piger : les
poulets au cul !.. Il empoigne la radeuse et tous deux bar-
rent dans une danse apache salope à souhait... il la serre,
elle ploie, il la possède... « Aboule ton oseille ou je te fous
des coups, tu es ma ménesse, je suis ton Julot ! »...
Silhouette de barbeau casse-croûte avec casquette, bac-
chante et bénard à pattes, je jaillis ! La rouflaquette en
bataille je lui arrache la fille, il me la repique, on se la
lance, la relance... une chorégraphie époustouflante !...
On se chicore, je valse dix fois sur mon pétard, Maurice
me fait un enroulé, un développé, hop ! à la renverse...
Retournement de situasse, j'ai le dessus... le grand a les
gla-gla, le petit lui file sa correction... Sur le dur, succes-
sion de bras à la volée, coups d'Arpin, planchettes japo-
naises et manchettes. Du catch esthétisé, je m'en suis
donné à cœur joie ! A la finale, étendu le Momo... à moi
Casque d'Or !... Entre mes doigts à la voyou, je siffle la
ponette... Le valseur toujours langoureux elle rapplique,
cibiche aux lèvres... « Par ici la pipe ! », d'un geste autori-
taire je me l'approprie... La gonzesse m'en expédie une
sans concession dans la boîte à ragoût et, après un
enfourchement tout ce qu'il y a de troublant, moi le bar-
biquet, l'apache, le peau-rouge... je suis à ses pieds, gentillet, asservi !... Les hommes à la vaisselle, les femmes au
bistro... j'étais en avance sur mon temps !

Une aventure de guerre

Le grand Jacques, le plus beau souteneur de Paris, a « tombé » sur une plage de vacances, en 1937, une jeune fille de bonne famille, Marthe. Elle est follement éprise de lui, et il n'a pas trop de difficulté à la mettre sur le trottoir, où trois femmes s'emploient déjà à lui assurer une existence très confortable.

Ainsi commence *La Route aux lèvres,* un bon roman des années 1940-1950 de **La Vidalie** ; donc, si l'on veut, de la Seconde Grande Guerre *.

Jacques est ici en conversation « d'affaires » avec son meilleur ami, Raymond-le-bistro, casseur en retraite et mac lui-même à ses heures (p. 24).

> Elle ne répondit pas, fit un signe de tête et sa silhouette fine occupa un instant la porte. Elle prit le faubourg Poissonnière à gauche et envoya à travers la vitre un dernier sourire aux deux hommes.
> — Elle est rud'ment bath !
> — Tu parles ! Elle sait pas c' qu'ell' vaut. Une pute comme ça, ça doit laisser deux sacs par jour.
> — Où qu' tu l'envoies ?
> — A la Madeleine.
> — C'est une fille pour ça, mais comme début...
> — Oh ! Je la fais encadrer.
> — Par tes doublards ?
> — Oui.
> — En somme, ça t'en fait quatre au turf. Tu pourrais presque monter une maison !
> Ils se regardèrent et rirent à petits roulements de gorge en se lançant des clins d'œil, lentement en hommes qui savent ce que ça veut dire. Il était onze heures du matin, l'heure creuse pour un bistro de macs et il n'y avait pas un client. Raymond approcha sa tête de celles de Jacques.
> — Une belle affaire, ça t'intéress' plus, maint'nant ?

---

* La Vidalie, *La Route aux lèvres,* roman, Éditions Selco, 1953. L'auteur nous reste malheureusement inconnu.

— Ça dépend c' que c'est. Tu dois t' douter que j' me mouillerai pas pour des clopinettes. A présent, l' pognon est toujours bon à prendre.

— Un casse à Ormesson, tout près. Du nougat ! Une distillerie oùsque tous les creusets du labo sont en platine. Y en a des kilos et des kilos... Y a qu'à entrer et sortir. Un pote à moi qui y marnait est r'venu avec tous les rancards. Il a même la clé d'une lourde, pas la peine d' fair' l'ouverture. Seul'ment y faut qu' ça soye quéqu'un d'étranger qui fasse l' turbin.

— Ça peut s' voir...

Avec l'argent du casse, le grand Jacques deviendrait propriétaire d'une « maison » prospère qu'on lui propose dans le Nord. Il établirait Marthe sous-maîtresse et la retirerait du trottoir. Il accepte donc.

Le coup réussit, apparemment sans faire de vagues. Mais la police remonte jusqu'à Jacques et le colle sous les verrous, en même temps que Marthe, inculpée de complicité. Nous sommes en août ou septembre 1939.

En juin 1940, au moment de la grande offensive allemande, la gare de triage qui jouxte la prison est bombardée. Dans le désordre, Jacques et Marthe s'enfuient et se séparent aussitôt. Jacques prend l'uniforme et les papiers d'un homme tué dans le bombardement, pour lequel il pourra se faire passer. Le voici donc devenu... l'abbé Jean Bourdalenni, aumônier militaire.

Il se retrouve sous cet uniforme à la tête de quelques hommes, avec lesquels il défend héroïquement un des derniers ponts sur la Loire. Laissé pour mort, défiguré, il survit cependant : frappé de sa bravoure exceptionnelle, l'officier allemand qui commandait la colonne d'attaque s'acharne à le sauver.

Il l'est. Mais il a perdu la mémoire et est devenu définitivement, y compris pour lui, l'abbé Bourdalenni — un héros et un saint.

Ni Marthe, ni Raymond n'ont plus donc aucune nouvelle de lui, et pour cause. Nous sommes en 1941. Raymond s'est lancé dans le marché noir, et Marthe recherche désespérément « son » Jacques, l'homme de sa vie. Ils se retrouvent pour découvrir qu'ils ont maintenant en commun des souvenirs... et des intérêts. Raymond a conservé les creusets en platine volés avec Jacques et va les revendre aux Allemands. Marthe, qu'il considère comme la vraie « femme » de Jacques disparu, aura sa part régulière dans l'argent de la vente : une moitié.

De son côté, elle a hérité de sa brave tante deux villas et un magasin à La Baule. Ses années de jeunesse lui reviennent en mémoire
(pp. 64-66).

Et puis voici l'école normale et l'installation à La Baule où
tante Jeanna a acheté deux villas de rapport avec l'argent
de son café... et puis Jacques...
— Quelle connerie, la vie !
— Tu parles !
Les pensées de Raymond suivent un cours parallèle.
— Comme tu me vois, moi, je devais faire un coureur
cycliste. Mon dab était charcutier et y gambergeait toujours d'avoir une ferme à lui. Y s'rait p'têt' arrivé si y
n'avait pas tant picolé. Mais tout l'argent des saucisses, y
le buvait avec les clients et il était saoul tous les soirs.
Quand il a vu qu' j'avais des dispositions pour la pédale y
m'a quand mêm' payé une trotinette. Et une belle ! Y
m' disait : « Vas-y, pédale, mon gars, t'as un capital dans
les guibolles. Tu s'ras p'têt' un aut' Charl' Pélissier ! Et la
ferme, tu la paieras à la sueur de tes fesses, comm' les
fill' du grand huit. » C'était un marrant, l' vieux ! Et puis
à seize piges, une bagnole qui me rente dedans me cass'
les deux gambilles. Fini la pédale !
[...]
— Vous étiez installés à Paris ?
— Non, à Orléans. Et c'est là l' malheur. Y m'a mis en
apprentissage à Paris. J' m'y suis fait des potes et à dix-
huit piges j'ai fait mon premier casse. A c't' âge-là on fait
n'importe quoi, pour faire quéqu' chose. On sait pas, on
prend pas d' précautions. Nous, on a mis en l'air un
magase d'imperméab' ! des imperméab' ! On s'est fait sauter en liquidant, ça pouvait pas ê' autrement. J'y ai pas
coupé d' la correction jusqu'à la majorité. C'était encore
plus duraille que la taule ! A la décarrade j' retrouve un
pote, on s' met en cheville et on fait une affaire du tonnerre. Un bij'. C' con-là, il avait matelassé sa boutique
avec des plaques de tôle, mais y n'avait pas pensé qu'y
avait rien par terre. L' plancher était directement sur le
sous-sol. On s'a fait enfermer dans la cave et on n'a eu
qu'à donner un petit coup de scie pour ê' dans la turne.
Deux briqu' de l'époque, qu'on avait soulevé ! On était
trois. L'encularès qu'était avec nous a voulu son fade en

came et quand y s'a fait faire en fourguant une bagouse, il a balancé tout le packson. Y m'ont filé cinq piges de Poissy... Et voilà... J'ai quand même fini par passer au travers et j' me suis acheté c' bistro. Mais j' veux réaliser l' rêve du vieux et m' payer une ferme, une belle. En somme, c'est pour sa mémoire... T'as compris, maint'nant ?

— Et quand tu auras fait fortune, tu t' marieras.

— Tu rêves, la môme. Marida, moi ! Si j'en trouve une comme toi, p'têt' bien. Mais jusque-là, des clous. J' les connais trop, les femmes, d'puis quinze piges qu' j'en envoie en maison ! Merde alors, pour êt' doublé !

Devenue très riche, Marthe retrouve par hasard la trace de Jacques, c'est-à-dire de l'abbé Bourdalenni, devenu un saint après avoir été un héros. Mais Jacques, lui, est vraiment mort pour elle au Pont de la Taupe en sauvant la XXIXᵉ armée de l'encerclement. En la revoyant, des bribes du passé lui reviennent. Il la reconnaît, mais garde le silence. Il n'est plus, désormais, qu'un prêtre. Elle le comprend et s'efface, en épousant Raymond, le seul homme à partager leur double secret.

**

René Fallet (1927-1983) fit une entrée remarquée en littérature au lendemain de la guerre avec *Banlieue Sud-Est* (1947), qui reste son roman le plus spontané et le plus vivant. Suivirent *La Fleur et la Souris* (1948) et *Pigalle* (1949) ; une trilogie couronnée en 1950 par le prix Populiste, comme il se devait.

Quelques romans de bonne facture (*Paris au mois d'août,* 1964 ; *Charleston,* 1972) se lisent encore avec plaisir et témoignent d'un heureux talent de conteur. Mais le ver était dans le fruit : du populisme, l'auteur tomba peu à peu dans la démagogie populacière ; et des relents discrets de suze et de beaujolais, dans l'éloge pâteux de l'alcoolisme viril, celui du gros rouge et du perniflard. Gentillettes et parfois touchantes dans quelques romans, les filles ne furent plus un jour que du bétail à la botte des vrais mâles : ceux qui boivent. Hélas ! hélas !

Nous avons retenu de lui ce passage, déjà passablement éthylique et misogyne, de *Banlieue Sud-Est* (pp. 31 et 32 de l'édition Denoël, 1947-1977).

J' vais vous raconter ça pendant qu'y a personne. Ouvrez
vos feuilles. Hier soir, en sortant des studios, je me dis :
« Mon vieux Jo, t'as touché du pèze, et le pèze n'a jamais
été fait pour rester dans des poches. Ça fait une semaine,
soit sept jours de vingt-quatre heures, que tu n'as pas pris
de cuite. » Cela pensé, j'exécute. Je file à Barbès et commence une tournée des troquets. Il y avait des petites
suze à se rouler par terre. Et c'est là que le drame commence. Je vois passer dehors une wonderful souris
blonde. Bandante ! que je me dis. Je douille et bolide
dans la rue. Je retrouve la fille et prends sa roue. Elle
était roulée comme pas deux et respirait le paradis par
tous ses pores. Je me dis : « Merde, mon petit Jo, il faut
t'envoyer cette entrecôte impériale. » Je me mets à sa hauteur et commence à la baratiner sur la pluie et le beau
temps. Elle avait l'air de mordre à l'hameçon. J'y vais au
culot, je la prends par le bras. C'était de l'ultra-rapide,
mais quel châssis, nom de Dieu ! Quel châssis ! J'en bouil-
lonnais de la citrouille ; et d'ailleurs, chère Sido. Des
yeux, mais des yeux ! Des jambes grecques, un nez idem
et des nénés à réveiller le Soldat inconnu. Je l'emmène
croûter, catégorie A (j'avais du flouze, j'étais paré). Frites,
côtelettes de porc, et tout et tout, plus un petit anjou des
familles comme on n'en voit qu'une fois dans la vie d'un
homme. On s'envoie ça. Entre-temps, je lui avait fait du
pied jusqu'à en avoir les orteils ankylosés. Ça gazait toujours ; la petite était pour ma pomme et pas pour l'égou-
tier. Je l'embarque au ciné, je joue le grand jeu, je mets
les mains où il fallait... Ça boumait encore, c'était dans la
poche, quoi ! Je ne me rappelle pas ce qu'on jouait et si je
voulais le savoir, faudrait téléphoner à S.V.P. Or donc, et
j'abrège, on file à l'hôtel le plus proche. J'étais sur les bou-
lets, et elle en avait sa part ; le taulier nous montre la
chambre et je dis : « Enfin seuls... », la phrase sacramen-
telle. Je commence à me déloquer. La greluche me
demande : « Vous avez des cigarettes ? — Non (j'avais
tout grillé). — Si vous voulez, je vais en demander en
bas, ils en ont peut-être. » Que voulez-vous que je dise,
moi ? Je la laisse filer. Cinq minutes passent, puis dix.
« Elle les pond, ses pipes ? » me dis-je un peu inquiet. Je
me balade un peu à poil dans le couloir, en me penchant

sur la rampe pour voir si elle revenait. Et comme dans les chansons, elle n'est jamais revenue. Ça ne serait que ça, je me serais simplement trouvé con. Seulement, seulement, la vache était partie avec mon portefeuille et les dix sacs qu'il y avait dedans. Dix sacs ! Jamais je n'en avais tant eu, et aujourd'hui, je suis raide comme un passe-lacets. Voilà...

Le pain des jules

Voici un cas exceptionnel, peut-être unique, dans des annales de la littérature argotique. Né en 1918, Victor-Marie Lepage publie entre 1948 et 1954, sous le nom de plume de Maurice Raphaël, une dizaine de textes à la fois poétiques et classiques, dont *Une morte saison,* un très beau roman, réédité en 1983 par « Le Tout sur le Tout ».

Hélas, Maurice Raphaël ne touche qu'un public rare. Déçu, Victor-Marie Lepage se tourne vers une littérature moins recherchée, mais à coup sûr plus nourrissante : le polar, le roman policier. Il inaugure en 1954, avec *Arrête ton char, Ben Hur !* une nouvelle et cette fois brillante carrière : celle d'auteur de la fameuse « Série Noire » de Marcel Duhamel. A nouvelle carrière, pseudo nouveau : Lepage-Raphaël choisit d'être désormais **Ange Bastiani.**

Homme d'excellente famille, Victor-Marie Lepage avait été préfet sous le régime de Vichy ; un préfet un peu trop actif. D'où, à la Libération, les quelques années de prison qui, peut-être, déterminèrent indirectement sa vocation d'auteur argotique. Il est mort en 1977.

Le Pain des jules (1960) est un classique du genre ; une des meilleures « Série Noire » françaises.

Toussaint Sinibaldi, un caïd du milieu toulonnais, casseur émérite, est assez riche pour se retirer des affaires et ne plus s'occuper que de « politique ». Mais il a une liaison secrète — le démon de midi — avec la jeune et belle Gina Beau-Sourire, qui « travaille » pour le compte de Pascal l'Élégant. Pour refaire sa vie avec Gina et ne pas laisser sa femme, Assunta, sur la paille, Toussaint se laisse entraîner dans un dernier coup en or, le casse d'une riche villa. Il y monte donc avec Pascal l'Élégant et un jeune, Nino.

Erreur fatale ! Pascal a deviné que sa « langouste » filait le parfait amour avec Toussaint et il met la police au parfum du casse. Lui-même s'esquive pendant que Toussaint débride le coffre. La police encercle la villa, Nino, paniqué, tire et tue un flic. Fusillade générale, qui coûte la vie à Toussaint.

Bien vite, les amis du mort remontent à Pascal l'Élégant. Les frères Esposito, des tueurs à gages un peu branques, jurent d'avoir sa peau.

Pascal s'est réfugié dans le bar de la grosse Zoé, une figure respectable des rues chaudes de Toulon. Il y retrouve Gina, terrorisée, et y est bientôt rejoint par la veuve, Assunta, une tigresse (pp. 171-175, *Le Pain des jules* dans la « Série Noire », Gallimard, 1960).

En fin de compte, justice sera faite, comme il se doit.

Zoé, en bombe, avait surgi de sa cuisine.

— Oh ! punaise ! C'est toi, mon Assunta !

Assunta, d'un pas de somnambule, s'avançait vers le centre du bar.

— Oui, c'est moi, fit-elle d'une voix métallique.

La grosse lui désigna les carreaux brisés de la porte et de la fenêtre.

— T'es pas bien, de sortir par un temps pareil ? et de laisser ton Toussaint à se morfondre sur son lit de mort.

— Toussaint, il peut se garder tout seul. Moi, il fallait que je vienne. J'ai pas pu me retenir quand j'ai su par Poupette que lui, il était chez toi.

— Oh ! va surtout pas croire que c'est par sympathie, se défendit Zoé.

— Je sais, je sais bien. Seulement, moi, je voulais le voir une dernière fois encore debout, lui, fit la rousse en regardant Pascal, être la première à lui apprendre que c'est à son tour de prendre l'aller simple pour le casino des allongés.

Zoé eut un nouveau geste vers ses vitres, avec un petit rire aigrelet.

— La première ? Si tu crois qu'avec ça il s'en doute pas un peu.

Pascal, qui était resté muet, comme cloué sur place, fit un pas menaçant sur les deux femmes.

— Vous allez la fermer, oui ? Qui c'est, l'homme, ici ?

— D'homme, y en a pas, laissa tomber la grosse, placide.

Assunta, elle, avait bondi.

— Non, je me tairai pas. Il faut qu'elle sache, Zoé. Et elle aussi, Gina. Qu'elles sachent que jamais tu n'es monté sur le travail avec Toussaint et le neveu Simonpietri. Lui, s'est contenté de les balancer à la maison parapluie. Voilà l'homme. Seulement, maintenant, Pascal, t'es espéré dehors. Les frères Esposito sont là, et pas décidés à te faire de cadeau.

— Bon Sang de Dieu, se lamenta Zoé, tout ce que je demande, moi, c'est qu'ils me ruinent pas l'établissement.

— Justement. A force de le chercher, lui, de troquet en troquet depuis près de deux heures, Sauveur et l'Érudit, ils ont pas passé leur temps à sucer de la glace. Une biture, ils tiennent, à plus toucher terre. Fous comme des lapins.

— Sur mes yeux ! Ça m'étonne plus qu'ils m'aient paru fadas quand ils sont passés ici. Ils parlaient pas, on aurait dit des muets. Oh ! malheur ! Eux qui ont pas l'habitude de boire, surtout Sauveur, avec ses acidités, si on les laisse faire, ils vont tuer tout le quartier.

— C'est aussi pour ça que je suis venue, avoua Assunta, je veux pas que, le jour des obsèques de mon homme on enterre avec lui la moitié de la ville. Toussaint, une chose pareille, ça lui aurait été un crève-cœur.

Elle rejoignit Pascal, qui s'était adossé au comptoir et à vue d'œil se décomposait, tripotant son pistolet qui entre ses mains semblait aussi dérisoire qu'un jouet d'enfant.

— Tu m'as entendue, toi ? lui lança-t-elle dans les narines, mort pour mort, moi qui ne suis qu'une femme, je tâcherais que ça se passe proprement. « Garde-toi. Je me garde », sors et défends-toi.

Zoé s'esclaffa.

— Tu l'as regardé ? Vois-le un peu, Gina, ton beau mâle, les didis qui sucrent les fraises et les miches qui font bravo.

Gina cracha aux pieds chaussés de vernis maculés de boue.

— Alors, c'est toi qui l'as fait mourir, Toussaint ? C'est toi qui t'es allongé auprès des poulets ?

L'homme — ou ce qu'il en restait — parut retrouver un semblant de nerfs pour faire front aux trois femmes déchaînées.

— Oui, c'est moi ! c'est moi ! hurla-t-il, la voix rauque et le teint terreux, et j'ai bien fait ! Tout ce que je regrette, c'est qu'il soit clamsé si vite, ce cave. J'aurais voulu qu'il pourrisse des piges et des piges au bing, en Centrale, qu'il y paume ses vermicelles, qu'il y crache sa dernière ratiche, qu'il en sorte gaga !

Il se tourna vers Assunta, la bave aux lèvres :

— Il avait voulu me prendre ma femme, il méritait pas mieux ! Ça faisait assez de temps qu'ils me bouffonnaient, elle et lui. Fallait qu'il paye.

Assunta tordit ses lèvres de dégoût.

— Et tu aurais pas pu avoir une explication d'homme à homme avec lui ?

— Dis, Assunta, rétorqua l'autre, c'était lui ou moi que je voulais qui meure ?

— Salaud ! Salaud ! se mit à vociférer Gina. Salaud ! Mais, maintenant, c'est à toi d'y penser, Pascal et je rigole, moi, je rigole. Mal aux seins, que j'en ai. T'as fini de vivre, mon Élégant !

— C'est pas encore dit, jeta l'homme.

— Bon sang ! et mon café qui s'impatiente !

Zoé, le peignoir en bataille, fonça vers sa cuisine une nouvelle fois et en ressortit une minute plus tard, tenant en main une cafetière fumante.

— Le voilà, le caouah. Tu en veux une tasse, l'Élégant, au point où tu en es, c'est pas des choses qui se refusent.

— Merci, fit le coquin, je prends jamais de café entre les repas, ça me donne des palpitations.

— T'as tort, observa la grosse, en remplissant des tasses, mal parti comme je te vois, t'aurais assez besoin d'un remontant. Ça t'accompagnerait.

— M'accompagner où ?

Zoé, hilare, pour toute réponse, lui tourna le dos, offrant la vue de ses énormes fesses drapées dans les palétuviers roses et les oiseaux-lyres du kimono.

— Un sucre ou deux, Beau-Sourire ? s'enquit-elle.

— Un seul, dit la blonde.

Pascal s'était mis à tourner en rond du comptoir à la porte, se versant à chaque passage un cognac, puis repartant, tendu, crispé, suant la pétoche noire.

— Dis, l'Élégant, remarqua la grosse, ça te ferait rien de t'arrêter un peu ? A me tourner autour comme un derviche, tu me saoules, brave.

L'autre continua son manège, parlant pour lui tout seul.

— Je les crèverai, Sauveur et l'Érudit, je les repasserai, ces deux bons à rien.

Zoé, arquoise, montra la porte.

— Te gêne pas.

— De quoi ils se mêlent, ces branques, de quoi, renauda le malfrat.

— On se le demande.

La petite musique d'Alphonse

Bien qu'il s'en défende, il est difficile de ne pas voir dans **Alphonse Boudard** (né en 1925) un authentique continuateur de Céline. Son œuvre romanesque, de *La Métamorphose des cloportes* au *Café du pauvre* (1962 et 1983, aux éditions de la Table Ronde), est comme celle de Céline une autobiographie picaresque, menée sans rigueur au gré des souvenirs.

Et surtout, comment ne pas rapprocher de la « petite musique » chère à Céline, celle que Boudard fait résonner à chaque phrase ? Des truands, des flics, des putes et des caves, la littérature argotique des années 1950-1970 n'en manque pas. Elle nous en offrirait plutôt trop. Mais ceux de Boudard ont un « quelque chose » de différent, de naturel, de spontané, qui les rend proches de nous.

Là est sans doute l'origine du malentendu. Si Boudard apparaît comme le meilleur successeur de Céline, c'est qu'il puise à la même source populaire : la communale, la rue, les troquets, les vingt métiers-trente misères, la guerre (1914 pour Céline, 1944 pour Boudard), les amours de rencontre ; et Paris.

L'argot de Boudard est classique. Son fond est celui des années 1930-1940 ; ses nouveautés, des années 1950. Mais « classique » ne veut pas dire « figé » ou stéréotypé. On le sent à chaque ligne vécu par le narrateur ou ses personnages.

Pour le faire apprécier, nous avons retenu des extraits de *La Métamorphose des cloportes,* son premier roman.

Alphonse, casseur, est « monté sur un coup » — un gros — avec une équipe un peu improvisée : Edmond Clancul, un pote (...) et le

Rouquemoute (le Rouquin), un personnage plutôt répugnant, mais un « débrideur de coffiots » d'un savoir-faire exceptionnel.

Le casse va son train. Pendant qu'Alphonse fait « le serre », Edmond assiste le Rouquemoute et lui passe les outils. L'éventration où coffre va bon train. L'opération presque achevée, le Rouquemoute éloigne Alphonse sous un mauvais prétexte, assomme Edmond, et se fait la paire avec le contenu du coffre.

Indignement doublé, Alphonse veut retrouver ce cloporte. Il s'enquiert de lui auprès d'un ami, Sauveur le Corse.

Sauveur, on se connaît depuis une paye, on s'est jamais voulu du mal. Lui, c'est les gonzesses sa défense. J'entends dire partout des horreurs sur les harengs, qu'ils indiquent [1], tueraient père et mère, mettraient sainte Geneviève au tapin ; pourtant, Sauveur, je le trouve blanc-bleu, régule toute la ligne, net comme un coup de parabellum. S'il m'ouvre les bras ! « Pauvre, il me dit... les enculés ! » Ça s'adresse, ça, à tous ceux qui m'ont fait souffrir. Il sait aussi, connaît nos castels en province. Les plus belles années de sa vie à Fontevrault [2] ! Seulement depuis pour le faire marron, faut qu'ils se lèvent tôt les poulets ! Il leur ouvre lui-même, en robe de chambre. Le temps de se fringuer, il les suit. Ne reste jamais plus de deux ou trois mois au séchoir. Non-lieu, non-lieu, non-lieu... la collection de non-lieux ! Pour meurtre, proxénétisme, cinéma cochon, trafic de ceci, contrebande, mineurs en débauche chez le ministre ! « Je devrais bien avoir la Légion d'honneur à titre d'innocent... Ils me font rire, veux-tu que je te dise... rire. » Il me raconte d'abord ses derniers ennuis avec la maison Poulardin. S'ils le veulent, cézig, c'est peu dire ! Le moindre pet à gauche... les durs à perpète minimum.

On cause dans la 403 d'un ami à lui. Il pleut. Rien à redouter, nous sommes dans une rue peinarde du VIIIe... « Tu me comprends... » Il émaille ses phrases. Oui, oui, oui, je le comprends, je l'écoute toutes esgourdes, je me passionne. On lui veut du mal, c'est certain... « Une bande d'enfoirés ! » Pas dire le contraire, ça non ! Je veux surtout qu'on en vienne enfin au Rouquemoute. Il a dis-

1. Servent d'indicateurs à la police.
2. Prison centrale importante, installée dans l'ancienne abbaye de Fontevrault (Maine-et-Loire).

paru donc, j'apprends. Peu de temps après ma descente à
la ratière. Ça concorde. Sauveur, pas besoin de lui donner des détails. « Il t'a pas assisté bien sûr ? » Cigarette.
Clic ! juste la flamme du briquet dans l'obscurité de la
voiture. C'est onze du soir environ.
« Mieux, il m'a sucré tout mon carbure... Lessivé... Je
marche à côté de mes pompes. »
Il réfléchit. Pas le garçon à dire n'importe quoi pour me
faire plaisir. Je le laisse gamberger. S'il peut m'aider, il le
fera, officiel. François-le-Corse, son pays, la veille encore
de ma décarrade, me le disait : « Sauveur, tu peux y aller
franco. C'est pas l'homme à te faire une embrouille. » Ça
tombait pile qu'il connaissait Rouquemoute presque
mieux que moi pour ainsi dire. Bon. Il pleut toujours.
Des hallebardes sur le toit, rafales sur les vitres... une tornade. Préférable de jacter sérieux dans la 403, on ira
ensuite s'en jeter un à Montmartre.
Il part demain en Bretagne, Sauveur, de bonne heure il
prendra la route. Il m'explique, il prospecte par là...
Concarneau... Guingamp... L'Ille-et-Vilaine... les Côtes-
du-Nord. Directo à la production. Les intermédiaires,
c'est pas que la mort des artichauts ! Et dans sa profession, la rivalité nord-africaine est effrayante ! Ça le rend
ultra, il ferait bien le putsch avec Challe, rien que pour
les virer les ratons, les renvoyer dans le désert, ceux qui
sont ici à le concurrencer. « Tiens, l'ancienne au Rouquemoute, la Léone... elle est maquée avec un tronc. Tu me
diras, Léone c'est pas une affaire ! Tu me comprends,
ouais... mais enfin, c'est pour te dire... » Ça m'intéresse,
Léone, elle sait peut-être où qu'il se cache son ex-julot !

La Léone et son jules reviennent sur scène dans *La Cerise*. Une
touche qui manquait au tableau !

Faut tout de même qu'elle en éponge pas mal, des michetons à sept huit cent balles la passe, sa Léone pour qu'il
dépérisse pas le Gros. Presque toute sa comptée se métamorphose en produits alimentaires. Sur le ruban, dès dix
plombes du mat et jusqu'à des minuit une heure. Qu'elle
s'estime encore heureuse quand elle se farcit pas un *couché*. Dans ces cas-là, s'il se déhotte de bonne heure du
page le Rouquin ! Dès l'aurore il est en attente fébrile
dans le bistrot d'en face parmi les pue-la-sueur déjà aux

coups de rouge. Sitôt qu'elle sort de l'hôtel, il paye fissa
crème et croissants... et il fonce la rattraper au bout de la
rue. « Combien ? » Sa toute première parole. Net et franc.
C'est jamais assez à son goût, il est insatiable. « J'ai fait ce
que j'ai pu, mon chéri. » Elle lui glisse les talbins de
l'amour vénal dans la fouille du lardeuss. « Ce que je suis
fatiguée ! » elle ajoute. Ça sous-entend qu'elle aimerait
bien qu'il aille aussi, lui, en remonter un peu de la fraîche
avec son chalumeau, qu'elle en a sa claque d'être aux
asperges, stakhanoviste du trottoir, esclave corvéable,
serve à merci, bonne à tout faire pour tous les vices. Elle
y laissera sa peau, ses os... sa jeunesse n'en parlons plus !
[...]

Et derechef, Alphonse se remet sur la piste de la Léone et du Rouquemoute.

Bon, que je rembraye sur le Rouquemoute. Sa grande
Léone, je l'ai dégauchie [3] trois jours après, au tapin dans
les alentours du square des Innocents. Si ça repousse [4],
par là, le calendos, le roquefort, le pont-l'évêque ! C'est le
coin des fromages aux Halles. Elle en était toute impré-
gnée, la vraie petite fille qui se néglige. Elle devait attirer
les très vieux viceloques. Je l'ai reconnue dans une grappe
de putes tout de suite... sa taille, son allure avachie. Elle
déparait le lot des jeunettes à jupons glonflants. Nette-
ment la plus blèche, la plus vioque, la plus mal sapée. Je
tombais à pic, elle n'avait pas dérouillé depuis trois
plombes qu'elle était là en chandelle. De mauvaise
humeur, la grande Léone. Pas perdre son temps ! Ouais,
ouais, elle me remettait bien. Je sortais d'où encore ?
Qu'est-ce que je lui voulais ? Fallait qu'elle continue de
marner, Omar, il aime pas ça l'abandon de poste ! Que
j'entrave entre les mots... Pire que le Rouquemoute,
Omar, dix fois pire ! On le calme pas, lui, avec des non-
nettes, des choux à la crème, il préfère plutôt les épices.
Elle me le dit pas, mais je me doute. On se chuchote à
l'entrée de l'hôtel. Je sens qu'elle a le trac et qu'elle a bu.
Elle pue le gros rouge. Avec les relents de frometons, ça
se marie bien, tous les gastronomes le prétendent.

3. Trouvée, retrouvée.
4. Ça sent mauvais, ça pue.

Un argot très perso

Phénomène de mode? Phénomène de langue? Phénomène de société? On ne sait trop dans quelle catégorie ranger les cent cinquante aventures du commissaire San-Antonio, leur succès stupéfiant, et leur auteur, **Frédéric Dard** (né en 1921). La seule certitude, c'est qu'il s'agit bien d'un phénomène en forme d'ouragan, de raz de marée, de tornade ou de tsunami.

Pour l'essentiel, l'attachement inconditionnel de millions de lecteurs de San-Antonio à leur héros tient à la *furia francese* qui anime le récit. Frédéric Dard y utilise pêle-mêle et allégrement toutes les ressources d'un français baroque qui lui est propre et dont le mouvement perpétuellement accéléré fait oublier les facilités ou les complaisances, et ressortir les trouvailles.

L'argot tient sa place dans ce concert décousu. Elle n'est pas dominante comme dans les « polars » d'Auguste Le Breton (*Du rififi chez les hommes,* 1976), ou d'Albert Simonin (*Touchez pas au grisbi,* 1953). Et l'argot de San-Antonio, qu'on devine plus lyonnais que parisien, n'est pas toujours exempt d'erreurs de détail. Cependant, la notoriété et l'originalité du cycle de l'éternellement jeune et beau commissaire justifie amplement que nous lui fassions une bonne place ici.

Nous avons retenu pour cela un récit qui appartient à la « période moyenne » de l'œuvre : les premiers San-Antonio étant fort peu argotiques, les derniers poussant à la dérision les tics et les trucs de l'auteur.

Vingt-cinquième aventure de la série, *La Tombola des voyous* (1957) nous a paru être un bon choix.

Bérurier va à la pêche au tout-gros. Pour appâter, il utilise, comme les champions, des débris de... testicules de taureau, qu'il va chercher aux Halles, en compagnie du commissaire amusé. Mais ce jour-là, il y a une tête décapitée dans le bac de triperie où il se fournit.

L'enquête démarre très fort ; ce qui n'empêche pas le commissaire de se livrer, entre deux morts violentes, à son passe-temps favori : la chasse à la poulette. Pour un poulet, c'est dans l'ordre des choses (*La Tombola des voyous*, Éditions Fleuve Noir, pp. 47-48).

Voilà un bout de temps que cette nana me fait du rentre-dedans. Elle a une façon de laisser traîner ses boîtes de lait Mont-Blanc sur mon bras en me servant mon petit crème vespéral qui en dit long sur ses aspirations secrètes ! Avec une bergère de ce gabarit, le feu vert est toujours mis ! Faut être timoré pour ne pas annoncer son sous-marin de poche ! Ou alors faut aimer le tournedos Rossini !

Je lui décroche une œillade qui ferait frissonner un champ de blé. Elle y répond par un regard qui appelle l'instincteur à grand rayon d'action. Pinuche vide son godet, amer.

— Avec toi, marmonne-t-il, on ne peut pas se placer. Je ne sais pas ce qu'elles te trouvent mais dès que tu parais, ces dames se mettent à bégayer.

Au lieu de répondre, je me détranche sur la poulette. C'est une petite rouquine qui se croit blond vénitien et qui s'efforce de cacher ses taches de rousseur sous trois centimètres de fond de teint. Elle a des yeux noirs, pas trop stupides, et une bouche charnue comme je les aime.

Pour la carrosserie, c'est du petit format, mais bien enveloppé. Comme ma vie sentimentale est pour l'instant aussi déserte que l'intérieur d'un tambour, je me dis qu'une partie de tumeveux-tumas avec cette jouvencelle me changeait un peu les idées.

San-Antonio, l'homme qui tombe les femmes comme des mouches, offre à sa conquête le festival habituel (pp. 82-83).

C'est le travail sérieux par une maison de confiance ! Trente-cinq ans d'expérience ; quatre médailles d'or, trois d'argent, trois en bronze — dont une dite militaire.

On commence par « Le chant des balalaïkas » joué en solo sur ses jarretelles ; on continue par « Maintenant que je suis grand » au trombone à coulisse, puis c'est l'apothéose : « Nuit sur le Mont Chauve », orchestre et chœurs sous la baguette de San-Antonio, premier prix de gymnastique à la fête des écoles de La Garenne-Colombes !

Au bout d'une heure, la rouquine ne se rappelle plus exactement si elle est sur terre et moi, triomphant, je descends de mon petit nuage rose avec une soif saharienne. Marguerite chante sa joie sur une musique de *Louigy* d'une voix nasale de subalterne.

Le commissaire, ce n'est un secret pour personne, est le type même du Don Juan assassin. Il ne reste jamais bien longtemps à vivre à la femme qui a connu dans ses bras quelques heures du bonheur extatique qu'il dispense généreusement à ses conquêtes.

La douce Marguerite lui servira en effet de piège — la chèvre — pour attirer vers San-Antonio le tueur-décapiteur, le Tigre. Elle y laisse sa peau et tout le reste. Basta, c'est la vie ! L'enquête continue, et conduit le commissaire vers une autre poulette, une professionnelle de l'amour vénal (pp. 126-129).

Miss rue de Sèze radine, en costar d'Ève.
— Eh bien, mon chéri, gazouille-t-elle, tu ne te prépares pas ?
— Je suis prêt, affirmé-je. Archiprêt ! Il ne manque pas un bouton de guêtre à la fermeture Éclair de mon pantalon.
Elle se gondole et vient me faire une câlinerie maison.
Je lui chope les poignets, doucement, gentiment, et, les yeux dans les yeux, je lui demande :
— Dis voir, beauté tropicale, qui t'a chargée de poster une certaine enveloppe bleue, hier ?
Ça lui fait comme si un rouleau compresseur venait de l'embrasser sur la bouche. Elle a brusquement comme des traînées sanglantes dans l'œil. Par contre, son visage devient d'un blanc crayeux.
Elle articule péniblement :
— Qu'est-ce que tu racontes ?
Pour la cent dix millième fois je présente ma carte. Ce mot police écrit en vilains caractères noirs lui tord la bouche.
— T'es un poulet ! dit-elle sur un ton qui révèle une bonne partie de l'estime qu'elle porte à ma corporation.
— Tu le vois. Mais là n'est pas la question... Je t'en ai posé une autre à laquelle j'aimerais te voir répondre.
Elle se lève, furibarde soudain.
— Qu'est-ce que c'est que ces giries ! En voilà assez ! J'ai rien à voir avec les bourres, moi : excepté les mœurs... J'ai ma carte, je suis visitée, alors des clous ! Tiens, reprends ton osier, je me casse !

Elle cherche ses fringues et ne les trouve plus. Alors elle s'arrête un peu plus sonnée.

— Mes nippes ! fait-elle.

— Je te les rendrai quand tu m'auras répondu, reine de mon cœur !

— Si tu me les donnes pas tout de suite, je gueule au secours...

— Eh ben ! vas-y, ma douceur... Les poulets viendront et je te ferai emballer jusqu'à mon bureau. Là, je te promets que tu parleras... Si je t'ai grimpée ici c'est parce que je suis pressé et que je n'ai pas le temps de jouer « Soir de rafle »...

Elle médite un instant. Puis elle va à la porte d'une allure décidée et saisit la targette.

Moi je lui saute sur le poiluchard.

— Stop !

Je la tire en arrière par un aileron et je lui mets une double mandale sur le museau, manière de lui rendre des couleurs.

La violence des baffes la fait vaciller et lui emplit les vasistas de larmes.

Poursuivant mon avantage, je la pousse sur le lit. Elle tente de se redresser, alors je la couche d'un crochet au menton. Ses mandibules font un bruit de dominos remués. Elle part à la renverse et ne bronche plus.

Rapidos, j'arrache les embrasses des rideaux et je m'en sers comme liens pour saucissonner miss Volupté. Lorsqu'elle débarque du pays des quetsches, elle ne peut remuer que les doigts de pied, les paupières et des pensées moroses.

Convenablement interrogée, Miss Trottoir livre une seconde piste : celle de Padovani, dit « le Turc », une terreur du Milieu. Le commissaire, Béru et Pinaud, vont le retrouver dans son troquet habituel, et San-Antonio l'interpelle (pp. 143-144).

Il fait volte-face et me considère froidement.

— Je ne vous connais pas ! déclare-t-il.

Il est sûr de soi. Ce gnard a une mémoire infaillible et quand il décide de ne pas connaître quelqu'un, c'est pas la peine de lui débiter des berlues.

— On va faire connaissance, dis-je, qu'à cela ne tienne !

Je brandis les poucettes et cherche à les lui passer. C'est

un exercice que j'exécute ordinairement en quatre
secondes. Mais j'enregistre un échec... saignant! Le Turc
a fait un pas en arrière et m'a jeté son genou dans les bas
morcifs. Ce type-là ne fait rien à la légère. Ses moindres
mouvements prennent un relief extraordinaire. Je sens
ma rate qui se fait la paire et je tombe à genoux, le premier étage meurtri par une douleur effarante.

Mes joueurs de 421 ne font qu'un bond jusqu'à Padovani.
Pinuche arrive le premier, juste à temps pour déguster un
crochet à la mâchoire qui l'envoie à l'autre bout du troquet, dans le box de la dame aux cigarettes... C'est à Béru
de jouer. Il balance un coup de boule dans le placard au
Turc; hélas! ça ne fait pas plus d'effet à celui-ci qu'un
coup d'éventail. Le Béru s'arrête, étourdi par sa propre
charge. Le Turc, qui, je vous le promets, mérite admirablement son sobriquet, lui colle un jeton pour grandes
lignes... Le Gros bloque l'atout sur le pif, ce qui le fait saigner comme un goret.

Bon voyou en trente leçons...

L'idée d'enseigner l'argot aux pantes ou aux caves a été exploitée
de bonne heure. C'est déjà la justification que se donnent *La Vie
généreuse des mercelots* à la fin du XVIe siècle et *Le Jargon de l'argot
réformé* au début du suivant, et qui reviendra souvent tout au long
du XIXe.

Il ne s'agissait alors (disent les auteurs de ces « méthodes ») que
de comprendre l'argot pour pouvoir déjouer les plans et les projets
sulfureux des vrais argotiers. Mais de « comprendre » une langue à
la parler, il n'y a qu'un pas. Il ne manquait qu'une occasion, une
idée.

Elle vint en 1970 ou un peu avant à deux compères; le premier,
Alphonse Boudard, argotier de naissance et romancier; le second,
Luc Étienne, Régent Illustrissime du Collège de Pataphysique, Ani-
mateur Infatigable de l'Ouvroir de Littérature Potentielle et parallè-
lement, auteur de *L'Art du Contrepet,* du *Littré de l'argot,* et de nombre d'autres réjouissants exercices de langage.

L'idée, c'était d'utiliser, pour enseigner l'argot non seulement aux jeunes étrangers, mais aussi à ces infirmes de la langue que sont « tous les Français trop bien élevés qu'une éducation étouffante a émasculés en leur enseignant un langage artificiel, moins châtié sans doute que châtré », l'authentique et respectable *Méthode Assimil* d'A. Chérel.

Les leçons de *La Méthode à Mimile* comprennent, on le verra, un texte argotique, sa traduction, des notes, et un exercice de contrôle.

La présentation faite, voici deux échantillons du livre : la 17ᵉ leçon d'abord, dans laquelle deux pue-la-sueur (comprenez deux honnêtes travailleurs), Léon et Louis, s'entretiennent des mérites d'un restaurateur connu, Charlot-l'Anguille.

17ᵉ Leçon

LA TORTORE (suite)

1 — Léon : — Après ça une porcif de calendo (1), un caoua, le pousse-caoua...

2 — Louis : T'oublies le picrate !

3 — Léon : Non, machin, j' l'oublie pas ! Son bromure au Charlot, il est pas le frère à dégueulasse,

4 — c'est un petit pinard (3) qui se respecte !

5 — Louis : Beaujolpif (4) cuvée Bercy, quoi !

6 — Léon : — Pour un sac tout compris tu vas pas jouer les bêcheurs, non ?

7 — Louis : — Peut-être bien, mais mézig, chez Charlot, ce qui me botte (5) le plus, c'est encore la Lucie...

8 — Léon : — La bonniche, ça j' dis pas, je prendrais bien le café du pauvre avec elle !

9 — Louis : T'as biglé (6) ça, cette paire de nichons ? Elle peut faire la pige (7) à B.B. !

10 — Léon : — Question roberts, on peut pas dire, elle est fadée (8) !

11 — Quand t'as ça dans les paluches, si t'as pas une pointe d'orgueil dans le calcif,

12 — c'est qu' t'es amputé de la défonceuse !

NOTES

(1) Calendo : camembert, et par extension, fromage quelconque, comme fromegi, frometon, frometogomme. Sens dérivé : employé ambulant des chemins de fer (qui transporte toujours avec lui un casse-croûte contenant un fromage). — (2) Cette façon contournée et singulière de

s'exprimer signifie tout simplement que ce vin n'est pas mauvais du tout. — (3) Picrate, bromure et pinard sont des mots utilisés d'abord par les soldats pour désigner le vin fourni par l'Armée, et devenus ensuite populaires. Pinard (de pineau, cépage particulier) fut surtout employé pendant la guerre 14-18. Bromure connut une vogue assez courte penfant la drôle de guerre 39-40 : l'Intendance était accusée, à tort ou à raison, de mettre du bromure dans le vin des troupiers afin de prévenir des désirs sexuels inopportuns. Quant à picrate, qui a fait les deux guerres, c'est un mot péjoratif par suite de la référence implicite à l'acide picrique. — (4) Beaujolpif (olpif avait au début du siècle le sens de chic ou d'excellent) ou beaujol : il se consomme annuellement au comptoir des cafés parisiens plus de beaujolpif que les coteaux du Beaujolais n'en produisent en cent ans. C'est là un des miracles de l'organisation moderne des circuits de distribution. — (5) Ça me botte : ça me convient, ça me plaît. Proposer la botte à une frangine : c'est lui faire sans ambages ni circonlocutions ses offres de service galant. — (6) Bigler, regarder ou voir, et aussi regarder de travers, loucher, a donné bigleux, myope. — (7) Faire la pige à quelqu'un c'est se montrer supérieur à lui sur le terrain même où il excelle. — (8) Être fadé c'est être bien partagé, bien servi. C'est aussi être atteint d'un mal vénérien, ou encore être ivre.

LA NOURRITURE (suite)

1 Léon — Ensuite une portion de fromage, un café, un digestif... — 2 Louis — Vous oubliez de parler du vin ! — 3 — Non mon ami, je ne l'oublie point ! — 4 Le vin que l'on sert dans l'établissement de Charles est loin d'être mauvais, c'est un petit vin de bonne qualité ! — 5 Louis — Du Beaujolais élaboré aux Entrepôts de Bercy, en quelque sorte ! — 6 Léon — Pour un menu se montant à mille francs anciens sans supplément, vous n'allez tout de même pas faire le difficile ? — 7 Louis — Vous avez sans doute raison, mais quant à moi, dans l'établissement de Charles, ce qui me plaît le plus, tout compte fait, c'est Lucie. — 8 Léon — La bonne ? Oui certes, je n'en disconviens pas, je me livrerais bien avec elle aux jeux de l'amour ! — 9 Louis — Avez-vous vu la poitrine qu'elle

a ? Elle a de quoi rivaliser heureusement avec Brigitte Bardot ! — 10 Léon — Pour ce qui est des seins, nul n'y peut contredire, elle est bien partagée ! — 11 Si, lorsqu'on les empaume, l'on ne se sent point pris d'un roide désir, — 12 c'est que l'on est rigoureusement impuissant !

EXERCICE

1 Un bon caoua j'ai rien contre, — 2 seulement après une bonne tortore — 3 y a encore rien qui vaut l' café du pauvre — 4 surtout avec une môme qu'a pas les roberts en gants de toilette. — 5 C' qu'y a d' chouette, dans c' truc-là, c'est qu' c'est pas grisol : — 6 même si vous êtes coupés à blanc, avec ta julie, — 7 vous pouvez vous carmer ça pour pas un flèche.

1 Je suis loin de mépriser un bon café, — 2 toutefois, après un bon repas — 3 il n'est rien à mon sens qui vaille les joies de l'amour — 4 surtout avec une personne dont les seins ne s'affaissent pas. — 5 Ce qui est agréable dans cette activité c'est qu'elle ne revient pas cher : — 6 même si vous êtes, votre maîtresse et vous, complètement démunis d'argent — 7 il vous est loisible de vous offrir cela gratuitement. (Flèche, qui signifiait autrefois sou, n'est plus employé que dans les expressions sans un flèche ou pas un flèche. Je suis sans un flèche : je n'ai pas un sou vaillant.)

Et voici une leçon à la fois importante et délicate : le fric, l'artiche, le grisbi, l'oseille, le flouss, le pognon. Bref et d'un mot : l'argent. Que de changements depuis l'époque heureuse du franc-or !

20e Leçon
ENVOYEZ LA SOUDURE !

1 — Question artiche, ça a chanstiqué terrible depuis trente piges !

2 — Ça fait une sacrée embrouille dans l'argomuche...

3 — Un linvé, un laranqué (1) c'est tellement peu d'osier qu'on en jacte même plus !

4 — Pour une thune (2), tu voudrais tout de même pas que ma gravosse se fasse calecer !

5 — Un cigue, en nouveaux francs, c'est deux lacsés.

6 — Avec une demi-jetée on peut encore se retrouver fleur (3) rapidos !

7 — Dudule avait engourdi le crapeautard d'un pue-
la-sueur,

8 — dedans y avait même pas une livre !...

9 — Pour un sac, mémère (4), elle te fait une bouffarde (5) au loinqué d'une lourde, elle est pas
bêcheuse...

10 — De trois briques, y s'est fait enfler, le Momo, par
Lulu-le-Sétois...

11 — Une unité de velours, en faisant afnaf (6) avec
Tony, ça me laissait tout de même cinq cents
raides.

12 — Avec une came aussi toc, tu pourras pas faire la
culbute (7). Y aura pas gras pour tézig !

13 — J' suis flingue, j'ai pas un radis (8) en fouille.

14 — Léon aime pas éclairer ; y fait du millimètre, c'
t'enfifré mondain !... (9)

15 — Un barda (10) le glass, c'est plutôt grisol pour les
boulots,

16 — y s' pointeront (11) pas souvent dans ton rade !

17 — Pépée-de-Madrid, elle doit remonter dans les
soixante, quatre-vingts tickets la noye,

18 — c'est une gagneuse (12) !

NOTES

(1) Linvé (largonji de vingt) ou linv' = vingt sous, c'est-à-
dire un franc ancien ; larantequé (largonji de quarante),
ou laranqué, ou laranquès ou laranque : quarante sous. (Il
existait aussi autrefois leudé, linxé, lidré : deux, cinq, dix
sous.) Tous ces mots ont disparu depuis longtemps par
suite de la dépréciation constante de la monnaie. Il ne
semble pas que le franc nouveau ait été suffisamment
lourd pour les remettre en usage. — (2) Le mot thune,
après avoir représenté une pièce de monnaie quelconque
dont on précisait la valeur, s'est attaché pendant un siècle
à la pièce de cinq francs anciens. Depuis la naissance du
franc lourd, la thune moribonde a repris quelque vigueur
et désigne parfois la pièce de cinq francs nouveaux. — (3)
Une fleur est un cadeau, une faveur, une gratification,
etc. Mais être fleur c'est être fauché comme la fleur, c'est-
à-dire sans argent (on dit aussi être flingué). Arriver
comme une fleur, c'est arriver plein de confiance et
d'espoir, ou en toute innocence, sans se douter de ce qui

vous attend. — (4) Mémère : grand-mère, dans le peuple. Surnom familier, à la fois moqueur et sans méchanceté, appliqué à toute femme qui n'est plus jeune. — (5) Bouffarde : pipe, donc faire une bouffarde est synonyme de faire une pipe, c'est-à-dire se livrer à la fellation (mais beaucoup plus rare). — (6) Afnaf ou afanaf (de l'anglais half and half) : moitié-moitié ; se dit d'un partage en deux parts égales (introduit à Paris par des souteneurs français ayant accompli leur apostolat à Londres). — (7) Faire la culbute : a) vendre le double du prix d'achat. b) être au milieu du temps de sa détention. Culbuter une femme c'est la posséder rapidement, à la hussarde. Un culbutant est un pantalon. — (8) Ne pas avoir un radis : ne pas avoir un sou (radis, pour maravédis ?). — (9) Faire du millimètre : y regarder, en matière d'argent, à un millimètre près, c'est-à-dire être regardant (pop.), avare. Enfifré est un terme de mépris, comme tous ceux qui désignent l'homosexuel passif, et mondain n'arrange pas les choses, au contraire ! — (10) Le barda est le sac du soldat, le fourniment qu'il porte sur son dos. Rien d'étonnant qu'en matière de monnaie barda veuille dire, comme sac, billet de mille francs (anciens). — (11) Se pointer : se diriger vers, se présenter (de pointer terme d'artillerie). — (12) Gagneuse : terme très élogieux pour désigner une hétaïre à qui une activité inlassable et de hautes qualités professionnelles procurent des gains très élevés.

PASSEZ LA MONNAIE !

1 En ce qui concerne l'argent, les choses ont bien changé depuis trente ans ! — 2 Cela cause dans l'argot une grande confusion... — 3 Une pièce de vingt sous (un franc ancien), de quarante sous (deux francs anciens) c'est si peu d'argent que l'on n'en parle même plus ! — 4 Vous ne pensez pas, j'espère, que ma grosse amie pourrait accorder ses faveurs pour une pièce de cinq francs ! — 5 Un louis en nouveaux francs vaut deux billets de mille (anciens francs). — 6 Avec cinquante nouveaux francs on n'en a pas pour bien longtemps à être à nouveau démuni. — 7 Théodule avait dérobé le porte-monnaie d'un ouvrier, — 8 il y avait à peine à l'intérieur une centaine de francs anciens. — 9 Pour un billet de mille francs, Grand-mère (surnom) vous fait une caresse buccale au

coin d'une porte, elle n'est pas femme à faire des manières. — 10 Maurice s'est fait escroquer de trois millions par Lucien-le-Sétois. — 11 Un million de bénéfice, en partageant par moitié avec Antoine, me laissait encore cinq cents billets de mille francs. — 12 Vous ne pourrez pas revendre une marchandise d'aussi piètre qualité le double de ce qu'elle vous a coûté. Vous ne ferez pas un gros bénéfice. — 13 Je suis à bout de ressources, je n'ai pas un sou vaillant en poche. — 14 Léon n'aime pas payer, il est très regardant, ce méprisable personnage! — 15 Un billet de mille francs (anciens) le verre, c'est bien cher pour les travailleurs honnêtes, — 16 ils se rendront rarement dans votre établissement! — 17 Pépita-la-Madrilène doit rapporter environ soixante ou quatre-vingts billets de mille francs chaque nuit ; — 18 c'est une travailleuse à haut rendement!

***

Tout bien considéré, c'est sur cette leçon que nous arrêterons notre promenade à travers cinq siècles bien tassés d'argot. Ce n'est pas qu'il n'y ait plus rien à relever et à citer de 1970 à 1985. Mais il semble bien que le vieux ressort soit cassé et que le nouveau ne soit pas encore en place.

L'argot de *La Méthode à Mimile* est, à quelques détails près, celui d'Albert Simonin, d'Alphonse Boudard, d'Auguste Le Breton, de Georges Arnaud (*Schtilibem,* Éd. Julliard, 1973) ou de Clément Lépidis (*La Main rouge,* Le Seuil, 1978) ; et celui de bien d'autres qui me pardonneront d'inévitables oublis.

C'est aussi un argot encore bien proche de celui de Bruant. Nos hommes sont d'une génération qui a fait ses classes argotiques à la communale de Belleville, de Saint-Ouen, de La Chapelle ou de la Butte-aux-Cailles dans les années 1930. Malfrats ou simplement bons voyous, ils ont vécu dans un « milieu » populaire (et plus, si l'on veut) qui était presque celui qu'avait connu Carco ou Galtier-Boissière.

Ces temps sont révolus. Ni Paris, ni les écoles communales, ni la délinquance, ni même les prisons ne sont plus ce qu'elles étaient. Quant aux « trottoirs », infatigables producteurs et diffuseurs d'argot, il suffit à nos lecteurs plus tout jeunes d'errer un peu dans les rues chaudes de la capitale pour constater qu'ils n'existent pratiquement plus. Et ni les « clandés », ni les call-girls, ni les « réseaux de rencontre », ni les travelos du Bois de Boulogne, ne les remplaceront jamais, à cet égard comme à d'autres.

Attendons. De temps en temps une chanson, un livre, font pressentir un réveil qui marierait la forte poésie de l'argot classique au génie un peu tordu de la nouvelle génération. Nous en reparlerons dans dix ans.

INDEX

TABLE DES ILLUSTRATIONS

TABLE

TABLE 447

CEUX D'AUJOURD'HUI (après 1946)

L'impression de ce livre
a été réalisée sur les presses
des Imprimeries Aubin *
à Poitiers/Ligugé

pour les Éditions Mazarine

Achevé d'imprimer le 21 octobre 1985
N° d'édition, 236 — N° d'impression, L 20662
Dépôt légal, novembre 1985
43.06-0228-01
ISBN 2-86374-211-6

Imprimé en France

43-0228-7